JN203133

新訂版 写真でわかる

実習で使える看護技術

アドバンス

学生・指導者が、一体となってケアを展開するために！

Advance

編著

吉田みつ子
日本赤十字看護大学 基礎看護学・がん看護学 教授

本庄 恵子
日本赤十字看護大学 成人看護学 教授

インターメディカ

本書をご活用いただくために！

実習は“学びの宝庫”。学びのプロセスを支援するため、学生・指導者が共に学びあうテキストが必要

学生が学内とは異なる臨床という場で、受け持ち患者の特性を踏まえながら、どのように看護技術を提供したらよいかを考え、実施し、それを振り返り、次の援助につなげていくにはどうしたらいいのか。本書は、学生、指導者・教員が一体となって活用できる看護技術のテキストがつくれないだろうか、という思いから取り組み始めたものである。

学生にとって臨床での実習は学びの宝庫である。テキストをなぞっても理解できない事柄が、実際の場面を見たり、患者に触れ、体験することによってリアリティを伴って学生の感覚に入り込んでいく。

それゆえ、指導者・教員にとっては、一瞬一瞬目の前で展開していく出来事を、個々の観察事象からどのようにアセスメント・判断し、行為につなげていくか、そのプロセスを着実に支援していくことが重要である。

そのプロセスには、学生・患者・指導者・スタッフとの関係性、学生の学習レディネス、物理的環境など臨床という場のさまざまな事柄が関与しており、一筋縄ではいかないのが実習なのである。

いうまでもなく、臨床現場では医療の高度化、患者の重症化、在院日数の短縮化により、看護の基礎教育を展開するにはあまりにも多様化、複雑化しており、学生が現場の中で患者を受け持つことは容易ではなくなっていることも事実である。

だからこそ、学生、指導者・教員が一体となって患者の安全・安楽を第一にケアを展開し、共に学ぶために使用できるテキストが必要なのである。

学生、指導者・教員が一体となって活用できる看護技術のテキストを実現するため、
本書は、以下の点を大切にしている。

本書が大切にしたいと考えるポイント

1. 学内で学習した基本的な援助のポイントを理解しつつ、受け持ち患者の状況、特徴に合わせてアセスメントを深め、援助方法をアレンジできる。
2. 学生の学習進度に合わせて指導者・教員の手助け、確認の必要な事項がわかる。
3. 学生が実習でよく遭遇する出来事への対処方法がわかる。

これらを達成するため、各章に盛り込んだこと

到達目標	技術ごとの達成目標。
学習のねらい	学習する内容・課題。
覚えておきたい基礎知識	実習で看護技術を実施する前に、最低限確認しておきたい基礎的な知識・情報。
援助する前に確認しよう！	受け持ち患者の状況、学生自身の状況、周囲の環境をあらかじめ確認し、状況に合わせて援助方法をアレンジできるように確認する項目。
援助後に振り返ってみよう！	援助を実施した後、援助の効果や患者への影響を確認するポイント、物品の後片付けのポイント。
覚えておくと、役立ちます！	実習の中で活用できる援助のポイントやコツなど。
こんな時どうする？	学生が実習で遭遇する出来事の中で、判断に困った事例や、学生からの質問の多い出来事、ヒヤリ・ハット事例への対処のポイント。

看護技術の到達度についての考え方

本テキストは文部科学省による「看護実践能力育成の充実に向けた大学卒業時の到達目標」の報告書や、厚生労働省における「看護基礎教育における技術教育のあり方に関する検討会」の報告書に準じて、内容を参考に構成している。ただし、到達度についての考え方は下記の点を踏まえ、構成している。

- 看護技術の到達度は、項目ごとに一律に決められるものではない。
- 受け持ち患者の疾患や活動レベル、医療器具の装着状況、ベッド周りの環境、使用できる物品・道具、学生の学習状況、学生と患者との関係性、指導体制など、さまざまな状況によって、学生が実施できる看護技術は変化する。

本書をご活用いただくために！

本書は「写真でわかるシリーズ」から生まれ、さらに、実習のための項目を追加。安全なケア技術の展開をサポート

本書は実習に必要な看護技術を収めたもので、これまでに刊行された「写真でわかるシリーズ」(インターメディカ刊)の一部を使用させていただくことにより、非常に充実した内容・ページ構成となっている。

実習時に「その場で看護技術のポイントを復習できるテキストがほしい」という学生のニーズにこたえるため、「写真でわかるシリーズ」の中から、特に押さえておきたいポイントを厳選し、編集するとともに、これまでの「写真でわかるシリーズ」にはない、実習でよく使う技術項目を追加している。各技術項目のポイントをコンパクトにまとめているため、実習中に予定していなかった検査・処置・ケアが急に入った時にも、このテキストを開けばポイントがすぐにわかり、安全なケア技術を展開することが可能である。そして、より深く学びたいという学生は、実習後に「写真でわかるシリーズ」の関連ページで学習を深めることができる。

実習で取り組むことの多い技術については、写真と連動したWeb動画で実践的に学ぶことができる。より身近な参考書として、実習で本書を活用していただきたい。

●

快く本書への転載をご許可くださった「写真でわかるシリーズ」各編著者の皆様に、心より感謝いたします。

また、企画・撮影・編集にあたって、チームワークよく総力を挙げてサポートしてくださるインターメディカの皆様のお力、日本赤十字社医療センター看護部、日本赤十字看護大学の協力のおかげで本書が刊行できることをありがたく思います。

令和2年1月

吉田みつ子・本庄恵子

「写真でわかるシリーズ」で、より深い学びを！

本書は、「写真でわかるシリーズ」から、実習に必要なポイントを厳選し、再編集する中から生まれました。
母体となったシリーズ各巻では、さらに豊富な写真と解説により、
看護技術の手順・ポイント・根拠を詳細に学ぶことができます。
引き続き、「写真でわかるシリーズ」で学びを深めることをお勧めします。

「写真でわかるシリーズ」各巻

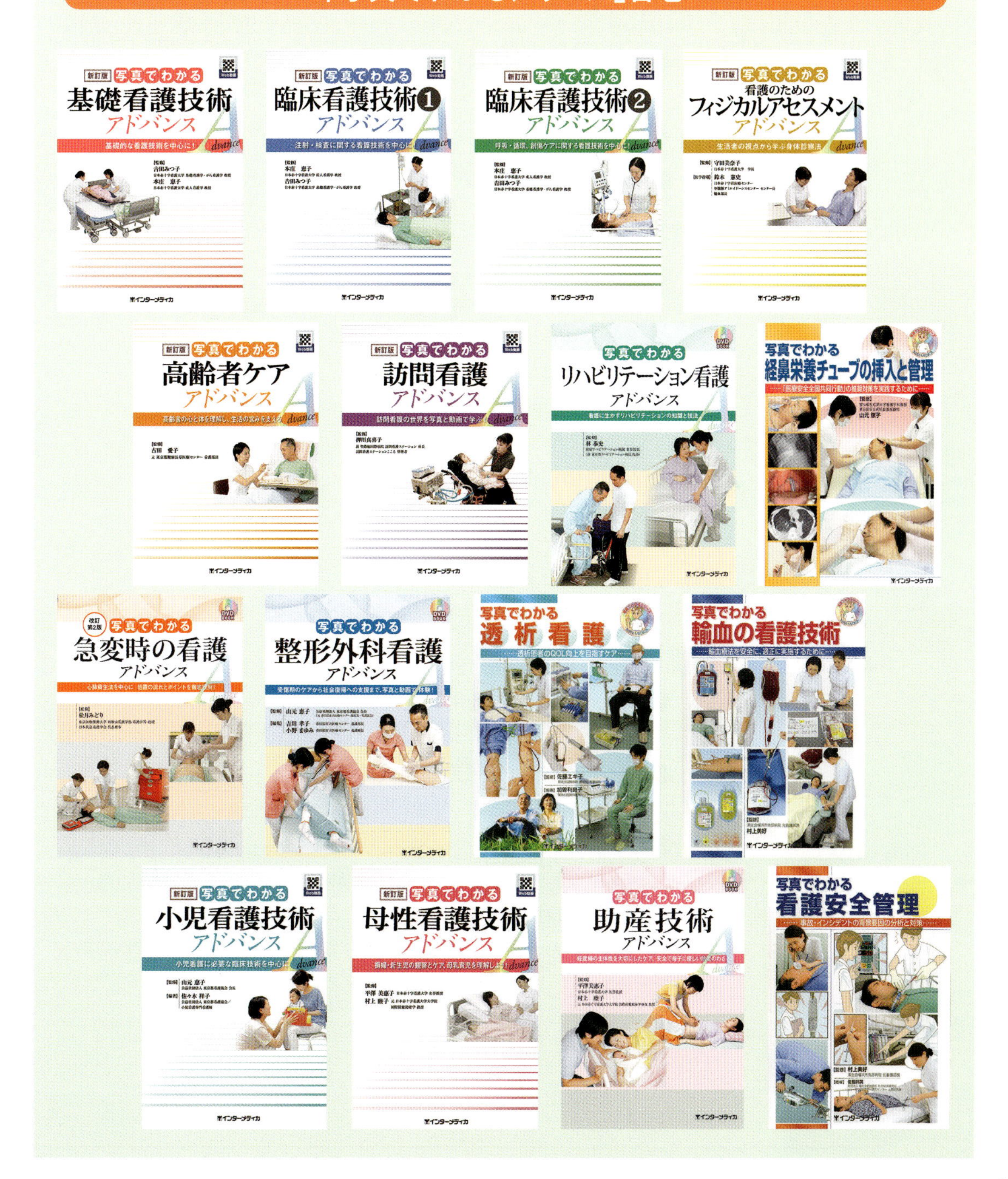

CONTENTS

CONTENTS

CONTENTS

EDITORS/AUTHORS

【編纂】

吉田みつ子 日本赤十字看護大学 基礎看護学・がん看護学 教授
本庄　恵子 日本赤十字看護大学 成人看護学 教授

【執筆】

吉田みつ子 日本赤十字看護大学 基礎看護学・がん看護学 教授
本庄　恵子 日本赤十字看護大学 成人看護学 教授
樋口　佳栄 日本赤十字看護大学 基礎看護学 講師
仁昌寺貴子 日本赤十字看護大学 成人看護学 講師

【撮影協力】

日本赤十字看護大学
日本赤十字社医療センター看護部

本書のWeb動画の特徴と視聴方法

「写真でわかる アドバンス」シリーズの動画がWeb配信でより使いやすく、学びやすくなりました！

Web動画の特徴

- テキストのQRコードをスマートフォンやタブレット端末で読み込めば、リアルで鮮明な動画がいつでも、どこでも視聴できます。
- テキストの解説・写真・Web動画が連動することで、「読んで」「見て」「聴いて」、徹底理解！
- Web動画で、看護技術の流れやポイントが実践的に理解でき、臨床現場のイメージ化が図れます。
- 臨床の合間、通勤・通学時間、臨地実習の前後などでも活用いただけます。

本書のQRコードがついている箇所の動画をご覧いただけます。

本文中のQRコードを読み取りWeb動画を再生。テキストと連動し、より実践的な学習をサポートします！

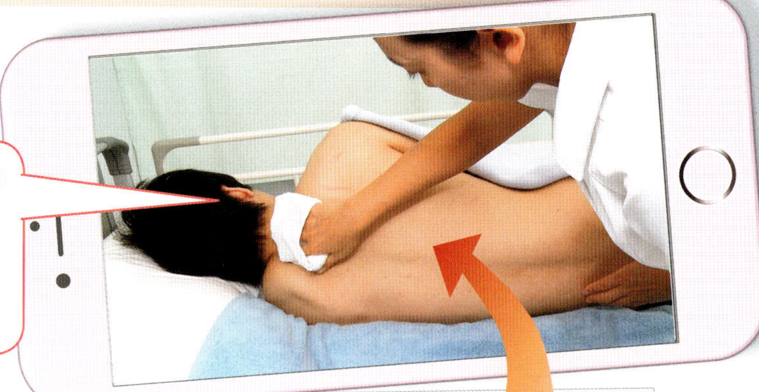

4 腰背部・殿部・下肢の清拭 5-3

❶ 背中は面積が広く、温度感覚が鈍いため、熱めの湯を使用する。絞ったタオルを2枚重ね、バスタオルで覆って蒸らしてから拭く。脊柱に沿って直線に拭き、左右は円を描いて拭く。

❷ 膝を曲げ、膝頭のしわを伸ばして拭く。膝関節の裏側、足指の間も忘れずに拭く。

足指の間も拭き、水分を残さない

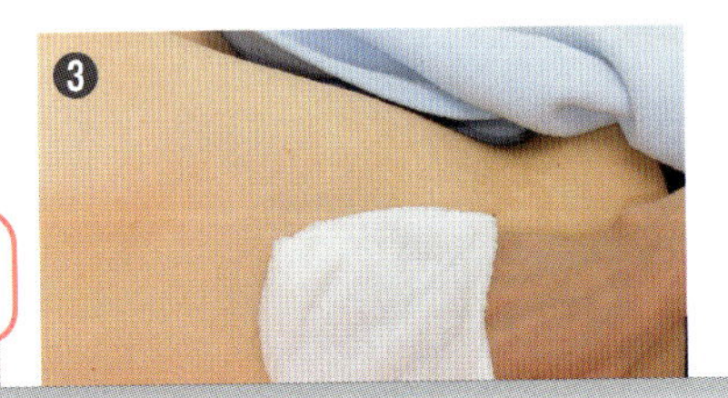

CHAPTER 5 清拭

Web動画の視聴方法

本書中のQRコードから、Web動画を読み込むことができます。
以下の手順でご視聴ください。

①スマートフォンやタブレット端末で、QRコード読み取り機能があるアプリを起動します。
②本書中のQRコードを読み取ります。
③動画再生画面が表示され、自動的に動画が再生されます。

URLからパソコン等で視聴する場合

QRコードのついた動画は、すべてインターメディカの特設ページからもご視聴いただけます。以下の手順でご視聴ください。

①以下URLから特設ページにアクセスし、下記のパスワードを入力してログインします。

http://www.intermedica.co.jp/video/8119
パスワード：ahc24z

※第三者へのパスワードの提供・開示は固く禁じます。

②動画一覧ページに移動後、サムネールの中から見たい動画をクリックして再生します。

閲覧環境

- iOS搭載のiPhone／iPadなど
- Android OS搭載のスマートフォン／タブレット端末
- パソコン（WindowsまたはMacintoshのいずれか）

・スマートフォン、タブレット端末のご利用に際しては、Wi-Fi環境などの高速で安定した通信環境をお勧めします。
・インターネット通信料はお客様のご負担となります。
動画のご利用状況により、パケット通信料が高額になる場合があります。パケット通信料につきましては、弊社では責任を負いかねますので、予めご了承ください。
・動画配信システムのメンテナンス等により、まれに正常にご視聴いただけない場合があります。その場合は、時間を変えてお試しください。また、インターネット通信が安定しない環境でも、動画が停止したり、乱れたりする場合がありますので、その場合は場所を変えてお試しください。
・動画視聴期限は、最終版の発行日から５年間を予定しています。なお、予期しない事情等により、視聴期間内でも配信を停止する場合がありますが、ご了承ください。

CHAPTER 1
環境調整

到達目標 患者を取り巻く療養環境（寝具を含む）をアセスメントし、患者の状態に合わせQOLの向上につながるような環境調整の援助ができる。

CONTENTS

①病床環境づくり

学習のポイント
- 患者にとっての快適な病床環境の調整
- 医療事故防止の観点からの病床環境の観察

②ベッドメーキング

学習のポイント
- 患者が臥床していない状況でのベッドメーキング

③臥床患者のリネン交換

学習のポイント
- 患者が臥床している状況でのリネン交換

CHECKING & ASSESSMENT

呼吸困難感

食べこぼし・脱毛・皮膚落屑

基礎疾患、安静の必要性

意識レベル・認知力

創部・ドレーン挿入・皮膚疾患

歩行、座位姿勢の保持、窓の開閉動作などの運動機能

同室者との関係

ポータブルトイレ・おむつの使用

発汗・排泄物などの状況

免疫機能、感染のリスク

睡眠状況

患者の状況

援助の必要性・方法をアセスメント

学生の状況

基礎知識

- □ 感染物の取り扱い
- □ ボディメカニクス
- □ ベッド・マットレスの特徴
- □ 疾患・褥瘡
- □ 医療器具の取り扱い

これまでの実施経験・練習

- □ 病室の掃除・整備、ベッド操作、リネン交換の実施経験
- □ 受け持ち患者のベッド周りの物品配置、医療器具
- □ 病室整備操作・道具などの使用経験

患者へのケア場面

- □ 緊張・遠慮・焦り・リラックス・恥ずかしさなど

看護師・教員・病棟人員の状況、指導体制

- □ ベッドメーキング・清掃の指導場面に立ち会う指導者
- □ どこまで指導者に手伝ってもらえるか

実習方法を決定

- □ 学生が単独で実施
- □ 看護師・教員の指導の下で実施
- □ 見学を通して学習

CHAPTER 1

1 病床環境づくり

学習のねらい

療養・生活の場としてのベッド周りの環境を整えることは、さまざまな危険から患者を守り、患者が持つ回復力を高める基本となる援助である。本項では、病床環境のアセスメントと訪室時に行う環境調整について学習する。

覚えておきたい基礎知識

人は置かれた環境により健康状態が向上したり、悪化したりする。とりわけ自分で動くことのできない患者にとって、ベッド周りの環境は療養生活に大きな影響をもたらす。
病人を取り巻く環境には、大きく分けて部屋の広さ、気温、湿度、陽光、音、寝具、医療機器などの物理的環境、同室者との関係性やプライバシーなどの人的環境がある。
実際にはこれらが絡み合い、患者の日常生活行動や療養生活を妨げることになる。フローレンス・ナイチンゲールは、新鮮な空気、陽光、暖かさ、清潔さ、静かさ、食事を適切に選び管理することなどのすべてを、患者の生命力の消耗を最小にするように整えることが看護であると述べている。
患者を最良の状態に置くためには、周囲の環境を整えることが重要であり、そのために何ができるのかを考え、実践する。

病床環境のアセスメント

病床環境

《物理的環境》
- 部屋の広さ・気温・湿度
- 陽光・音・寝具・医療機器など
- 臭気・気流・床・壁の色

《人的環境》
- 同室者との関係、プライバシー

食べることへの影響
- 臭い（排泄物・食物など）
- 陽光の差さないベッドの位置
- 医療器具や汚物
- 医療者の汚れたユニホーム

動くことへの影響
- 手すりのない廊下、ベッド柵
- 濡れた床
- 手の届くところにないナースコールや私物

清潔・身支度を整えることへの影響
- 多床室、同室者への気兼ね、恥辱感

排泄することへの影響
- 多床室、同室者への気兼ね（臭い・音など）

体温を調節することへの影響
- 病室内の気温
- 寝具の種類・枚数

感染・事故への影響
- 微生物の繁殖を招く温度・湿度
- 馴染みのない場所・器具による事故

眠ることへの影響
- 同室者（いびき・テレビ・治療・ケア・臭いなど）
- 夜間巡回時の足音・ライト
- 自宅とは異なる寝具

訪室時に行う環境調整

病室内の温度・湿度・臭気・明るさ・音

- 室温は患者の好みにより異なるため、可能な限りそのつど調整する。一般的には20～22度、湿度60％程度が目安である。患者の体感温度、快適かどうかを確認する。
- 臭いがこもっている時には窓を開け、通気をよくして、換気する。
- 直射日光が当たるか、日中まったく光が差さないかなど、患者の好みを聞きながらカーテンやブラインドなどで調整する。特に自分で動けない患者の場合には、細やかに対応する。
- 廊下側のベッドや、ナースステーションに近い病室では、医療従事者や面会の家族などの話し声、ワゴンなど運搬時の音、足音、医療器具から発生する電子音などがよく聞こえる。ドアを閉め、プライバシーへの配慮を行うなどして対応する。

ベッド、シーツ

- シーツの敷き込みが崩れたり、しわになっていると、見た目の美しさが損なわれるだけでなく、転倒・転落や褥瘡の原因になる。常にしわを伸ばし整える。

医療機器

- 点滴スタンドの位置は患者の活動の妨げになっていないか、輸液・酸素などのチューブ類が絡まり合っていないか、屈曲したり、引っ張られていないか確認する。
- 使用していない医療器具、使用済みの注射器、アルコール綿などがベッドサイドに置きっ放しになっていないかチェックする。

ナースコール、オーバーテーブル

- ナースコールが常に患者の視野に入り、手に届く場所にあるかどうか、ティッシュペーパーや生活に必要な物品が手の届く範囲にあるかどうかを確認し、整える。

尿便器、紙おむつ

- 尿がたまったままの尿便器やポータブルトイレがベッド周りにないか、紙おむつが枕元に置かれていないかをチェックする。

CHAPTER 1

2 ベッドメーキング

学習のねらい

近年では、看護職以外がベッドメーキングを担う施設もあるが、ベッドをつくることは、患者に安全・安楽、プライバシー、休息、回復をもたらすために重要であり、本項ではベッドメーキングの基本的な方法と手順を学ぶ。

覚えておきたい基礎知識

ベッド周りには、備え付けの備品に加え、医療器具や患者の私物など、さまざまな物品がある。患者のセルフケアのレベルや生活習慣に合わせ、物品の配置・整理が行われているかどうか、ベッドメーキングの前後に確認する。

援助する前に確認しよう！

患者の状況

- □ 自力でベッドから動ける？寝たきり？
- □ 食べこぼし・出血・嘔吐・排泄物などで、リネンが汚れやすい部位はどこ？ 防水シーツは必要？
- □ 脱毛、皮膚の落屑は多い？

周囲の状況

- □ ベッド周りに壊れやすい物、医療器具などはない？
- □ オーバーテーブルや床頭台の上は片付いている？
- □ 作業スペースは十分にある？
- □ 手伝ってくれる人はいる？

あなた自身

- □ ユニホームや手はきれい？
- □ ベッドの操作、ベッド柵の取り扱い方、コールマットの操作を知っている？

必要物品を準備しよう！

上シーツ・毛布・スプレッドの場合

❶ 下シーツ
❷ 上シーツ
❸ 毛布
❹ マットレスパッド
❺ 枕カバー
❻ 防水（ラバー）シーツ（必要時*）
*蒸れやしわができやすいため、できるだけ使用しない
❼ 掃除用粘着テープ
❽ ランドリーバッグ

＊ワゴン上のシーツ類は、使用する順に積み上げておくとよい。

毛布・包布の場合

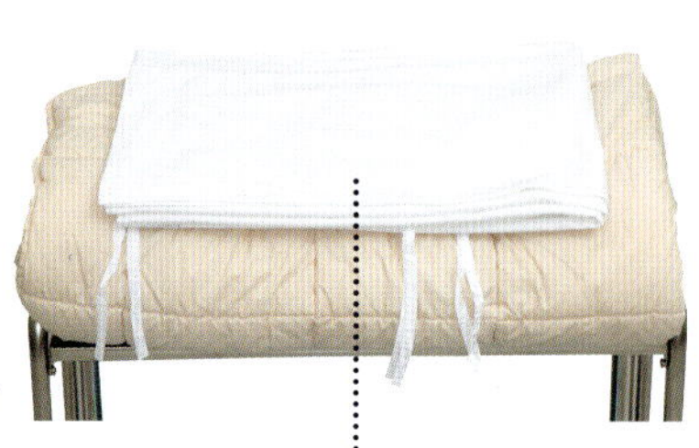

最近は毛布に包布をかけて用いる施設も多い

PROCESS 1 汚れたリネンを外す

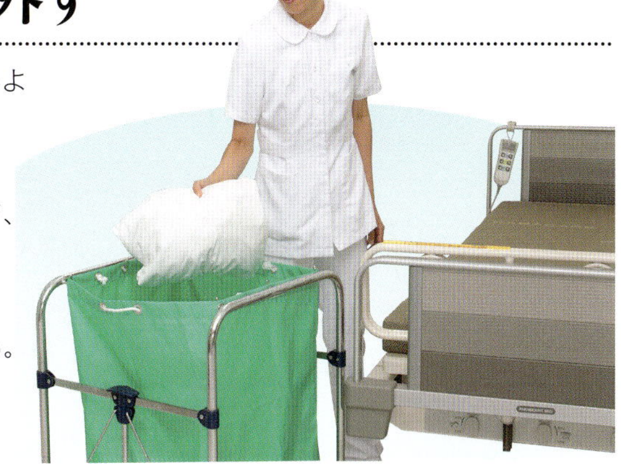

❶ まず、窓を開けて換気。ベッドの高さを作業しやすいよう調節する。

❷ 皮膚の落屑･毛髪、汚れなどを内側に丸めながら、シーツ、マットレスパッドをはがす。

❸ 汚れたリネンは床に置かず、ランドリーバッグに入れる。

❹ 血液などの体液で汚染されたリネンは、別に処理する。

PROCESS 2 マットレスパッド、下シーツを敷く

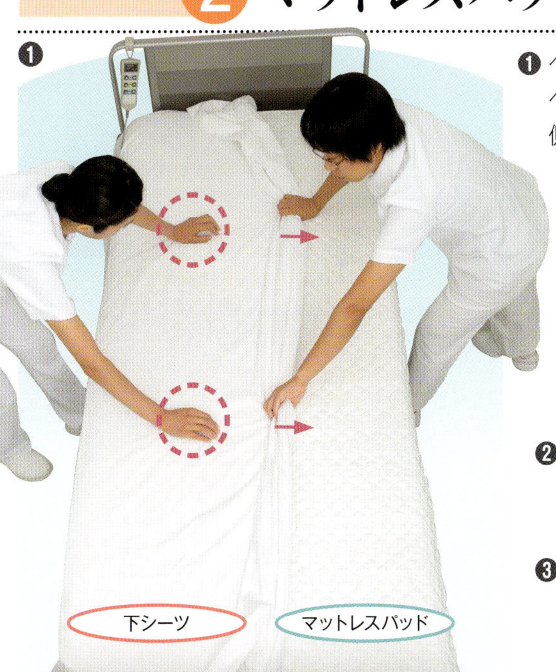

❶ ベッド上にマットレスパッドを広げる。ベッドの片側に下シーツを広げ、反対側へとしわを伸ばしながら広げる。

❷ ベッド頭側のマットレスの下に下シーツを入れ込み、角(かど)を持ち上げて、三角形をつくる。

❸ 持ち上げた下シーツをベッド上に置き、ベッド側面で水平に下シーツを引く。ベッド頭側の角(かど)に手を置いて押さえながら、三角形の部分を折り返す。

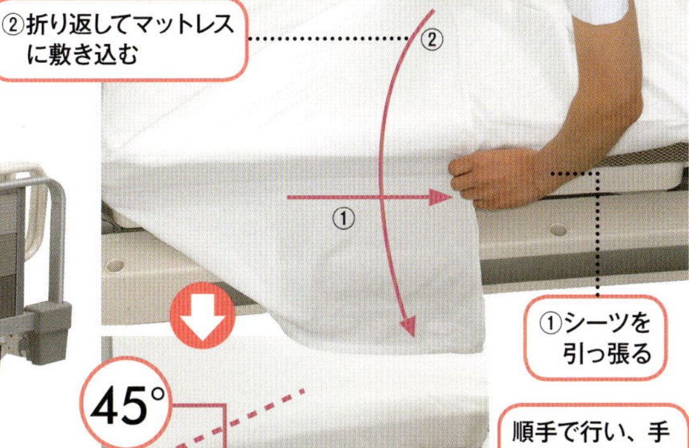

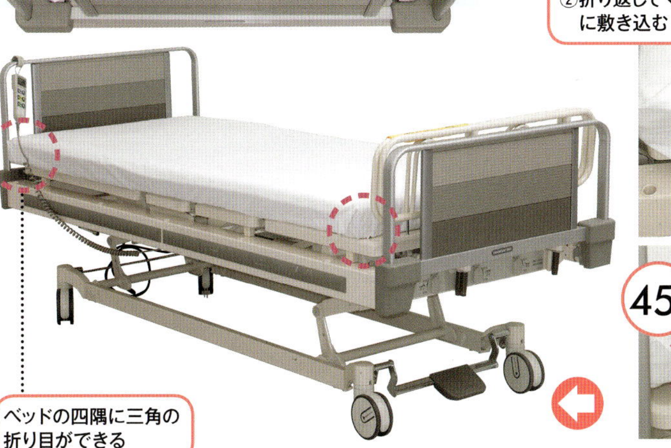

PROCESS 3 上シーツをかける

❶ 上シーツをベッド頭側に合わせて、片側を広げる。この際、患者の肌に触れる側にシーツの表がくるように置く。

❷ もう片側へ上シーツを広げ、足元に15cm程度のタック（ひだ）をとり、足元にゆとりをつくる。

❸ 足元のタックがずれないように持ち、ベッドの角（かど）を折り込む。この際、片手を上シーツとベッドの間に入れ、角（かど）が四角になるようシーツを整え、マットレスに敷き込む。

❹ 上シーツは足側のみ敷き込み、頭側は側面に垂らす。

PROCESS 4 毛布をかける

❶ ベッド頭側を15～20cmあけ、毛布を足側へと広げる。

❷ 毛布は上シーツと同様に、足側に15cm程度のタックをとり、足側2か所を四角に入れ込む。頭側は側面に垂らす。

PROCESS 5 スプレッドをかける

❶ スプレッドはベッド頭側に合わせて置く。ベッドの片側に広げ、もう片側へとしわを伸ばしながら広げる。

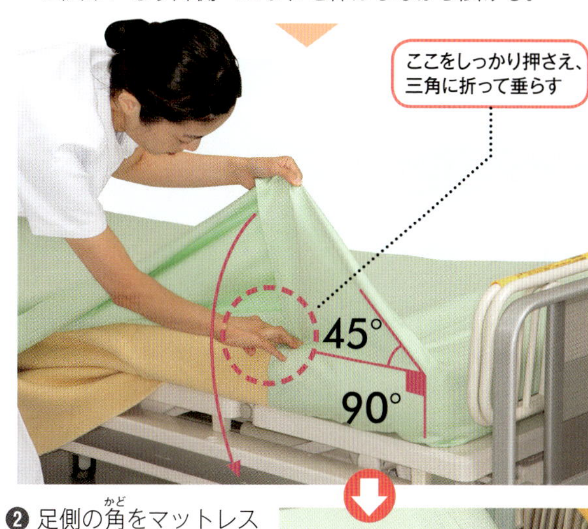

❷ 足側の角(かど)をマットレスに敷き込み、三角に折って両側面に垂らす。

❸ 襟元はまず、スプレッドを毛布に折り込み（②）、上シーツをスプレッドの上に折り返す（③）。

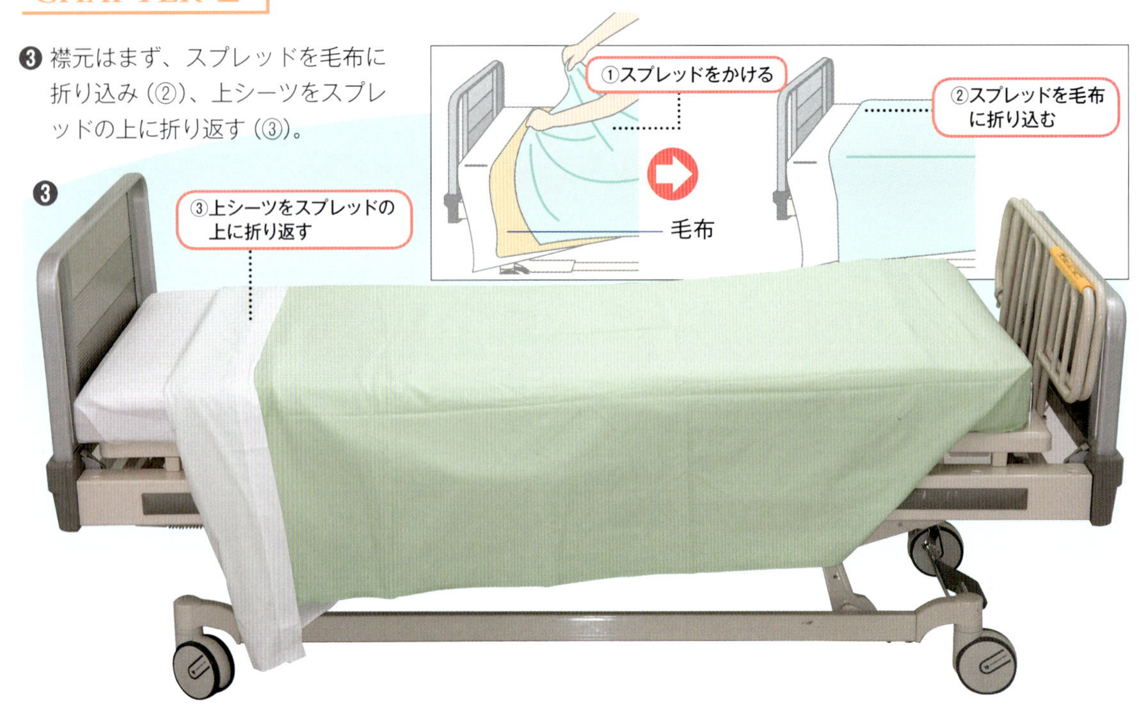

PROCESS 6 枕カバーをかける

2人で行う

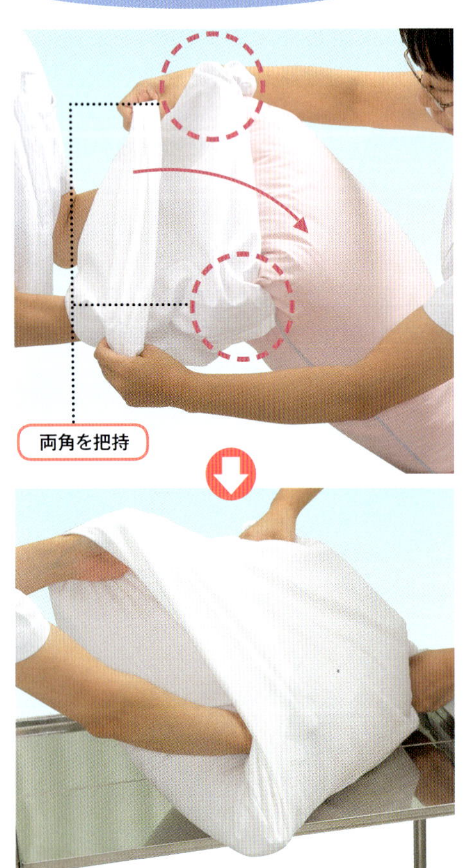

❶ 1人が枕カバーの上から、枕の両角を把持し、もう1人がカバーを引き下ろす。

❷ 枕カバーの端を内部に入れ込み、形を整える。

1人で行う

❶ 1人で行う場合は、清潔なカバーが自分の白衣に触れないよう注意する。枕とカバーの角（かど）を合わせることがポイント。

❷ 枕カバーの端を内部に入れ込み、形を整える。

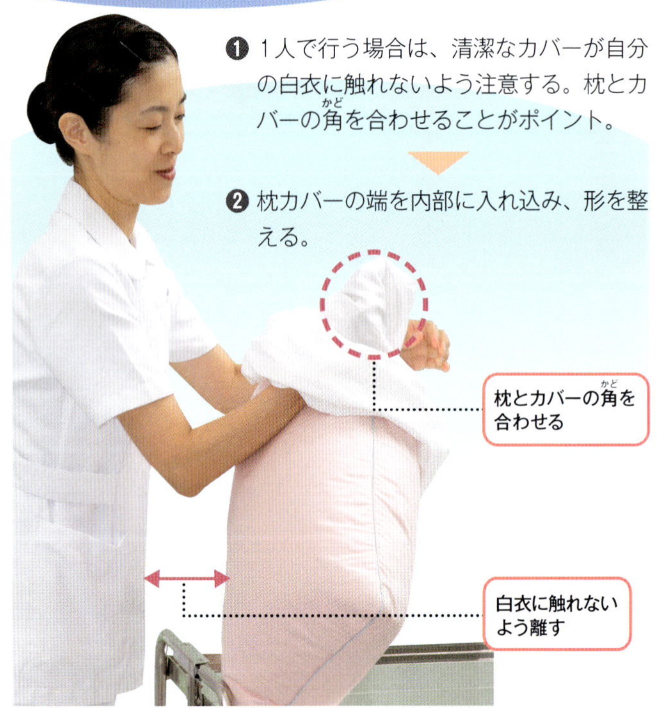

覚えておくと、役立ちます！

包布を用いる場合

上シーツ、毛布、スプレッドではなく、毛布に包布をかけて用いる場合も多い。
包布をかける際は、まず、2か所の角（かど）を合わせて広げる。次に、残りの両角を合わせて包布を整え、ひもを結ぶ（縦結びにならないようにする）。

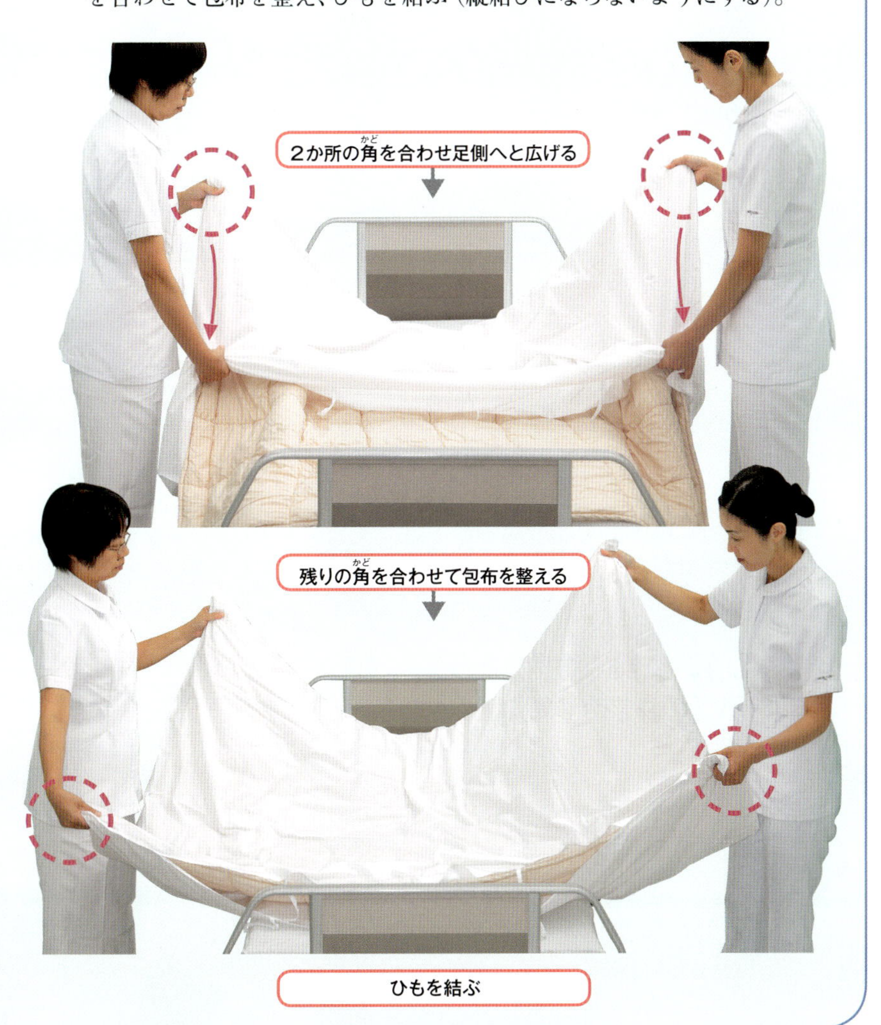

ひもを結ぶ

援助後に振り返ってみよう！

周囲の状況

- □ ベッドの高さ、ベッド柵、ナースコール、コールマット、医療器具、ごみ箱など、患者が使いやすいように元通りにした？
- □ ベッドのストッパーはかけた？
- □ 患者の私物で破損したり、紛失したものはない？

後片付け

- □ オーバーテーブル、床頭台、ベッド柵などの汚れを拭く
- □ 使い終わった氷枕や不要な医療器具を片付ける
- □ 汚れたリネンを取りまとめ、洗濯に出す

こんな時どうする？

CASE 1 リネン交換に行ったら、食事中だった!

リネン交換に訪室した際、患者が食事中なら、リネン交換はほこりが発生するため、食事の終了を待つ。
多床室の場合、食事の他、同室患者がベッド上で検査や処置を受けている場合もあるため、確認が必要である。

CASE 2 ベッドをギャッチアップしたら、カップが落ちて割れてしまった!

オーバーテーブルや床頭台、ベッド上などに置かれている物品は不安定である。
ギャッチアップを行う際は、オーバーテーブルをあらかじめベッドから離し、カップ類はテーブルの中央に置く。
義歯・眼鏡なども落下の可能性があり、破損すると弁償することになる。患者の思い出の品や失うと生活に支障のある物品は、金銭で代替することができないため、注意が必要である。
ベッドをギャッチアップした際、くくりつけられていたナースコールのコードが切れてしまったという事例がある。
また、枕元のティッシュペーパーの塊を捨てたところ、中に義歯が包まれていたという事例もある。
ベッド周りにある患者の私物を安易に捨てるのは禁物であるとともに、ベッドを動かす前には、周囲を十分に確認することが大切である。

CASE 3 リネン交換に訪室したら、患者の体調がよくない!

「今日の患者さんは、少し辛そう」と感じたら、廊下やラウンジまで歩行可能か、椅子に座って待てる状況かをアセスメントし、患者と相談する。
素早くリネン交換を行ったとしても、5～6分はかかる。体調のよい時や検査などでベッドを離れる時にリネン交換を行うなどの工夫をする。

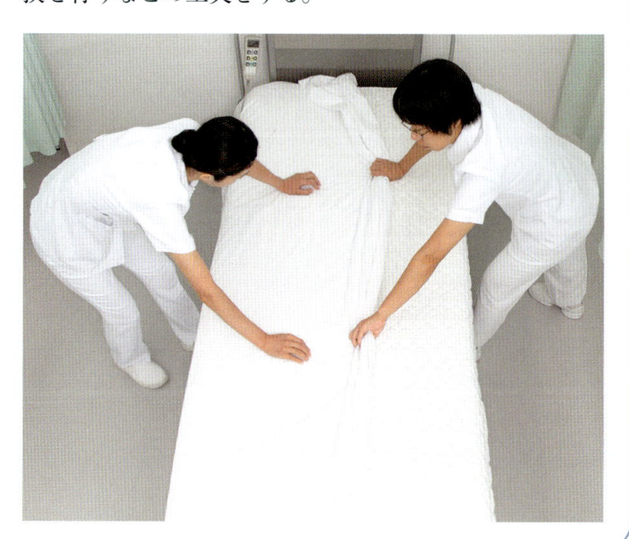

CHAPTER 1

3 臥床患者のリネン交換

学習のねらい

臥床状態が長い患者のベッドは汚れやすく、清潔で寝心地のよいベッドをつくることは、患者の療養生活を整えるうえで重要である。リネン交換は、基本的に患者が検査などでベッドから離れている時に行う。しかし、ベッドから離れることができない場合、患者が臥床している状態でリネン交換することがある。
本項では、患者が臥床している状態でのリネン交換の方法と援助を学ぶ。

援助する前に確認しよう！

患者の状況

- □ 側臥位になれる?
- □ 体位変換を行う時、状態は安定している? 疼痛など苦痛が生じる可能性は?
- □ 輸液・酸素・ドレーン・人工呼吸器など、医療器具が装着されている?
- □ ちり・ほこりによる感染の危険性は?
- □ 脱毛、皮膚の落屑は多い?
- □ ベッド柵は必要?
- □ おむつや寝衣の交換も必要?

周囲の状況

- □ ベッド周りに壊れやすい物、医療器具などはない?
- □ オーバーテーブルや床頭台の上は片付いている?
- □ 作業スペースは十分にある?
- □ 手伝ってくれる人はいる?

あなた自身

- □ 臥床患者のリネン交換は初めて?
- □ 患者の安楽な体位・姿勢を理解している?

必要物品を準備しよう！

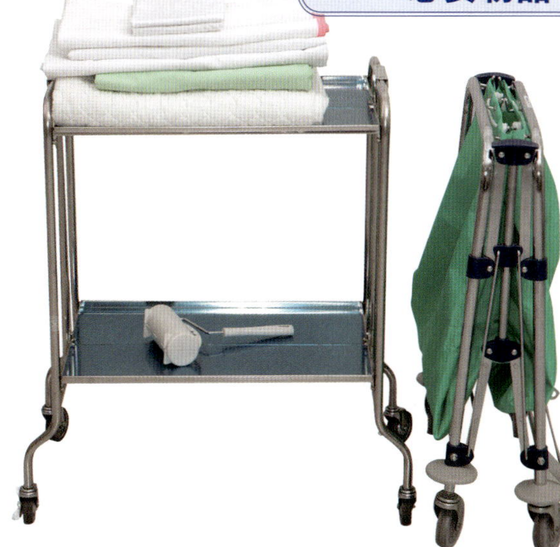

❶ 下シーツ
❷ 上シーツ
❸ 毛布（必要時）
❹ マットレスパッド（必要時）
❺ 枕カバー
❻ 防水（ラバー）シーツ（必要時）
❼ 掃除用粘着テープ
❽ ランドリーバッグ

最近は、毛布に包布をかけて使用する施設も多い

PROCESS 1 使用中の下シーツを外す

1-1

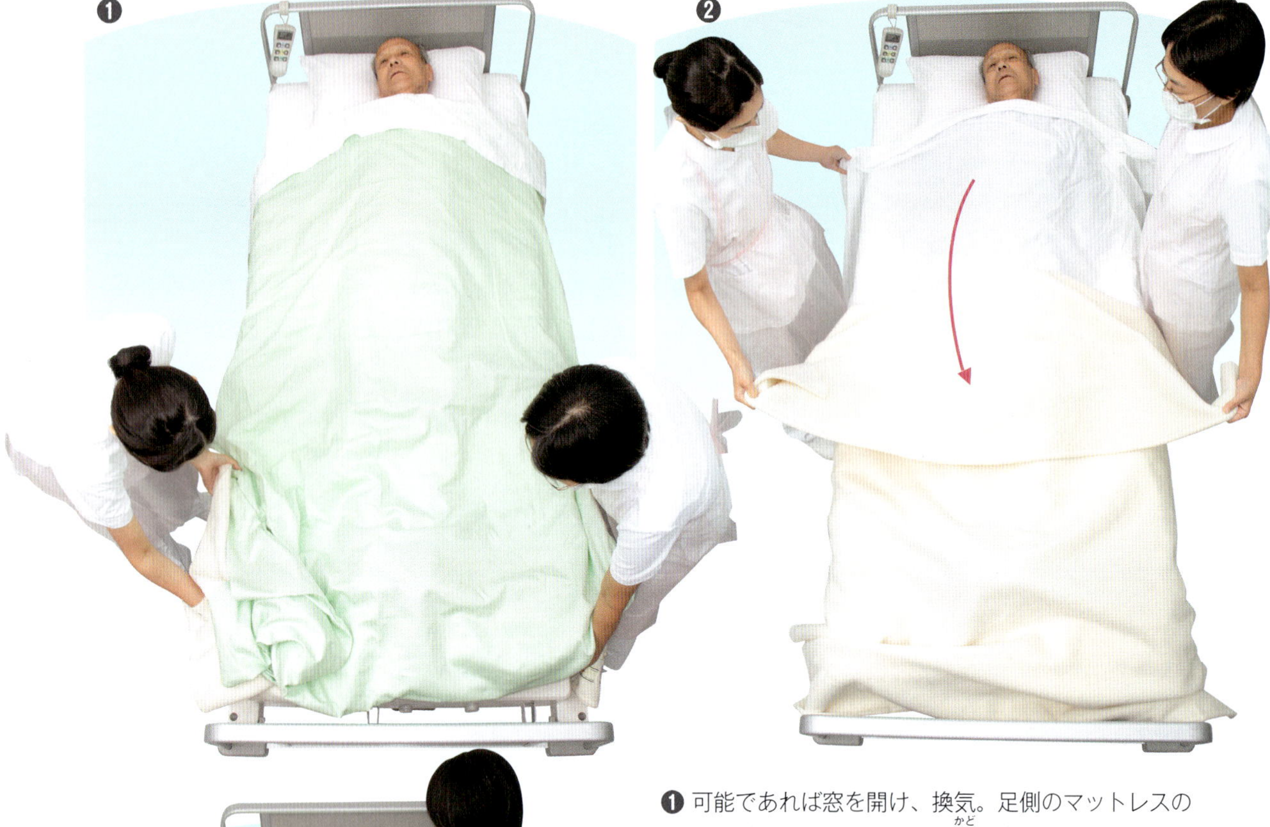

❶ 可能であれば窓を開け、換気。足側のマットレスの下に手を入れ、下シーツの角を崩し、そのまま頭側に手を動かして、四隅の敷き込みを外す。

❷ スプレッド、毛布を外し、上シーツのみを残す。

❸ 患者に側臥位になってもらう。不必要な露出を避けるため、患者には古いシーツをかけながら行う。
皮膚の落屑・毛髪、汚れなどを内側に丸めながら、使用中の下シーツをベッド中央まで外す。

POINT

感染予防の対策

- 便・尿・血液など、体液の付着したリネンを取り扱う時は、手袋やプラスチックエプロンを装着する。
- 患者に必要時、ほこりを吸入しないよう、マスクを装着してもらう。看護師もマスクを装着する場合がある。

医療器具への注意

- 輸液ライン、尿道留置カテーテル、酸素チューブなどが引っ張られて抜けないよう体位変換に合わせ、十分にゆとりを持たせて行う。

PROCESS 2 新しい下シーツを敷く

1-2

❶ 新しい下シーツをベッドの半分まで広げ、半分は扇子折にしておく。防水シーツ使用時は、シーツと同様に広げ、半分は扇子折にしておく。

❷ ベッドの角（かど）で三角をつくり、新しい下シーツを頭側・足側に敷き込む（p19参照）。

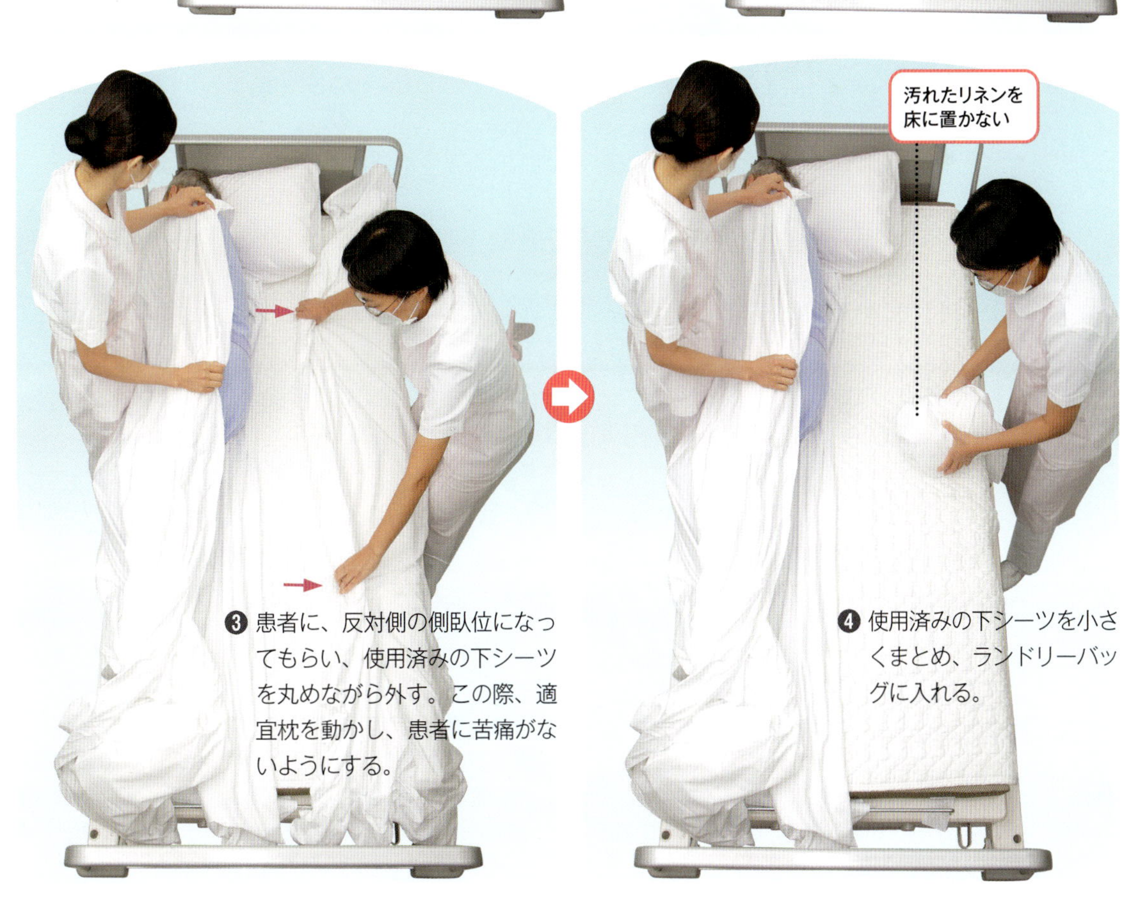

❸ 患者に、反対側の側臥位になってもらい、使用済みの下シーツを丸めながら外す。この際、適宜枕を動かし、患者に苦痛がないようにする。

❹ 使用済みの下シーツを小さくまとめ、ランドリーバッグに入れる。

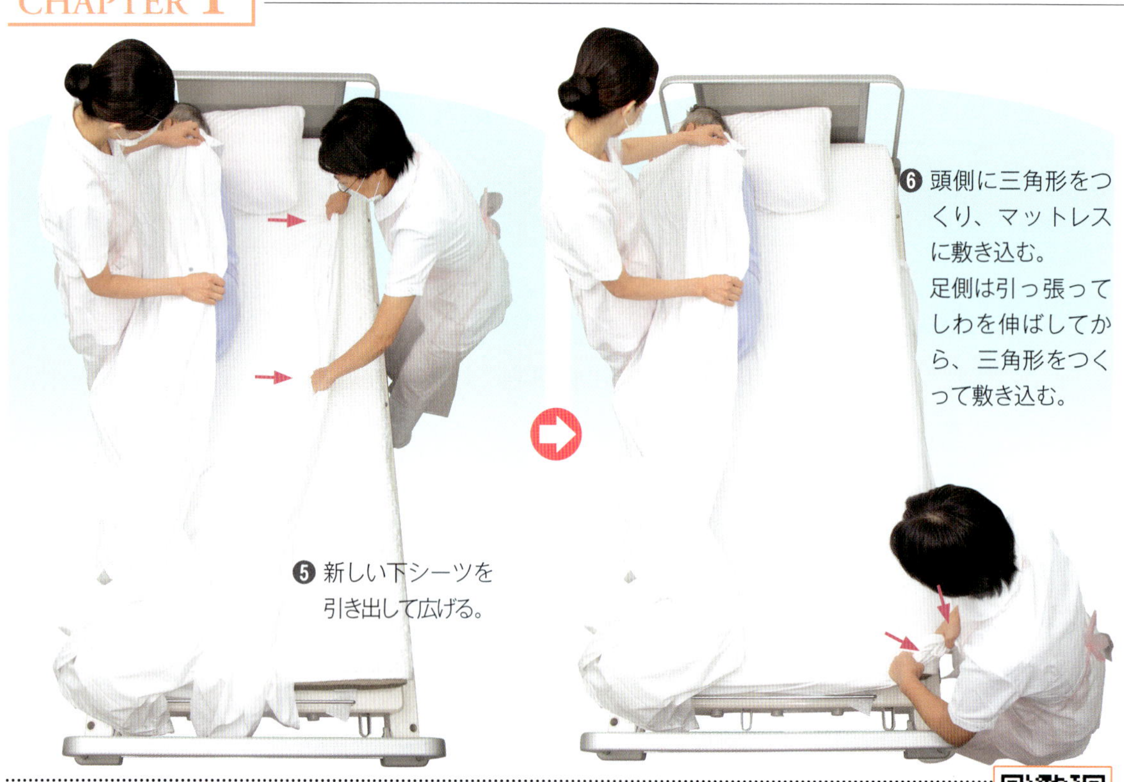

PROCESS 3 上シーツ・毛布・スプレッドを交換する 1-3

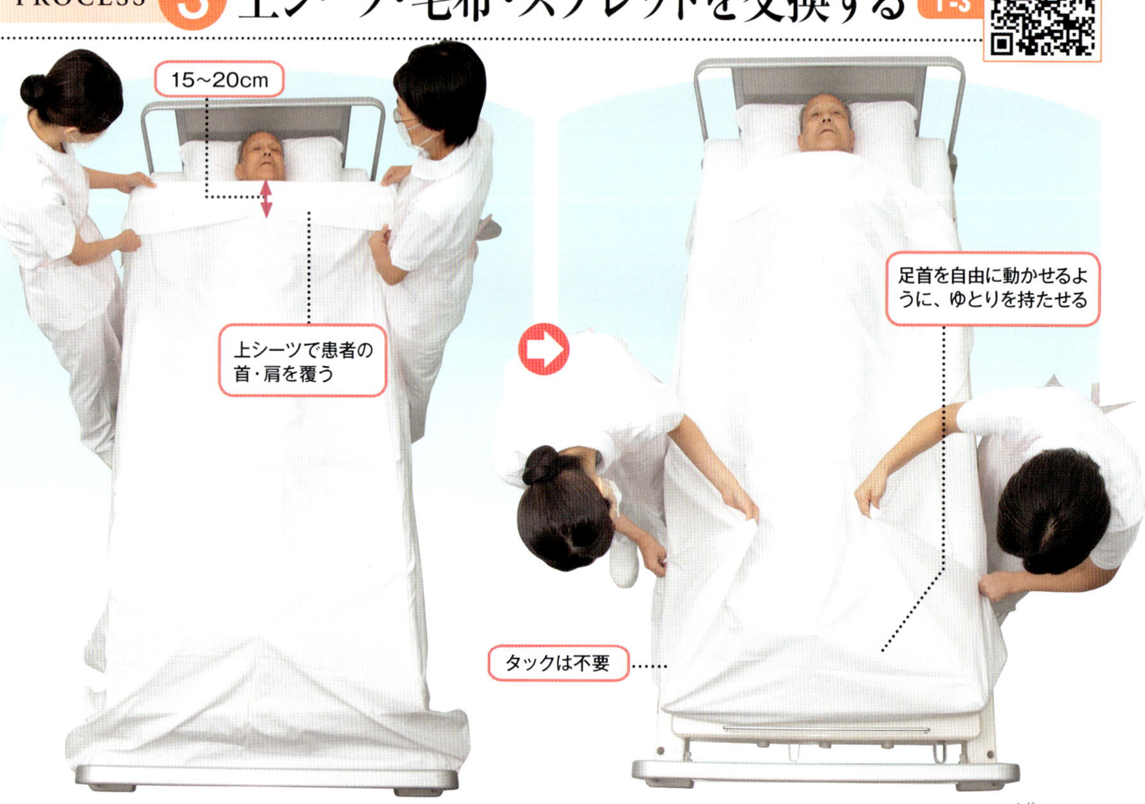

❶ 古い上シーツを外し、新しい上シーツをかける。その際、襟元は15~20cm折り返す。上シーツで患者の首・肩が覆われるようにする。

❷ 左右の足側に三角形をつくり、手を入れて角(かど)が四角になるように整え、マットレスの下に敷き込む(p20参照)。患者が足首を自由に動かせるようにゆとりを持って敷き込む。タックは不要である。

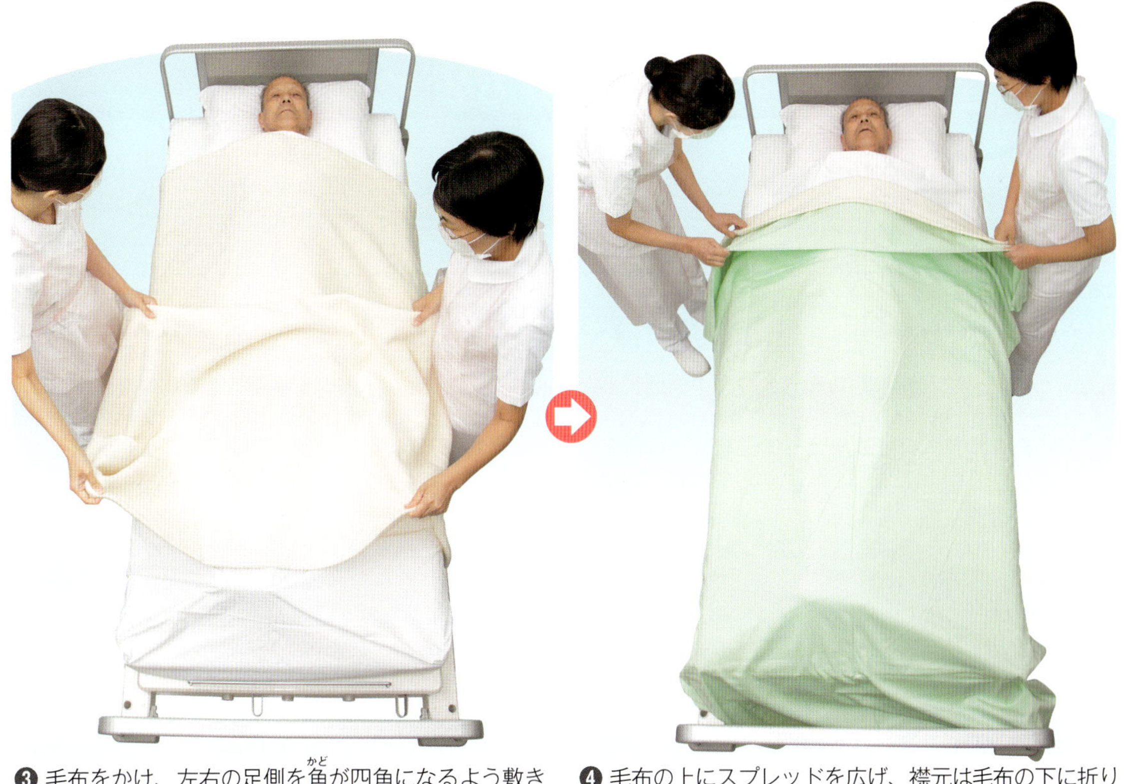

❸ 毛布をかけ、左右の足側を角が四角になるよう敷き込む（p21参照）。タックは不要である。

❹ 毛布の上にスプレッドを広げ、襟元は毛布の下に折り返す。さらに、上シーツをスプレッドの上に折り返す。

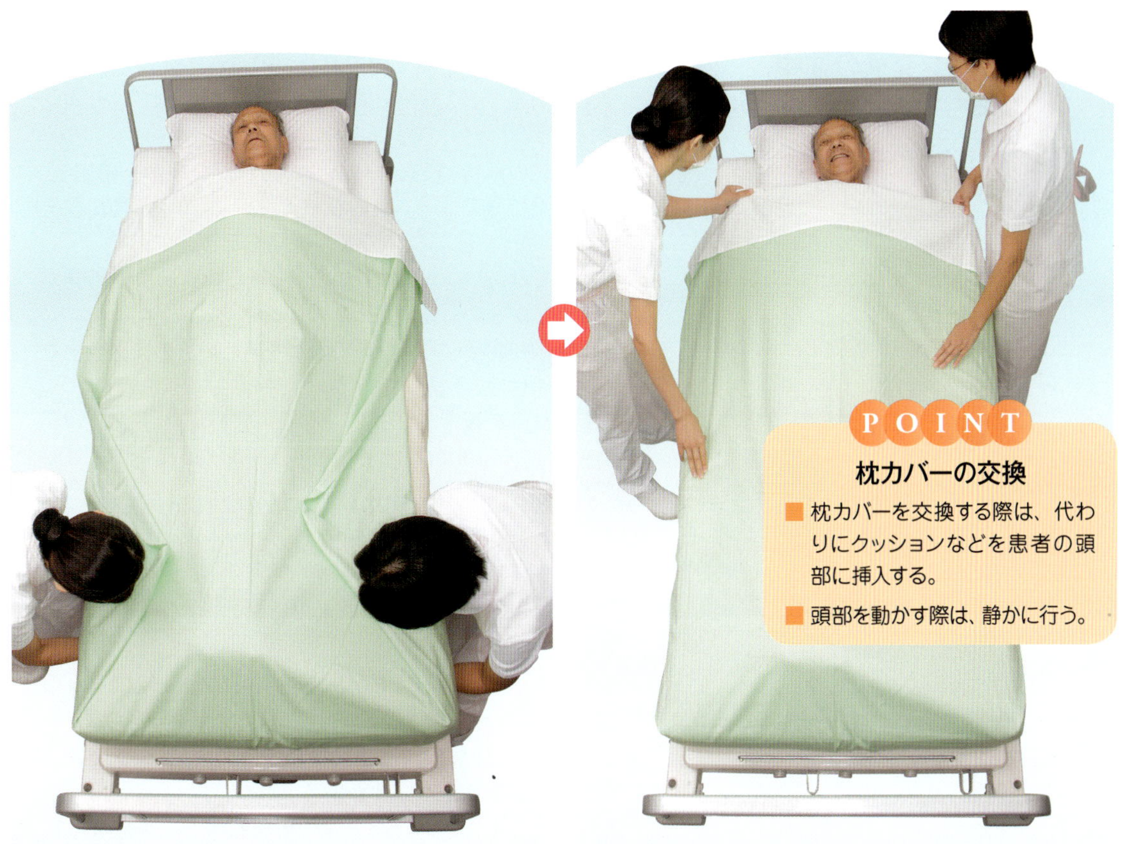

❺ 左右の足元をマットレスの下に敷き込み、三角にして垂らす。

❻ 最後に枕カバーを取り替え、ベッド周りを整える。

POINT

枕カバーの交換

- 枕カバーを交換する際は、代わりにクッションなどを患者の頭部に挿入する。
- 頭部を動かす際は、静かに行う。

覚えておくと、役立ちます！

包布を用いる場合

毛布に包布をかけている場合は、一時的に綿毛布をかける。
使用中の包布を外し、新しい包布を広げ、毛布にかける。

援助後に振り返ってみよう！

観察

- □ 患者の状態に変化はない？
- □ 輸液・酸素・ドレーン・人工呼吸器など、医療器具のチューブ閉塞はない？ 作動状況に変わりはない？

周囲の状況

- □ ベッドの高さ、ベッド柵、ナースコール、コールマット、医療器具、ごみ箱など、患者が使いやすいように元通りにした？
- □ ベッドのストッパーをかけた？
- □ 患者の私物で破損したり、紛失したものはない？

後片付け

- □ オーバーテーブル、床頭台、ベッド柵などの汚れを拭く
- □ 使い終わった氷枕や不要な医療器具を片付ける
- □ 汚れたリネンを取りまとめ、洗濯に出す

こんな時どうする？

CASE 1 リネン交換の途中、おむつの汚れに気づいた！

リネン交換をしている途中でおむつの汚れに気づくと、「おむつ交換が先？ リネン交換が先？ 陰部洗浄は？」とあわててしまう。
リネン交換の前に、寝衣やおむつの汚れがないかを確認し、一緒に交換できるよう、準備を整えておく。リネン類、替えの寝衣・おむつ、陰部洗浄の必要物品をそろえておく。
手順としては、次のように進めると、新しいシーツが汚物で汚れることがない。
①必要時、陰部洗浄を実施し、おむつを新しいものに交換する。
②汚物を片付け、手洗いを行う。
③リネン交換を行う。

CASE 2 リネン交換時、側臥位がとれない！

側臥位がとりにくい患者の場合は、次のような方法がある。
①リフトなどの介護器具を利用して患者をベッドからつり上げ、下シーツを交換する。
②患者をベッドの片側半分に水平移動し、半分ずつ下シーツを交換する。
③患者を仰臥位とし、わずかに左右交互に側臥位にしながら、下シーツを交換する。
また、頸部や大腿部の固定が必要な手術後は、シーツ交換中も確実に患者を支える必要がある。
いずれの場合も、安全かつ、患者・看護師ともに苦痛なく行うには、２人以上で実施することが大切である。

MEMO

CHAPTER 2
食事の援助

到達目標 患者の食事摂取状況や栄養状態をアセスメントし、患者の状態に合わせた食事の援助ができる。

CONTENTS

1 食事の介助

学習のポイント
- 患者の食事摂取状況のアセスメント
- 患者の状態に合わせた食事介助

2 経管栄養法を受ける人への援助

学習のポイント
- 経管栄養法を受けている患者の観察
- 経鼻栄養チューブからの流動食の注入
- 経鼻栄養チューブの挿入・確認

3 疾患や個別性に応じた食事指導

学習のポイント
- 患者の疾患に応じた食事内容・食生活の指導
- 患者の個別性を反映した食生活の指導

4 栄養状態のアセスメント指標

学習のポイント
- 患者の栄養状態のアセスメント
- 電解質データのアセスメント

CHECKING & ASSESSMENT

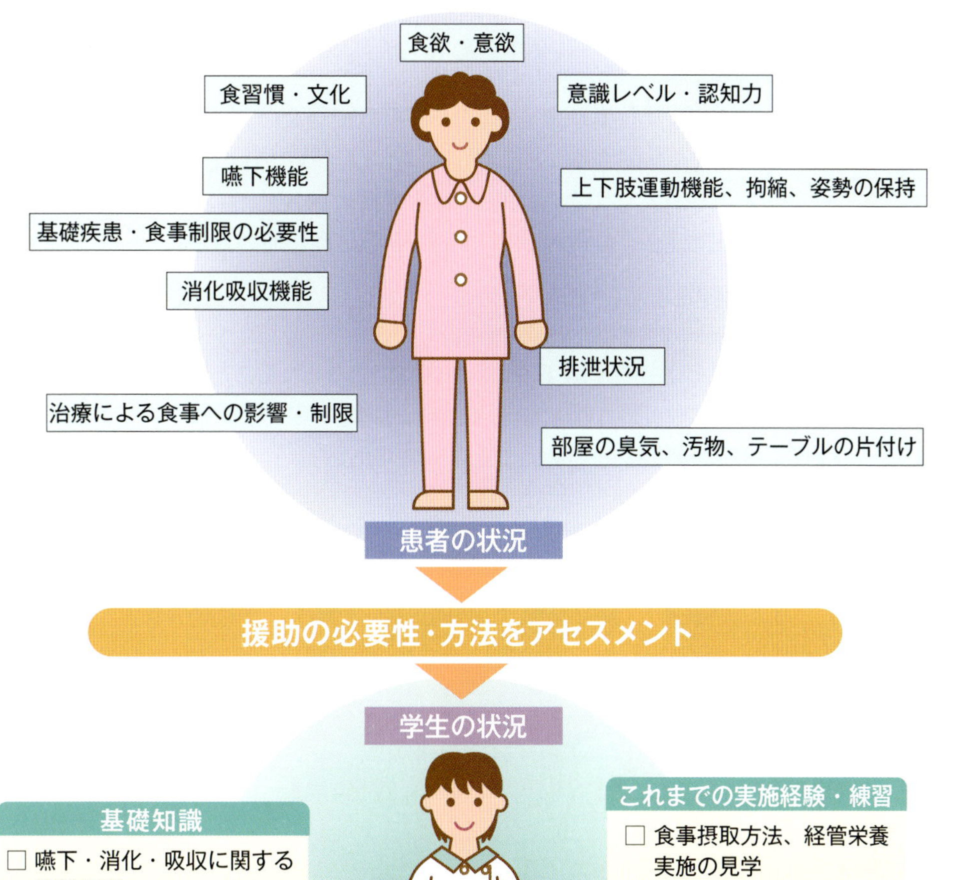

援助の必要性・方法をアセスメント

学生の状況

基礎知識

- □ 嚥下・消化・吸収に関する病態生理
- □ 栄養・電解質・水分出納
- □ 疾患

これまでの実施経験・練習

- □ 食事摂取方法、経管栄養実施の見学
- □ 受け持ち患者への飲水、食事介助の経験
- □ 食事指導の見学

患者へのケア場面

- □ 緊張・遠慮・焦り・リラックス・距離感など

看護師・教員・病棟人員の状況、指導体制

- □ 配膳、食事介助、食事指導場面に立ち会う指導者
- □ 実施状況の報告をする指導者

実習方法を決定

- □ 学生が単独で実施
- □ 看護師・教員の指導の下で実施
- □ 見学を通して学習

CHAPTER 2

1 食事の介助

学習のねらい

何らかの理由により食事や水分を1人では摂取できない人、嚥下(飲み込み)や咀嚼が十分にできない人を介助することによって、その人がおいしく、楽しく安全に飲食できるよう援助することが大切である。患者の食事摂取状況についてのアセスメント(食行動、摂取方法、摂取量)、身体の状態に合わせた食事介助の方法について学習する。

覚えておきたい基礎知識

疾患や老化により咀嚼や嚥下がスムーズにできなくなることがある。食物の形態、調理の工夫により摂取可能な場合があるため、咀嚼・嚥下機能についてアセスメントし、どのような援助が必要かを考えることが大切である。

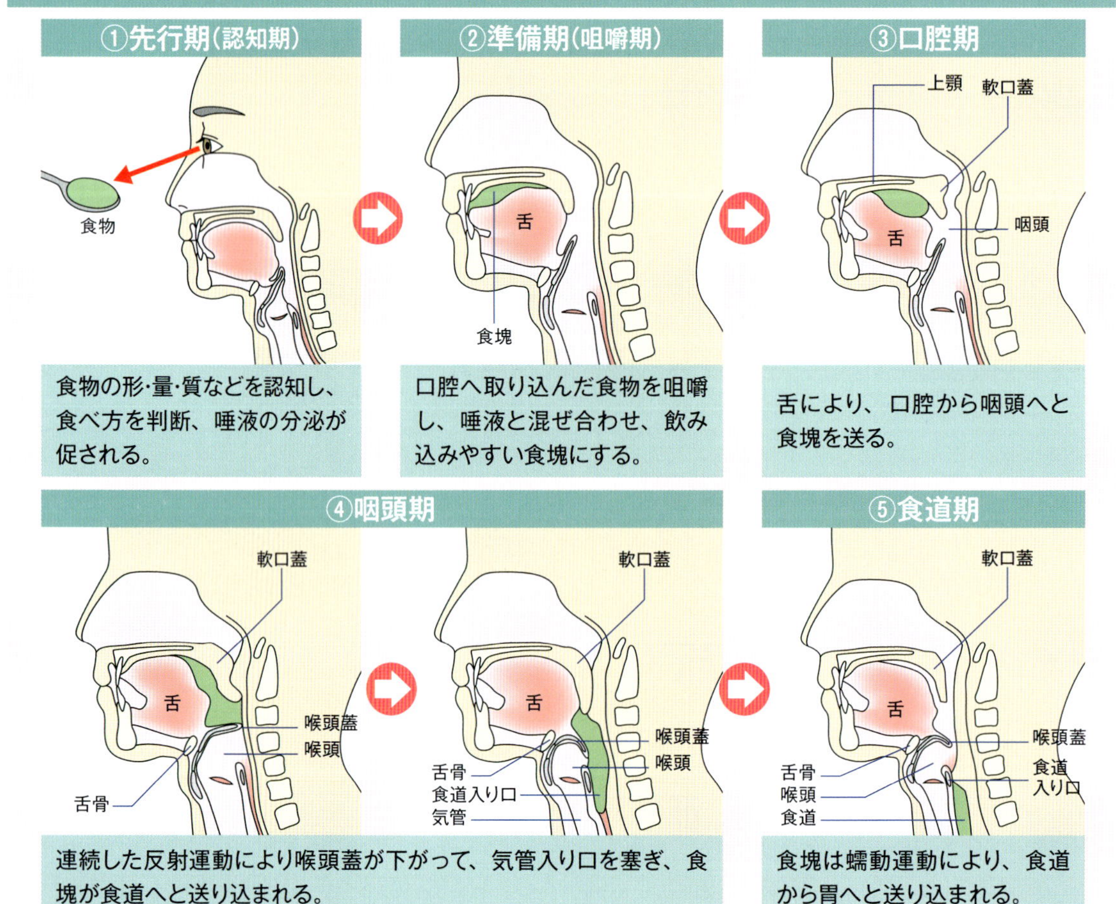

参照★新訂版 写真でわかる高齢者ケア アドバンス p23

援助する前に確認しよう！

患者の状況

- □ 座位を保てる？
- □ 利き手が使える？
- □ 咀嚼や嚥下（飲み込み）はできる？
- □ 咳やむせ込みは？
- □ 注意力、判断力、認知機能は？
- □ 食事、飲水制限、禁飲食の指示は？
- □ 食前の内服や検査の指示は？

周囲の状況

- □ ベッド周りの汚物は片付いている？
- □ オーバーテーブルの上はきれい？
- □ 部屋に排泄物などの臭いがしていない？

あなた自身

- □ ユニホームや手はきれい？
- □ 受け持ち患者に、食事や飲水の介助をするのは初めて？

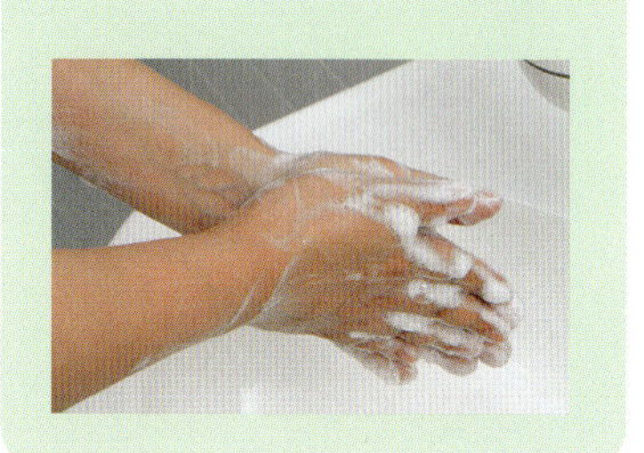

必要物品を準備しよう！

❶ 食器：箸・スプーン・フォーク・吸い飲み・ストローなど
❷ タオル
❸ 患者用エプロン（必要時）
❹ 手袋
❺ おしぼり

食事の介助

参照★新訂版 写真でわかる高齢者ケア アドバンス p25～28

食事は、誤嚥を防止するため、できるだけ上体を起こして行うことが望ましい。患者が上体を起こせない場合は、30度仰臥位とし、頸部を前屈させて誤嚥を防止する。

ベッド上座位の場合

2-1

❶

患者より低い

❶ 介助者は患者より低い位置に座り、患者が自然に頸部前屈位となるよう留意する。

POINT

頸部前屈位を維持

■ 患者の体位を整えても、介助者の座る位置が高く、頸部前屈位が維持できなければ、誤嚥の可能性が高まる。

❷ スプーンは患者の口にあごが上がらないように差し入れる。1回に口に入れる分量は、多すぎないよう注意する。

POINT

1回の分量

■ 1回に口に入れる分量は2～3g程度の小さじから開始し、まず嚥下の状態を確認するとよい。

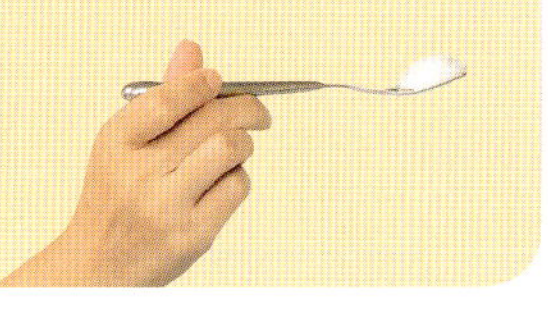

❷

❸

❸ スプーンを患者の口に入れ、患者が口唇を閉じたら、あごを上げない程度に自然にスプーンを引き抜く。

POINT

口唇を閉じてから

■ 患者がしっかりと口唇を閉じたことを確認して、スプーンを引き抜く。

❹ 会話は患者の口腔内に食物がない時に限る。
咀嚼・嚥下中に話しかけると、誤嚥を誘発することがある。

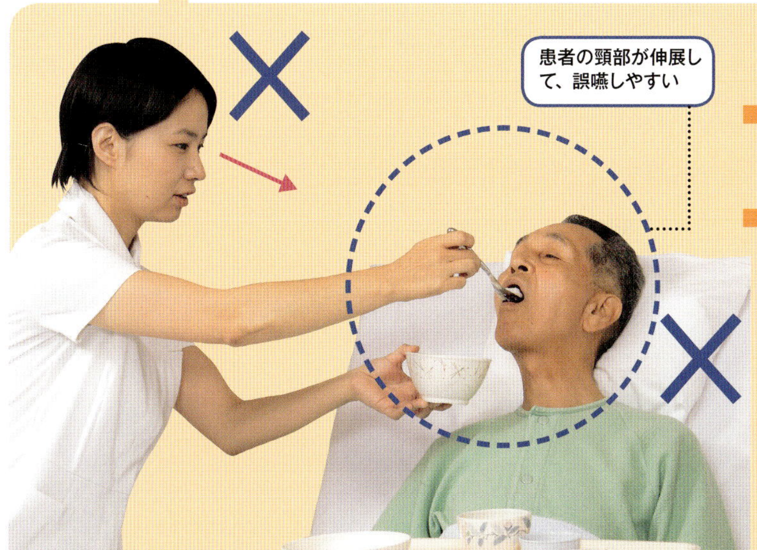

POINT

患者を見下ろす介助は禁忌!

- 患者より高い位置からの食事介助は禁忌。患者が見上げることになり、頸部が伸展して誤嚥につながる。
- 上からスプーンを口腔に挿入すると、食物を前歯・上口唇でこすりとることになり、患者の頸部が上を向いてしまうため、誤嚥しやすい。

POINT

嚥下状態に応じた食事

- 患者の嚥下状態に応じた食事を用意することが大切。
- 例えば、主食・副食をゼリー状にすると飲み込みやすい。

【献立例：ゼリー食】

- 粥ゼリー（粥をゼリー状にゆるく固める:口腔内のべたつき感軽減）
- 鶏肉の照り焼きゼリー
- 温野菜ゼリー

車椅子の場合

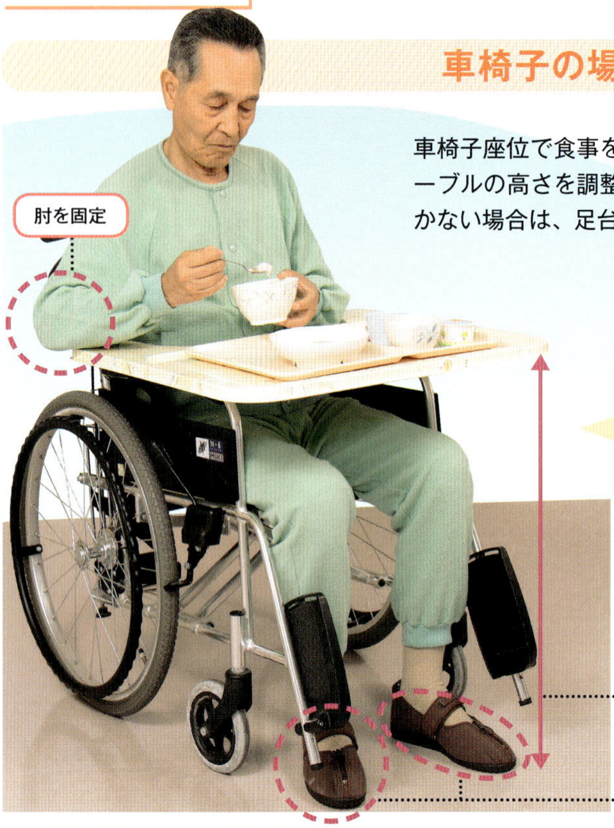

車椅子座位で食事をとる場合は、体幹が傾かないよう安定させ、テーブルの高さを調整して肘を固定し、足底を床につける。足底がつかない場合は、足台を用いて調整する。

肘を固定

POINT

姿勢のポイント

- 体幹をクッションなどで安定させる。
- 上肢が自由に動くようテーブルの高さを調整、肘をテーブルにつけて固定する。
- 股関節・膝関節を屈曲させ、足底を床につける。足底がつかない場合は足台で調整する。

テーブルの高さを調整

足底を床につける

上体を起こせない場合

上体を起こせない患者は、30度仰臥位とし、頸部を前屈させて誤嚥を防止する。体位変換用枕、タオル、クッションを用いて頸部前屈を維持し、殿部がベッド下方にずり落ちないよう足底にクッションを当てる。膝を軽く屈曲させ、安楽で安定した体位を整える。

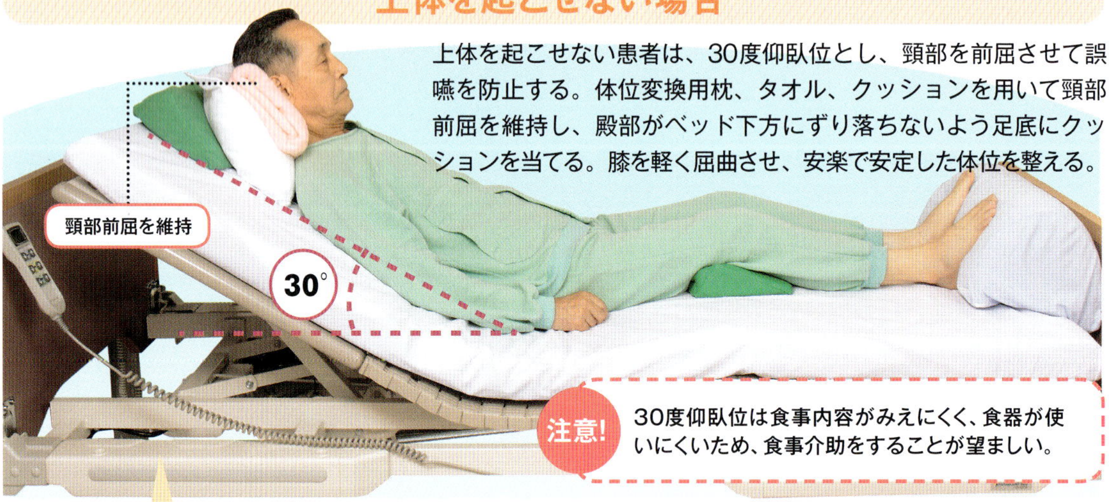

頸部前屈を維持

30°

注意! 30度仰臥位は食事内容がみえにくく、食器が使いにくいため、食事介助をすることが望ましい。

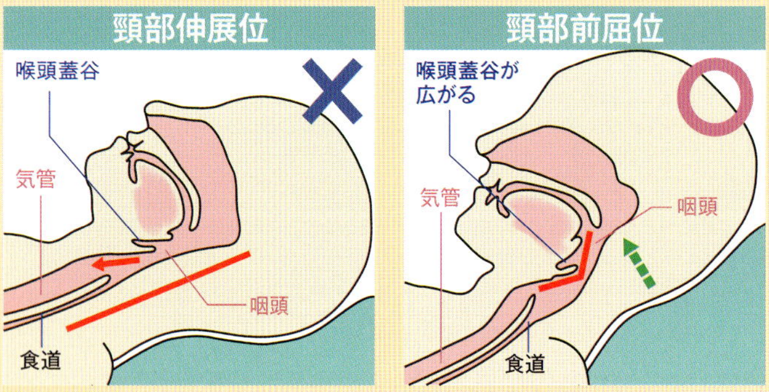

頸部伸展位

喉頭蓋谷
気管
咽頭
食道

頸部前屈位

喉頭蓋谷が広がる
気管
咽頭
食道

POINT

頸部前屈位で誤嚥を防止!

- 頸部伸展位は咽頭と気管が直線になり、誤嚥しやすい。
- 頸部前屈位は咽頭と気管に角度がつき、誤嚥しにくい。
さらに、喉頭蓋谷が広がり、食塊と粘膜の接触面積が広くなり、嚥下反射が起きやすい。

食後の安楽な体位

食後は口腔ケアを行い、食事時と同様の姿勢で1～2時間過ごすのが望ましい。しかし、疲労により臥床する場合は、次に示すような体位で休息し、胃・食道逆流や誤嚥を防止する。

参照★新訂版 写真でわかる高齢者ケア アドバンス p28～29

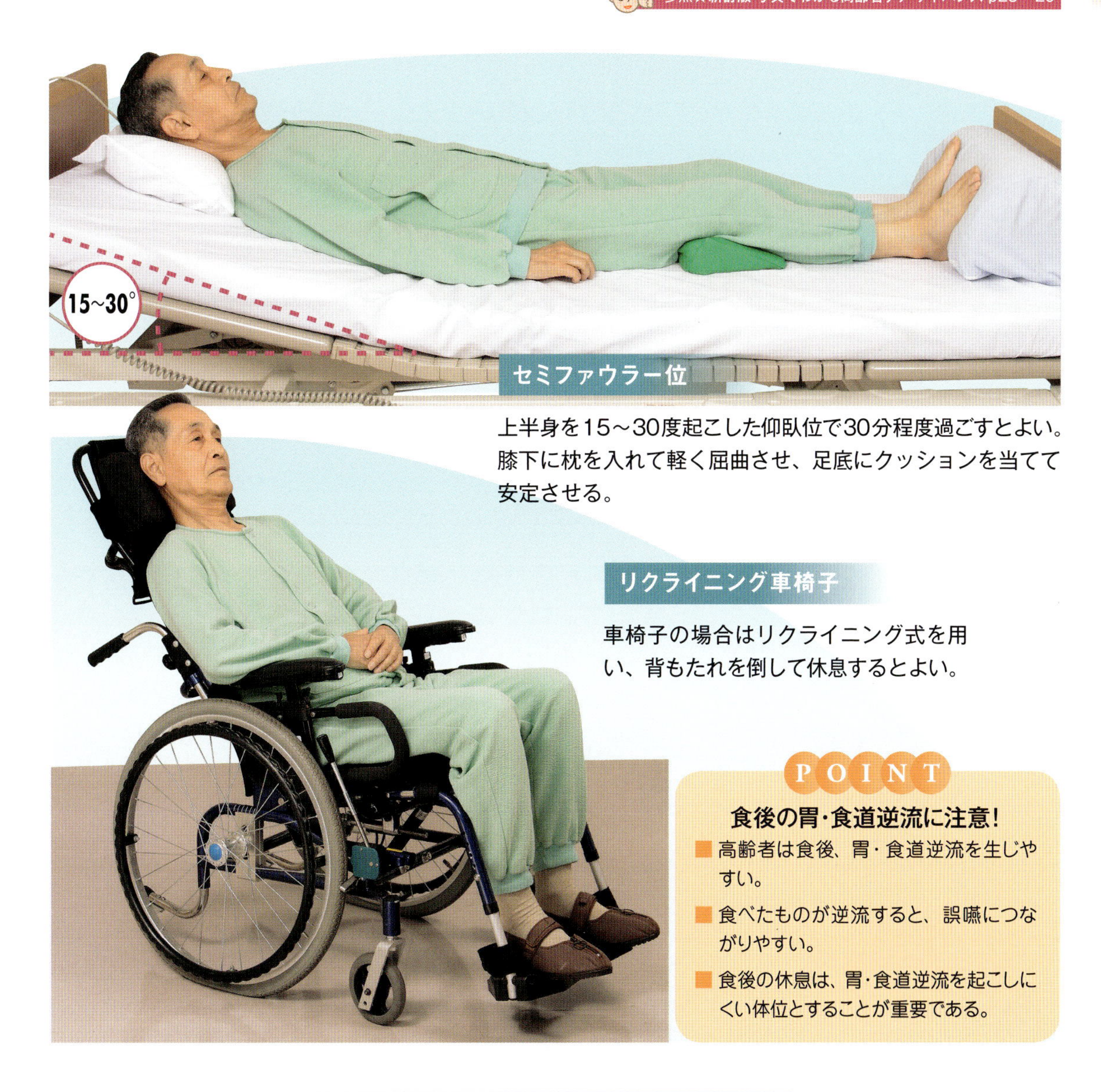

セミファウラー位

上半身を15～30度起こした仰臥位で30分程度過ごすとよい。膝下に枕を入れて軽く屈曲させ、足底にクッションを当てて安定させる。

リクライニング車椅子

車椅子の場合はリクライニング式を用い、背もたれを倒して休息するとよい。

POINT

食後の胃・食道逆流に注意！

- 高齢者は食後、胃・食道逆流を生じやすい。
- 食べたものが逆流すると、誤嚥につながりやすい。
- 食後の休息は、胃・食道逆流を起こしにくい体位とすることが重要である。

援助後に振り返ってみよう！

観 察

- □食べ物の逆流や嘔吐は？
- □むせ込みや咳は？

記録・報告

- □食事摂取量・食欲
- □むせ込みや嚥下の状況
- □食後の悪心・嘔吐・腹痛などの変化

後片付け

- □食べこぼしによる寝衣、テーブルの汚れを拭き取る
- □お膳を下げる

覚えておくと、役立ちます！

飲み込みにくい食品とは

一般に下表にあげたような食品は、食べる時に口の中でまとまりにくく、むせやすい。とろみをつけたり、ペースト状にすることにより食塊をつくりやすくし、誤嚥を防ぐ工夫を行う。

■飲み込みにくい食品

●水分が少なくパサパサしたもの	パン、粉ふき芋 など
●口の中でバラバラになりやすいもの	とうもろこし など
●粘り気の強いもの	餅 など
●口腔内に貼りつきやすいもの	キャラメル など
●硬いもの	たこ、いか など

麺類のおいしい介助法

日本人はそばやうどんなど麺類を食べる時に、長い麺をすすりながら、麺ののど越しを楽しんでいる。
麺類の介助を行う場合、フォークやスプーンで麺を細かく刻むと、麺本来のおいしさが半減する。できるだけ、麺をすすり、のど越しを味わってもらいたいものだが、汁と一緒に麺をすすることで、誤嚥のリスクも高まることに注意する。

こんな時どうする？

食事が進まない!

患者の食事が進まない理由は何だろう？ 食べたいものが出ない、咀嚼に時間がかかる、手が思うように動かない、おしゃべりに夢中になってしまう、吐き気がするなど、さまざまな理由がある。
原因を取り除くことで、楽しく、おいしく食事ができることも多い。また、何が何でも全量摂取しようとせず、1日の中でその人にとって必要なエネルギーが摂取できているかどうかなど、食事摂取の全体をとらえることが重要である。

CASE 2

患者がむせ込んでしまった!

食事介助中に患者がむせ込んでしまった場合は、いったん食事を中断する。苦しくないか確かめ、口腔内や気道に食べ物が貯留している場合は吸引して除去し、誤嚥を防止する。呼吸音を聴取し、問題がなければ食事を再開する。

梅干や佃煮を食べたいと言われた!

患者が冷蔵庫に梅干や佃煮を保存し、食事の際、ご飯にのせてほしいと希望する場合がある。塩分制限がある場合を考慮し、受け持ちの看護師に確認してから、問題がなければ介助する。

CHAPTER 2

2 経管栄養法を受ける人への援助

学習のねらい

何らかの理由で経口摂取ができない、もしくは制限されている人が栄養を摂取する方法の1つとして経管栄養法がある。経鼻経管栄養法を受けている人のみならず、在宅療養を視野に入れ、胃瘻を造設した人へのケアを実施することも少なくない。経管栄養法を受ける人への援助を行う時のポイントについて、対象者の特性を踏まえながら学習する。

覚えておきたい基礎知識

経腸栄養の投与経路には、経鼻、経胃瘻、経空腸瘻があり、患者の状態に応じて選択される。経鼻法は、栄養チューブを鼻から挿入し、胃・十二指腸・空腸のいずれかに留置する。胃瘻法は、造設した胃瘻から直接、胃内へ栄養剤を注入する。空腸瘻も同様に、空腸瘻から栄養剤を注入する。

経腸栄養の投与経路

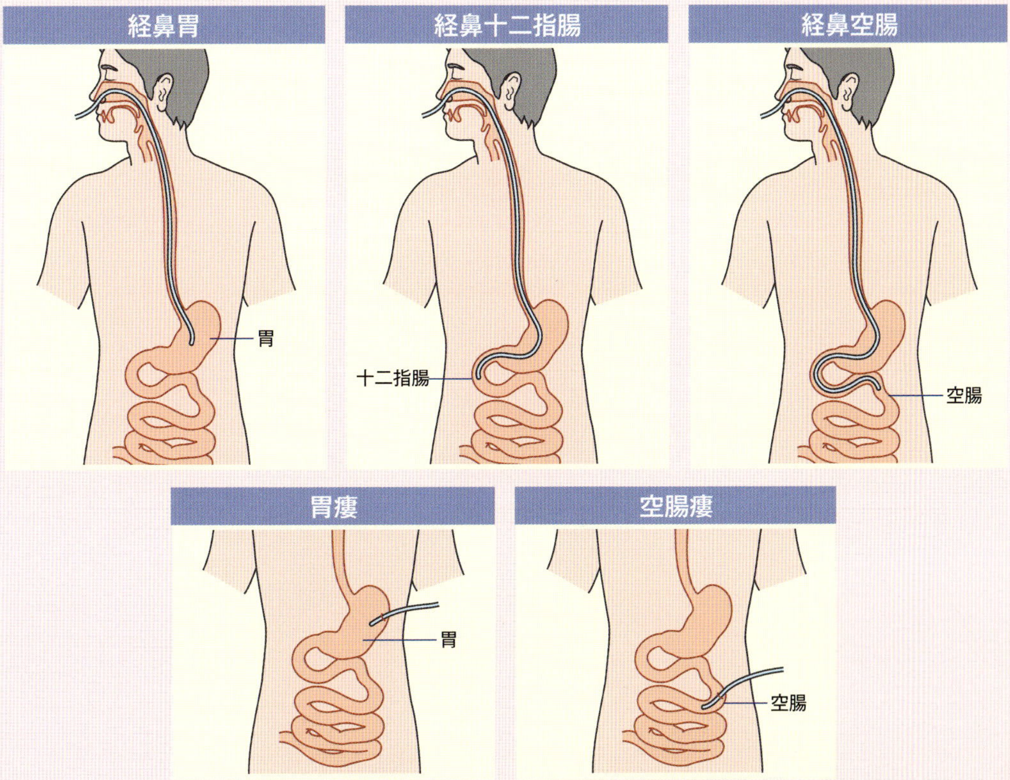

援助する前に確認しよう！

患者の状況

- □ 経鼻経管栄養法？　胃瘻法？
- □ チューブは正しい位置に挿入されている？
- □ チューブ挿入部位の皮膚トラブルは？
- □ 注意力、判断力、認知機能は？
- □ 食事、飲水制限、禁飲食の指示は？
- □ 食前の内服や検査の指示は？

周囲の状況

- □ 栄養セットをかける点滴スタンドは？
- □ 処方されている指示書と栄養剤は？

あなた自身

- □ ユニホームや手はきれい？
- □ 経管栄養法の基礎知識は？
- □ 経管栄養法をモデル人形で演習したことは？
- □ 受け持ち患者の経管栄養法の援助を見学したことは？

必要物品を準備しよう！

経鼻栄養チューブ挿入の場合

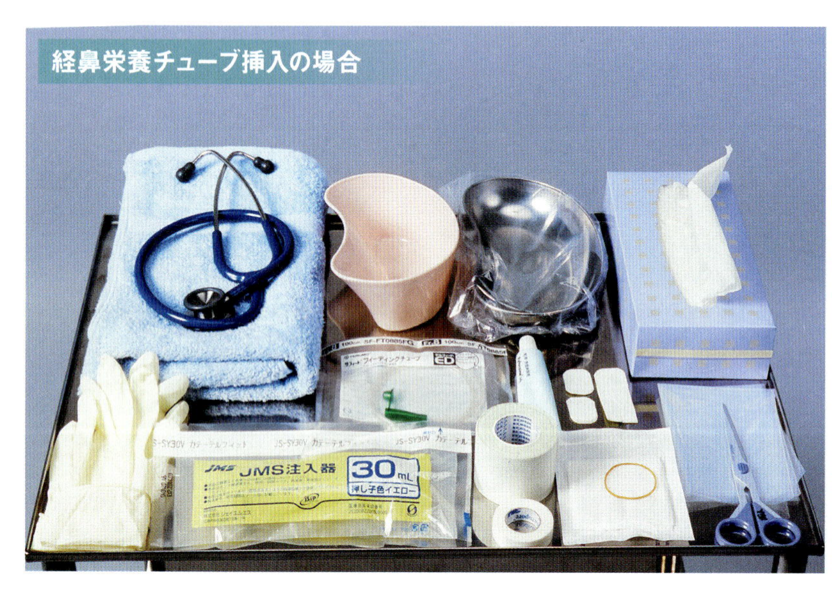

❶ 経鼻栄養チューブ（カテーテルテーパー接続型）
❷ 注入器（30mL・カテーテルチップ型）
❸ バスタオル
❹ 聴診器
❺ 膿盆（ビニール袋付き）
❻ テープ（エラストポア®）はさみ、ビニール袋
❼ ガーゼ、潤滑剤
❽ 手袋
❾ 輪ゴム
❿ ガーグルベースン
⓫ ティッシュペーパー
⓬ 油性ペン

栄養剤注入の場合

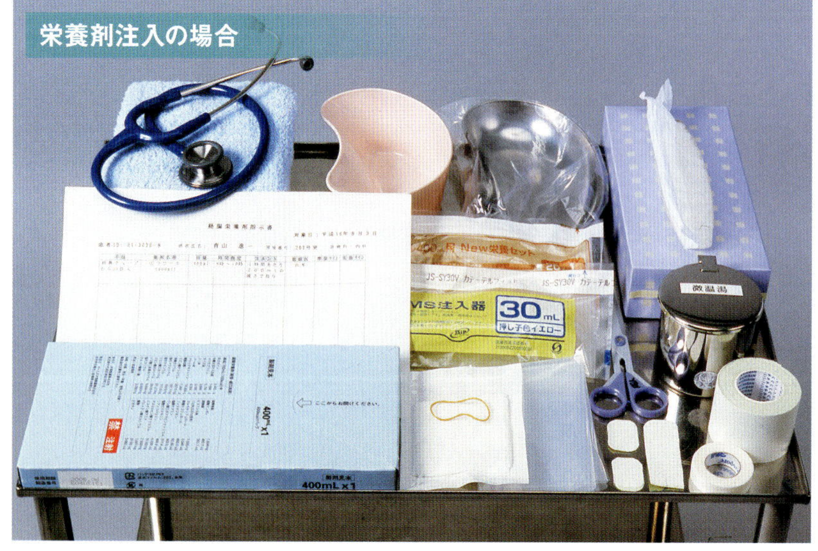

❶ 指示書、経腸栄養剤、栄養セット
❷ 注入器（30mL・カテーテルチップ型）
❸ 点滴スタンド
❹ 万能カップ（微温湯入り）
❺ バスタオル
❻ 聴診器
❼ 膿盆（ビニール袋付き）
❽ テープ（エラストポア®）はさみ、ビニール袋
❾ 輪ゴム
❿ ガーグルベースン
⓫ ティッシュペーパー

経鼻経管栄養法の場合

経鼻経管栄養法は、栄養チューブ挿入後、正しい位置にチューブ先端があることを確認し、確実に固定することが重要である。
さらに、栄養剤注入前に、チューブが正しい位置にあることを再確認し、適切な温度・速度で注入することがポイントとなる。

経鼻栄養チューブの挿入と固定

2-2

PROCESS 1 経鼻栄養チューブの挿入

❶ 患者に、栄養チューブ挿入の目的を説明する。手洗いを済ませておく。
カーテンを引き、使用物品を準備する。患者を半座位または座位にし、患者の襟元にバスタオルをかけ、看護師はマスクと手袋をつける。口腔ケアを行う。

POINT

- ベッドは30度程度挙上し、膝を曲げて体位を安定させる。
- 襟元をバスタオルで覆う。
- 患者は、自然にあごを引いた体位とする。

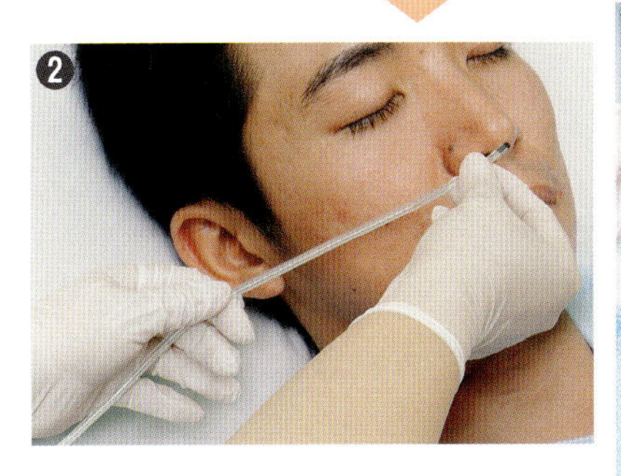

❷ チューブ先端を鼻の先端に置き、耳朶までの距離を測る。

耳朶から剣状突起までの長さを測り、胃までの長さの目安とする。

POINT

- 鼻の先端→耳朶→剣状突起までの長さを測り、挿入の目安とする。

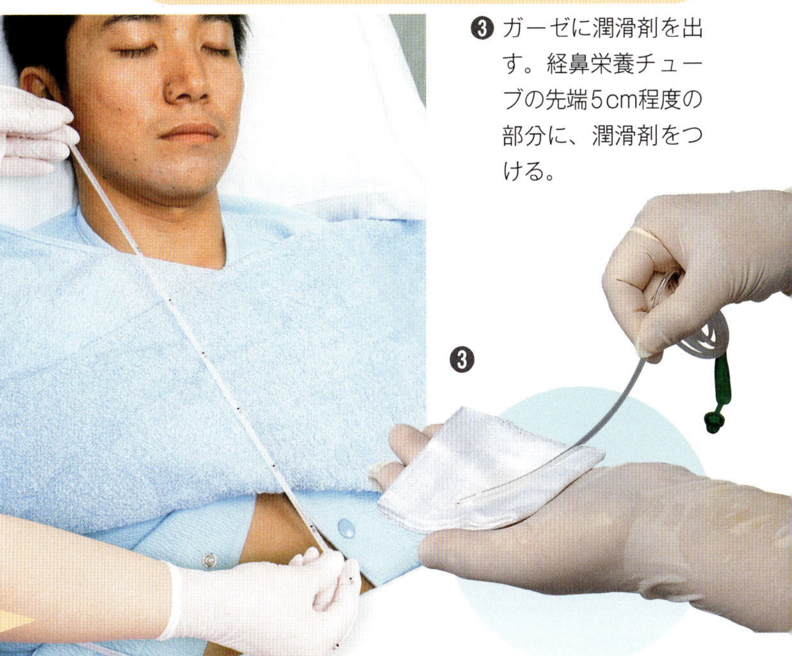

❸ ガーゼに潤滑剤を出す。経鼻栄養チューブの先端5cm程度の部分に、潤滑剤をつける。

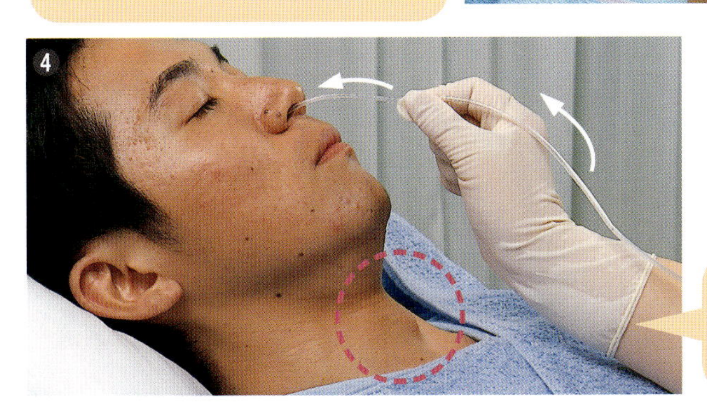

❹ チューブの先端を鼻腔に挿入し、患者に唾を飲み込むようにしてもらい、チューブを進める。
1回の嚥下で5～10cm進め、あらかじめ目安にしていた長さまでチューブを挿入する。

POINT

- 患者に唾を飲み込むようにしてもらい、甲状軟骨が上がった時に、チューブを進める。

PROCESS 2 チューブ挿入位置の確認

❶ 注入器で胃液を吸引する。

❷ 聴診器を上腹部に当て、チューブに注入器で空気5～10mLを勢いよく注入し、気泡音を聴取する。

以上を確認後、チューブの挿入の長さを記録し、栄養チューブ末端のキャップを閉める。

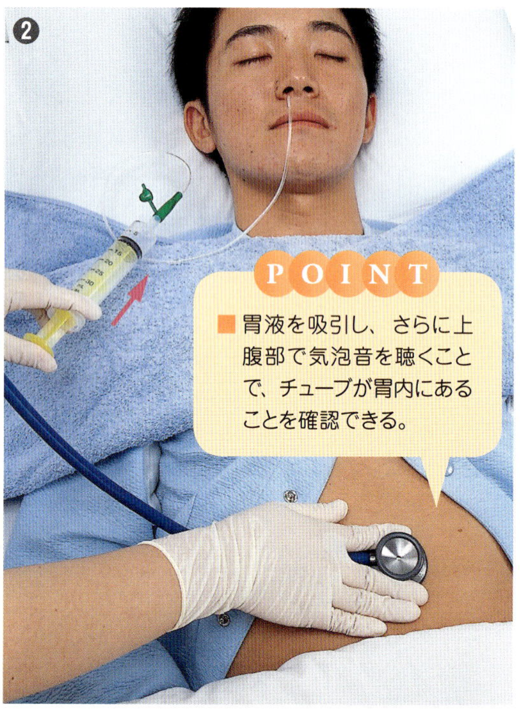

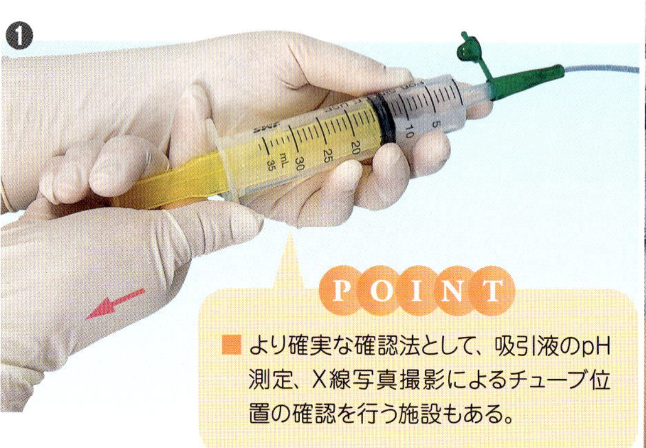

PROCESS 3 経鼻栄養チューブの固定

❶ テープに切り込みを入れる。切り込みのない基部を鼻に貼り、切り込みの片方をチューブに巻きつける。

❷ ❸鼻翼を圧迫しないようチューブを彎曲させ、テープで上下をはさんでとめる。

EVIDENCE

■ 栄養剤の注入中にチューブが抜けると、誤嚥性肺炎の原因となり、危険。固定はしっかりと行う。

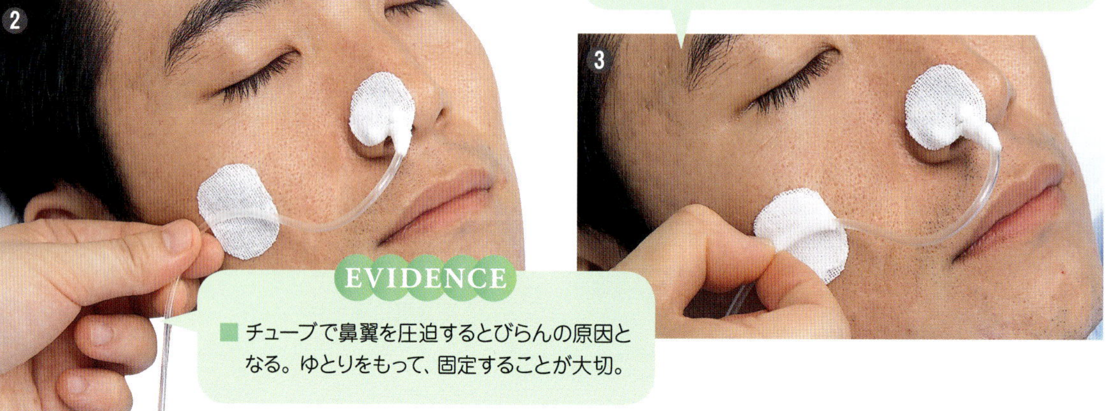

栄養剤の準備と注入 2-3

PROCESS 1 栄養剤の準備
（注入器の容器と栄養剤が一体となっているタイプを使用）

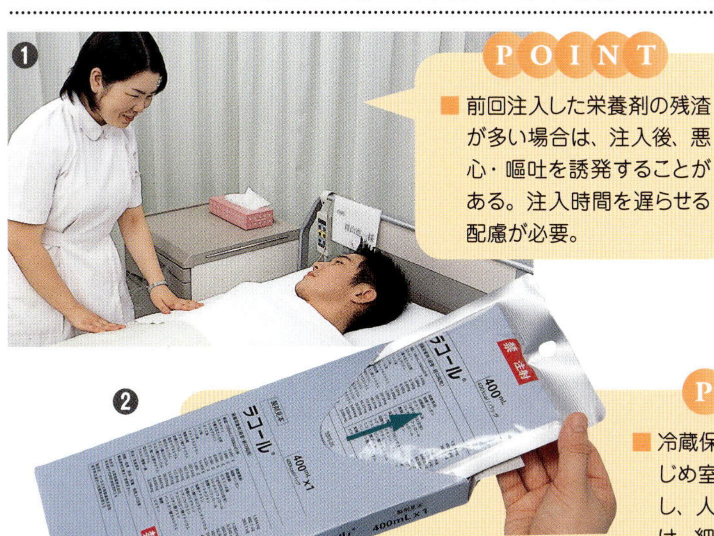

POINT

■ 前回注入した栄養剤の残渣が多い場合は、注入後、悪心・嘔吐を誘発することがある。注入時間を遅らせる配慮が必要。

❶ 患者に栄養剤の注入を説明し、同意を得る。この際、腹部症状・胃部不快感・下痢の有無、前回注入した栄養剤の胃内の残渣などを確認する。

❷ 手洗いをし、必要物品を準備する。指示されている処方と栄養剤が一致していることを確認する。

POINT

■ 冷蔵保存の栄養剤は、あらかじめ室温に戻しておく。ただし、人肌（37℃程度）の温度は、細菌繁殖にも好環境であるため、長時間放置しない。

■ 冷えた栄養剤を使用すると下痢を起こす。

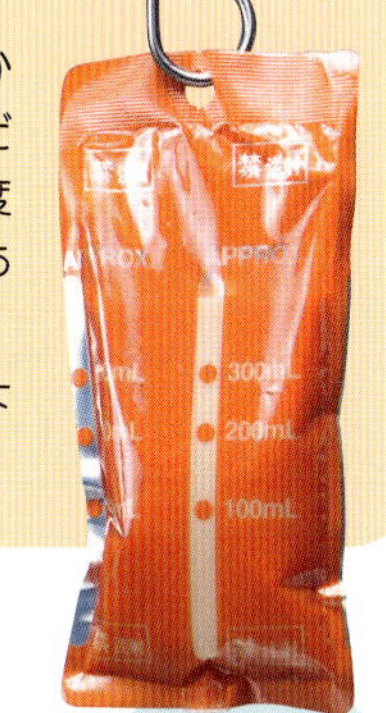

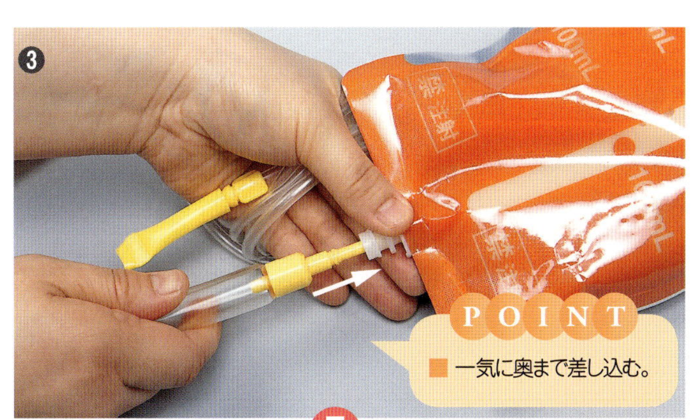

POINT

■ 一気に奥まで差し込む。

POINT

■ 右にひねって固定する。

❸ ❹栄養セットのキャップを外す。栄養剤に奥まで差し込んだ後、右にひねって固定する。

❺ 栄養セットのクランプを徐々に緩め、液をコネクターの先端まで満たしたら、栄養セットをクランプする。

POINT

■ クランプを徐々に開き、コネクター先端まで液を満たす。

PROCESS 2 栄養剤の注入（経鼻栄養チューブから）

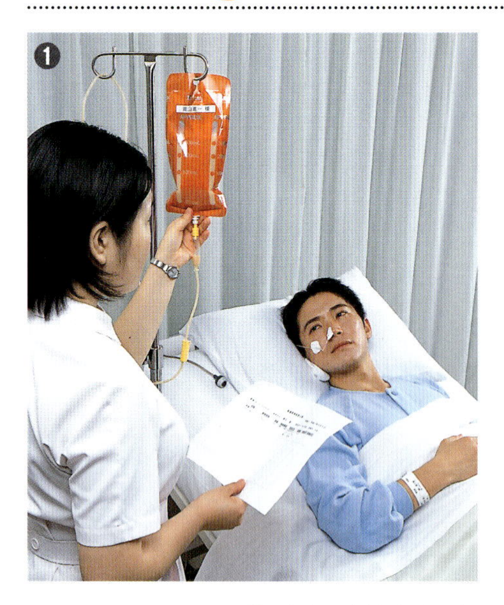

❶ 手洗いを済ませておく。患者氏名・指示書・栄養剤を、患者とともに確認する。逆流と誤嚥を防ぐため、ベッドを45度程度に挙上し、襟元をタオルで覆う。

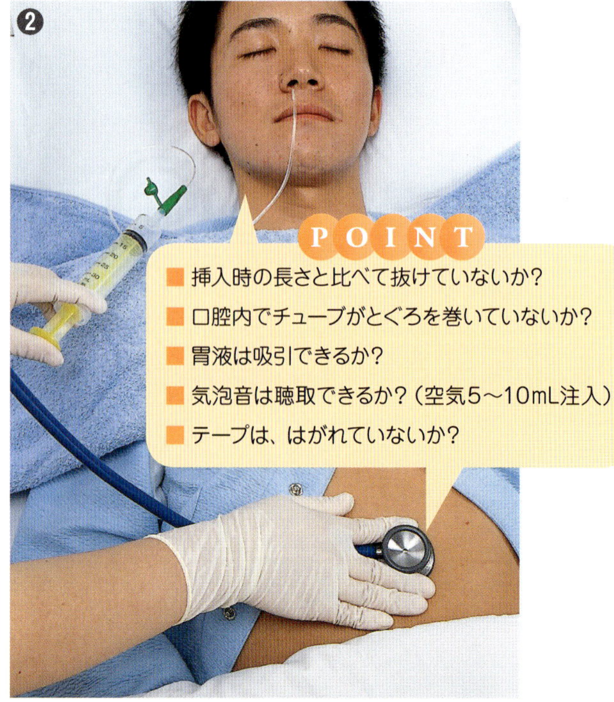

❷ 経鼻栄養チューブが胃内に正しく留置されていることを確認する。

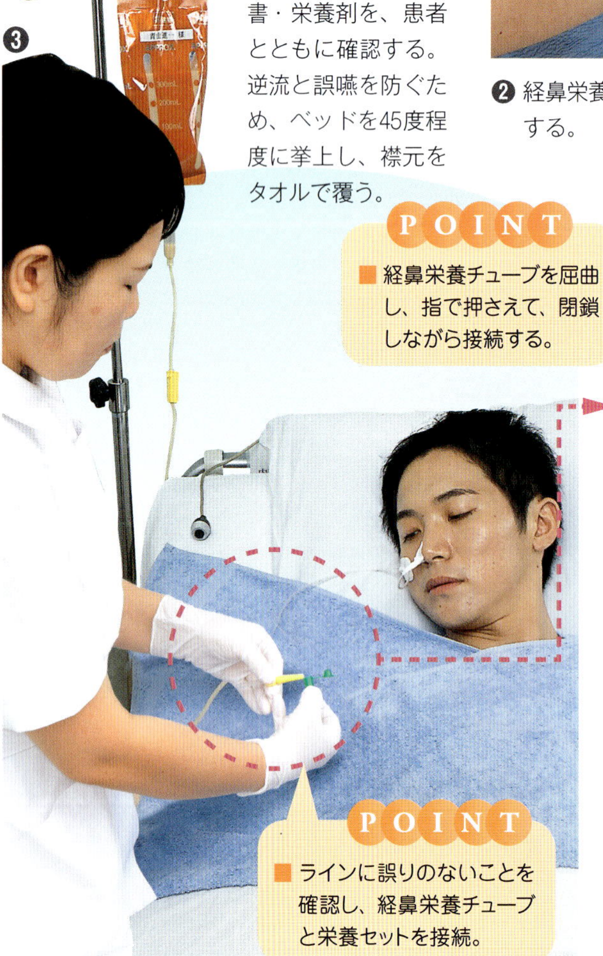

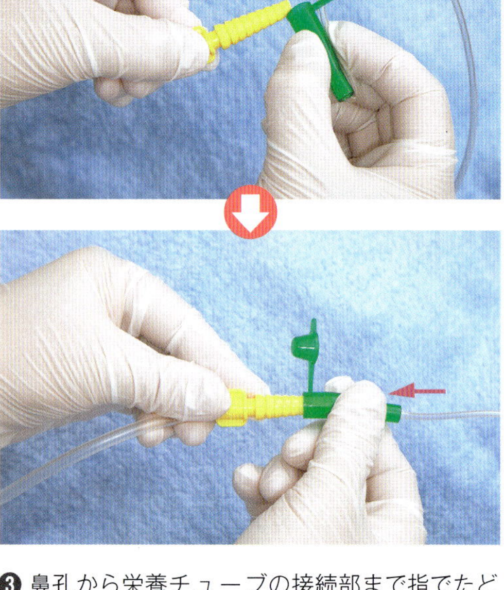

❸ 鼻孔から栄養チューブの接続部まで指でたどり、栄養セットコネクターのキャップを外し、経鼻栄養チューブと栄養セットを接続する。

❹ クランプを開き、注入速度を合わせて、注入を開始する。

POINT

■ 100mL/30分程度が一般的。速度は、患者の状態によっても異なる。

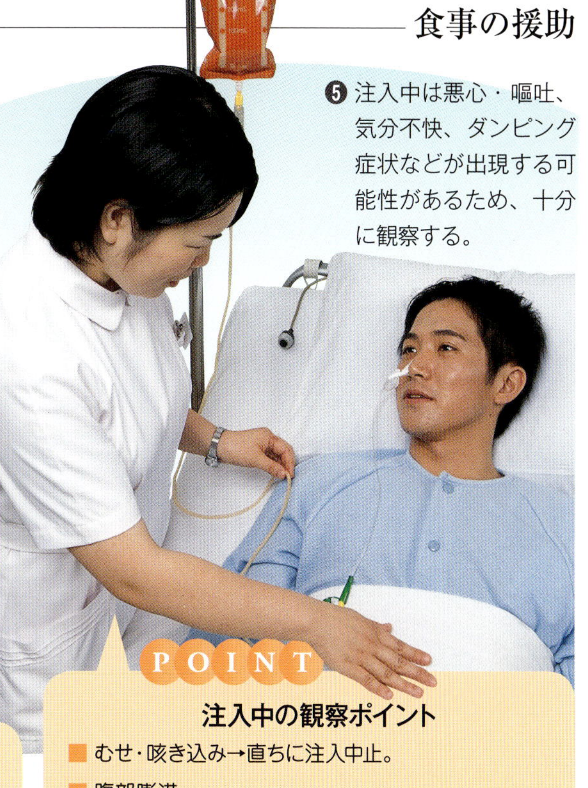

❺ 注入中は悪心・嘔吐、気分不快、ダンピング症状などが出現する可能性があるため、十分に観察する。

POINT

■ 注入速度が速いと嘔気・嘔吐、下痢を起こす可能性がある。
■ 成分栄養剤：24時間持続注入。
■ 流動食：1500 ～ 2000mLを4～8回に分けて注入。

POINT

注入中の観察ポイント

■ むせ・咳き込み→直ちに注入中止。
■ 腹部膨満。
■ 悪心・嘔吐、気分不快。
■ ダンピング症状：悪心・心悸亢進・速脈・冷汗など。

PROCESS 3 栄養剤注入後のケア

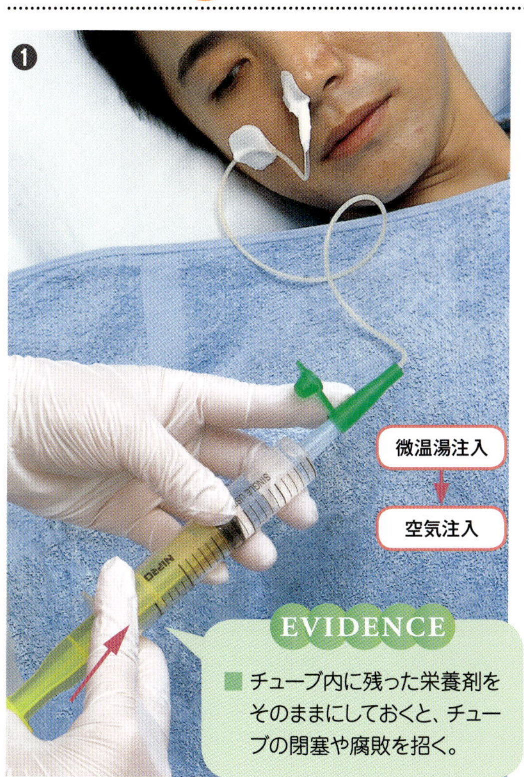

EVIDENCE

■ チューブ内に残った栄養剤をそのままにしておくと、チューブの閉塞や腐敗を招く。

❶ 経鼻栄養チューブから栄養セットを外す。
微温湯30mLを経鼻栄養チューブに注入し、チューブ内を洗浄する。さらに、空気20～30mLを注入する。

❷ 経鼻栄養チューブ末端のキャップを閉め、ガーゼで包んで不潔にならないようにする。
患者の寝衣を整え、気分を尋ねる。嘔吐や胃食道逆流を防ぐため、上半身を30度程度に挙上した体位を30分間保つ。

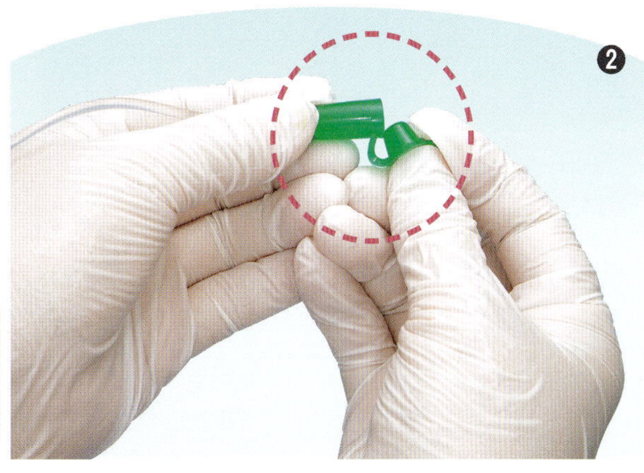

胃瘻栄養法の場合

胃瘻栄養法の場合も、必要物品の準備や体位など、基本的な技術は経鼻経管栄養法と同様である。胃瘻から栄養剤を注入する際は、悪心・嘔吐・腹痛などのほか、皮膚トラブルの有無を観察する。

胃瘻からの栄養剤の注入 2-4

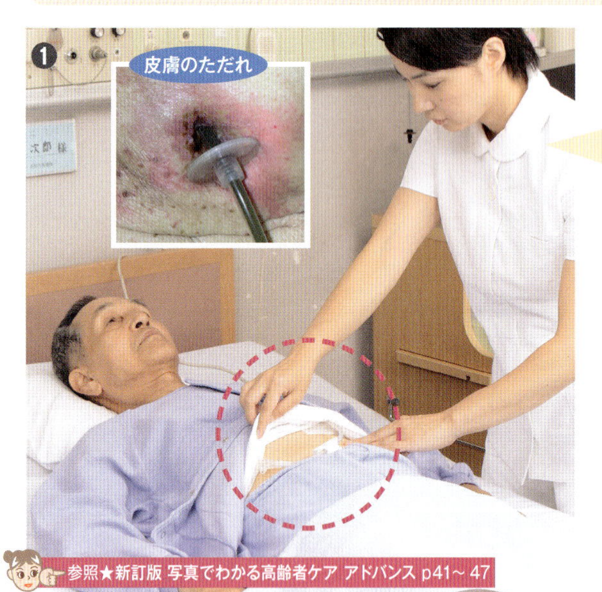

参照★新訂版 写真でわかる高齢者ケア アドバンス p41～47

❶ 胃瘻周囲の皮膚を観察する。

POINT

観察ポイント
- 発熱・腹痛・嘔気・嘔吐はないか?
- 胃瘻部に皮膚トラブルはないか?

❷ ガストロボタンのキャップを開ける。栄養セットに接続チューブ(ガストロボタンと栄養セットの中継となる)を接続し、栄養剤を満たす。接続チューブをガストロボタンに接続する。

❸ 接続チューブのクランプを解除後、栄養セットのクランプを開き、注入速度を合わせて注入を開始する。

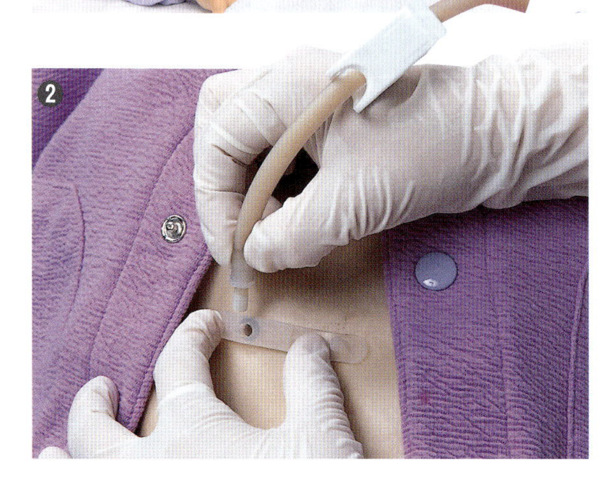

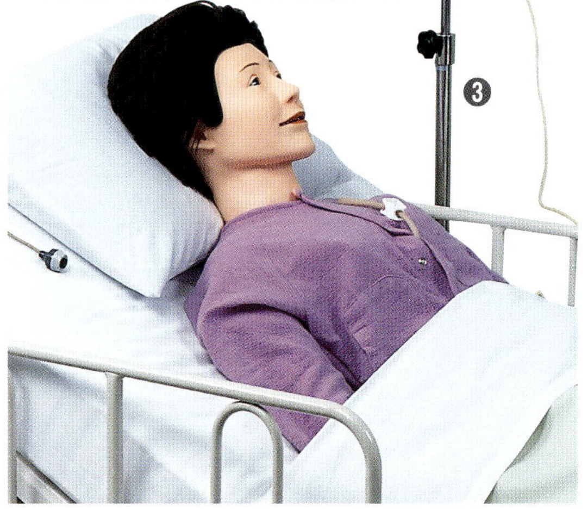

援助後に振り返ってみよう!

観 察
- ☐ 栄養剤の逆流や嘔吐は?
- ☐ むせ込みや咳は?

記録・報告
- ☐ 栄養剤投与量・時間
- ☐ 食後の悪心・嘔吐・腹痛などの変化
- ☐ 胃瘻周辺の皮膚の状態

後片付け
- ☐ 寝衣を整える
- ☐ 経管栄養剤および点滴スタンドを片付ける

こんな時どうする？

CASE 1 経口摂取をしていないから、口腔ケアは必要ない？

経口摂取をしていない人は、唾液分泌による浄化作用が行われにくく、口腔内細菌が繁殖しやすい状況にある。経口摂取をしていないからこそ、口腔ケアは必要である。
また、栄養剤の注入により口腔内の唾液分泌が刺激され、誤嚥のリスクが高まる。栄養剤注入前に口腔ケアを行い、口腔内を清潔にしておくとよい。
栄養剤の注入直後に口腔ケアを行うと、刺激による嘔吐反応で栄養剤が逆流し、誤嚥する可能性がある。このため、栄養剤注入直後より、注入前に口腔ケアを行うほうが、より安全である。

CASE 2 時間がない！ 滴下速度を速めてよい？

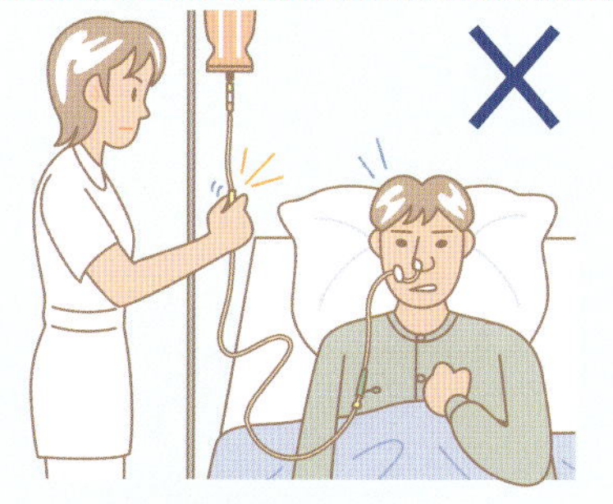

リハビリテーションの時間が近づいているのに、栄養剤がたくさん残っているような場合は、まずは看護師に相談を。予定をずらすことができないか確認する。安易に滴下速度を速めると、下痢や嘔吐を起こすおそれがあるので注意が必要である。
予定時間が決まっている場合は、事前に注入開始時間を調整したり、注入中に適宜、滴下合わせをして、途中で滴下速度が遅くならないよう、時間通り終わるよう調整する。

CASE 3 接続が外れ、栄養剤が布団にしみ込んでいた！

栄養セットの接続が外れている場合は、すぐにクレンメを閉め、接続チューブの蓋を閉めて、看護師に報告する。どの程度、栄養剤が漏れたのか、栄養剤の追加は必要なのか、判断が必要になる。
栄養セットと栄養チューブはしっかりと接続、注入中も接続部にトラブルがないことを確認し、異常の発生を防止する。

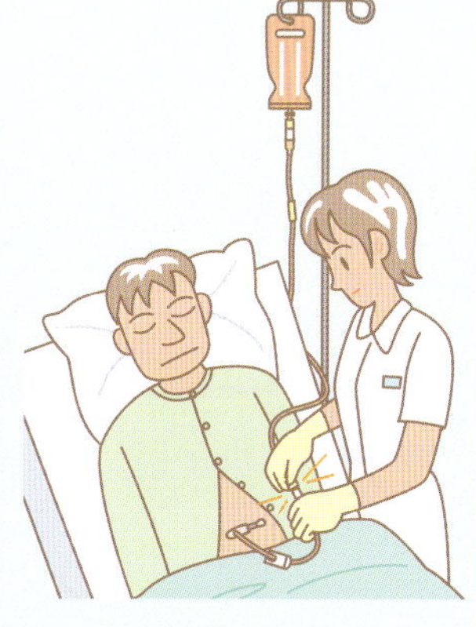

CASE 4 「疲れたからベッドを下げて」と言われた！

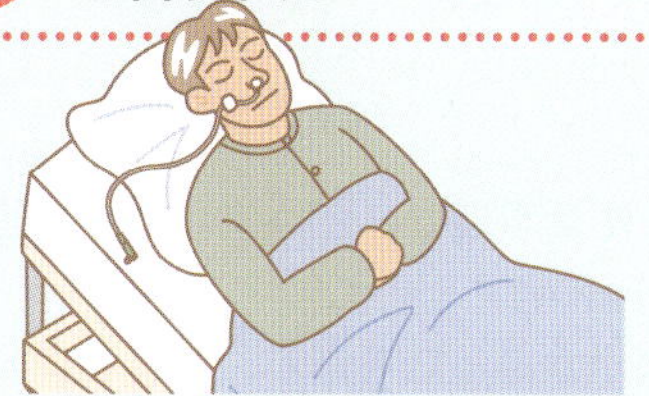

栄養剤の注入が終了したら、注入物の逆流を防ぐため、30分間はベッド挙上（30～60度）の体位をとる必要がある。
患者に説明し、様子をみながら体位を適宜、整える。

CHAPTER 2

3 疾患や個別性に応じた食事指導

学習のねらい

慢性疾患：疾患の種類によっては、エネルギー制限や摂取量の制限が必要な場合がある。さらに、患者の生活背景に応じて、食事内容を工夫する。本項では、糖尿病の人、血液透析を受けている人の食事を取り上げる。

胃切除術後：胃がどのくらい残存しているかによって後遺症の現れ方が異なり、食事内容・方法も異なる。胃を全摘した場合、胃を部分切除した場合の留意点を学び、胃切除術後の一般的な食事指導のポイントを理解する。

糖尿病を持つ人への食事指導

エネルギー・脂質制限に沿った摂取法を具体的に

患者のエネルギー制限、脂質制限などを確認し、それに応じた食事摂取の方法を具体的に伝える。

提示例：1単位＝80kcalであり、ご飯軽く1杯は2単位（160kcal）となる。

提示例：「揚げ物を控えましょう」と言うより、「揚げ物は週に2回まで」と具体的に提示する。

食事摂取のコツを伝える

早食いは過食につながり、エネルギーオーバーになりがち。よくかんで、ゆっくり食べるよう伝える。

食物繊維を多く含む野菜、きのこは満腹感があるわりにエネルギーが少なく、献立に取り入れるとよい。食事を作る人、サポートしてくれる人と話し合う機会を持つとよい。

血糖自己測定、インスリン療法をしている場合

血糖自己測定をしている人、血糖降下薬の内服やインスリン注射をしている人の場合は、食事と検査・内服・注射のタイミングについて理解しているかどうかを確認する。薬を投与し食事摂取をしないと、低血糖状態となり、危険であることを伝える。

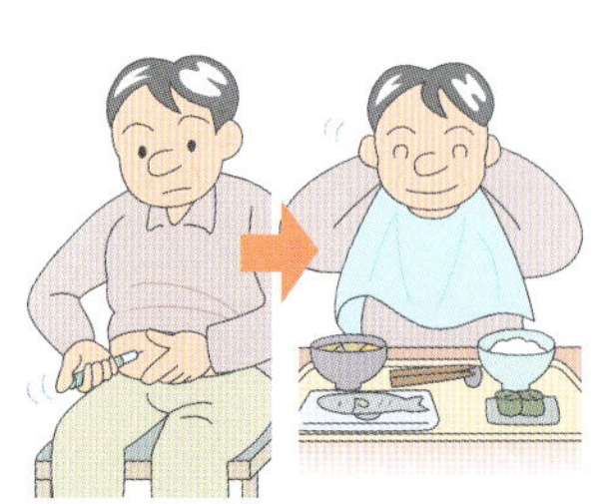

生活環境に合わせ、ともに考える

3食を規則的にとることができる生活環境か、どうすれば規則正しい食事ができるかを、患者・家族と一緒に考えていく。

外食が多い人の場合、カロリー表示がある店を選ぶ、和食を選ぶなど、具体的な方法を伝えるとよい。

血液透析を受けている人への食事指導

食事はバランスよくとることが大切

血液透析を受けている患者にとって、疾病の悪化を予防するため、食事療法は非常に重要である。
適量のたんぱく質をとり、カリウム、水分、塩分のとりすぎに注意する必要がある。
ただし、低たんぱく・低塩分、カリウム制限にとらわれるあまり、栄養不良となることがないよう、バランスのよい献立を心がけることが大切である。

良質のたんぱく質を適量摂取する

血液透析では、腹膜透析のように排液へのたんぱく喪失はないため、良質のたんぱく質を適量摂取する。１日に体重１kgあたり、1.0～1.2gのたんぱく質摂取が適量である。
たんぱく質の過剰摂取は血清リン値の上昇を招くため、リン含有量の少ない食品を選択するとよい。

適正なエネルギーを摂取する

血液透析では、腹膜透析のようにブドウ糖の経腹膜吸収はないため、食事で十分なエネルギーを摂取する必要がある。１日に体重１kgあたり、30～35kcalの摂取が目安となる。エネルギー不足は異化亢進（体組織の分解）をきたし、栄養状態が悪化する。

野菜・果物は摂取量に注意

血液透析を受けている患者はカリウムが高値となるため、野菜や果物、海藻など、カリウムを多く含む食品の摂取量には注意が必要である。カリウムの１日の摂取量は、800～1000mgが目安となる。野菜や海藻は水にさらしたり、ゆでこぼすことでカリウムの含有量を減らすことができる。

水分・塩分のとりすぎに注意

血液透析を受けている患者は、水分の管理が重要である。塩分をとりすぎると飲水量の増加につながり、浮腫や高血圧を招くことになる。塩分摂取量、総合的な水分出納に注意し、溢水状態や脱水状態を招かないようにする。

参照★写真でわかる透析看護 p59

胃切除後の人の食事指導

胃を切除した後は、どのくらい胃が残存しているかによって後遺症の現れ方が異なり、食生活への対処方法も異なる。
胃は、唾液とともに咀嚼された食物を胃液と混和し、消化する働きを持つ。いったん取り込んだ食物を逆流させないための噴門部、とどめておくための幽門部が機能することにより、食物を胃内に貯留し消化する。
胃を全摘した場合、消化機能が失われると同時に、食物を貯留することができないため、直接小腸へと流れ込むことになり、ダンピング症候群が生じる。また、胃の部分切除では、切除範囲、残胃の大きさに応じて、消化・貯留能力が減退する。

一般に、胃を切除した人は、胃が膨満しやすい食品、消化の悪い食品、刺激の強い食品を避け、ゆっくり、よくかんで、おいしく食べることが大切である。食生活は社会的側面を併せ持つため、仕事・家庭環境に合わせ、患者とともに考えていく必要がある。

回数を分けて、少量ずつ、ゆっくり、よくかんで

食事回数を分け、食物をよくかみ、唾液と混和することにより、胃酸分泌の減少を補う。
胃切除前と同じ量を食べると、嘔気・嘔吐を生じることがある。

胃が膨満する食品を最初にとらない

炭酸・水分・炭水化物など胃が膨満しやすいものは、最初にとらないようにする。胃が小さくなり、消化機能が減退しているため、膨満しやすい食品を最初に多く摂取すると、全体的な摂取量が減少する。

消化の悪い食品、刺激の強い食品を避ける

食物繊維の多い食品など、消化の悪いものは胃内の停滞時間が長く、胃に負担をかけるため、消化のよい食品を摂取する。
脂肪分の多い食品、辛味など刺激の強い食品も胃に負担をかけるため、避けたほうが望ましい。

楽しんで、おいしく食べる

食べたいものや、食べたい量がとれないことも多いため、少量ずつ盛り付ける、食器を工夫する、食事場所を変えるなどして、楽しくおいしく食べることが大切。焦らず、取り組んでいく。

【参考文献】1)宮川高一ほか監修(2004). レッツ・スタデイ 新版 患者のための糖尿病読本. 桐書房.
2)本田佳子(2005). 食事療法のエンパワーメント 患者中心の栄養指導. 看護学雑誌69(2):124−127.

CHAPTER 2

4 栄養状態のアセスメント指標

学習のねらい

食事摂取量だけでなく、検査データから栄養状態をアセスメントすることが大切である。よく用いる検査指標について理解する。

栄養状態を示す検査データ

検査指標	基準値	備　考
BMI(Body Mass Index／体重の指標)	普通体重：18.5 ～ 25未満 低体重：18.5未満　肥満：25以上	BMI＝体重kg ／(身長m)^2 ＊ 肥満とやせの指標
血糖値	正常値：空腹時110mg/dL未満、 食後2時間140mg/dL未満 正常高値：空腹時100～109mg/dL	糖尿病の指標
HbA 1c	4.6～5.5%（NGSP）	HbA 1cは、過去1～2か月間の血糖値の平均と関係する
赤血球(RBC)	男性：430～570万/μL　女性：390～520万/μL	貧血状態がわかる
ヘモグロビン(Hb)	男性：13.0～16.6g/dL　女性：11.4～14.6g/dL	貧血状態がわかる
総たんぱく(TP)	6.5～8.1g/dL	栄養状態がわかる
アルブミン(ALB)	3.8～5.2g/dL	栄養状態がわかる

電解質バランスを示す検査データ

血液中に含まれる無機質は、細胞内外液の浸透圧や酸塩基平衡を保ち、細胞内外の情報伝達にかかわる非常に重要な働きを担う。このバランスが崩れると、さまざまな症状が現れる。電解質バランスを検査データや症状からアセスメントし、適切な食事や輸液などで改善を図ることが重要である。

電解質	働き、異常時の自覚症状	備　考
ナトリウム Na	働き：血液量や浸透圧の調節　基準値：135～145mEq/L 低値：嘔吐や下痢などの消化器症状、無力感や傾眠など 高値：倦怠感や傾眠、筋力低下など	
カリウム K	働き：神経細胞の刺激伝達、浸透圧の調節　基準値：3.5～5mEq/L 低値：筋力低下、不整脈、傾眠など　高値：不整脈、心停止など	
カルシウム Ca	働き：支持組織の形成、筋収縮、血液凝固　基準値：9～11mg/dL 低値：不整脈、嘔吐、下痢など　高値：口渇、便秘、眠気、多尿など	
亜鉛 Zn	働き：味覚・皮膚・骨の機能維持など　基準値：65～110μg/dL 低値：味覚低下、食欲低下、皮膚創傷治癒の遅延など	＊通常、過剰分は膵液から排泄される

CHAPTER 3
排泄の援助

到達目標
患者の排尿・排便の自立状況、自然な排泄を妨げる状況・要因をアセスメントし、人としての尊厳を損なうことなく、安全で安楽に、そして安心して排尿・排便ができるよう援助する。

C O N T E N T S

CHECKING & ASSESSMENT

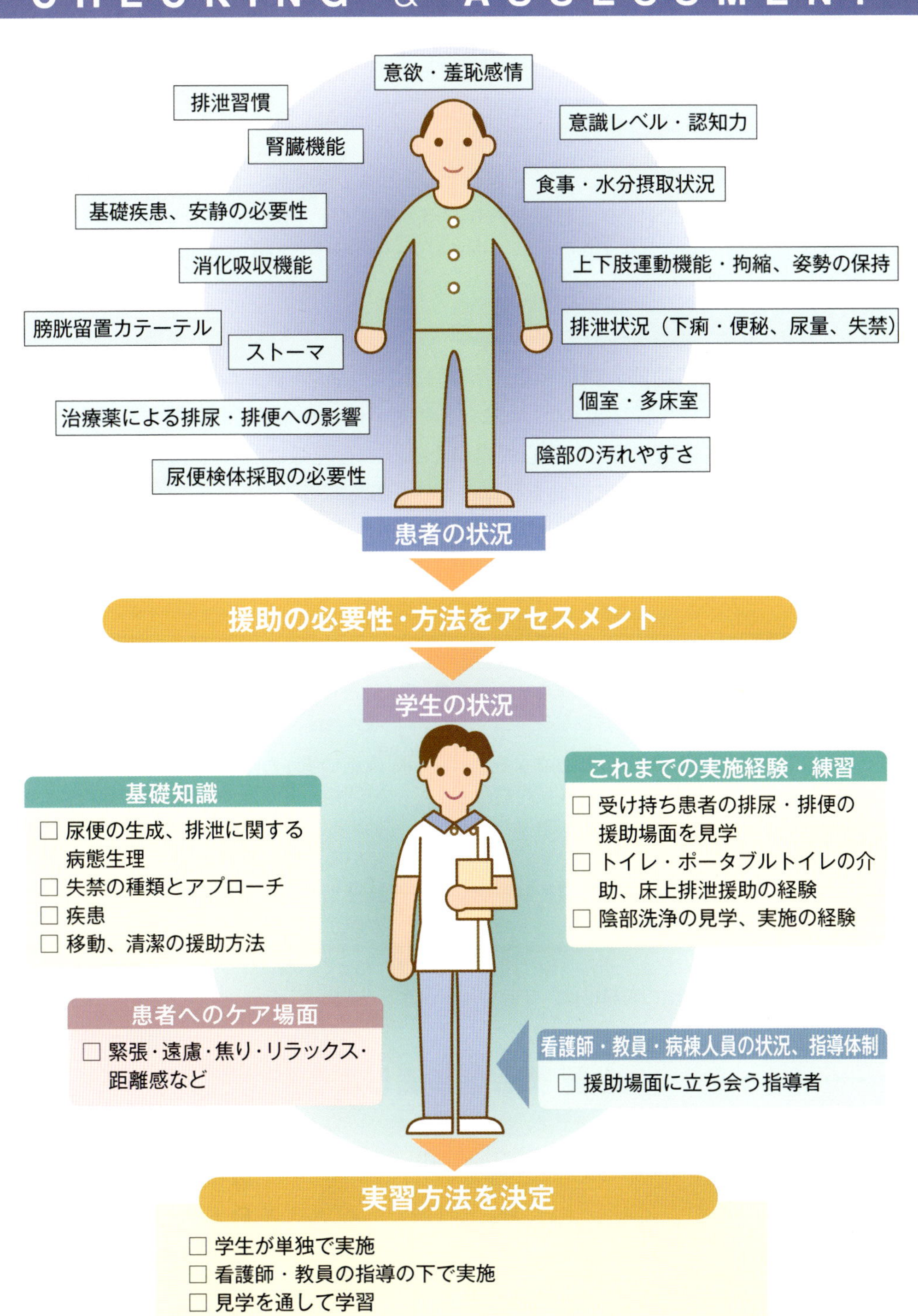

CHAPTER 3

1 ポータブルトイレを用いた援助

学習のねらい

片麻痺や筋力低下によって、立位をとることはできても、1人では歩けない場合などに、車椅子を使ってトイレに移動したり、ポータブルトイレを使用して排泄の援助を行う。本項では、ベッドサイドでポータブルトイレを使用する際の介助を中心に学ぶ。

覚えておきたい基礎知識

排尿は尿道括約筋、排便は肛門括約筋によりコントロールされる。ただし、高齢者は排泄に関連した筋力低下などにより、尿意・便意を感じると我慢することができない場合が多い。失禁すると自尊心が傷つくため、看護師は「トイレに行きたい」というサインを見逃さず、速やかに援助を行うことが大切である。

排尿・排便の仕組み

	排　尿	排　便
排泄物の生成	● 腎臓では、1日に約1500Lの血液が濾過され、1～2Lの尿となる。	● 消化・吸収された食物残渣が、大腸で水分を吸収され便となる。
排泄の仕組み	● 膀胱に尿が200mL程度たまると、尿意が生じる。尿道の外括約筋によって意識的に尿意をコントロールできる。 ● 大脳に排尿指示が届くと、内・外括約筋が緩み、さらに腹圧がかかることで排出される。	● 直腸に便がたまると、便意が生じる。通常、内肛門括約筋が締まり、外肛門括約筋も意識的に締めることができるため、便が漏れないようになっている。 ● 排便指示が大脳に届くと、括約筋が緩み、腹圧がかかり排出される。
	● 括約筋・骨盤底筋の収縮は陰部神経がかかわっている。 ● 膀胱・直腸の収縮には、骨盤神経がかかわっている。	

必要物品を準備しよう!

❶ ポータブルトイレ
❷ 手袋
❸ トイレットペーパー
❹ 38～40℃の湯が入った陰部洗浄用ボトル（必要時）
❺ 陰部洗浄用品：タオル、ガーゼ、石けん、ビニール袋（必要時）

援助する前に確認しよう！

患者の状況

身体に麻痺がある
- □ 麻痺の部位は？
- □ 片麻痺の場合、どちら側？

筋力低下がある
- □ 立ち上がりができる？
（ベッドから／車椅子から／トイレの便座から）
- □ 排泄の間、座位を十分に保つことができる？

何らかの制限がある
- □ 治療上、床上安静・荷重制限などがある？
- □ 酸素や輸液など、医療器具を使用している？

今日の状態は？
- □ 状態に大きな変化はない？
- □ バイタルサイン・検査データ（特に貧血）は安定している？
- □ 認知レベルは？
- □ 寝衣は着脱しやすい？

周囲の状況

- □ ベッドにストッパーはかかっている？
- □ 医療器具やチューブ類への対応は確認できている？
- □ ポータブルトイレは滑りにくく安定した位置にある？

あなた自身

- □ 尿意・便意を感じて急いでいる患者を、1人で安全に移動可能？
- □ 受け持ち患者のポータブルトイレでの行動をイメージできる？

ポータブルトイレでの排泄介助

PROCESS 1 環境を整える

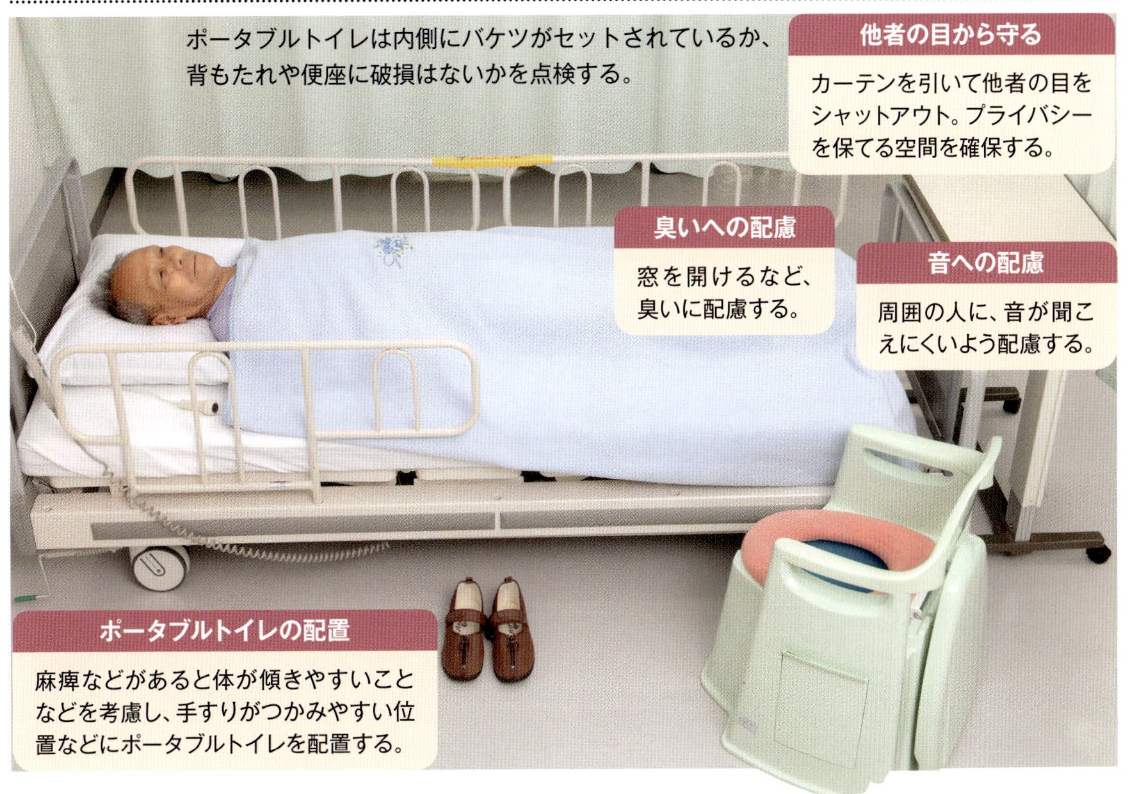

PROCESS 2 ベッドからポータブルトイレへ

3-1

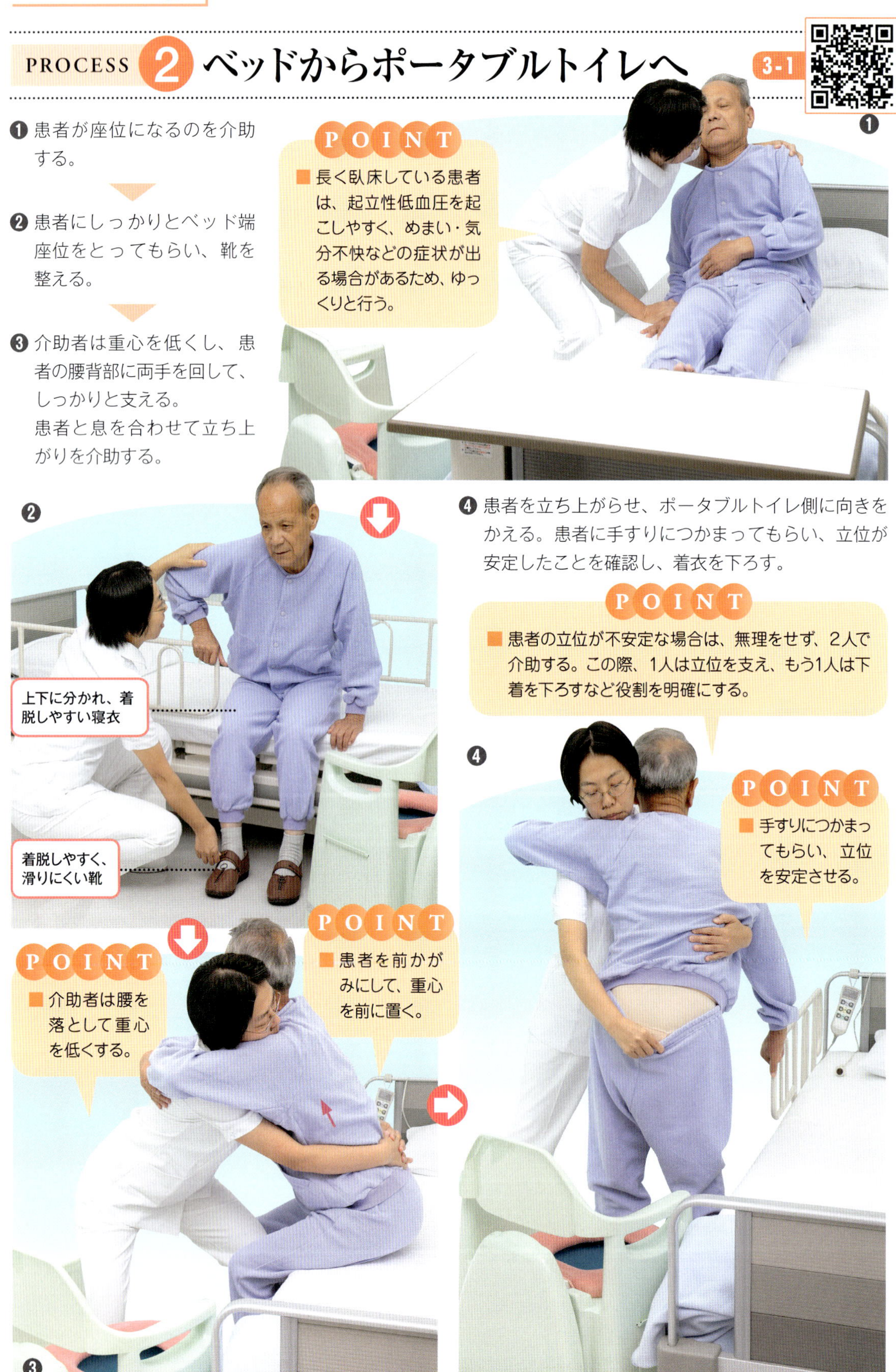

❶ 患者が座位になるのを介助する。

POINT

■ 長く臥床している患者は、起立性低血圧を起こしやすく、めまい・気分不快などの症状が出る場合があるため、ゆっくりと行う。

❷ 患者にしっかりとベッド端座位をとってもらい、靴を整える。

❸ 介助者は重心を低くし、患者の腰背部に両手を回して、しっかりと支える。
患者と息を合わせて立ち上がりを介助する。

POINT

■ 介助者は腰を落として重心を低くする。

POINT

■ 患者を前かがみにして、重心を前に置く。

❹ 患者を立ち上がらせ、ポータブルトイレ側に向きをかえる。患者に手すりにつかまってもらい、立位が安定したことを確認し、着衣を下ろす。

POINT

■ 患者の立位が不安定な場合は、無理をせず、2人で介助する。この際、1人は立位を支え、もう1人は下着を下ろすなど役割を明確にする。

POINT

■ 手すりにつかまってもらい、立位を安定させる。

PROCESS 3 ポータブルトイレでの排泄

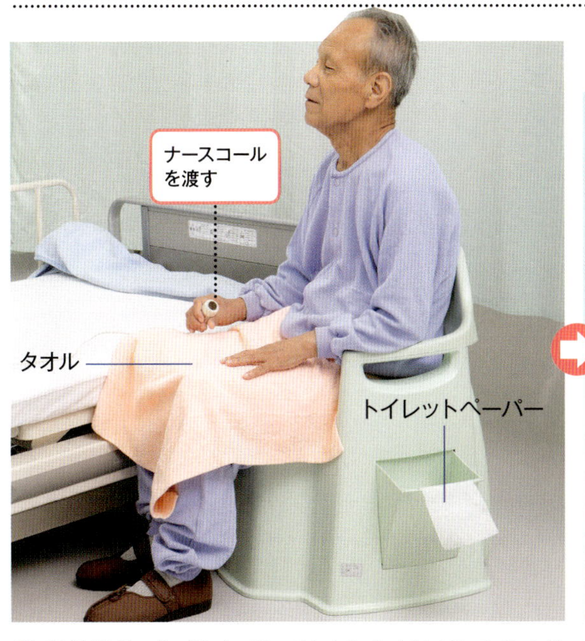

❶ 患者がポータブルトイレで安定した座位がとれるよう整える。タオルを膝にかけて不要な露出を防ぐ。
トイレの高さ、背もたれの強度、トイレットペーパーの位置に配慮する。ナースコールを渡し、看護師は退室する。

❷ 排泄終了後、陰部・肛門部を洗い流し、押さえ拭きをする。

POINT
- 清潔ケアとして陰部洗浄を行う場合もある。

PROCESS 4 ポータブルトイレからベッドへ

3-2

❶ 患者の腰背部に両手を回し、重心を低くして、立ち上がりを介助する。

POINT
- 排泄、特に排便後は血圧の変動、体力消耗の可能性がある。
- 立ち上がりが困難になる可能性も踏まえて介助する。

❷ 立位が安定したら、着衣を引き上げる。ベッド上で端座位をとり、靴を脱ぐ。

POINT
- 立位が安定してから、着衣を引き上げる。

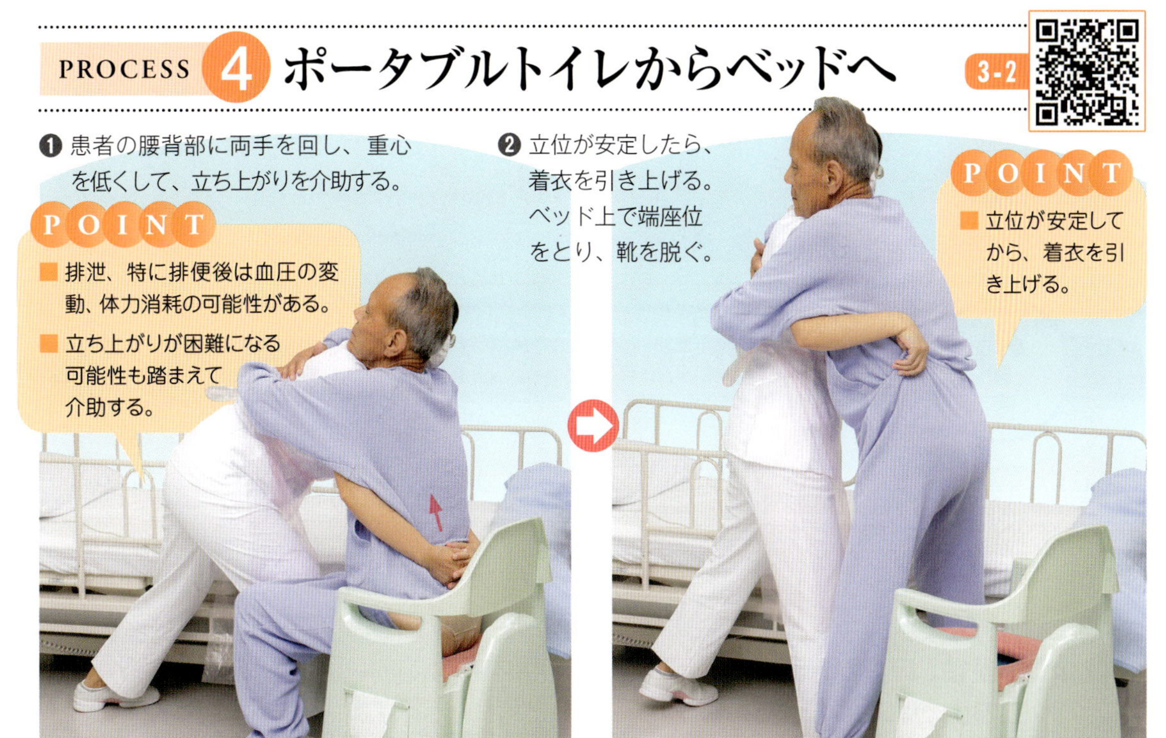

援助後に振り返ってみよう！

観 察
- □ 患者の顔色·表情、血圧（必要時）は？
- □ 尿の色、臭い、量は？
- □ 1日尿量や1回尿量をチェックしている？

周囲の状況
- □ ナースコールの位置は？

後片付け
- □ ポータブルトイレ内の排泄物を処理する
- □ ベッド周囲の環境を元通りに整える

覚えておくと、役立ちます！

車椅子を用いたトイレ介助

車椅子でトイレへ移動する場合、患者にとって使いやすいトイレかどうか確認する。
日頃から、患者の身体の使い方や動かせる範囲を観察し、移動しやすい位置・角度に車椅子を配置したり、トイレットペーパーをあらかじめ切り取って渡すなどの配慮を行う。

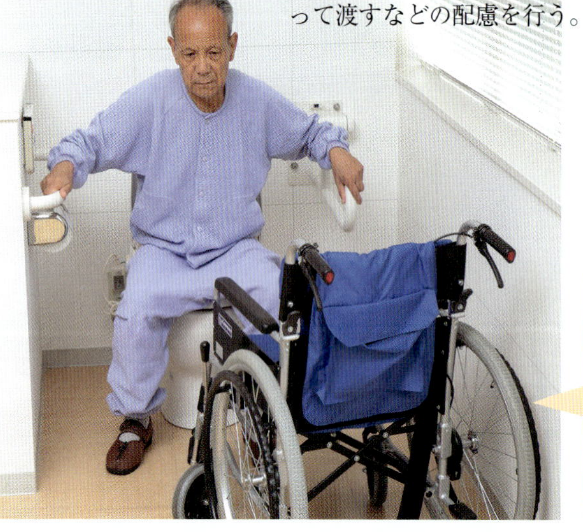

POINT

排泄中の介助は？
- 座位保持が確実にできる患者の場合、看護師はトイレットペーパーの位置などを確認して外で待つ。
- 座位保持が不安定な患者の場合は、患者の了承を得て、できるかぎり傍らで支える。

こんな時どうする？

CASE 1 車椅子でトイレに行ったら、使用中だった！

トイレが使用中の場合、まず、待てるかどうかを患者に確認する。待てないようなら、いちばん近いトイレに移動する。日頃から、車椅子で使用できるトイレの位置、右麻痺用か、左麻痺用かなどトイレの特徴を確認しておく。

CASE 2 排便後、患者がトイレで立ち上がれなくなった！

排便後、患者の状態に変化があった場合、落ち着いて行動する。患者が倒れないよう支え、ナースコールで人を呼ぶ。あわてて、その場を離れてはいけない。患者を1人にすることが最も危険である。

CHAPTER 3

2 ベッド上での排泄援助

学習のねらい

座位保持が困難な患者、治療上、安静を余儀なくされる患者の場合、ベッド上での排泄が必要になる。
便器・尿器を用いたベッド上排泄の援助法を学ぶ。

覚えておきたい基礎知識

仰臥位での排便は、座位での排便とは異なり、解剖学上、直腸から肛門へと便が進みにくい角度となる。
ベッド頭側を60度程度挙上し、ファウラー位とすることで、便が直腸から肛門へと進みやすい角度になり、腹圧もかけやすい。

体位と直腸肛門部の角度

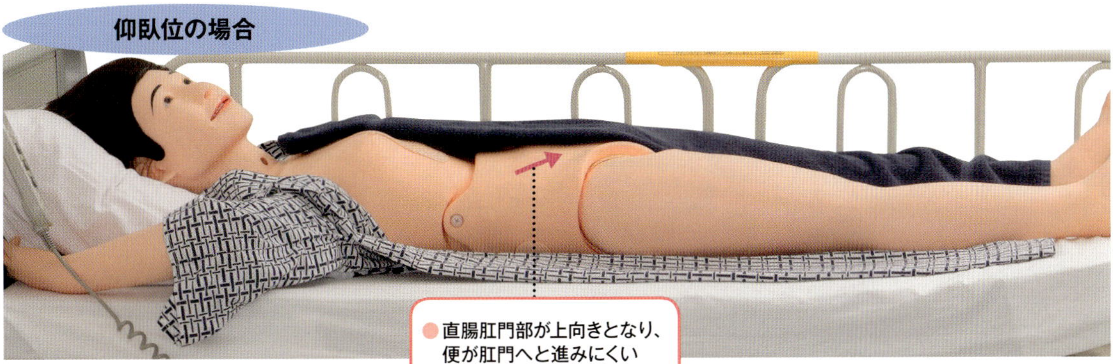

仰臥位の場合

- 直腸肛門部が上向きとなり、便が肛門へと進みにくい

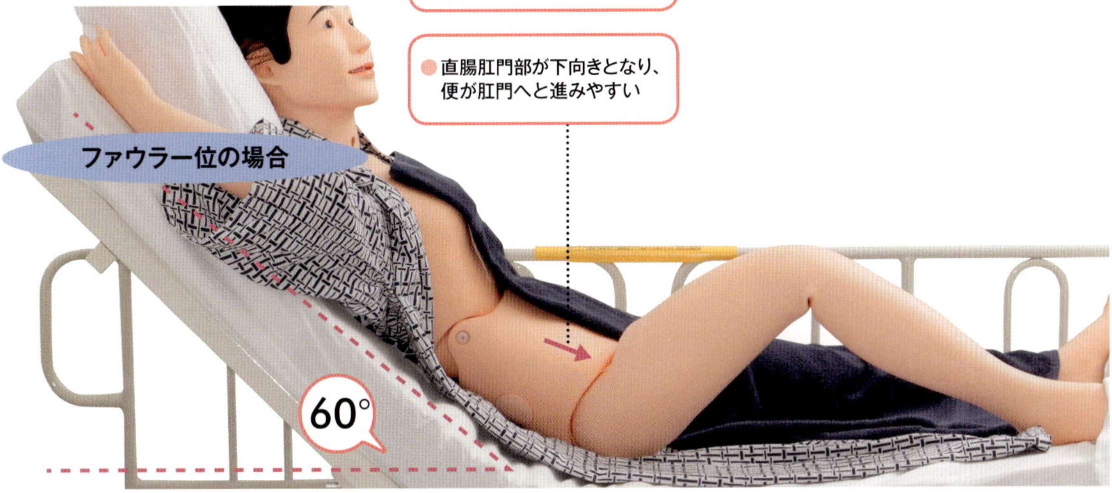

ファウラー位の場合

- 直腸肛門部が下向きとなり、便が肛門へと進みやすい

60°

援助する前に確認しよう!

患者の状況

□ ベッド上で排泄するのはなぜ?
　◎日常的にベッド上排泄を行っている
　◎治療や検査のため、今日だけベッド上排泄である
□ ベッド上排泄は初めて?
□ 膝が立てられる?
□ 寝返りができる?
□ 腰を上げることができる?
□ 治療上、股関節屈曲を禁ずるなど、制限はない?

あなた自身

□ 患者の今日の状態を把握している?(バイタルサイン/意識状態/認知レベル)
□ ベッド上排泄の援助を経験したことがある?

必要物品を準備しよう!

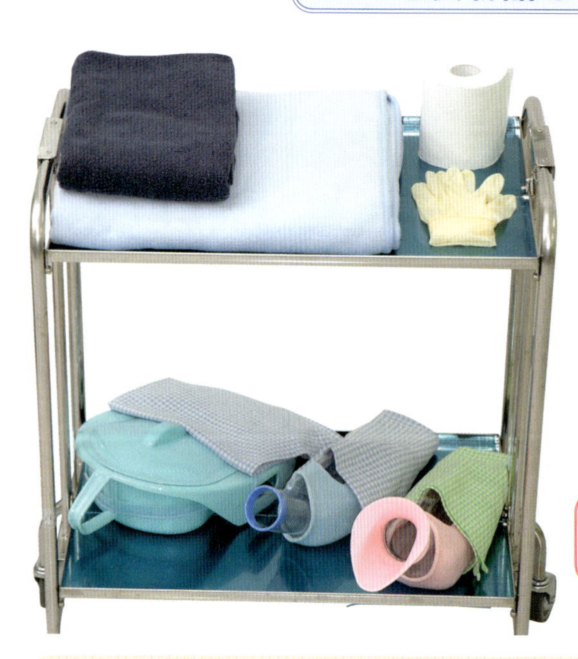

❶ ベッド上で使用する便器/尿器(冷たくないよう配慮)・蓋
❷ 便器/尿器カバー
❸ 処置用シーツ・防水(ラバー)シーツ
❹ 手袋・プラスチックエプロン・マスク
❺ トイレットペーパー
❻ 38~40℃の湯を入れた陰部洗浄用ボトル(必要時)

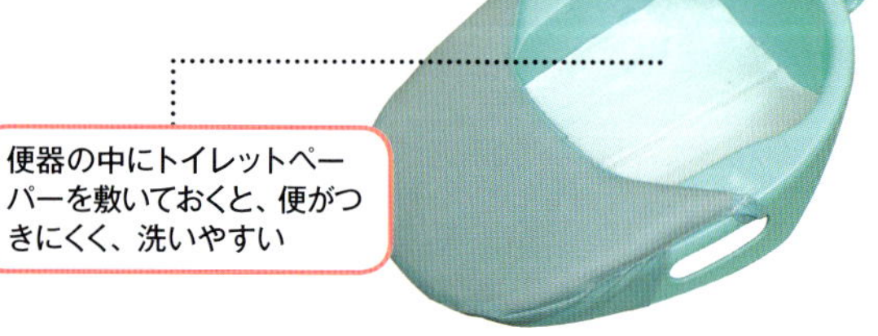

便器の中にトイレットペーパーを敷いておくと、便がつきにくく、洗いやすい

便器を用いる場合 3-3

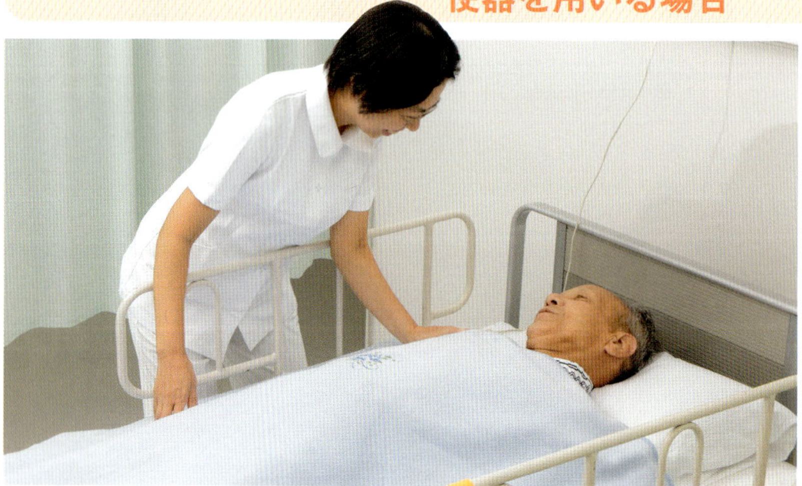

❶ 患者に説明をし、臭い・音へのさりげない配慮を行い、カーテンを閉めてプライバシーを確保する。

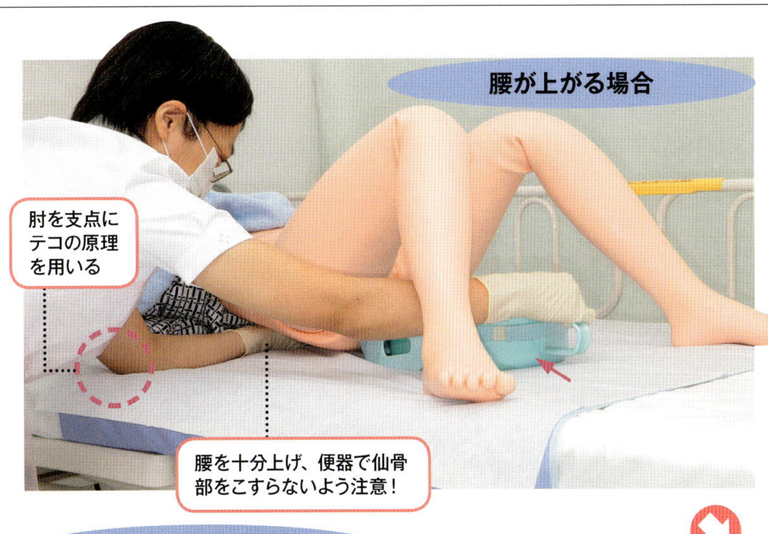

❷ 着衣を下ろす。腰が上がる場合は、仰臥位で両膝を立て、肛門部が便器の受け口中央にくるように挿入する。
腰が上がらない場合は、側臥位で便器を当て、仰臥位に戻す。

可能なら、ベッド頭部を挙上してセミファウラー位をとり、両膝を立てる。
女性の場合は恥骨部から尿道口にかけてトイレットペーパーで覆い、尿の飛散を防止する。男性の場合は、陰茎を尿器に入れる。

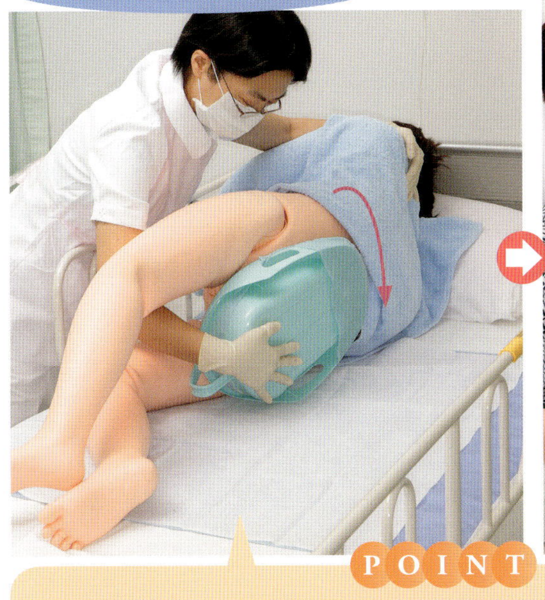

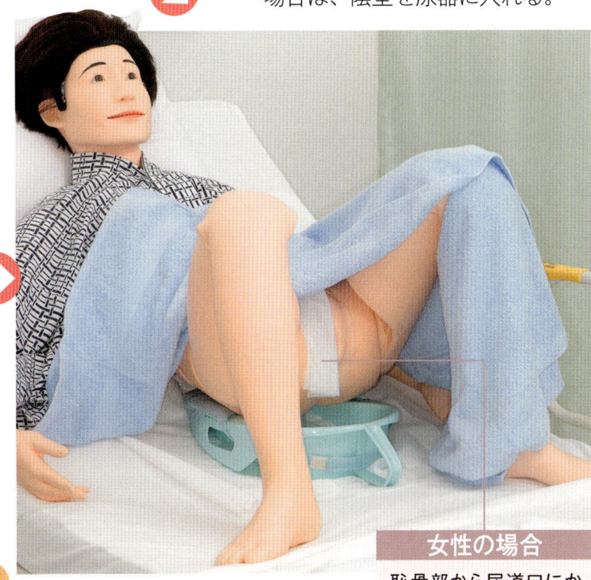

女性の場合

恥骨部から尿道口にかけてトイレットペーパーで覆う

男性の場合

陰茎を尿器に入れる

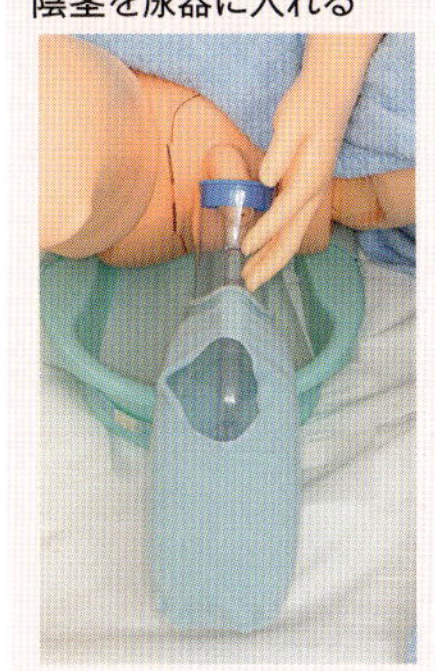

POINT

皮膚の摩擦に注意！

- 着衣を下ろす際、便器を挿入する際に、皮膚をこすらないよう注意する。
- 側臥位で便器を当てる場合は、必要時2人で介助する。
- 便器の差し込み部分が殿部・仙骨の位置に当たり、便器の受け口中央が肛門部にくるように当てると安定する。

ナースコール

❸ 下半身を綿毛布で覆う。患者と相談し、ナースコールの位置、ベッド柵、カーテンを確認し、看護師はその場を離れる。排便が済んだら肛門周囲・陰部を湯で洗い、水分を拭き取る。

尿器を用いる場合

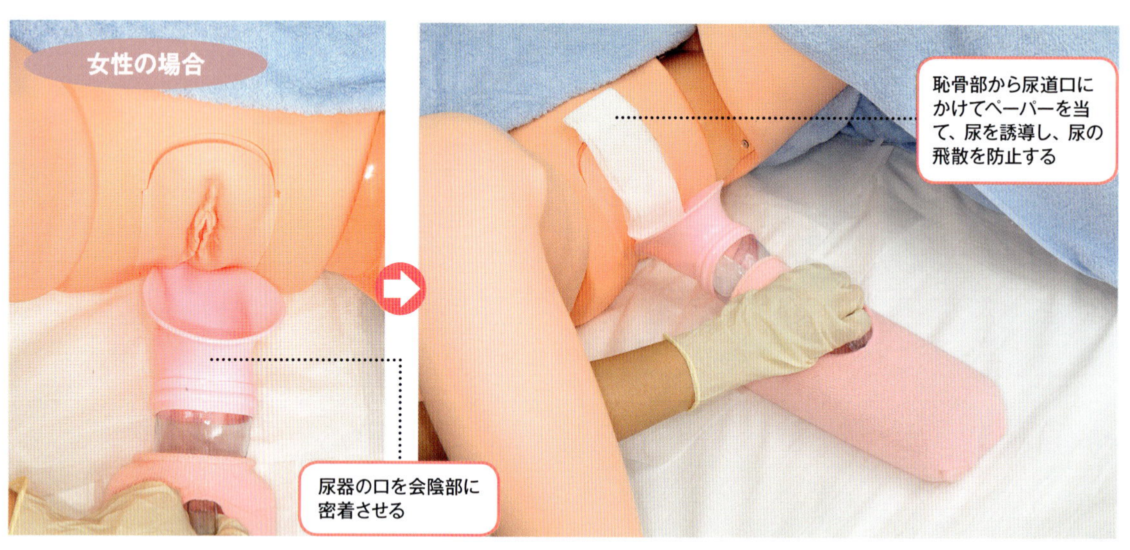

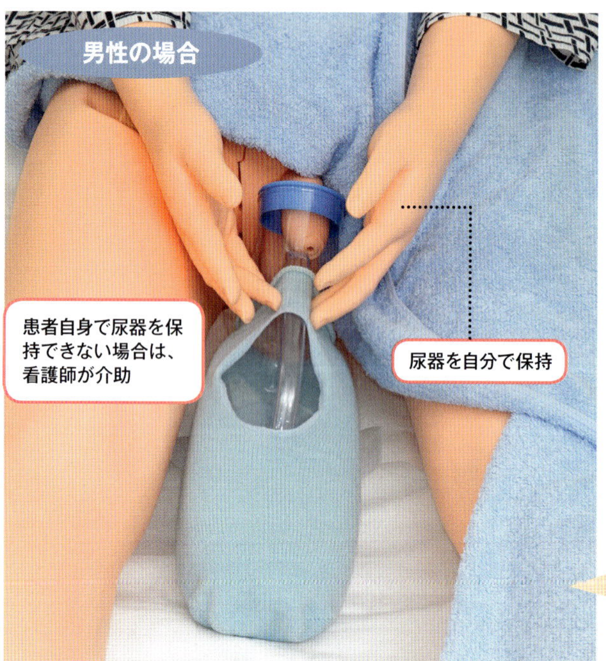

女性：セミファウラー位で両膝を立て、尿器の口を会陰部に密着させる。恥骨部から尿道口にかけてトイレットペーパーを当て、尿の飛散を防ぎ、尿器内に誘導する。

男性：セミファウラー位で両足を広げ、陰茎を尿器に入れ、患者自身に保持してもらう。

▼

排尿が済んだら肛門周囲・陰部を湯で洗い、水分を拭き取る。

▼

患者自身の手洗いも忘れずに行ってもらう。

POINT

- カーテンを引き、臭い・音に配慮、プライバシーを守る。
- 足などはタオルで覆い、露出を最小限にする。
- 男性の場合も患者自身で尿器を保持できない場合は、看護師が介助する。
- 患者自身も陰部や便器に触れているため、排尿後には手浴を促す。

援助後に振り返ってみよう！

観 察

- □ 顔色・表情は？
- □ 脈拍・血圧（必要時）は？

周囲の状況

- □ シーツ・衣類に排泄物がついていれば交換する
- □ 臭いがこもらないように換気する
- □ ベッド周囲の物品を元に戻す
- □ ナースコールの位置を整える

後片付け

- □ 汚れたおむつをビニール袋に入れ、分別して廃棄する

あなた自身

- □ 手洗いをしっかりと行う

覚えておくと、役立ちます！

介助者の腰痛を防止するために

ベッド上での排泄介助は前屈させて行う動作が多く、介助が続くと腰部に負担がかかる。
介助者は患者の腰を上げ、便器を差し込む際、自らに過度な負担がかからないよう、ボディメカニクスを意識して行う。
また、患者と息を合わせ、協力して行うことが大切である。

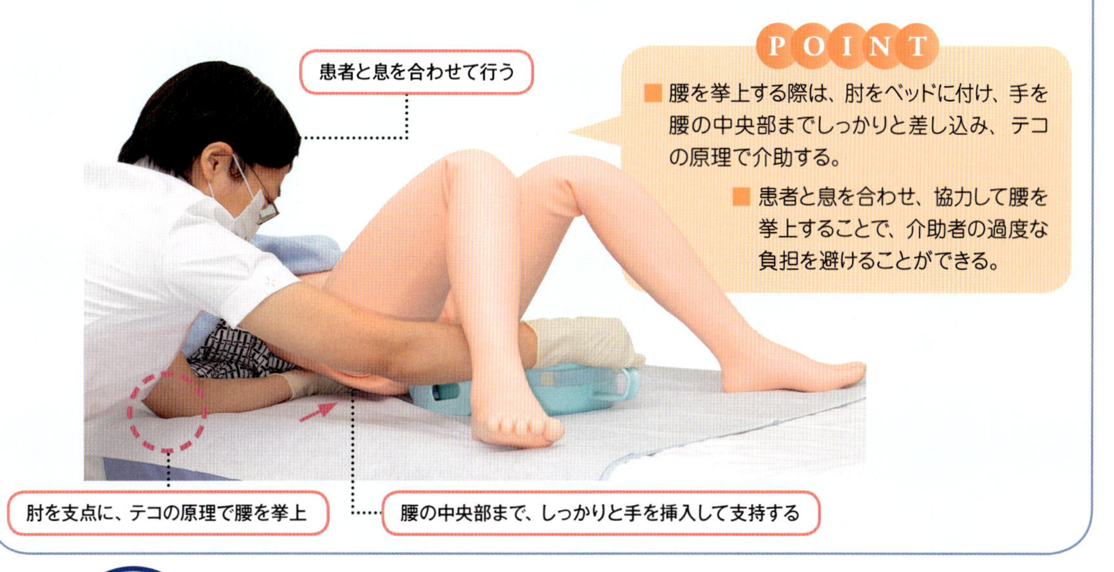

こんな時どうする？

CASE 1 手袋に便がつき、ベッド周囲が汚れてしまった！

排泄介助の際、手袋に便がついてしまったら、少量であっても、手袋の交換、または洗浄が必要である。汚れた手袋で周囲に汚染を広げないよう、速やかに取り替える。
排便後、便器内の便の上にトイレットペーパーをかけて覆っておくと、手袋に便がつきにくく、処理がしやすい。
また、排便量が多い場合は、あらかじめ、手袋を２枚重ねて装着しておくとよい。手袋が汚染した際、外側の１枚を外すだけで、援助を続けることができる。

CASE 2 大量の便が、便器からあふれそう！

大量の排便で便器がいっぱいになったまま陰部洗浄を行うと、便器から便があふれてしまうことになる。新しい便器に交換してから、陰部洗浄を行う。
患者に少し腰を上げてもらい、肛門周囲の汚れを軽くとり、排便後の便器を抜くと同時に、新しい便器を挿入する。
患者が疲れている場合は、新しい便器の代わりにフラット型のおむつを敷いて、陰部洗浄を行うこともある。
いずれの場合も、１人では困難だと判断したら、もう１人介助者を呼び、患者に負担をかけないよう援助を行う。

【参考文献】1）正源寺美穂ほか（2006）．要介護高齢者のおむつ交換に伴うケアスタッフの腰部前傾角度変化による腰部負担の解明．老年看護学11（1）：39－46．
2）真田弘美ほか（2009）．排尿ケアを極める―床上での排泄ケア～ベストプラクティスを探る．EBNursing 9（4）：55．

CHAPTER 3

3 おむつ交換

学習のねらい

何らかの理由で排泄のコントロールが困難となり、おむつを使用している人のおむつ交換の方法とケアについて学ぶ。

覚えておきたい基礎知識

ケアの方向は“おむつを外すこと”

人間にとって、排泄行動を自分で行えなくなるということは、衝撃的な出来事である。その象徴が“おむつ”である。

成人になっておむつを使用するということは、尊厳を損なうことであるという意識を常に持つことが大切である。機会があれば、いつでもおむつを外す方向を目指し、ケアを行う。

患者の状況に合ったおむつを選択

排泄に関する失敗は、大きな屈辱である。おむつから漏れた排泄物でシーツや寝衣が汚れてしまうことがないよう、排泄状況に合わせたおむつを選択することが重要である。おむつの種類は多種多様である。おむつの特徴をよく知ると同時に、患者の失禁状況を毎回、アセスメントし、適切なおむつを選択する。

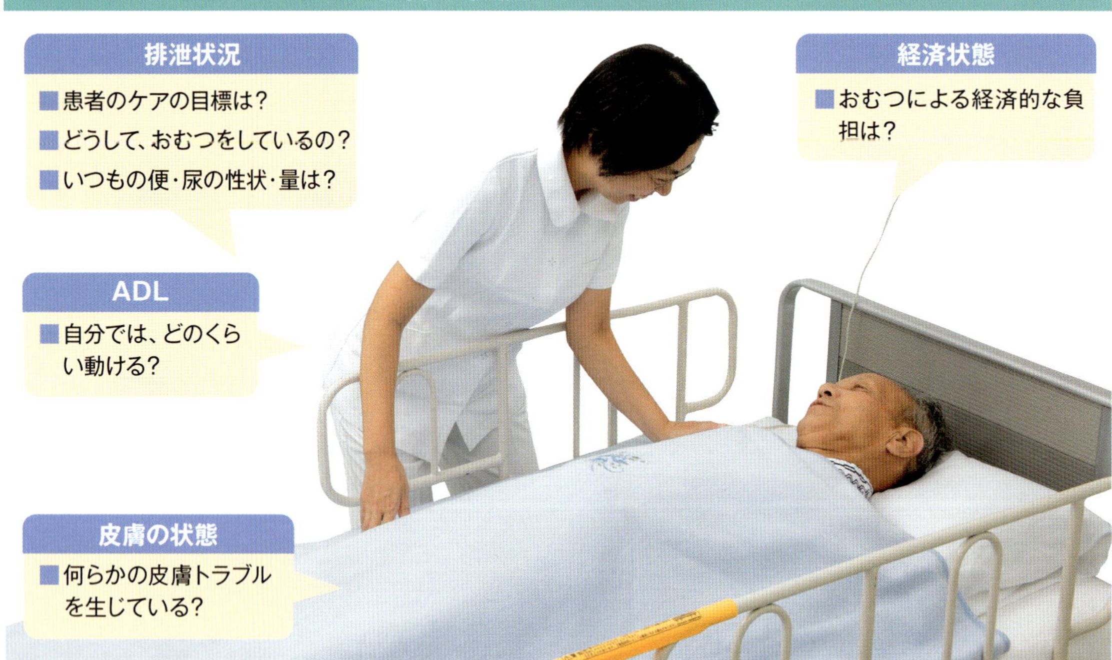

おむつの選択

アセスメントをもとに、可能なかぎり適切なタイプのおむつ、おむつとパッドとの組み合わせを選択する。

参照★新訂版 写真でわかる高齢者ケア アドバンス p62~63

パンツタイプ

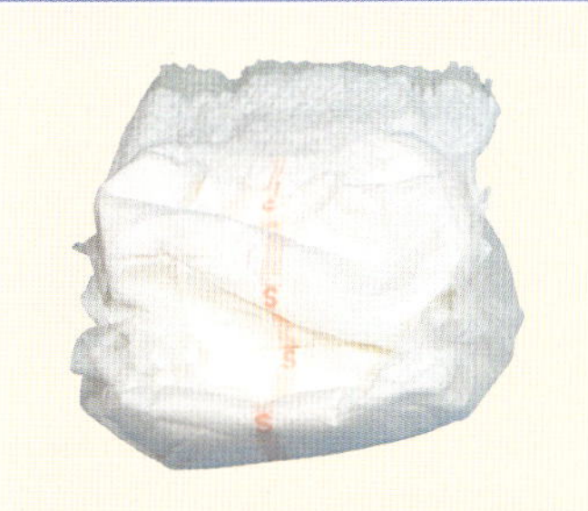

- テープでとめるのではなく、パンツと同じように着用できる。
- 自分でトイレに行ける人や、トイレットトレーニングを開始する人に適している。

テープタイプ

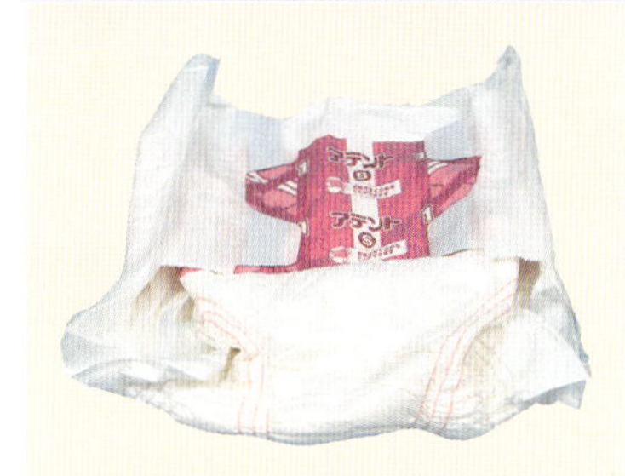

- 吸収量が多く、値段も高い。失禁量が多い場合や、頻回に交換できない場合に有効である。
- 湿潤環境にある時間が長くなるため、蒸れによる皮膚トラブルのリスクがある。

フラットタイプ

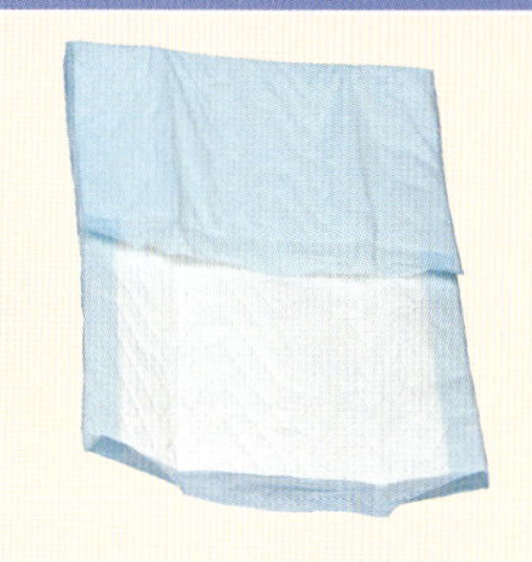

- パッドとしておむつ内に入れて使用したり、シートとして敷いて使用するなど、用途が多様である。

パッド各種

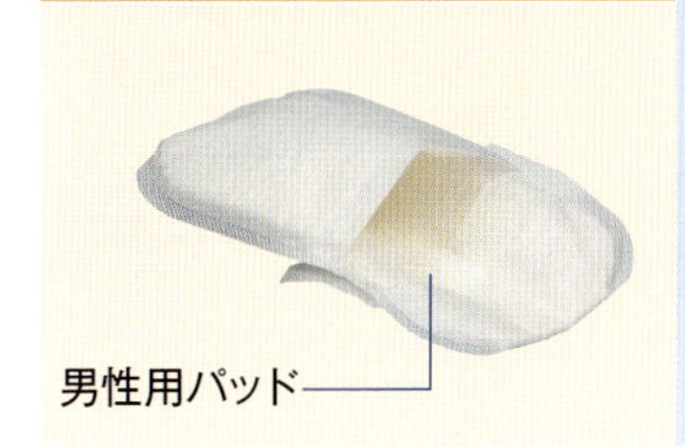

男性用パッド

- 吸収力が少量から多量まで、さまざまなパッドがあり、失禁量に合わせて選択する。
- 尿に勢いを伴う場合は、パッド周囲がギャザーになっているタイプやひょうたん形を用いるとよい。
- 男性用パッドは、陰茎に巻き付けたり、陰茎をパッドのポケットに挿入する。
- 男性用トイレには汚物入れがないことが多いため、パッドの捨て方についても患者と話し合う。

援助する前に確認しよう！

患者の状況

- □ 仙骨など、腰背部に褥瘡は？
- □ 排泄に影響のある薬剤を服用している？
- □ 全身状態は安定している？
- □ 立位訓練など、生活行動を広げるための訓練をしている？
- □ 膝を立てられる？
- □ 寝返りができる？
- □ 腰を上げることができる？
- □ 便はゆるめ？　固め？
  量は少ない？　多い？
- □ おむつのタイプは？

あなた自身

- □ 患者の状態を把握している？（バイタルサイン／意識状態／認知レベル）
- □ おむつ交換を経験したことがある？

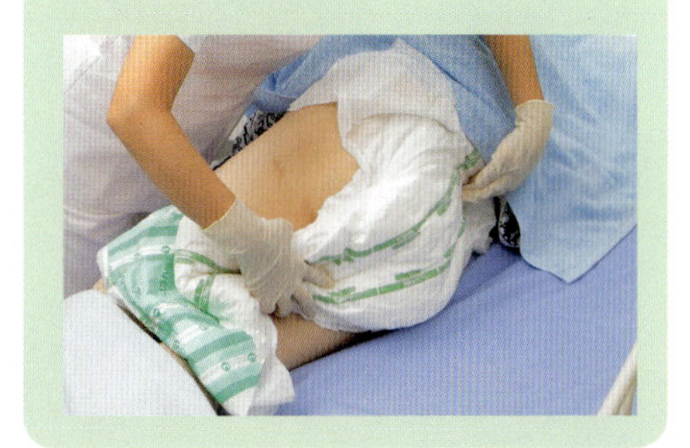

必要物品を準備しよう！

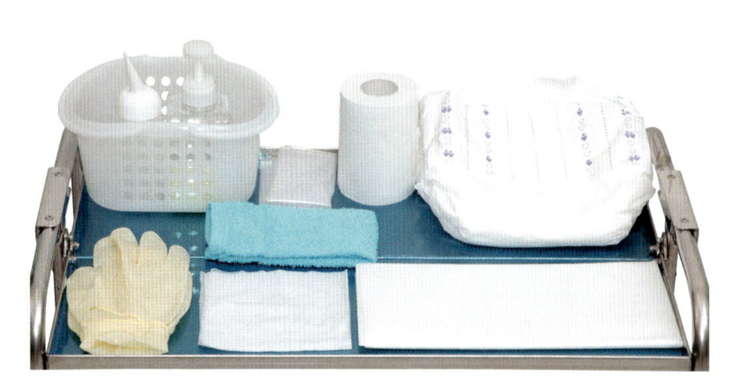

❶ おむつ
❷ 手袋・プラスチックエプロン・マスク
❸ ビニール袋
❹ トイレットペーパー
❺ 処置用シーツ・防水（ラバー）シーツ
❻ 38～40℃の湯を入れた陰部洗浄用ボトル（必要時）
❼ 陰部洗浄用品：
タオル、ガーゼ、石けん（必要時）

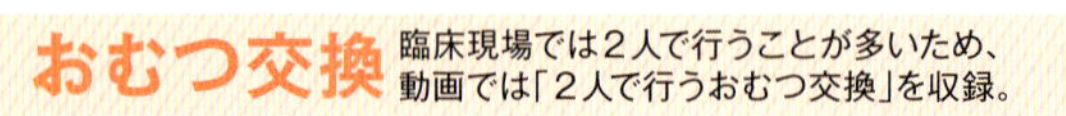

❶ 患者に説明をし、カーテンを閉めてプライバシーを確保する。臭いやおむつをしていることへの配慮はさりげなく行う。

POINT

おむつは枕元に置かない

- おむつ類は下着と同様に扱う。
- 新しいおむつでも、枕元などに置くと患者に不快な思いをさせるので注意する。

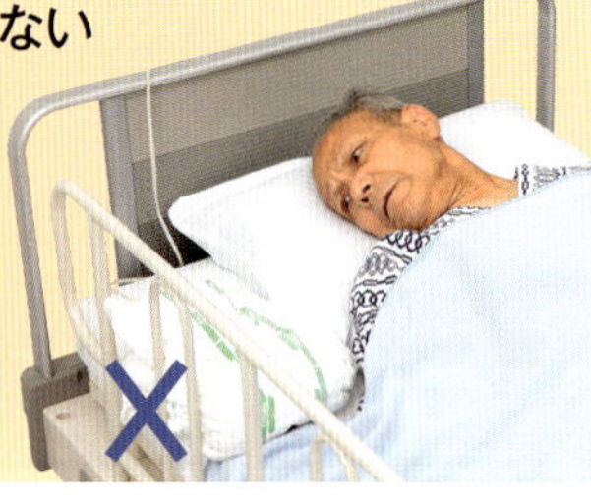

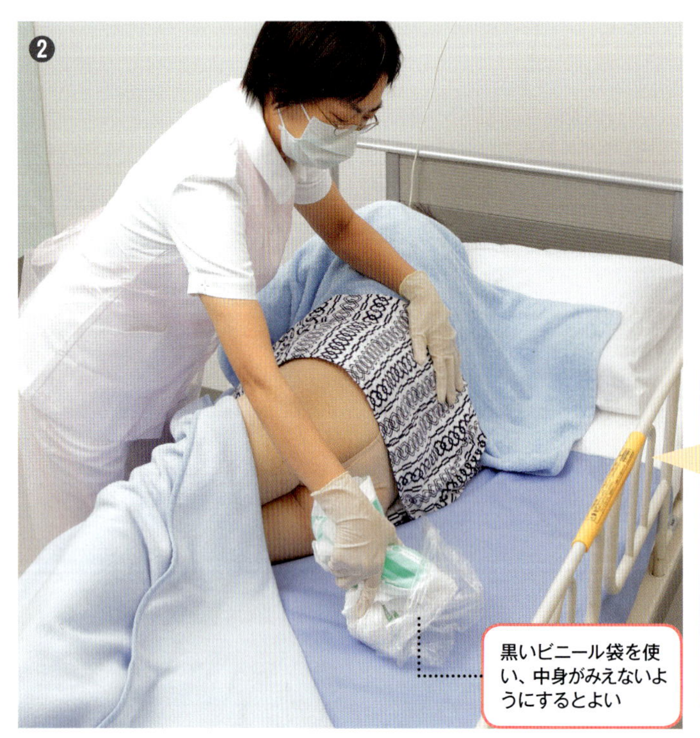

❷ おむつを開き、陰部・肛門部を洗浄し、水分を拭き取る。
患者を側臥位にするか、もしくは患者の協力を得て腰を上げてもらい、おむつを外す。
仰臥位のまま腰を上げずにおむつを引っ張って外すと、摩擦で皮膚を傷つける可能性があるので注意する。

POINT

- 使用済みのおむつは汚れを内側にして丸め、床に置かず、ビニール袋に入れる。
- 皮膚トラブルがないか、十分に観察する。

❸ 新しいおむつの左右中央が身体中央にくるよう、陰部におむつの吸水ポイントがくるよう当てる。

POINT

■ 仰臥位に戻す際、おむつの中央がずれないよう注意。

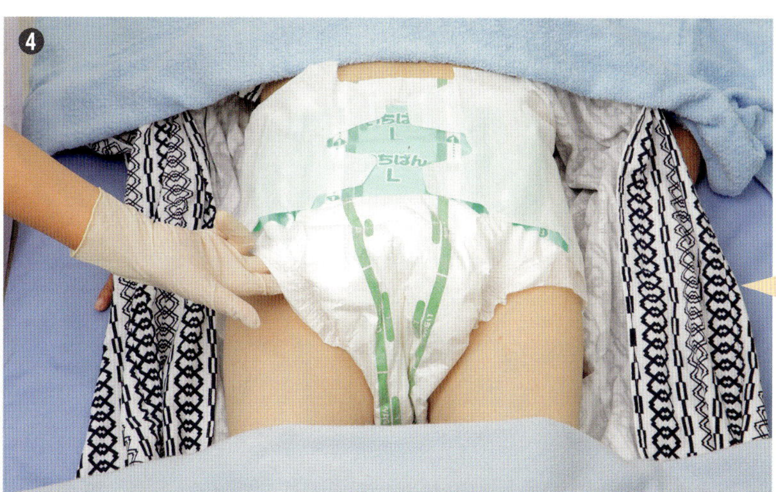

❹ 指を入れてギャザーを外側に立てながらおむつを当て、おむつと鼠径部をフィットさせる。

POINT

■ ギャザーが内側に入り込むと、漏れの原因になったり、皮膚を圧迫し、皮膚トラブルの原因となる。

❺ 体位・寝衣を整える。

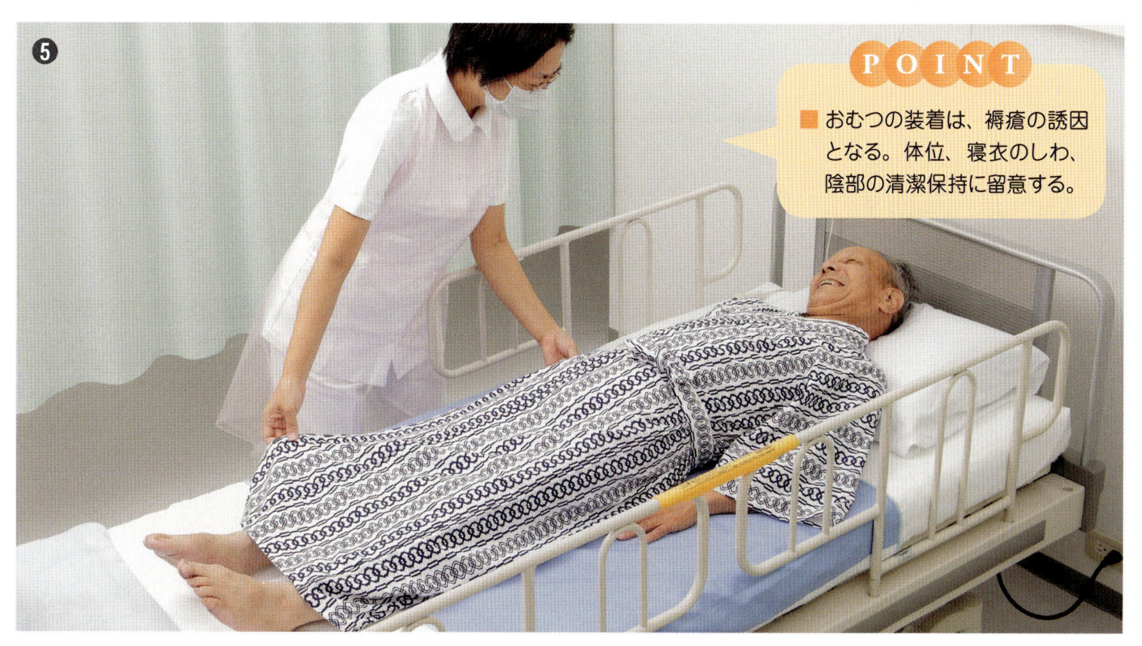

POINT

■ おむつの装着は、褥瘡の誘因となる。体位、寝衣のしわ、陰部の清潔保持に留意する。

援助後に振り返ってみよう!

観　察

- □ 顔色・表情は?
- □ 脈拍・血圧（必要時）は?

周囲の状況

- □ シーツ・衣類に排泄物がついていれば交換する
- □ 臭いがこもらないよう換気する
- □ ベッド周囲の物品を元に戻す
- □ ナースコールの位置を整える

後片付け

- □ 汚れたおむつをビニール袋に入れ、分別して廃棄する

あなた自身

- □ 手洗いをしっかりと行う

覚えておくと、役立ちます!

失禁用パッドの選び方

失禁用パッドには、尿失禁用・便失禁用がある。尿失禁用パッドは尿を吸収するための構造となっており、便失禁用パッドは下痢便が目詰まりしにくい構造となっている。
下痢の時、尿失禁用パッドを用いると、パッドが目詰まりし、便が吸収されずに漏れるおそれがある。
失禁用パッドは目的に応じて、適切に使用する。

こんな時どうする?

おむつ交換の最中、また便が出てきた!

おむつ交換の最中、便が出てくる場合がある。おむつ交換中だからといって、出るものは止められない。おむつから便がはみ出さないよう注意して、全部出るまで待つ。
新しいおむつに交換したばかりであっても、もう１度、最初から新しいおむつに交換する。

肛門周囲が赤くただれている!

肛門周囲のただれをそのまま放置すると、皮膚の炎症が広がる可能性がある。赤くただれている部分をみつけたら、やさしく洗浄し新しいおむつに交換する。
皮膚・排泄に関して専門知識のある看護師とともに皮膚のケアを検討する。

尿が横漏れ、シーツが汚染!

尿がおむつから漏れ、シーツが汚染している場合は、おむつを交換するとともにシーツを取り替える。
おむつ交換の際、ギャザーの位置・ヨレ、尿量、おむつの位置を確認し、どうして漏れたのかを検討する。
１人でのシーツ交換が困難であれば、応援を呼んで行う。

CHAPTER 3

4 導尿・膀胱留置カテーテル

学習のねらい

何らかの理由により尿閉状態にある場合や、陰部近くの創部を保護する必要がある場合に、尿道にカテーテルを挿入し排尿のコントロールが行われる。
本項では、一時的にカテーテルを挿入して排尿する導尿を中心に、カテーテルを膀胱に留置し持続的に排尿する方法、またその際の感染予防を含めた管理方法について学ぶ。

覚えておきたい基礎知識

尿道の解剖は、女性と男性とでは大きく異なる。女性の尿道は3〜4cmと短く、男性の尿道は約16〜18cmと長い。
女性では、尿道口の近くに膣口があるため、カテーテルの誤挿入に注意が必要である。
男性の尿道は、前立腺の中を通っている。挿入時に前立腺を傷つけると、前立腺炎、出血を起こす可能性があるため、注意が必要である。

尿道口〜膀胱の解剖

女性

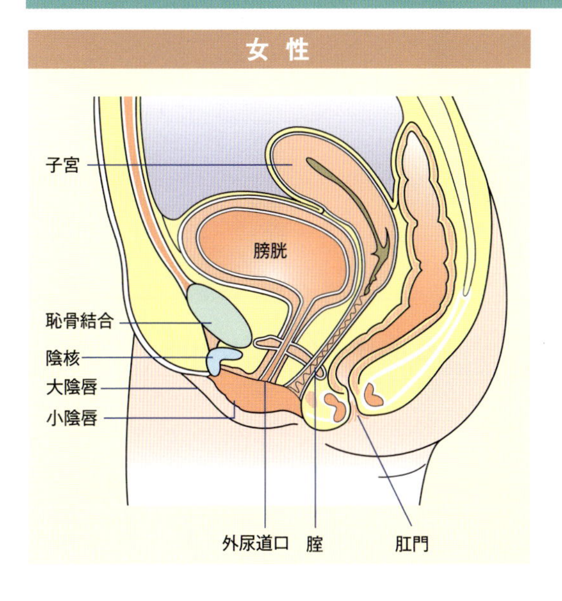

男性

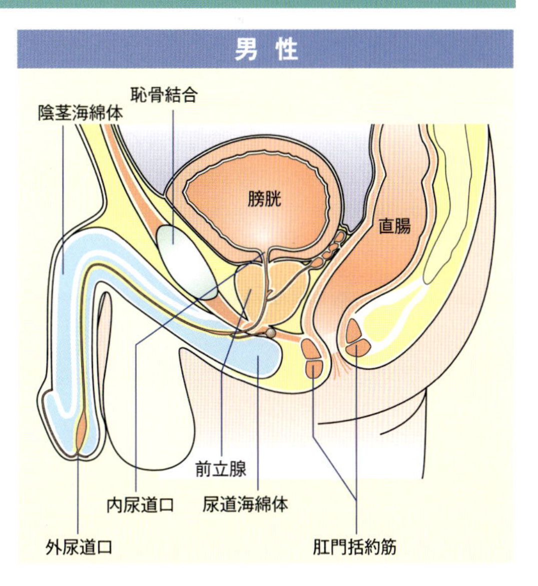

膀胱は無菌状態	●膀胱内へのカテーテル挿入は、無菌操作で行う。
尿道の長さ	●女性：3〜4cm ●男性：約16〜18cm

援助する前に確認しよう！

患者の状況

- □ なぜ、導尿や膀胱留置カテーテルが必要なのか？
- □ カテーテルを入れることに納得している？
- □ 下腹部（膀胱部）の緊満状態は？
- □ 易感染性？
- □ 出血傾向は？
- □ 処置の間、体位を保てる？
- □ 処置室に移動できる？

周囲の状況

- □ プライバシーが保てる？
- □ 必要な物品を置くスペースが確保できる？

あなた自身

- □ ユニホームはきれい？
- □ 手洗いはていねいに行った？
- □ 導尿、もしくは留置カテーテルの挿入は初めて？

必要物品を準備しよう！

一時的導尿の場合

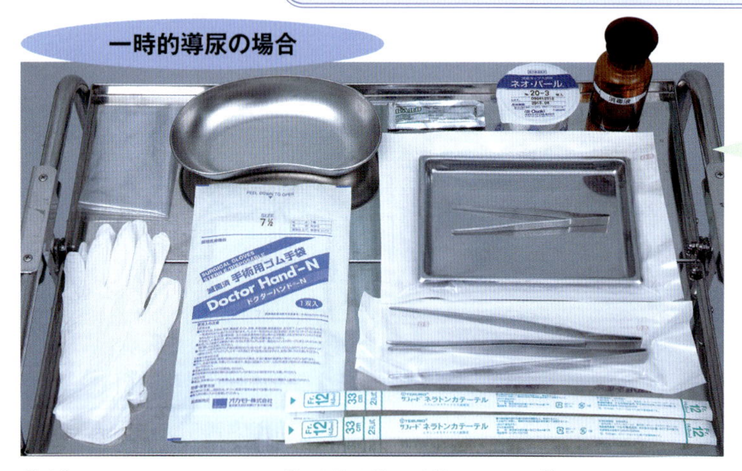

EVIDENCE

■ キシロカインゼリー®は尿道内に傷がある場合、アナフィラキシー・ショックを起こすことがあるので、水溶性潤滑剤を使用することが望ましい。

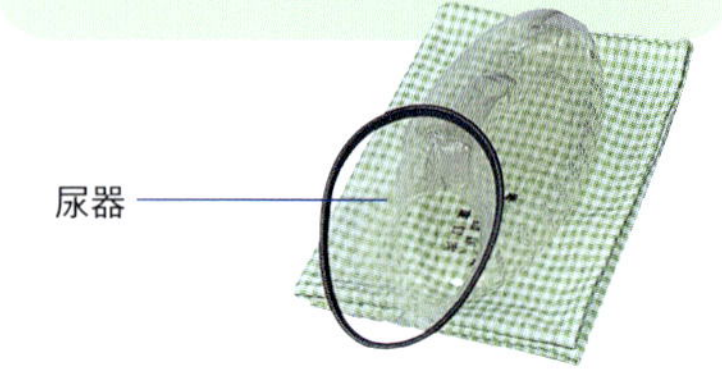

❶ 導尿用カテーテル（ネラトンカテーテル）
❷ 滅菌水溶性潤滑剤
❸ 処置用シーツ
❹ 滅菌手袋・手袋
❺ 滅菌トレー・滅菌鑷子
❻ 消毒薬・綿球
❼ 尿器
❽ 膿盆
❾ 綿毛布、またはタオルケット
❿ 清浄綿
⓫ ビニール袋

膀胱留置カテーテルの場合

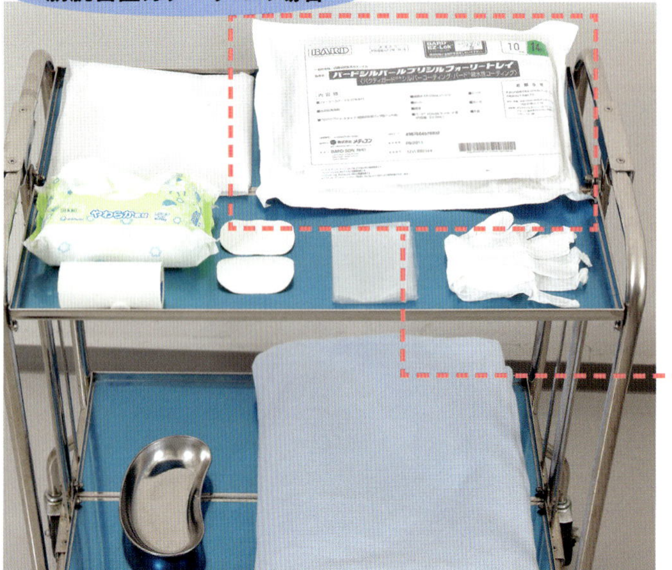

❶ 膀胱留置カテーテルセット
❷ 膿盆
❸ テープ
❹ 手袋
❺ おしり拭き用の使い捨てシート
❻ ビニール袋
❼ 綿毛布、もしくはタオルケット

カテーテルセットの中身
閉鎖式導尿（フォーリーカテーテル、蓄尿袋）、処置用シーツ、鑷子、手袋、綿球（3個）、ガーゼ（2枚）、滅菌精製水入りシリンジ、10%ポビドンヨード液、水溶性潤滑剤

一時的導尿

一時的導尿は尿閉状態の改善、残尿量の測定、滅菌尿の採取などを目的に、膀胱内にカテーテルを挿入し、尿を体外に排出する。

女性の場合

PROCESS 1 説明と同意、環境を整える

❶ 手洗いを行う。患者に導尿を行うことを説明し、同意を得る。

❷ カーテンやスクリーンを用いて、プライバシーの保てる環境を整え、綿毛布またはタオルケットをかける。

POINT

■ 掛け物は以下の手順で準備する。
①綿毛布を上掛けの上からかける。
②綿毛布の下から上掛けを引く。
③上掛けを足下に扇子折でたたむ。

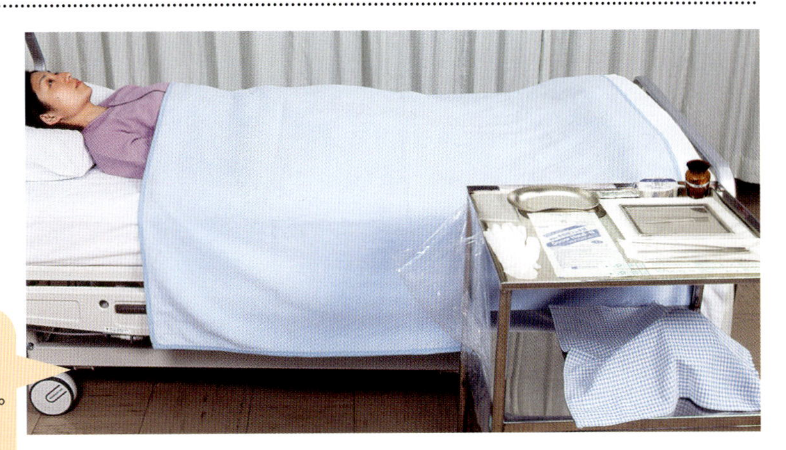

PROCESS 2 体位を整え、物品を配置

❶

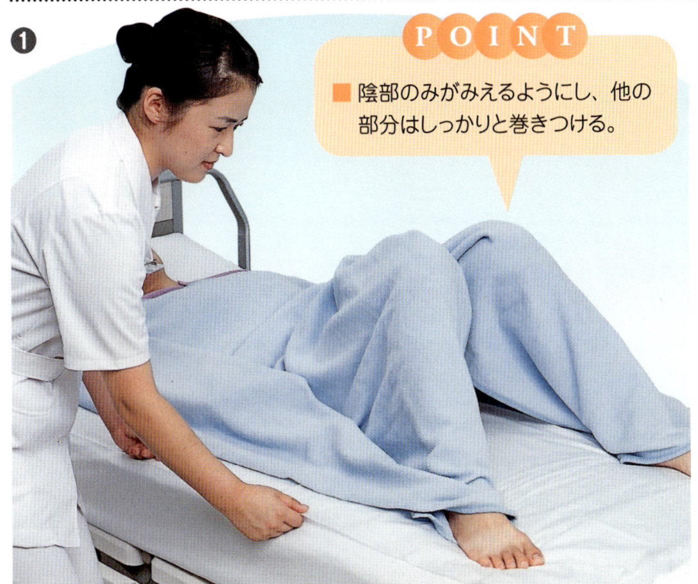

POINT

■ 陰部のみがみえるようにし、他の部分はしっかりと巻きつける。

❶ 殿部の下に処置用シーツを敷く。綿毛布の下で患者に下着を脱いでもらい、両膝を肩幅に開いて立てる。
患者の下肢に綿毛布を巻きつける。

❷ 滅菌物の近く、カテーテルが届く位置に尿器を置く。
作業がしやすく、かつ滅菌物の上を汚物が通らないよう、物品の配置に注意する。

❷

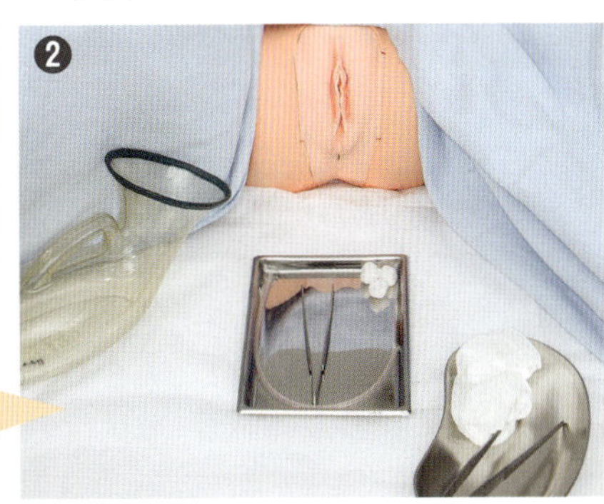

POINT

■ 物品は、滅菌物の上を汚物が通らないように配置。

PROCESS 3 カテーテルを挿入

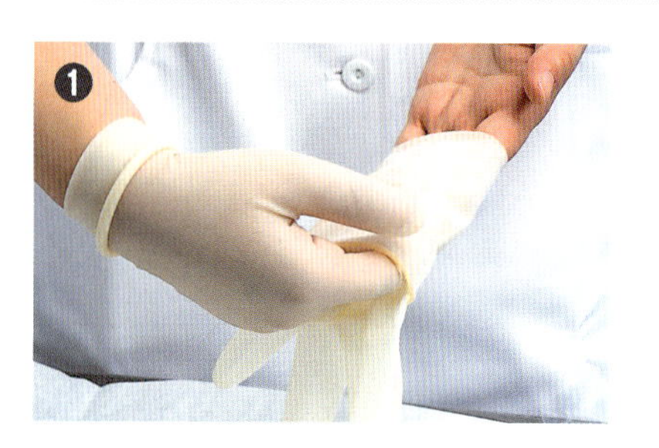

❶ 滅菌手袋の外側に触れないよう注意して無菌的に装着する。

❷ 陰唇を大きく開いて、尿道口を確認する。

小陰唇内側の左右、尿道口の中央を上から下へと3回、消毒する。

❸ カテーテルは先端から4cmほどの部分を持つ。挿入と同時に尿が流出・汚染するのを防ぐため、カテーテルを軽くクランプしながら把持する。カテーテルの先端を尿道口から4～6cm、静かに挿入する。

❹ 尿の流出を確認したら、患者に腹圧をかけるよう促す。陰唇を開いた手でカテーテルを固定する。

尿がこぼれないよう注意して、カテーテル末端を尿器に静かに入れる。

カテーテルの末端が、尿器のふちやたまった尿につかないよう注意する。

尿の流出が止まったら、カテーテルをゆっくりと静かに抜く。

陰部をトイレットペーパーなどで拭く。すべての処置が終わったらベッドサイドを離れ、尿量・性状を観察する。

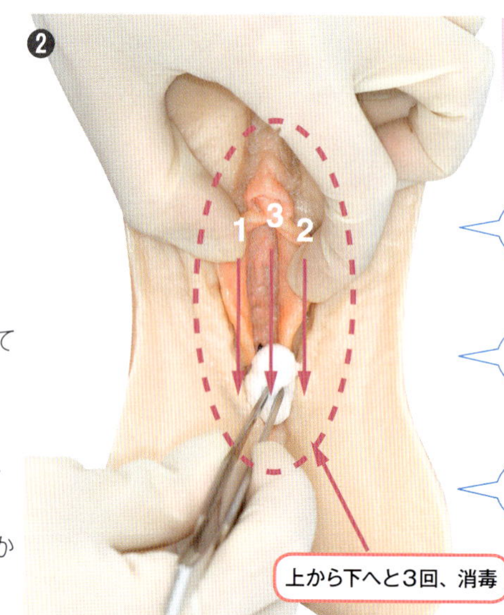

声をかけながら1つ1つていねいに行う

管を入れる入り口を確認します。

今から消毒します。少し、冷たく感じるかもしれません。

足に一度、力を入れてみてください。はい、そして力を抜いてください。

管を入れますので、ゆっくり口で呼吸をしてください。息を吸って～、吐いて～。

4cm

POINT

■ 患者に口呼吸を促し、尿道括約筋を緩める。

お小水が出てきました。もう少しです。

POINT

■ カテーテルの末端を尿につけない。

■ 尿は音がしないよう壁を伝わせる。

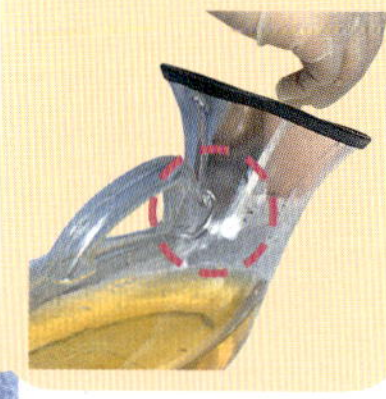

お小水が残っているかもしれませんので、軽くいきんでみてください。

（あるいは）

お小水が残っているかもしれませんので、下腹を少し押してよろしいですか。

終わりました。すっきり出た感じがありますか。それでは、管を抜きます。

PROCESS 4 寝衣・体位を整える

❶ 導尿が終了したら、ねぎらいの言葉をかけ、下腹部の張りはないか、尿が残っている感じがないか確かめる。

❷ 患者の寝衣、体位を整える。

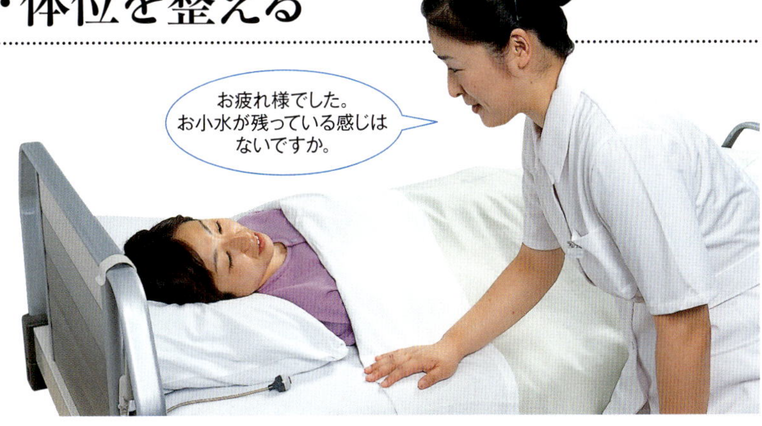

男性の場合

男性の場合も、女性の場合と同様の手順で行う。
本項では、女性の場合と異なる「体位の整え方」「消毒の仕方」「カテーテルの挿入」を示す。

PROCESS 1 体位を整え、消毒を行う

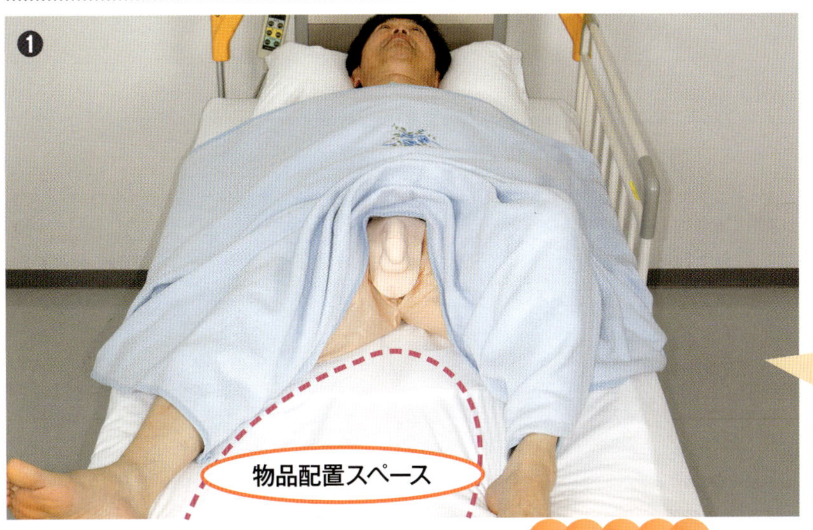

POINT
- 綿毛布を扇子折にして、陰部を露出する。
- 股関節を広げるように膝を倒すと、物品配置スペースが確保できる。

❶ 体位は男性の場合、両足を開き、片膝を立ててもらう。綿毛布で両足を覆い、操作時に落ちてこないよう巻きつける。片膝を立てると物品を配置するスペースが確保でき、作業がしやすい。
綿毛布を扇子折にして、陰部を露出する。

❷ 滅菌ガーゼを用いて、中指と薬指で陰茎を把持し、母指と示指で包皮を下げて亀頭を露出して外尿道口を広げる。利き手で鑷子を持ち、尿道口をよく開き、まんべんなく消毒する。

POINT
- 消毒綿球は、1回ごとに取り替える。

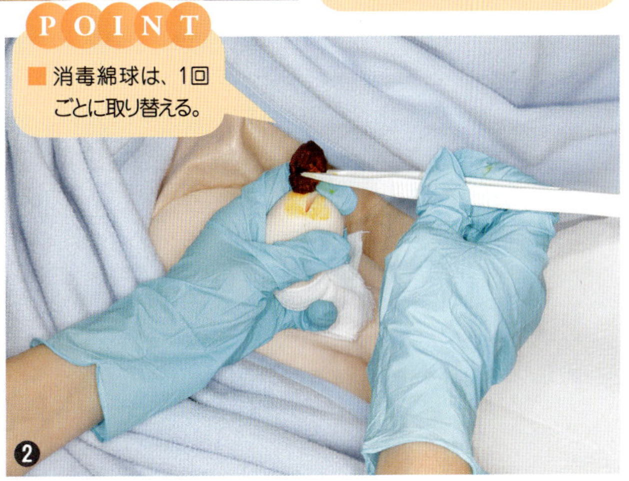

PROCESS 2 カテーテルを挿入

❶ カテーテル先端に、容器にあけておいた潤滑剤をつける。

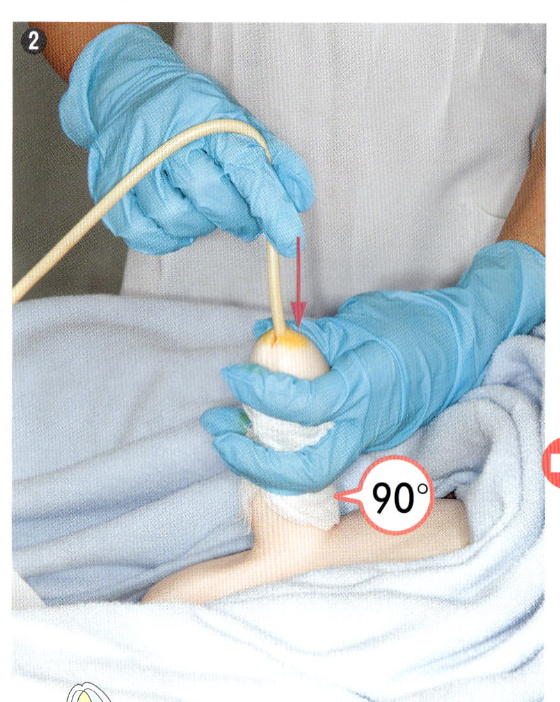

EVIDENCE

- 陰茎の角度を60度にすると、尿道が直線化する。
- 男性の尿道は約16～18cm。

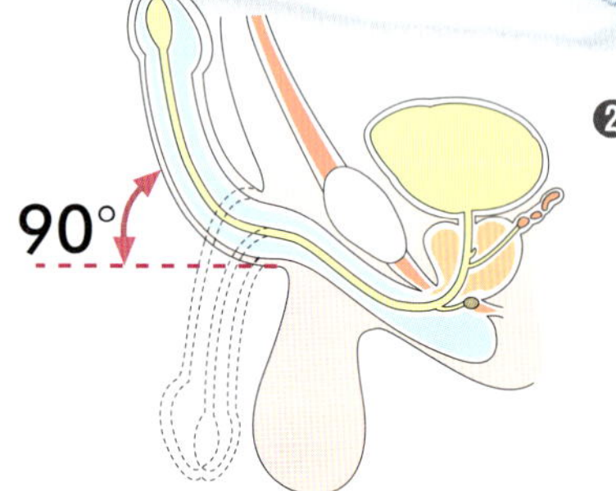

❷ 患者に口呼吸を促し、陰茎を90度近くまでまっすぐ持ち上げ、外尿道口からカテーテルを15cmほど挿入する。

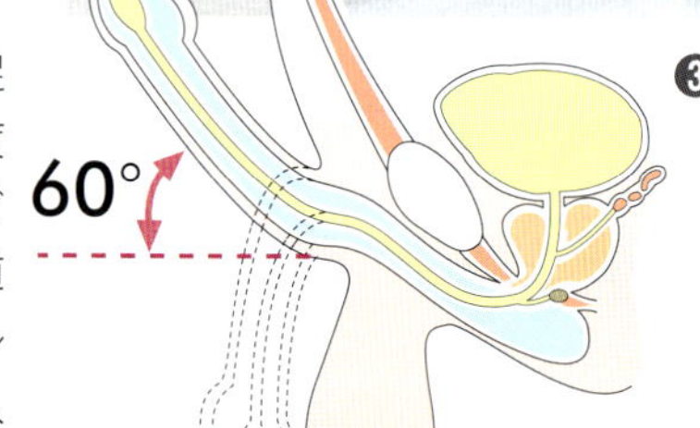

❸ 陰茎の角度を60度に下げ、さらに5cm程度カテーテルを挿入する。

POINT

男性の尿道は長い

- 男性の尿道は約16～18cmと、女性に比べて長い。挿入にあたっては、カテーテル全体の長さを把握しておき、残りの長さから挿入した長さを予測しながら進める。
- 潤滑剤は女性より多めにつけると、挿入がスムーズになる。

男性の尿道は屈曲している

- 男性の尿道は、外尿道口から15cmほどのところで90度屈曲し、その後前立腺に挟まれる位置で、再び屈曲する。
- 挿入開始時は陰茎を90度に持ち上げ、15cmほど挿入したところで60度に角度を変えると、尿道が直線に近くなり挿入しやすい。

男性の尿道は前立腺内を通る

- 男性は膀胱の下に前立腺があり、尿道がその中を通っている。
- 高齢者は、特に前立腺が肥大し、尿道が狭くなっている可能性がある。無理にカテーテルを挿入すると前立腺を損傷し、出血したり、前立腺炎を発症して高熱が出る場合がある。
- カテーテルを15cmほど挿入した時点でつかえる場合は、無理をせず、医師に相談する。

経尿道的膀胱留置カテーテル

経尿道的膀胱留置カテーテルは、カテーテルを尿道から膀胱に挿入して留置し、尿を体外に排出する。
このため、細菌が膀胱内に侵入して感染を起こす逆行性尿路感染症を起こしやすくなる。
挿入手技は一時的導尿と同様であるが、膀胱留置カテーテルセットの準備、カテーテルの固定、蓄尿袋の管理、カテーテルの抜去に注意が必要である。

膀胱留置カテーテルセットの準備

膀胱留置カテーテルセットの中には、滅菌された物品がセットされている。
手順に注意して、無菌操作で準備を行う必要がある。

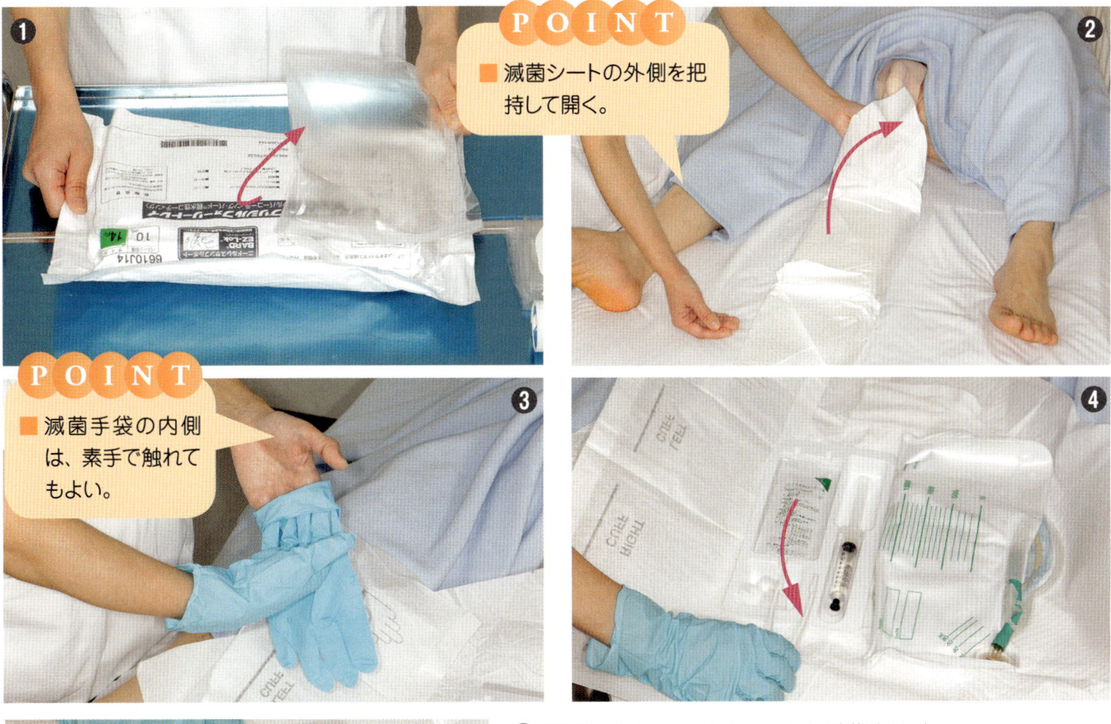

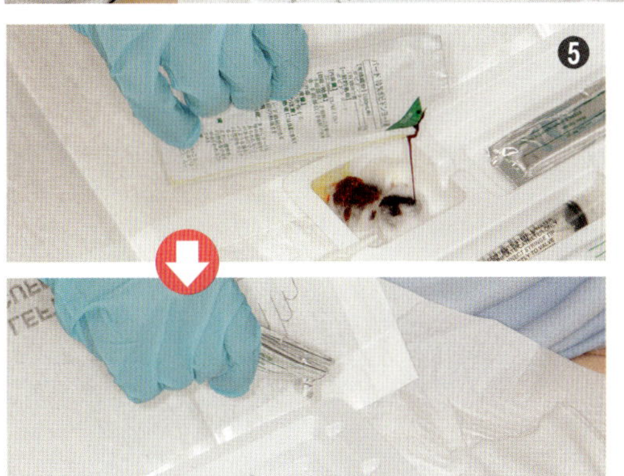

❶ 膀胱留置カテーテルセットの外袋を開く。

❷ 滅菌シートの外側のみに触れ、患者の足元のスペースに開く。

❸ シート内にある滅菌手袋を装着する。

❹ 滅菌シートの内側のみに触れて、包みを広げる。
滅菌シートに内にある物品を、使いやすい位置に配置する。

❺ 消毒綿球を作り、潤滑剤を容器に垂らす。

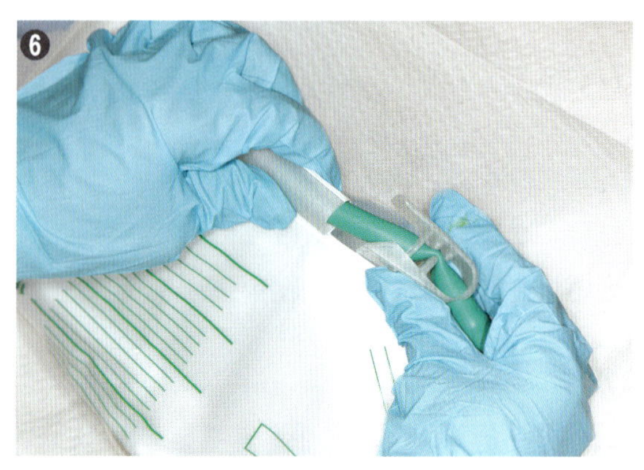

❻ 蓄尿袋の底にある採尿口がクランプされていることを確認する。

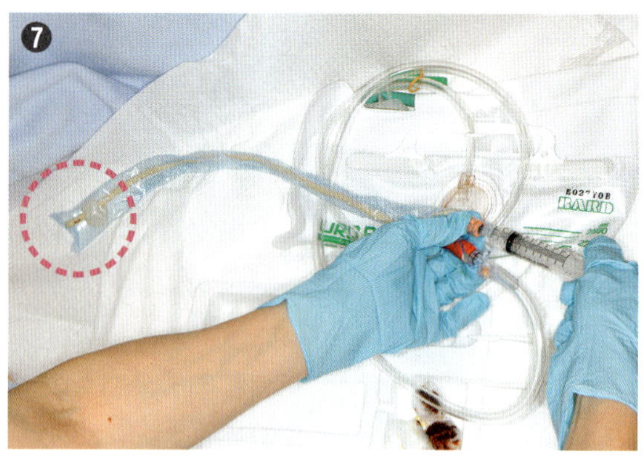

❼ カテーテルのバルーン用バルブ（インフレーションルーメン）にシリンジを接続し、滅菌精製水を注入してバルーンが膨らむことを確認。その後、滅菌精製水を抜いておく。

カテーテルの固定

3-5

カテーテルの固定は、自然に抜けないよう、
また膀胱内・尿道内を圧迫して潰瘍が形成されないよう、安全に行う。

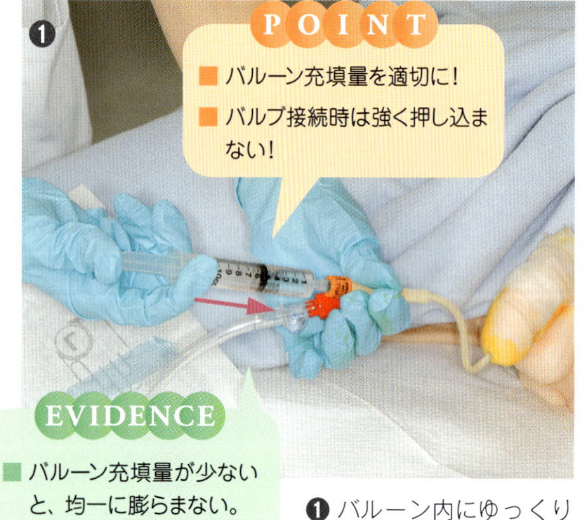

EVIDENCE

■ バルーン充填量が少ないと、均一に膨らまない。

■ 強く押し込むとバルブがつぶれてしまう。

❶ バルーン内にゆっくりと滅菌精製水（この場合10mL）を注入する。

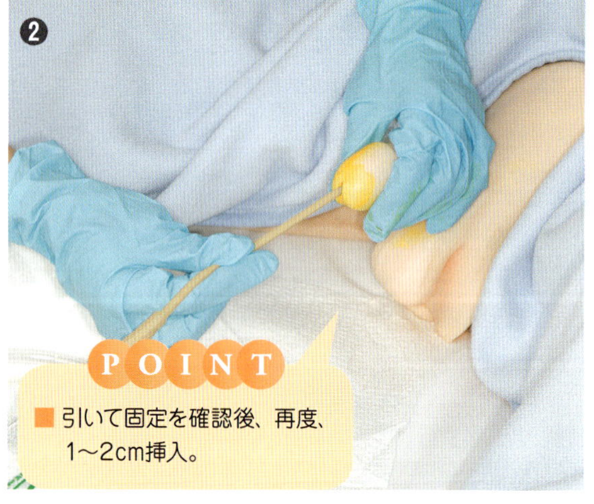

❷ カテーテルをゆっくりと引き、固定されたことを確認する。その後、再び1～2cm挿入する。
外尿道口からの出血の有無、尿の性状、患者の状態を観察する。

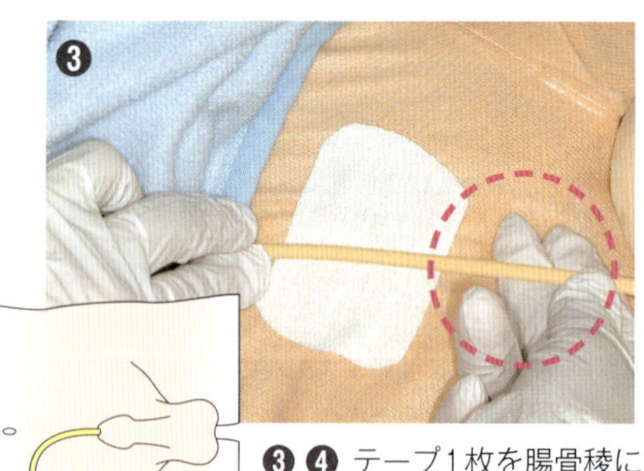

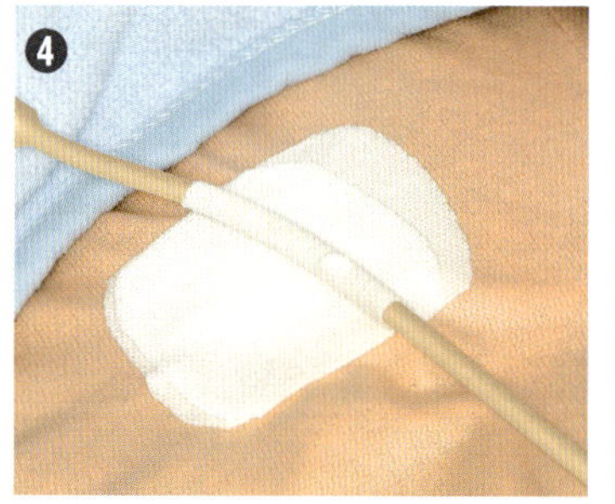

❸❹ テープ1枚を腸骨稜に貼る。その上にカテーテルを置き、指2本分のゆとりを持たせ固定し、さらにもう1枚のテープで固定する。

EVIDENCE

■ 男性の場合、バルーンを入れたことで陰嚢角部に常時圧力が加わると、潰瘍を形成することがある。

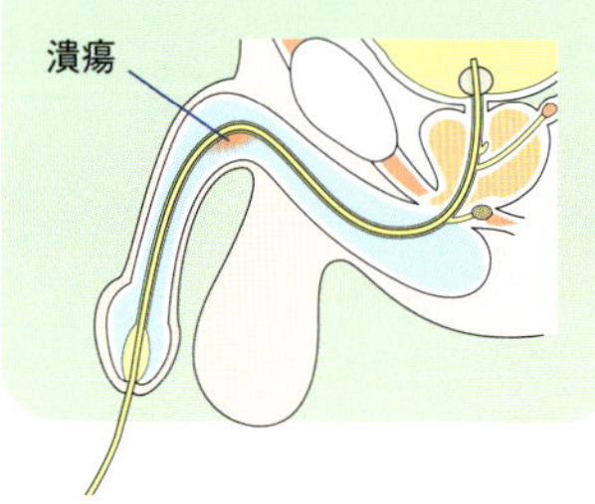

蓄尿袋の管理 3-6

蓄尿袋は、常に膀胱より下の位置にあるようにし、カテーテルや袋内の尿が逆流するのを防ぐ。また、蓄尿袋をカバーで覆い、尿が他人の目に触れるのを防ぐ工夫も必要である。

POINT

■ 蓄尿袋は、膀胱より下に置く。

EVIDENCE

■ 蓄尿袋が膀胱より上になると、尿が逆流する機会が増え、細菌が膀胱内に入る上行性感染のリスクがある。

カテーテルの抜去 3-7

膀胱留置カテーテルは、必要性がなくなれば速やかに抜去する。
常に必要性をアセスメントし、感染や合併症を予防する。

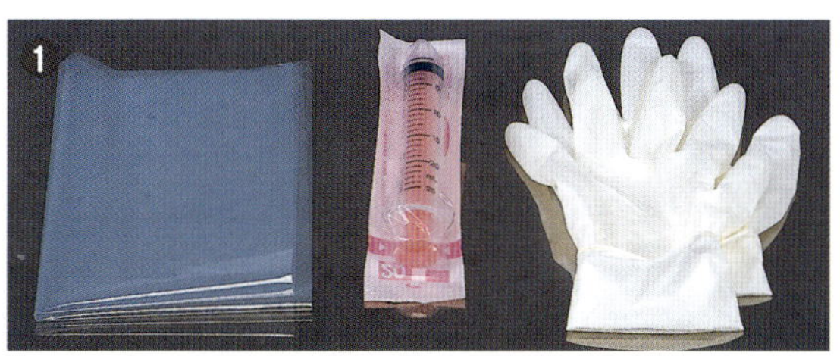

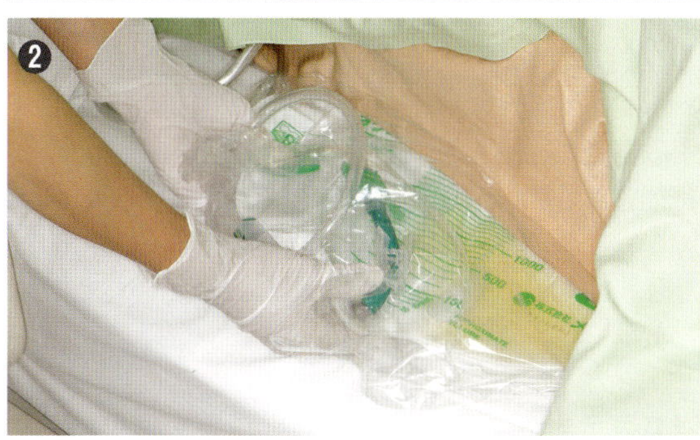

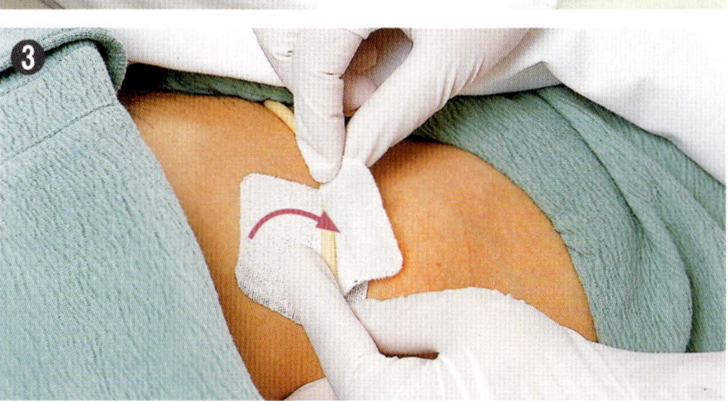

❶ ビニール袋、手袋、20mLのシリンジを用意する。

❷ 蓄尿袋をビニール袋に入れ、患者の体の近くに置く。

❸ カテーテルを固定しているテープをはがす。

❹ シリンジをカテーテルのバルブにゆっくり差し込み、自然抜水されるのを待つ。

POINT

■ シリンジは強くバルブに押し込まない。

■ シリンジに過剰な陰圧をかけると、固定液のラインを損傷し、抜けなくなる可能性がある。シリンジの内筒は引かず、固定液の自然抜水を待つ。

❺ 患者に深呼吸を促し、ゆっくりとカテーテルを引き抜く。

疼痛や違和感の有無など、患者の状態を観察する。
物品を片付け、手洗いを行う。

援助後に振り返ってみよう！

観 察

- □ 患者の顔色・表情、疼痛の有無は？
- □ 導尿で排泄された（蓄尿袋にたまっている）尿の量と性状は？
- □血尿の有無は？
- □採尿検査の有無は？

後片付け

- □ ディスポーザブルの物品を廃棄する
- □ 使用した物品を消毒する

こんな時どうする？

CASE 1 カテーテルを入れても、尿が出ない！

女性の患者

女性の患者にカテーテルを入れても尿が出ない場合、可能性は２つ考えられる。
１つは、カテーテルを腟口に入れてしまった可能性である。その場合、カテーテルが入っていかず、先端が戻ってしまう場合がある。患者に聞くと、違和感を感じていることがあるため、速やかに抜き、新しいカテーテルを用いて再度、尿道口に挿入する。
２つ目の可能性は、膀胱内に尿が貯留していない場合である。速やかにカテーテルを抜去し、下腹部の緊満や尿意、前回排尿した時間、水分摂取の状況を確認し、疾患と合わせてアセスメントする。

CASE 2 カテーテルを10cmほど進めたところで、入らない！

男性の患者

男性の患者にカテーテルが入らない場合、尿道が狭くなっている可能性がある。無理をして挿入すると出血したり、炎症を起こしたりする可能性があるため、速やかに抜去する。
対処法としては、潤滑剤を多めにつけて再度、挿入を試みたり、先端が細く、やや硬めのカテーテル（チーマンカテーテル）を使用する。いずれも専門的な技術を要するため、熟練した看護師、あるいは医師に相談する。

覚えておくと、役立ちます！

カテーテル留置により、感染リスクは増大

カテーテルを留置することにより、感染リスクが増大するといわれる。カテーテルを挿入しているだけで、何らかの尿路感染症が起こる可能性が高くなる。
高齢者や重篤な患者では、尿路カテーテルに関連する感染症で死に至ることもある。尿路感染のリスクを低下させるため、次の事項が大切である。

尿路感染のリスクを低下させるために

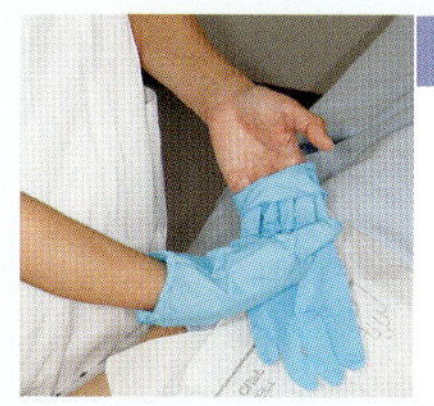

STEP 1 カテーテル挿入前

カテーテル関連尿路感染のリスクとして、カテーテル挿入者の専門的訓練不足も指摘されている。
無菌的操作がスムーズに行えるよう、実習室などで十分に練習を行う。

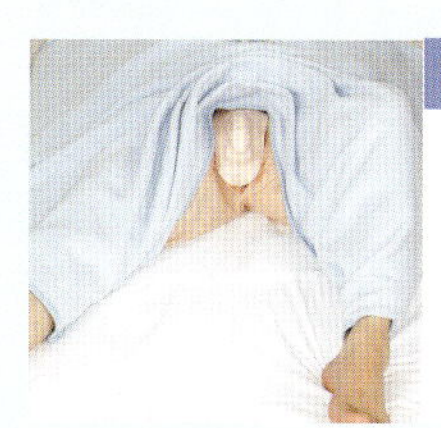

STEP 2 カテーテル挿入時

カテーテルを扱う時、清潔野（無菌的に扱う区域）を十分に確保する。

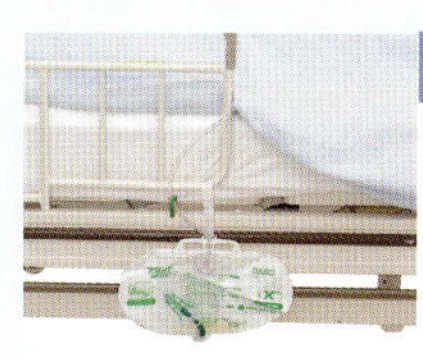

STEP 3 カテーテル留置中

①常に尿の流れが保たれるよう、ラインの屈曲やたわみに注意する。
②蓄尿袋は、常に膀胱より低い位置に保つ。
③蓄尿袋は床に置かない。
④蓄尿袋から尿を廃棄する時は、採尿器と袋の口を接触させない。

ベッドの場合

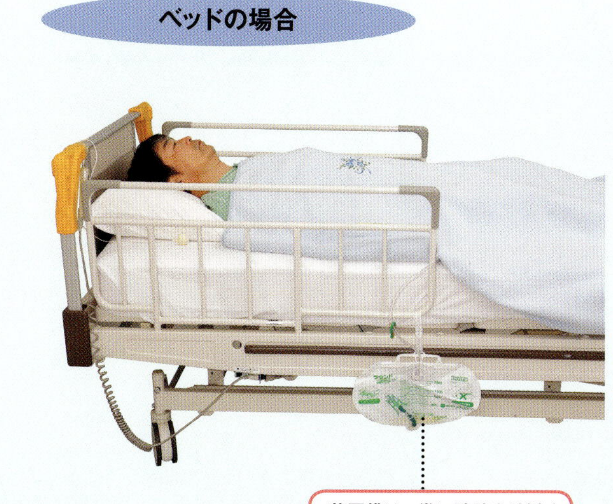

蓄尿袋は、常に膀胱より低く

車椅子の場合

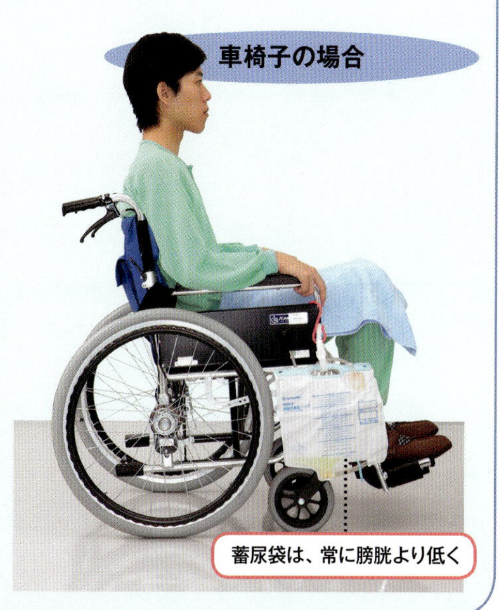

蓄尿袋は、常に膀胱より低く

【参考文献】1）Gould . et al, 満田年宏訳（2009／2009）. カテーテル関連尿路感染予防のためのCDCガイドライン2009 . ヴァンメディカル.

CHAPTER 3

5 グリセリン浣腸

学習のねらい

自然な排便を促しても効果が得られない場合、排便援助の1つの方法としてグリセリン浣腸が行われる。
グリセリン浣腸は、血圧の変動、腸壁損傷の可能性などがあり、危険を伴う行為である。
本項では、患者の安全・安楽を保ちながらグリセリン浣腸を行う方法を学ぶ。

覚えておきたい基礎知識

グリセリン浣腸を安全・安楽に実施するには、直腸・肛門部の解剖を理解することが重要である。
下図に示すように、**肛門管は約2.5～5cmの長さ**であるため、浣腸器のチューブ挿入は5cm程度で十分である。
また、立位では肛門管の走行と直腸の走行に、約90度の角度がある。**立位でチューブを挿入すると直腸壁を損傷する可能性があり、危険**である。

直腸・肛門部の解剖

直腸・肛門管の解剖模式図

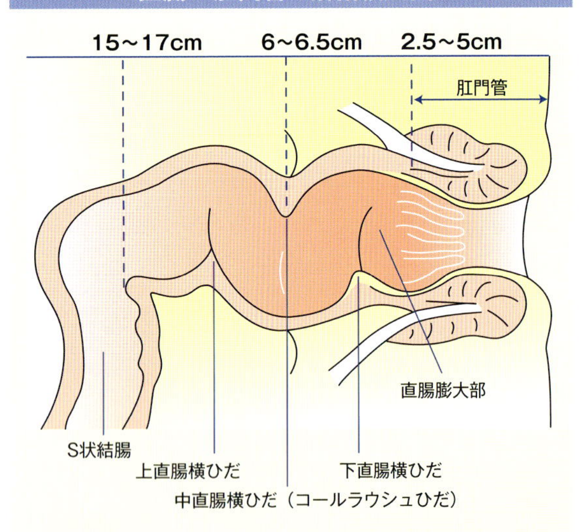

*川島みどり編著：改訂版 実践的看護マニュアル 共通技術編. 看護の科学社, 2002,p163より

肛門管は約2.5~5cmであるため、チューブの挿入は5cm程度にする。

立位での直腸・肛門部の解剖

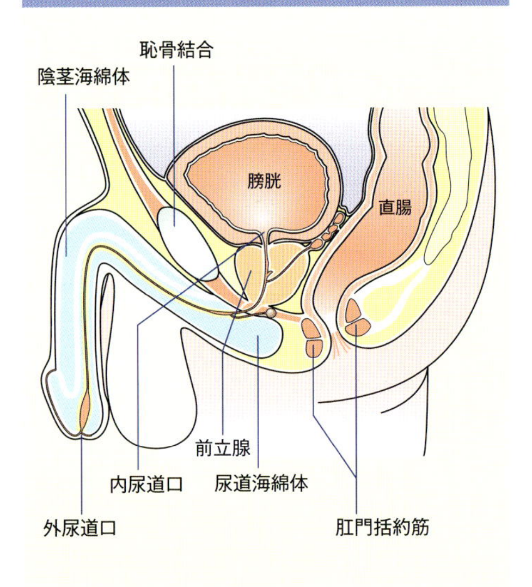

肛門管と直腸の走行に約90度の角度がある。立位でチューブを挿入すると、直腸壁を損傷する危険がある。

援助する前に確認しよう！

患者の状況

★以下の状況でのグリセリン浣腸は禁忌である

- □ 脳圧亢進症状がある、または予測される
- □ 動脈瘤、重篤な高血圧、心疾患がある
- □ 血圧変動が激しい
- □ 衰弱が激しい
- □ 下部消化管・生殖器系の術後
- □ 腸管内・腹腔内炎症がある、腸管に穿孔もしくは穿孔の恐れがある
- □ 嘔気・嘔吐、または激しい腹痛など、急性腹症が疑われる

★以下の状況でのグリセリン浣腸は、医師に相談して慎重に行う

- □ 直腸・肛門部に炎症、創傷がある
  →グリセリンが血管内に吸収され、溶血・腎不全を起こす可能性がある
- □ 腸管麻痺がある
- □ 重篤な硬結便がある
- □ 乳児・高齢者・妊産婦である
- □ 痔疾患がある

周囲の状況

- □ 食事をしている同室者はいない？
- □ 面会時間ではない？
- □ プライバシーを保つ空間が作れる（カーテンなど）？
- □ 臭いや音に配慮できる？

あなた自身

- □ 患者の状況、周囲の状況をアセスメントできる？
- □ 演習で浣腸を行ったことがある？
- □ 看護師が受け持ち患者に浣腸を行っているのを見学したことがある？

必要物品を準備しよう！

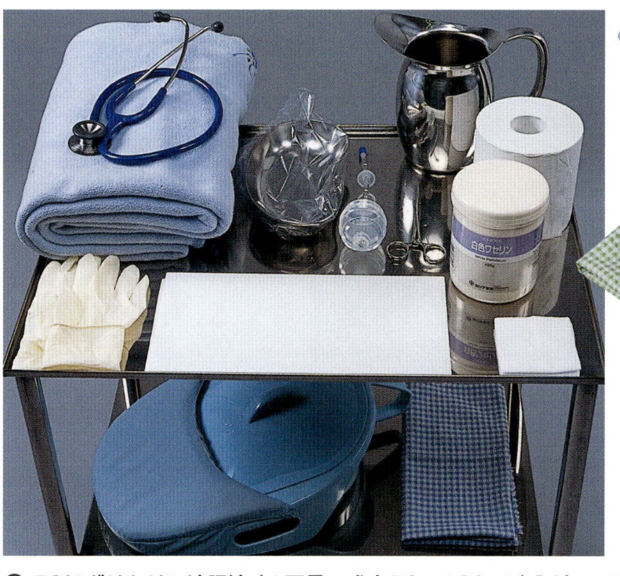

男性の場合

男性の場合は、便器とともに尿器も使用する必要がある。

＊50％グリセリン浣腸液注入量の目安は、原則として体重1kgあたり1～2mLという報告もある。

❶ 50％グリセリン浣腸液（1回量：成人50～120mL）入り＊、ディスポーザブル浣腸器
❷ 湯入りピッチャー
❸ 潤滑剤（ワセリンなど）
❹ 無鈎鉗子（必要時）
❺ 手袋
❻ 膿盆（ビニール袋付き）
❼ 処置用シーツ
❽ トイレットペーパー
❾ タオルケット、もしくは綿毛布
❿ 便器・便器カバー
　尿器（男性の場合）
⓫ ガーゼ
⓬ 聴診器

グリセリン浣腸の実施

PROCESS 1 患者への説明と同意

患者に説明をして、グリセリン浣腸への同意を得る。その際、患者の理解力に合わせ、わかりやすい言葉を選ぶ。また、周囲の患者に聞こえないよう、声の大きさに留意する。

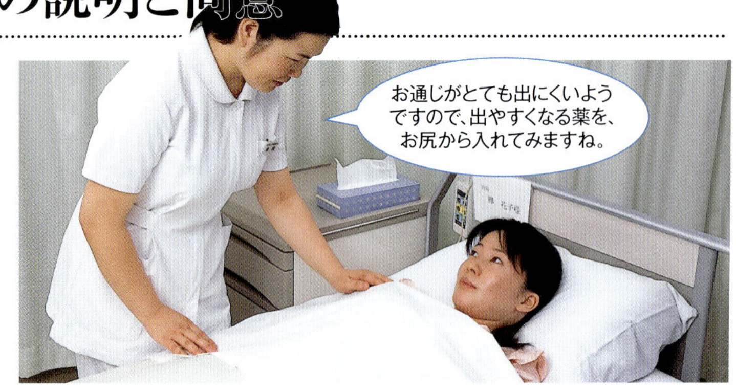

PROCESS 2 環境、体位を整える

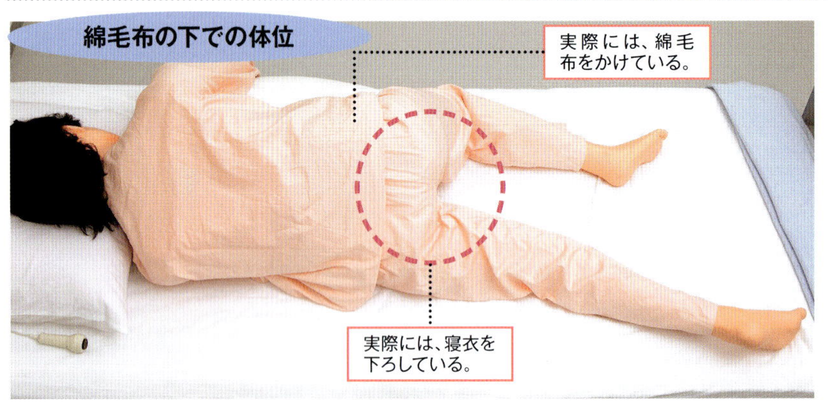

グリセリン浣腸法は羞恥心を感じさせる手技であるため、環境を整え、プライバシーの保護に努める。
患者に綿毛布もしくはタオルケットをかけ、上掛けは足元に扇子折にする。綿毛布の下で患者の寝衣を下げ、左側臥位にする。片足を曲げ、体位を安定させる。

PROCESS 3 浣腸液の注入

❶ 浣腸器のストッパーは、チューブ先端から約5cmの位置に移動させる。

▼

ストッパーの位置まで、潤滑剤（ワセリン）を塗布する。

▼

グリセリン浣腸液をチューブ先端まで満たし、無鉤鉗子※で留める。

※逆流防止機能がついている場合、無鉤鉗子は不要

▼

肛門部を開き、チューブを患者の呼気に合わせて5cm程度挿入する。

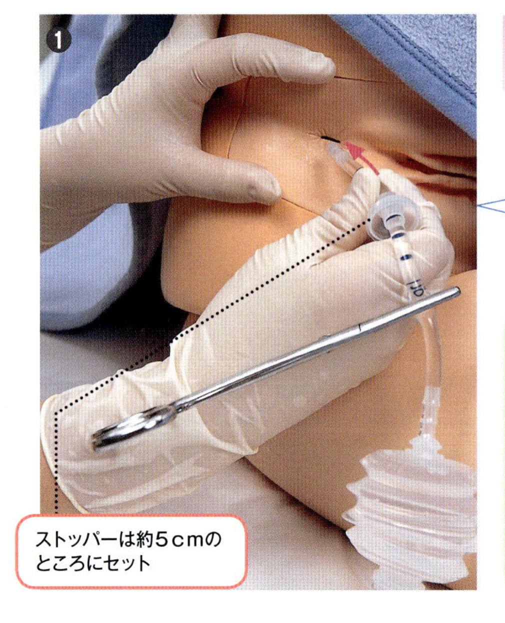

声をかけながら1つ1つていねいに行う

それでは、まず管を入れましょう。口から大きく息を吐いてください。

EVIDENCE

- 大きく息を吐くと肛門括約筋の緊張が緩み、挿入がスムーズとなり、患者の苦痛が和らぐ。
- 肛門管は約2.5〜5cmであるため、チューブの挿入は5cm程度とする。

❷ チューブを挿入したら、挿入の長さが変わらないよう、左手でしっかりと固定する。

無鈎鉗子を開き、ゆっくりとグリセリン浣腸液を注入する。

注入中は、患者の様子に注意しながら声かけを行う。

❸ グリセリン浣腸液の注入が終わったら、チューブが粘膜を損傷しないよう、ゆっくりと抜く。

❹ 肛門部を押さえながら、排便できる体位を整える。
便器を殿部に当て（男性の場合は尿器も当て）、排便してもらう。
排便後は肛門部をトイレットペーパーで拭き、便の状態、患者の状態を観察する。必要時には、陰部洗浄を行う。

患者の寝衣・上掛けを整え、部屋の換気を行う。

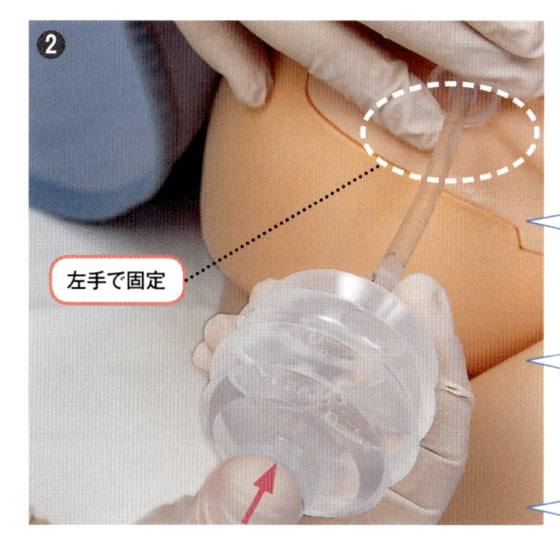

声をかけながら
1つ1つていねいに行う

それでは、液を入れます。

お腹やお尻に
痛みはないですか？

気分が悪かったり、
冷や汗が出たりして
いませんか？

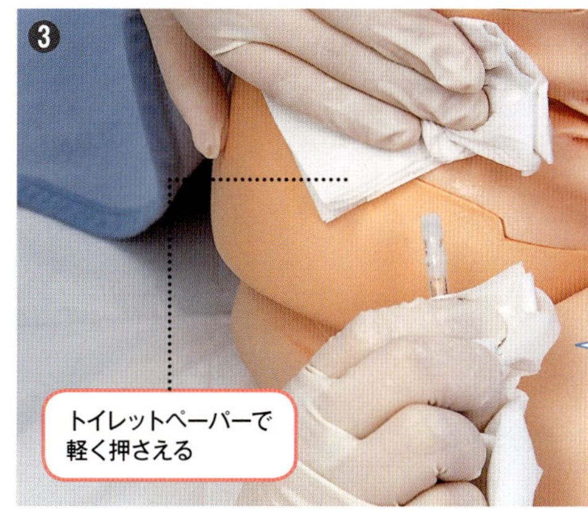

終わりました。
それでは、便器に乗って
体の位置を整えましょう。

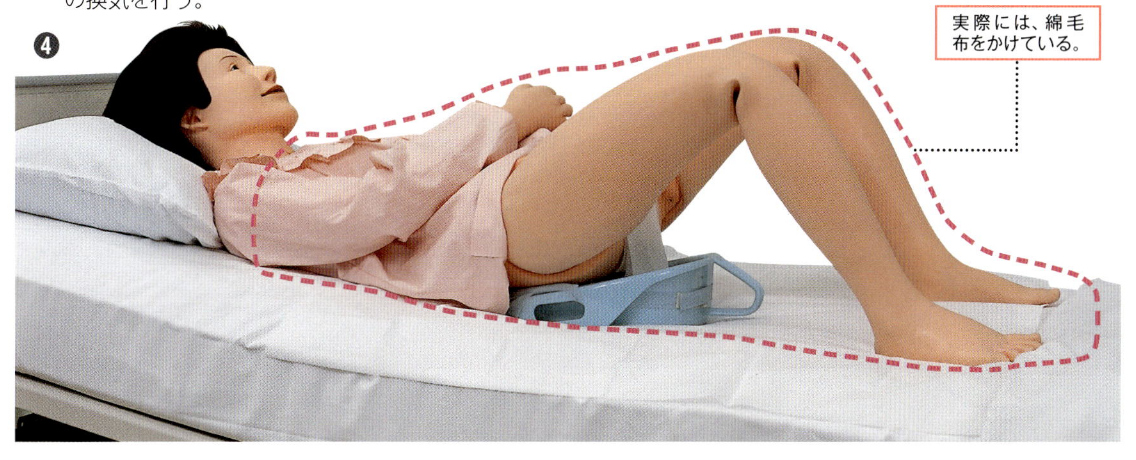

実際には、綿毛布をかけている。

援助後に振り返ってみよう！

観 察

- □ 顔色・表情・気分は？
- □ 血圧・脈拍は？
- □ 肛門部痛・下腹部痛の有無は？
- □ 残便感・腸蠕動音は？

便の状態

- □ 量・性状、血液混入の有無、臭気

後片付け

- □ 部屋に臭いがこもらないように換気する
- □ 排泄物を処理する
- □ 使用した物品を消毒・廃棄する

覚えておくと、役立ちます！

グリセリン浣腸の事故事例

グリセリン浣腸は、医療現場では日常的に行われる行為だが、患者の状況のアセスメントが適切に行われなかったり、浣腸が適切な方法で実施されないと、直腸穿孔や溶血につながる非常に危険な行為となる。

直腸穿孔

2006年に日本看護協会から「立位による浣腸実施の事故報告」が出された。それによると、浣腸により直腸穿孔が起こった事故に共通するのは、トイレで立位による浣腸を行ったことである。
直腸の解剖をきちんと理解し、安全な体位で浣腸を行うことが重要である。

立位の場合

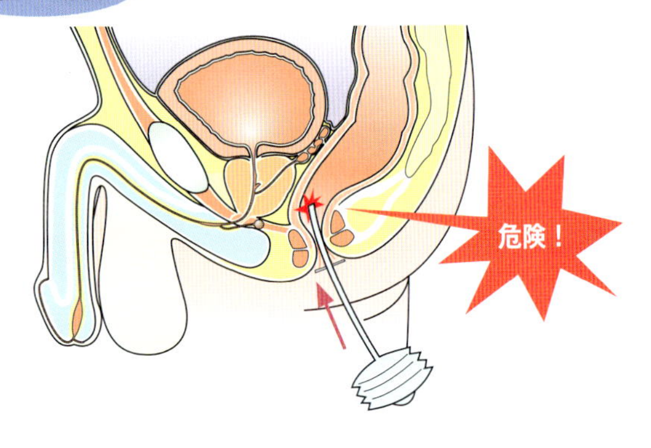

溶 血

直腸内に創傷があったり、チューブで傷をつけると、グリセリン液が血管内に吸収され、その結果、溶血が起こる。最悪の場合、腎不全を引き起こす可能性がある。
痔疾患などの有無を確認し、患者のアセスメントを十分に行うとともに、チューブで直腸壁を傷つけることがないよう注意して挿入することが重要である。

こんな時どうする？

「トイレで浣腸をしてほしい」と言われた！

患者から、「間に合わないと困るから、トイレで浣腸をしてほしい」と言われることがある。トイレで浣腸を行うと、肛門部を目で確認できないうえ、立位あるいは座位でチューブを挿入することになるため、直腸損傷の可能性が高く、非常に危険な行為となる。実際に、事故事例も報告されている。患者に、立位・座位での浣腸の危険性をよく説明し、浣腸液の注入は臥位で行う。
同時に、患者の「間に合わないのでは…」という不安に対しては、処置室にポータブルトイレを置いたり、トイレの近くの処置室で実施するなどの工夫をする。

【参考文献】1）飯野京子（2009）. 浣腸. 竹尾惠子監修. 看護技術プラクティス第2版. 学研メディカル秀潤社, p177.
2）日本看護協会（2006）. 緊急安全情報・立位による浣腸実施の事故報告.
3）日医工株式会社. グリセリン浣腸「オヲタ」添付文書.
4）岡島花江ほか（2008）. グリセリン浣腸により溶血と術後持続する低血圧を呈した一例. 日本集中治療医学会雑誌15（4）：571-572.

CHAPTER 3

6 摘便

学習のねらい

筋力低下などにより腹圧がかけにくいといった理由などから、自然排便が困難で、便が直腸内に長時間とどまっている場合は、手指を肛門部から挿入し排出させる（摘便）ことがある。
患者の安全・安楽を保ちつつ、摘便を行う方法を学ぶ。

覚えておきたい基礎知識

摘便は患者にとって非常に不快な行為の1つであるとともに、硬い便をかき出すことで直腸壁を傷つけるおそれもあり危険を伴う。摘便の必要性を十分にアセスメントすることが大切である。

摘便の必要性と危険性をアセスメントする視点

摘便の必要性

摘便が最も適切な援助であるのか、患者の状況をアセスメントする。

- □ 患者の便意と不快感（苦痛）の有無や程度
- □ 最終排便日とその時の便の性状・量
- □ 排便パターン
- □ 食事摂取量と水分摂取の状況
- □ 腹部の状態（腸蠕動雑音・膨満感の有無）
- □ 腹痛の有無
- □ 下剤の使用状況
- □ 便秘を副作用とする薬剤の有無
- □ バイタルサイン（血圧・脈拍・体温・呼吸・意識状態）

摘便の危険性

患者が以下の状況の場合は、摘便を行ってはいけない（禁忌）。また、医師に相談し、バイタルサインや手技に十分注意して実施する。

- □ 心疾患（心筋梗塞またはその疑い、冠動脈疾患、心不全など）がある
- □ 肛門周囲に炎症・創傷などがあり、悪化のおそれがある
- □ 直腸（肛門付近）にポリープなどがあり、出血の可能性がある
- □ 肛門・直腸・泌尿器・生殖器・会陰（腹式）の手術後
- □ 骨盤領域の放射線照射中
- □ 妊娠中
- □ 出血傾向がある

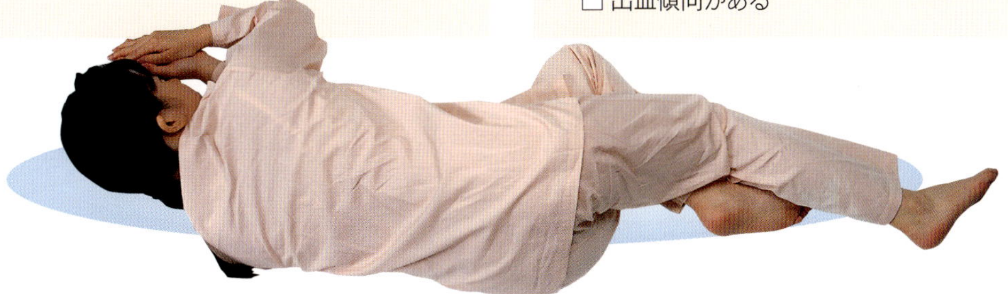

援助する前に確認しよう！

患者の状況

- □ 摘便以外の方法では、排便できない？
- □ 摘便による危険性は？禁忌は？

周囲の状況

- □ 食事をしている同室者はいない？
- □ 面会時間ではない？
- □ プライバシーを保つ空間が作れる(カーテンなど)？
- □ 臭いや音に配慮できる？

あなた自身

- □ 患者の状況、周囲の状況をアセスメントできる？
- □ モデル人形などを用いて演習で摘便を行ったことがある？
- □ 看護師が受け持ち患者に摘便を行っているのを見学したことがある？

必要物品を準備しよう！

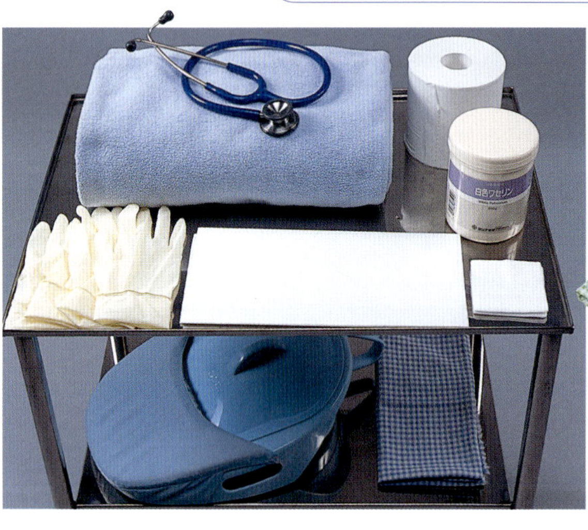

男性の場合

男性の場合は、便器とともに尿器も使用する。

❶ 潤滑剤（ワセリンなど）
❷ 手袋（2組：重ねて装着）
❸ 処置用シーツ
❹ トイレットペーパー
❺ 柔らかい布（排便後の清拭用）
❻ 洗浄用スポイト（状況に応じて）
❼ 綿毛布、もしくはタオルケット
❽ 便器（便器カバー）・尿器（男性の場合）
❾ 聴診器
❿ ガーゼ
⓫ 紙おむつ

摘便の実施

PROCESS 1 患者への説明と同意

患者に説明し、同意を得る。その際、患者の理解力に合わせ、わかりやすい言葉を選ぶ。
また、周囲の患者に聞こえないよう、声の大きさに留意する。

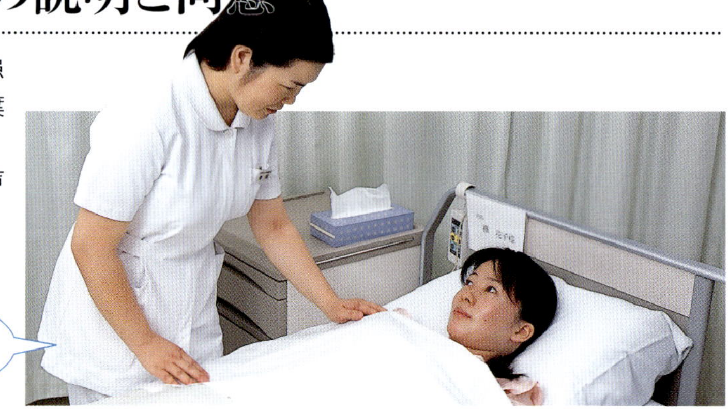

PROCESS 2 環境、体位を整える

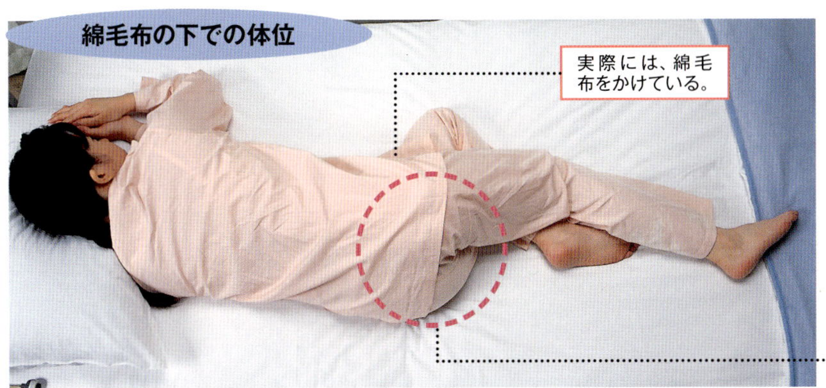

実際には、寝衣を下ろしている。

プライバシーを保てる環境を整える。
綿毛布の下で患者の寝衣を下げ、左側臥位にする。側臥位がとれない場合は、仰臥位でもよい。

PROCESS 3 摘 便

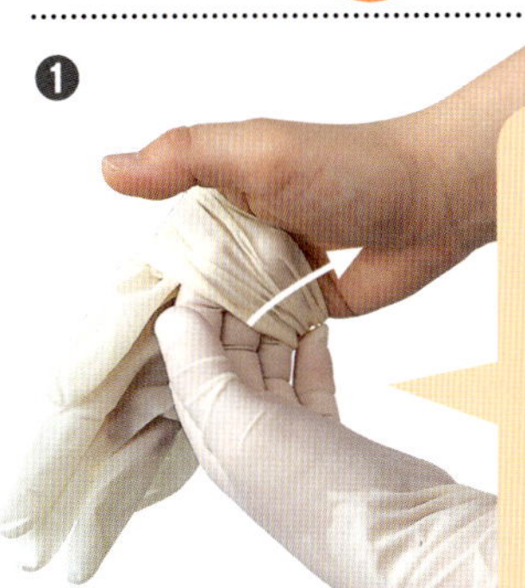

POINT

2枚装着の目的

- 手袋が破損したときの感染予防。
- 摘便中に手袋が著しく汚染された場合、1枚目を外して2枚目を使用する。
- 1枚目を外して排便後の清拭に移ることができる。

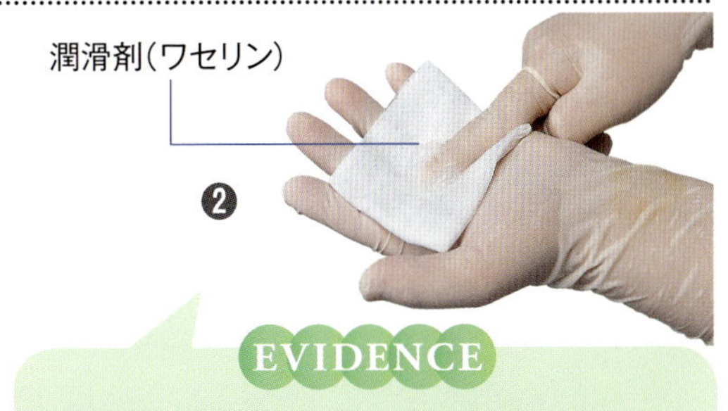

EVIDENCE

- 肛門柱や直腸粘膜は、物理的刺激に極めて弱い。損傷を防ぐため、指の滑りをよくすることが大切。

❶ 手袋を装着する。排便後の清拭などを考慮し、2枚重ねで装着しておくとよい。

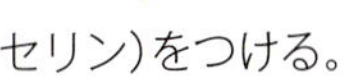

❷ 示指に、十分な量の潤滑剤(ワセリン)をつける。

POINT

患者は、
- 挿入時には、息を吐く。
- その後は、口呼吸。

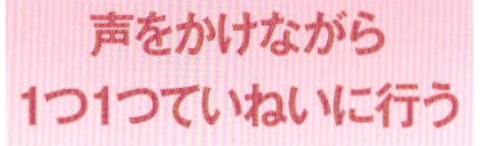

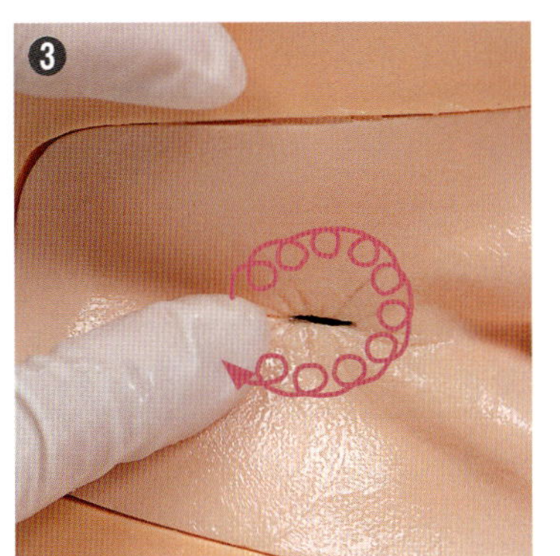

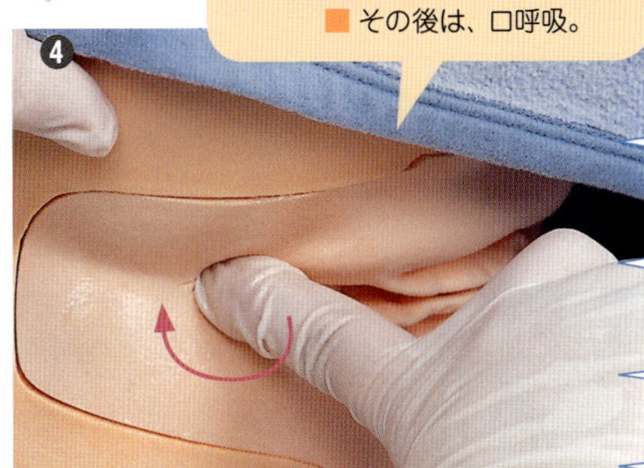

はじめにマッサージしますね。

力むと痛みが出やすいので、力を抜いてみましょう。

大きく息を吐いてください。

口で呼吸をしてください。

❸ 肛門を確認する。便塊がみえない時は、肛門括約筋を緩める目的で、肛門周囲を輪状にマッサージする。

❹ 患者の呼気に合わせ、指を肛門に静かに挿入し、直腸内の便の硬さ、位置を確認する。指を直腸壁に沿ってゆっくりと回し、壁についている便を静かにはがす。

❺ 肛門に近い便塊から、少しずつほぐしながら、肛門外へかき出す。

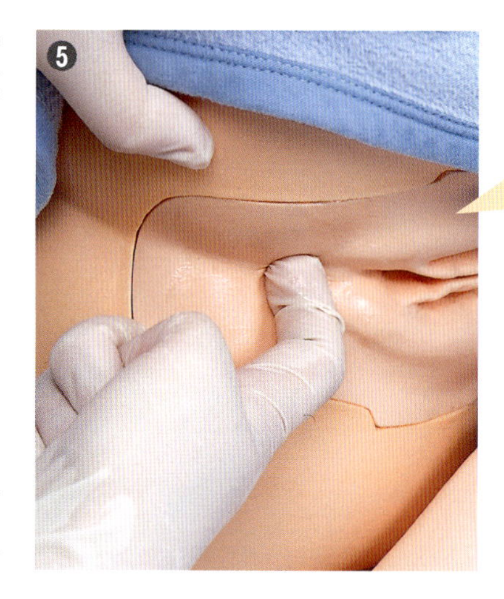

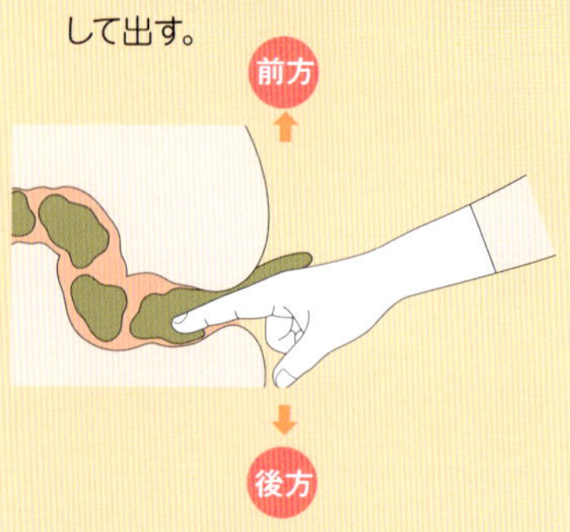

❻ 硬便を取り出した後は、残便が自然に出てくることがあるので、便器を当てて様子をみる（男性の場合は尿器も当てる）。
その際、排便を促すために、患者に腹圧をかけるよう促したり、患者の下腹部を実施者の手で圧迫する場合もある。
直腸内の便塊の有無、便意の有無を確認し、終了。

その後、陰部を清潔にし、寝衣・掛け物を整え、後片付けを行う。

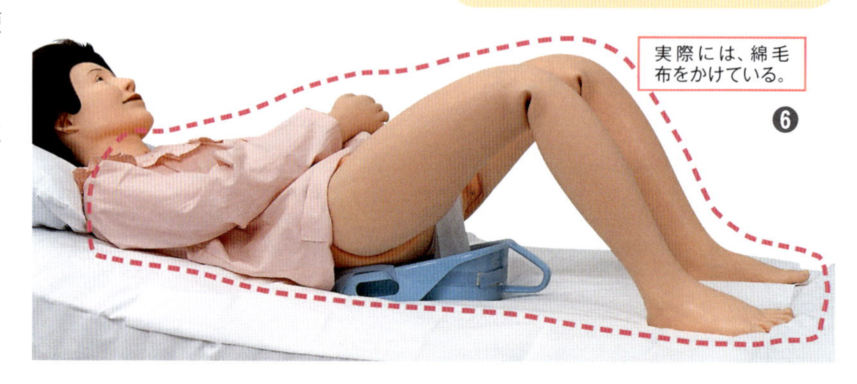

援助後に振り返ってみよう！

観察
- □ 顔色・表情・気分は？
- □ 血圧・脈拍は？
- □ 肛門部痛・下腹部痛の有無は？
- □ 肛門部からの出血の有無は？
- □ 残便感は？

便の状態
- □ 量・性状（硬さ・色）、血液混入の有無、臭気は？

後片付け
- □ 部屋に臭いがこもらないように換気する
- □ 排泄物を処理する
- □ 使用した物品を消毒・廃棄する

こんな時どうする？

CASE 便が硬くてなかなか出せない！

硬い便を無理に出そうとすると、直腸壁を傷つける可能性がある。あせらず、患者にゆっくりと口呼吸をするよう促して、肛門括約筋を緩めながら、時間をかけて便塊をほぐし、少しずつかき出す。
その場合、患者の疲労・苦痛に十分配慮し、適宜声をかけながら行う。

CHAPTER 3

7 排尿・排便状態のアセスメント指標

学習のねらい

排泄に関する問題は、人間の尊厳にかかわる事柄で、プライベートでデリケートな問題である。まず、できるかぎり自然な排泄が自分で行えるよう援助する。そのためにも、排尿・排便状態をさまざまな視点からアセスメントする必要がある。
本項では、正常な排泄状態を知り、それが妨げられる要因、さらに排泄障害である失禁についての概要を学ぶ。

尿・便の性状

	尿	便
1日の排泄量	●1000～1500mL程度	●80～200g
色・状態	●黄色	●黄褐色・適度な柔らかさ 【形状の表現】 硬便：兎糞状・コロコロ状～水分が少なく硬い 軟便：水分が多めで柔らかい 泥状便：形のない泥状 水様便：形がない水汁状
比重	●1.001～1.035	
異常な性状	●赤色：腎・膀胱・尿道からの出血、痔核、月経血の混入 ●混濁：尿路感染	●鮮赤色：下部消化管からの出血、痔核 ●暗赤黒色：上部消化管からの出血

排泄に関連する要因

生物学的な要因

●排尿：循環器系や泌尿器系など尿の生成にかかわる臓器の疾患
●排便：腸の疾患、腸·肛門周囲の手術の影響、神経疾患
●年齢：排泄に関する生理機能の成熟度・衰え

環境的な要因

●トイレの位置やトイレ周囲の様子
●プライバシー確保の程度
●身体状況に合わないトイレ(車椅子が入らない)など

社会文化的な要因

●排泄環境(トイレの形状など)
●排泄に関するその地域の考え方
●宗教上のタブー　など

心理的な要因

●排泄に対する個人的な考え方
●ストレス

政治·経済的な要因

●排泄に関連する費用(パッドやおむつに関するコストなど)
●失禁などに対する社会的な支援、医療サービスの有無

失禁に対するアプローチ

自由に話せる環境を整えよう

まず、患者が失禁に対してどう感じているのか、どのような点で困っているのかを伺う。非常にプライベートなことであり、羞恥心を伴うため、患者ができるだけリラックスして話せる環境を整える。

STEP 2

失禁のタイプをアセスメント

失禁のタイプにより援助の視点が異なる。どのような原因で起こっている失禁であるのかをアセスメントする。

STEP 3

患者とともに、具体的な援助方法を考えよう

下に示すように、失禁のタイプに応じた援助方法があるが、それだけではその人に合った援助にはならない。その人の日常生活行動の中で実践できるよう、具体的な援助方法を患者とともに考える。

参照★新訂版 写真でわかる高齢者ケア アドバンス p52,54

尿失禁の分類・原因と対処法

分類		原因	治療・対処法
腹圧性尿失禁	咳・くしゃみ、軽い運動など急激な腹圧上昇に伴う失禁	加齢、出産、閉経、骨盤底筋群の脆弱化、肥満、便秘、前立腺疾患の手術後　など	骨盤底筋体操 薬物療法 生活上の工夫　など
切迫性尿失禁	急激な尿意（尿意切迫）に伴う失禁	加齢、前立腺肥大症、尿路感染症、中枢神経疾患（脳血管疾患・パーキンソン病など）　など	薬物療法 行動療法（膀胱訓練など）　など
混合性尿失禁	腹圧性尿失禁と切迫性尿失禁の症状が混在	腹圧性尿失禁・切迫性尿失禁に準じる	
溢流性尿失禁	大量の残尿があふれて、少しずつ漏れている状態（尿が出にくいが失禁もある）	前立腺肥大症、脳血管障害、骨盤内手術　など	間欠導尿 手術療法 薬物療法　など
機能性尿失禁	排尿機能に関係なく、認知・身体・視力などの障害により失禁してしまう状態	認知症、脳血管障害・脊髄損傷などによる四肢麻痺、視力障害　など	時間排尿誘導 排泄補助用具の活用 介護力の強化　など

便失禁の分類・原因と対処法

分類		原因	治療・対処法
漏出性便失禁	便意を感じないまま自然に便が漏れる	内肛門括約筋の低下 ⇒高齢者や直腸脱の患者に多い	便性のコントロール（食事療法・下剤調整） 摘便・浣腸 生活上の工夫（排便日誌・排便周期の確立）
切迫性便失禁	便意をもよおしてからトイレまで我慢できずに失禁してしまう	下痢、直腸癌、潰瘍性大腸炎、分娩・肛門の手術後などの外肛門括約筋損傷	便性のコントロール（食事・整腸剤・止痢剤など） 手術（括約筋形成術・人工肛門など）
漏出・切迫性便失禁	両方の症状が混在	漏出性便失禁・切迫性便失禁に準じる	

失禁ケア用品

失禁ケア用品	●失禁ケア用品を活用する。 ●失禁ケア用品の中には、肛門に直接挿入し、便の流出を防ぐタイプのものもあるが、これは医師の指導のもとに使用することが望ましい。

皮膚ケアのポイント

皮膚には、外界の刺激から身体内部を守るための保護作用、免疫機能、保湿･体温調節、知覚、分泌・排泄作用などがある。
皮膚の機能を保つことは、身体全体の機能を保つうえで重要である。
失禁状態にある時は、陰部・肛門周囲の皮膚の機能が損なわれやすいため、適切なケアが必要である。

参照★新訂版 写真でわかる高齢者ケア アドバンス p87～95

弱酸性の石けんを用いる

皮膚は皮脂膜によって覆われ、皮脂膜は皮膚のバリア機能を維持するために重要である。
殿部・陰部周辺の皮膚は、排泄物による刺激や尿などの水分に常にさらされ、脆弱になっている。皮膚と同じpHである弱酸性の石けんを使うほうが望ましい。

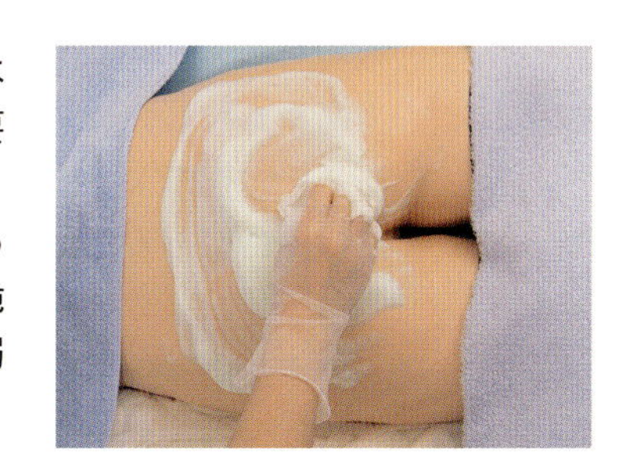

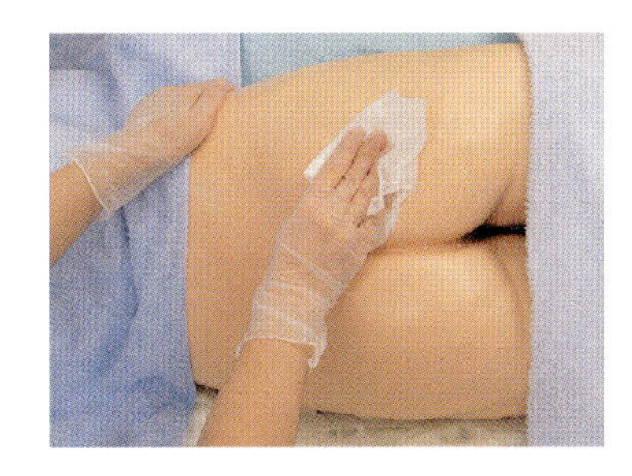

皮膚はこすらず、押さえ拭き

皮膚に余分な水分を残すと、皮膚の浸軟(ふやけたような状態)を引き起こし、バリア機能が破壊されたり、表皮と真皮の結びつきが緩慢になり、表皮剥離を起こしやすい。
皮膚はこすらず、やさしく包むように洗い、余分な水分は押さえるようにして吸い取る。

保湿クリームで皮膚を保護

皮膚から必要以上に水分・脂質が失われると、皮膚のバリア機能が低下する。洗浄後は、保湿クリームなどで皮膚を保護する。
失禁回数が多く、皮膚が浸軟しがちな状態であれば、撥水性クリームのほうが適している場合もある。

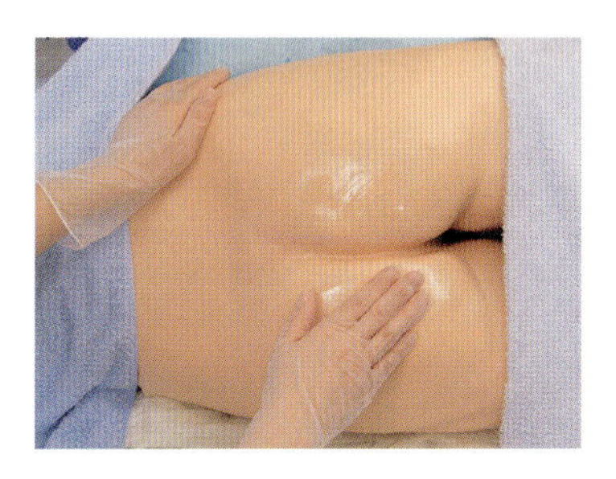

【参考文献】1) Karen Hollandほか編／川島みどり監訳(2003／2006). ローパー・ローガン・ティアニーによる生活行動看護モデルの展開. エルゼビアジャパン, p233－267.

CHAPTER 3

8 ストーマを持つ人への援助

学習のねらい

ストーマは腹壁に作られた腸、または尿管の開口部を指す。ストーマを造設することにより、排泄経路が変わるため、その人に合った排泄のセルフケアを確立できるよう支援する。

覚えておきたい基礎知識

ストーマは腹壁に作られた腸や尿管の開口部であり、便を排出する人工肛門、尿を排出する人工膀胱とがある。
ストーマケアは、最初は看護師が全面的に実施し、患者の受け入れ状況を確認しながら、段階的にその人ができる部分を増やすよう支援していく。

ストーマの構造とケアの進め方

ストーマの構造

筋層 脂肪 皮膚

ストーマの断面図
（単孔式）

ストーマケアの進め方

利用者のストーマに対する受け入れを確認する。

▼

初めは、看護師が全面的に実施する。

▼

利用者の受け入れ状況をみながら、
段階的にセルフケアを進める。

排泄のセルフケアを支援するために

ストーマを造設した人のセルフケアでは、よりよい排泄に向けた食事内容、臭いへの配慮に関心を持つ人が多い。

排便のコントロールについて

ストーマには肛門括約筋がないため、意思に関係なく、自然に排便がある。しかし、規則的な食事や運動など、生活習慣を整えることで、適度な硬さの便が決まった時間に排便されるようになる。
自分の排便パターンを知ることで、排便時間を避けて入浴するなど、コントロールが可能となる。

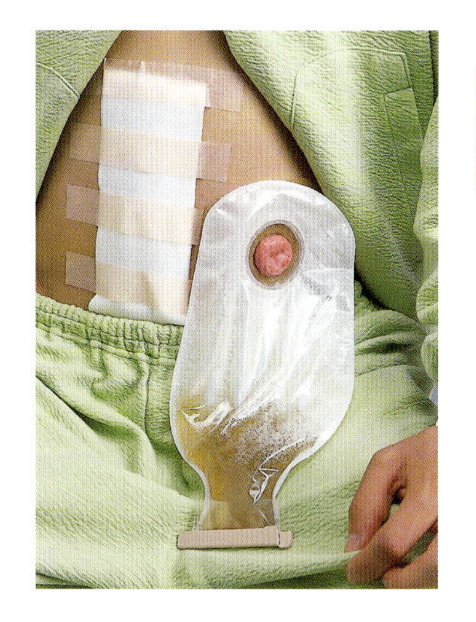

食事と排便との関係は、人それぞれ

ストーマを造設していても、基本的に食べられないものはない。
食物によっては消化が悪いもの、下痢や便秘になりやすいものもあるが、個人差がある。その人なりの食事と便の状態について知ることが大切である。
一般に、わかめ・こんぶ類、こんにゃく、しらたきなどが、消化が悪いとされる。

便・尿の臭いが気になる場合

便の臭いを強くする食物に、にんにく、にら、ねぎなどがある。臭いが気になる場合は、これらの食品を控える。また、体調が悪い時も臭いがきつくなるため、体調管理をすることも大切である。
ストーマ袋の中に消臭剤を入れる工夫もできる。さらに、経口的に便臭を消臭する食品（シャンピニオンゼリーなど）を使う人もいる。

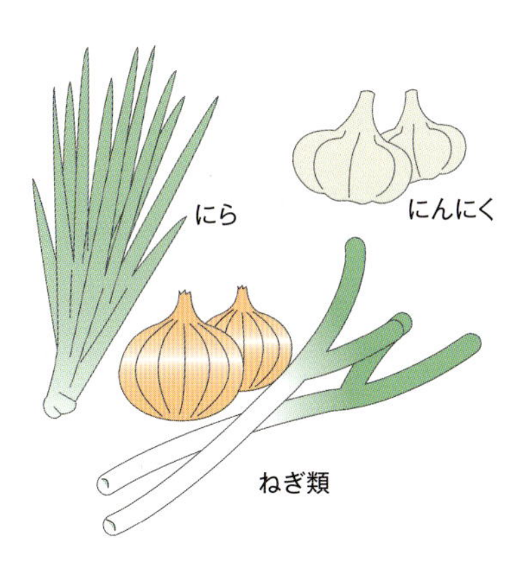

スムーズに入浴するには

装具を外しての入浴は、皮膚トラブルを防止するためにも重要である。浴槽に入る時は、水圧により便が出にくいが、念のため紙コップなどを当てるとよい。
温泉や銭湯など、自宅以外で入浴する場合は、小さな肌色のミニパウチを装着するとよい。人目が気になる場合はタオルで覆い、鏡にストーマが写らない位置に座る。

POINT

■ 小さな肌色のストーマ袋(バリケア® ナチュラ ミニパウチ)は目立たないため、温泉や銭湯に利用したい。

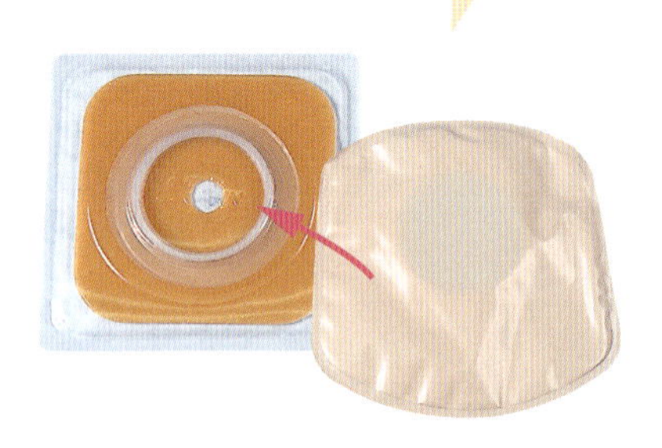

困ったら、"ストーマ外来"に相談を

ストーマが合わずに便漏れが起きるなど、困ったことがあれば、ストーマ外来にいる皮膚・排泄ケア認定看護師に相談するとよい。皮膚・排泄ケア認定看護師は、多くの種類の装具から、一人ひとりに最も合う装具を選択・助言する。
自宅に帰った後も、気軽に相談できる窓口(ストーマ外来、皮膚・排泄ケア認定看護師がいる病院など)を知っておくと便利である。

外出を気軽に楽しむために

ストーマを造設しても、これまでと変わらずに外出することができる。障害者用トイレなど、ストーマ処置が行いやすいスペースがあるトイレも整えられてきている。
外出先の障害者用トイレの位置などを、あらかじめ確認しておくと安心である。

ストーマ周囲の皮膚障害について

ストーマ周囲に皮膚障害が起きる原因は、面板の種類や大きさ、下痢など患者の体調の影響など、さまざまである。
ストーマケアを行う時は、ストーマ周囲の皮膚の発赤やびらんや発疹など、皮膚障害の有無を観察することが大切である。

面板のストーマ孔が大きすぎたことによる皮膚障害

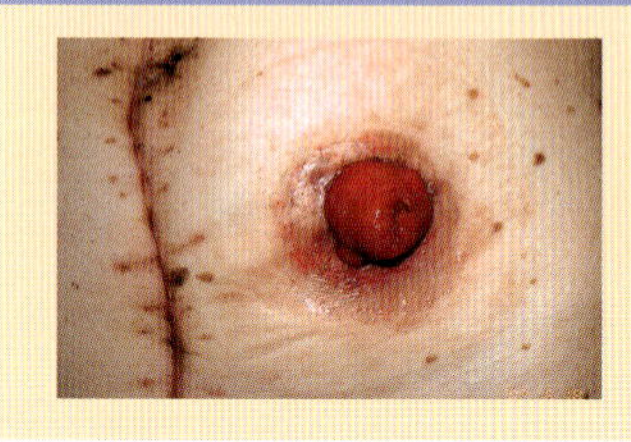

ストーマ周囲に円形の発赤・びらんがある。
この写真は、面板のストーマ孔(穴の大きさ)がストーマよりも大きかったため、その部分に便が付着し、皮膚障害を起こした事例である。
対応としては、面板の穴の大きさを適切にすること、びらんのある部位にパウダー状の皮膚保護剤を散布して、面板を装着することなどがある。

MEMO

CHAPTER 4
活動・休息の援助

到達目標　患者の活動と休息の状態をアセスメントし、患者の状態に合わせた援助ができる。

CONTENTS

CHECKING & ASSESSMENT

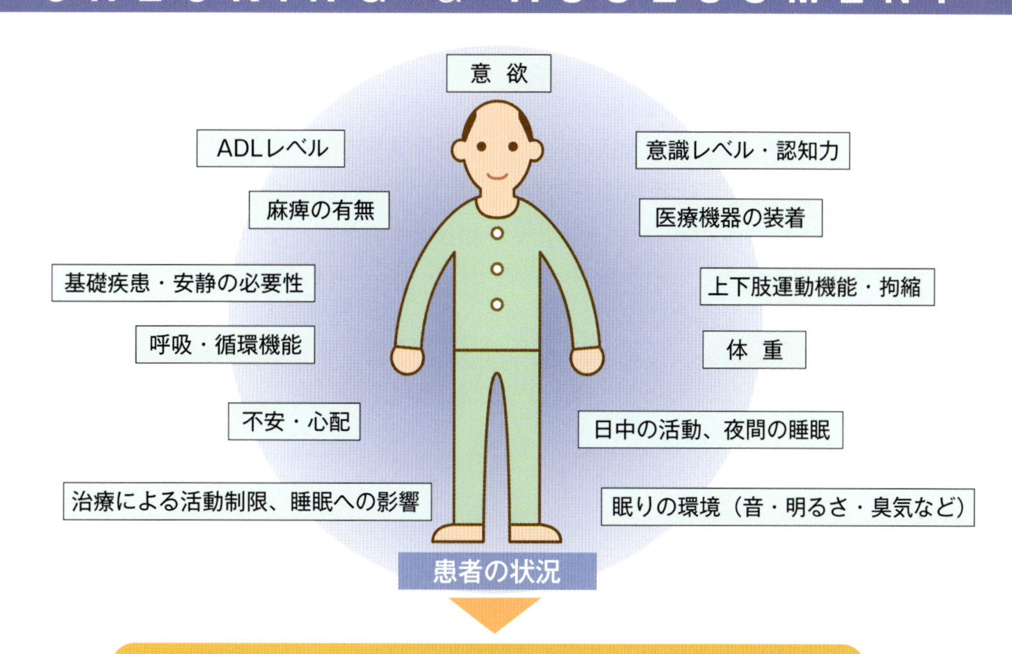

患者の状況

援助の必要性・方法をアセスメント

学生の状況

これまでの実施経験・練習

- □ 歩行・車椅子・ストレッチャー移送の見学、学内演習
- □ 体位変換・関節可動域運動の見学、学内演習
- □ 休息や安静を促すケアの見学
- □ 受け持ち患者の移動介助、廃用症候群予防ケアの経験
- □ 受け持ち患者の休息・安静を促すケアの実施

基礎知識

- □ 良肢位・体位変換
- □ 関節可動域・廃用症候群予防
- □ 移動介助のポイント
- □ 活動・睡眠を促す要因

患者へのケア場面

- □ 緊張・遠慮・リラックス
- □ 不安や焦り、実施時の時間的余裕

看護師・教員・病棟人員の状況、指導体制

- □ 移動介助などを支援してくれる指導者
- □ 学生が実施すること、指導者が支援することの確認
- □ 介助に必要な人数の確保

実習方法を決定

- □ 学生が単独で実施
- □ 看護師・教員の指導の下で実施
- □ 見学を通して学習

CHAPTER 4

1 移動・移乗の介助

学習のねらい

何らかの理由により1人で歩行ができない、もしくは制限されている人には、介助が必要になる。徐々に活動範囲を増やし、ADLを高める支援が必要である。
転倒・転落などのヒヤリ・ハット事象が起きやすいため、安全に十分に配慮する。特に、医療機器を装着している患者の移動では、チューブトラブル、全身状態の変化に留意しながら援助する。
本項では歩行介助、車椅子を用いた介助、ストレッチャーへの移乗・移動について学ぶ。

歩行介助

歩行には自力歩行、杖や歩行器など補助具を用いた歩行がある。
本項では、自力歩行の介助、松葉杖歩行について学ぶ。

援助する前に確認しよう！

患者の状況

- □ 自力で歩行ができる？
- □ 杖や歩行器などを使用している？
- □ 麻痺の有無は？
- □ 筋力はある？
  長期臥床状態？
- □ 安静度は？　どこまで歩行が可能？
- □ 患肢に免荷の指示はある？
- □ 輸液ライン・ドレーン類は？
- □ 酸素投与は？
  安静時・労作時の指示量は？
- □ バイタルサインは落ち着いている？
- □ 認知力は？

周囲の状況

- □ ベッドの高さは？
- □ つまづきやすい物が置かれていない？
- □ 床は濡れていない？　滑りやすくない？
- □ 点滴スタンドやドレーン類の位置は？
- □ 酸素ボンベの準備は？　酸素の残量がある？

あなた自身

- □ ユニホームはパンツタイプで動きやすい？
- □ 歩行介助のポイントがわかっている？
- □ 患者のリスクと介助方法がイメージできる？
- □ 患者の歩行介助をしたことがある？

必要物品を準備しよう！

自力歩行の場合

1. パルスオキシメーター（必要時）
2. 歩きやすい靴

松葉杖歩行の場合

1. 松葉杖
2. 歩きやすい靴

自力歩行の場合

患者の歩行介助を行う場合は、事前に次の事項をチェックする。

チェックポイント
- □ バイタルサインは落ち着いている?
- □ 輸液中・ドレーン挿入中の場合、輸液ライン・ドレーン類の位置は?

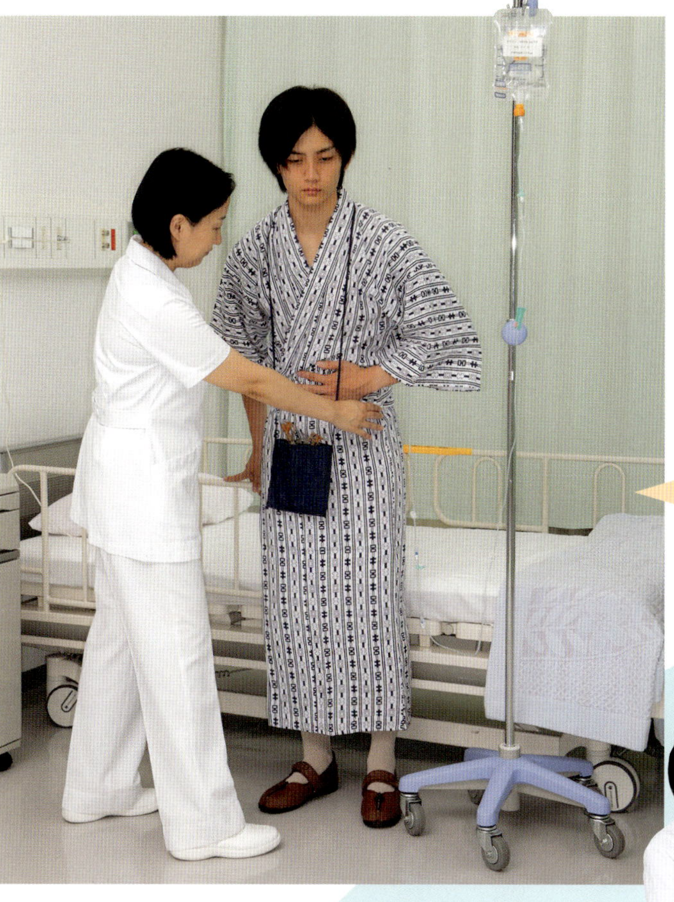

❶ ベッドは、患者が座位になった場合、足が床に着く高さとする。

❷ 徐々にベッドを挙上し、まず座位をとる。ベッド端座位をとり、歩きやすい靴を着用する。

❸ ベッドサイドにしっかりと立ち上がってもらう。この際、看護師はすぐに支えられる位置に立つ。

POINT
- 立ち上がった際、循環動態の変動が起きやすく、立ちくらみ・めまいなどが起こりやすいので注意する。

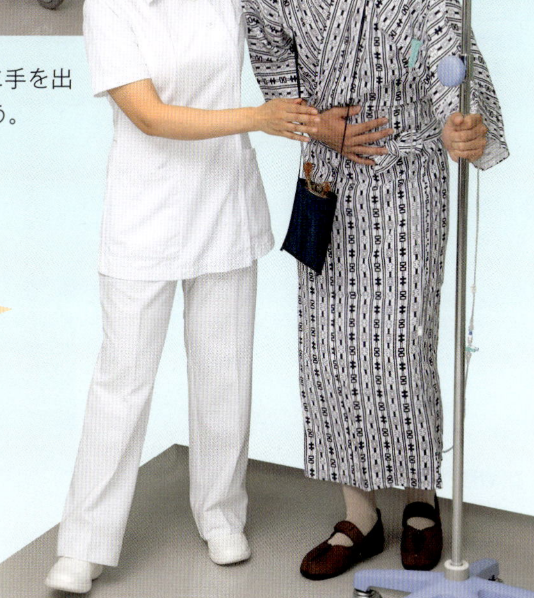

❹ 看護師は患者の患側で、すぐに手を出せる位置に立ち、歩行に付き添う。

POINT

輸液ライン・ドレーン類がある場合
- 輸液中の場合は、点滴スタンドを押しながら歩行することになる。ライン類が絡まないよう注意する。
- ドレーン挿入中の場合は、排液バッグを袋に入れ、患者に首から下げてもらう。ドレーン類をまとめて携行することで歩きやすくなり、同時に排液が他者の目に触れることを防ぐ。

松葉杖歩行の場合

松葉杖歩行を行う場合は、事前に次の事項をチェックする。

- □ バイタルサインは落ち着いている?
- □ 患側に免荷の指示がある?

❶ ベッド端座位をとり、歩きやすい靴を着用する。
ベッド柵につかまり、患肢に体重をかけないよう、ベッドサイドにしっかりと立ち上がってもらう。
この際、看護師は松葉杖を持って、支えやすい位置に立つ。

POINT

- 松葉杖を使って、座位から立位になるのは禁忌! バランスを崩しやすく、転倒しやすい。
- ベッド柵につかまり、しっかり立位がとれることを確認して松葉杖を渡す。

患側免荷の場合は、患肢に体重をかけないよう注意!

❷ 松葉杖歩行の際は、看護師はすぐに手を出しやすい位置に立つ。

POINT

- 看護師は患者の横に並んで歩き、すぐに支えられるようにしておく。
- 患者の歩行状況(ふらつきの有無など)を確認する。

松葉杖の用い方

松葉杖の合わせ方

❶ 松葉杖の先端を、つま先の15cm前方・外側に置く。

❷ 松葉杖上部は、腋窩から2～3横指あけた位置に置き、握り手は肘が30度屈曲する高さで、大転子の高さとなるよう位置を調節する。

腋窩に体重をかけない

腕の力で支える

杖先は前方・外側15cmにくる

腋窩から2～3横指あける

30°

杖先は前方・外側15cmの位置

踵を覆う靴を着用

15cm

松葉杖歩行（免荷歩行）

杖歩行は、患者が歩行手順を理解していること、立位保持能力、立ち上がり動作の安定性があることを確認してから行う。
松葉杖は腕の力で動かし、腋窩ではなく腕に体重をかけて移動するよう指導する。

POINT

- 両松葉杖と患肢を同時に前に出す。
- 腕に体重をかけ、患肢の免荷を守りながら健肢を前に出す。

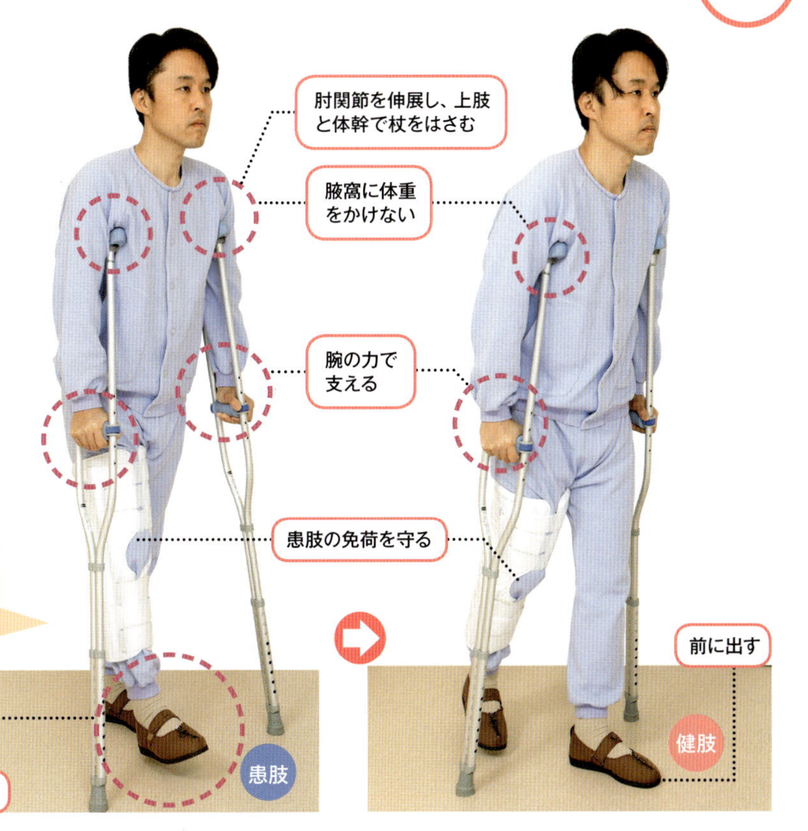

援助後に振り返ってみよう！

観 察

- □ 患者のバイタルサインは？
- □ 移動動作で患者自身にできることは？
- □ 移動範囲、ADLの拡大は？
- □ 医療機器の設定（輸液速度・酸素流量）は？
- □ 転倒などのリスクは？

記録・報告

- □ 転倒のリスク
- □ 歩行可能な範囲の変化
- □ バイタルサインの変化

後片付け

- □ パルスオキシメーター、松葉杖など使用物品の片付け
- □ 靴の片付け

覚えておくと、役立ちます！

酸素投与中の移動・移乗

酸素投与中は、移動・移乗の際の酸素状況を把握するために、パルスオキシメーターを装着して歩行介助を行う場合がある。
パルスオキシメーターを装着していない場合、患者の状態をアセスメントする際は、脈拍・呼吸数・呼吸状態を観察する。
また、酸素消費量は動いている時ほど多くなる。事前に、労作時の酸素流量の指示を確認する。

こんな時どうする？

安静度指示の範囲を超えて「歩きたい」！

安静度指示が病棟内歩行であるにもかかわらず、「調子がよいから、売店まで行きたい！」と患者が希望する場合がある。患者が病棟内を歩けるからといって、安易に歩行距離を延ばすのは危険である。患者の状態と合わせ、安静度指示を必ず、確認する。
患者には、急に歩行距離を延ばすリスクと、徐々に距離を延ばしていくことの大切さを説明する。
また、常に安静度指示が患者の状態に合わせて更新されるよう、医師に患者の状態を伝えることが必要である。

「リハビリ室で歩いているから、病棟でも歩ける」！

歩行は、リハビリテーション室で歩く練習を行い、その状況を踏まえて主治医が病棟でも歩行可能かどうかを判断し、歩行許可を出すことが多い。病棟での歩行は、医師の許可を得てから行う。
同時に、リハビリテーション室でどのような指導を受けているのか、自宅に帰ってからどのようなことができるのかを考えて日常生活行動の援助を行う必要がある。
理学療法士と連携しながら、患者の持てる力を伸ばす援助を行う。

歩行練習を促したら「寝ているほうがいい」!

患者に歩行練習を促すと、「寝ているほうがいい」という返事。このような場合は、どうしてそう思うのか、理由を尋ねてみよう。どのような時間帯に、どのような場所であれば歩きたいのかを、一緒に考えてみるとよい。

輸液中の歩行で血液が逆流!

輸液中の患者で、刺入部から血液が逆流しているのを発見したら、輸液を刺入部より上にし、滴下があることを確認する。滴下がない場合は、閉塞の可能性があるため抜針し、再度留置針の挿入を行うことがある。

車椅子での移動介助

車椅子を用いた移動介助は、患者の状態と車椅子の機能、使用法を十分に理解して、安全に行うことが重要である。

車椅子の種類と機能

車椅子は患者の安静度・理解力・座位保持時間・立位保持力、介助の必要度や靴、製品の荷重制限に応じて選択する。常に整備を心がけ、安全に使用することが大切である。

POINT

車椅子の点検ポイント

- タイヤの空気圧
- フットサポートの位置
- ストッパーの利き具合
- シート破損の有無

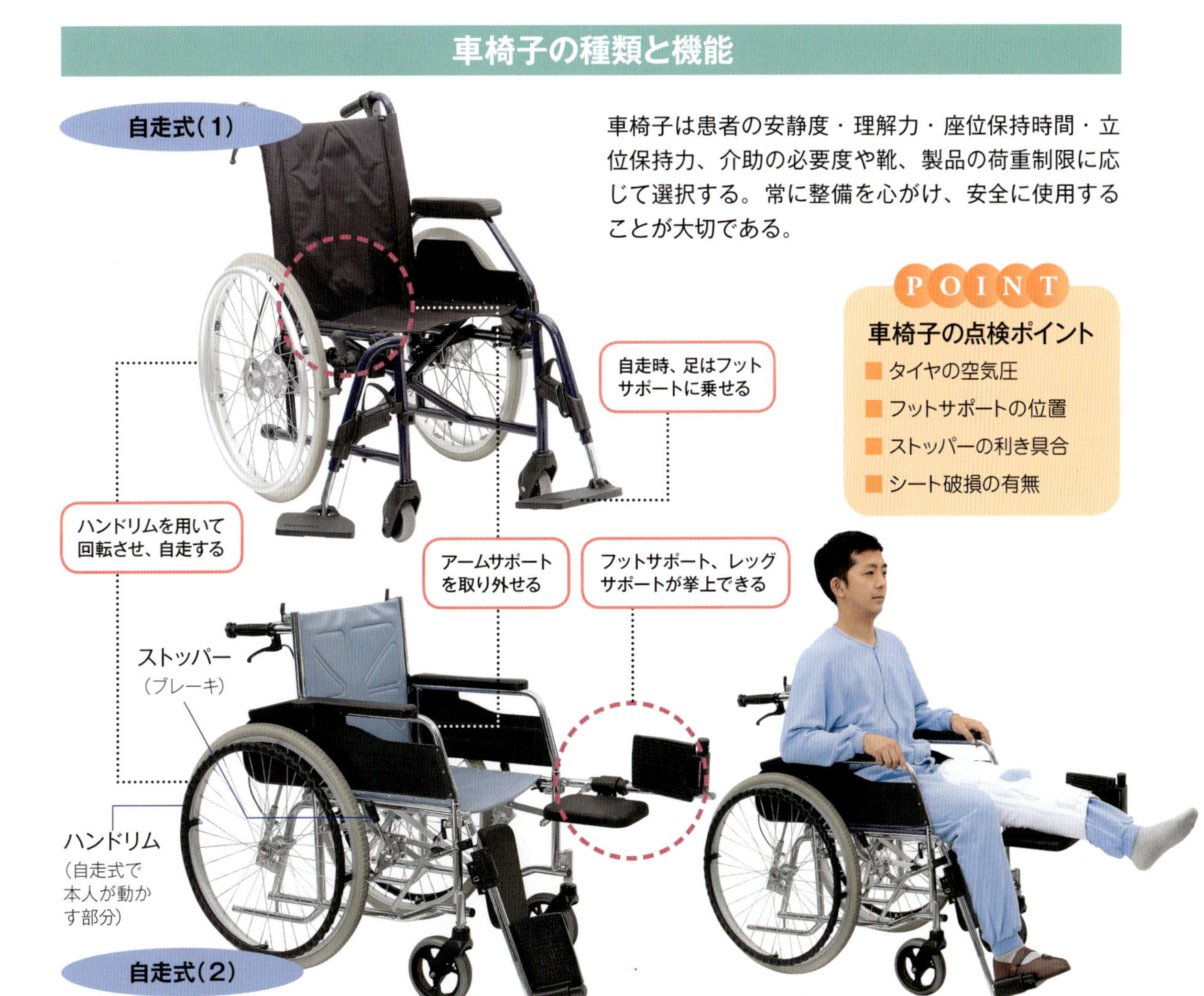

参照★写真でわかる整形外科看護アドバンス p103

援助する前に確認しよう！

患者の状況

- ☐ ベッドと車椅子間を自力で移乗できる？
- ☐ 麻痺の有無は？
- ☐ 筋力はある？
  長期臥床状態？
- ☐ 安静度は？
- ☐ 患肢に免荷の指示はある？
- ☐ 輸液ライン・ドレーン類は？
- ☐ 酸素投与は？
  安静時・労作時の指示量は？
- ☐ バイタルサインは落ち着いている？
- ☐ 認知力は？

周囲の状況

- ☐ ベッドの高さは？
- ☐ つまづきやすい物が置かれていない？
- ☐ 車椅子を置くスペースが十分にある？
- ☐ 床は濡れていない？　滑りやすくない？
- ☐ 点滴スタンドやドレーン類の位置は？
- ☐ 酸素ボンベの準備は？　酸素の残量がある？

あなた自身

- ☐ ユニホームはパンツタイプで動きやすい？
- ☐ 車椅子の操作方法がわかっている？ ブレーキやストッパーの位置は？
- ☐ 患者のリスクと介助方法がイメージできる？
- ☐ 患者の車椅子移乗・移動を介助したことがある？

PROCESS 1 ベッドから車椅子への移乗

4-1

＊自分で動くのが難しい人の援助については、ベッドからポータブルトイレへ（P58）を参照。

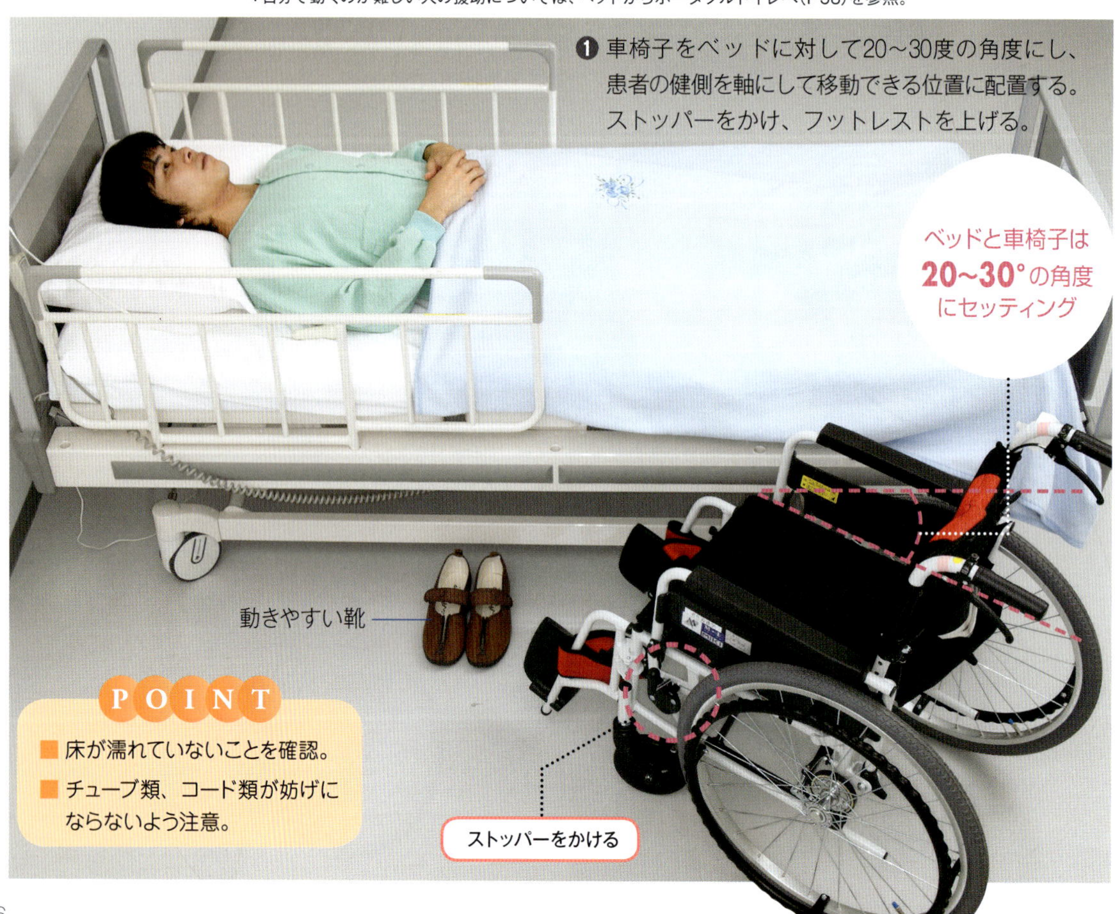

❶ 車椅子をベッドに対して20～30度の角度にし、患者の健側を軸にして移動できる位置に配置する。ストッパーをかけ、フットレストを上げる。

POINT

- 床が濡れていないことを確認。
- チューブ類、コード類が妨げにならないよう注意。

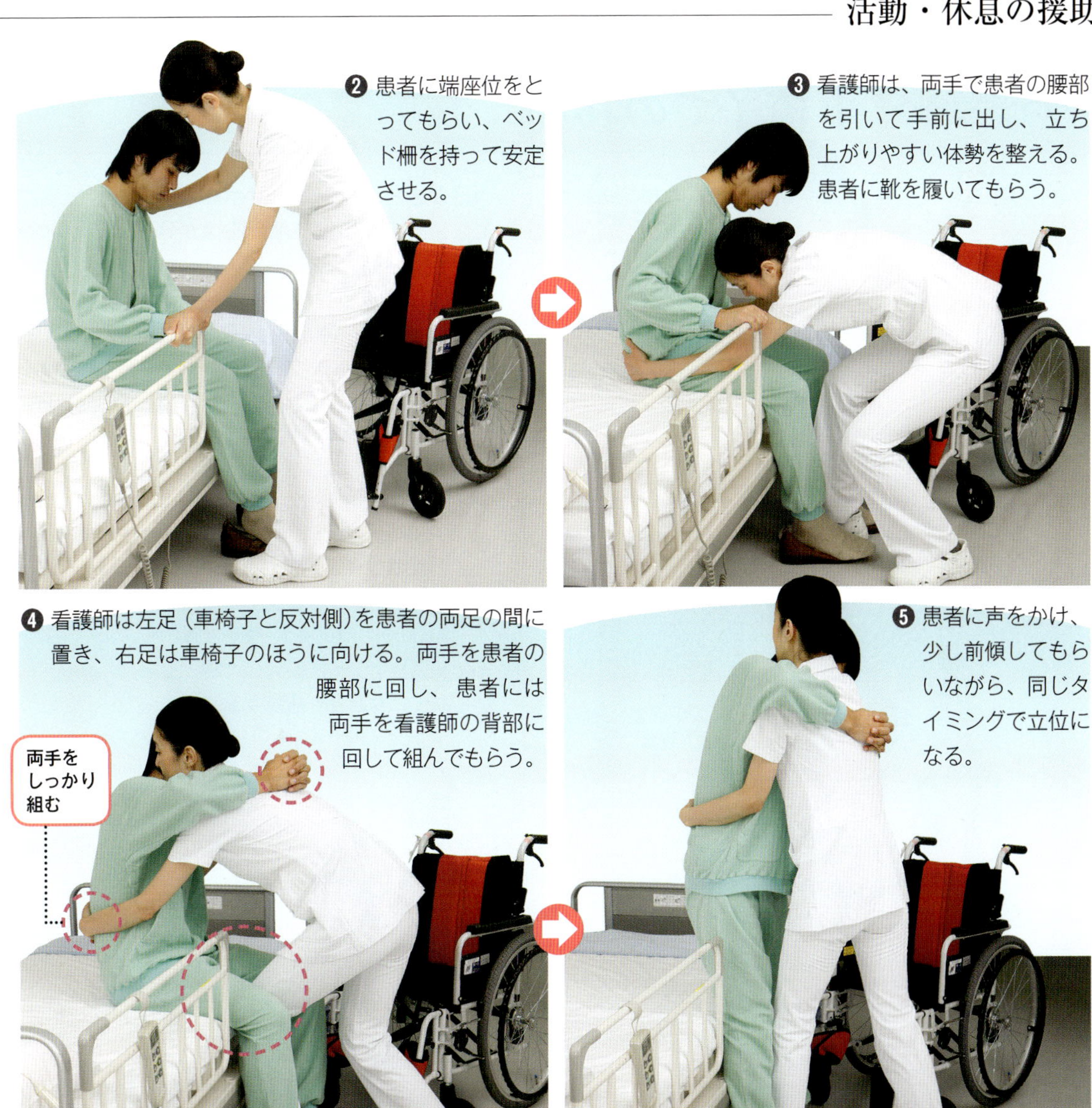

❷ 患者に端座位をとってもらい、ベッド柵を持って安定させる。

❸ 看護師は、両手で患者の腰部を引いて手前に出し、立ち上がりやすい体勢を整える。患者に靴を履いてもらう。

❹ 看護師は左足（車椅子と反対側）を患者の両足の間に置き、右足は車椅子のほうに向ける。両手を患者の腰部に回し、患者には両手を看護師の背部に回して組んでもらう。

❺ 患者に声をかけ、少し前傾してもらいながら、同じタイミングで立位になる。

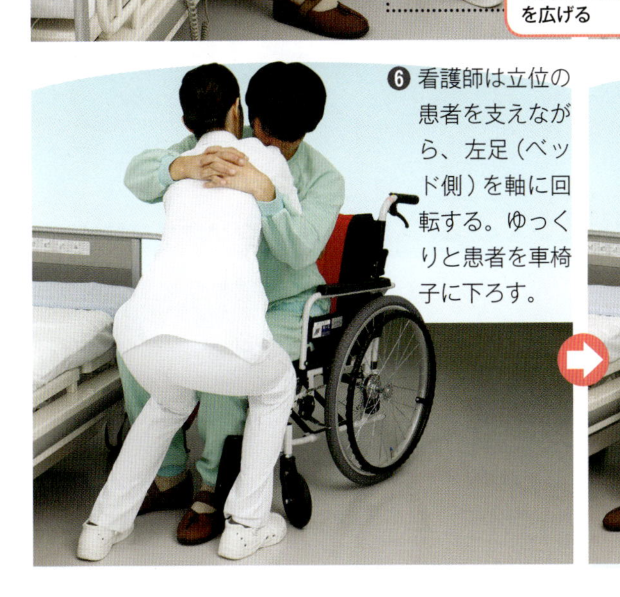

❻ 看護師は立位の患者を支えながら、左足（ベッド側）を軸に回転する。ゆっくりと患者を車椅子に下ろす。

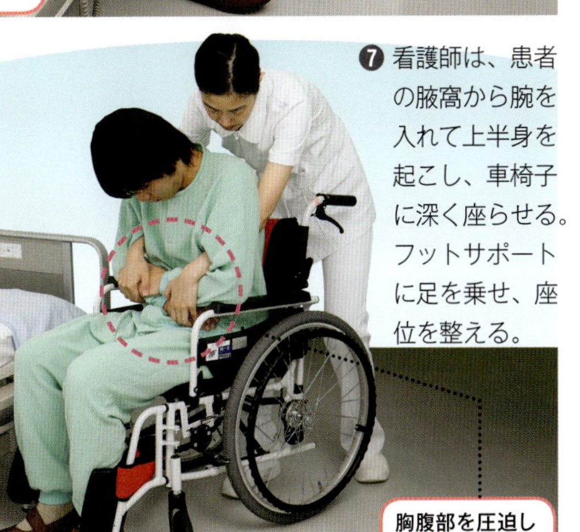

❼ 看護師は、患者の腋窩から腕を入れて上半身を起こし、車椅子に深く座らせる。フットサポートに足を乗せ、座位を整える。

PROCESS 2 車椅子での移動

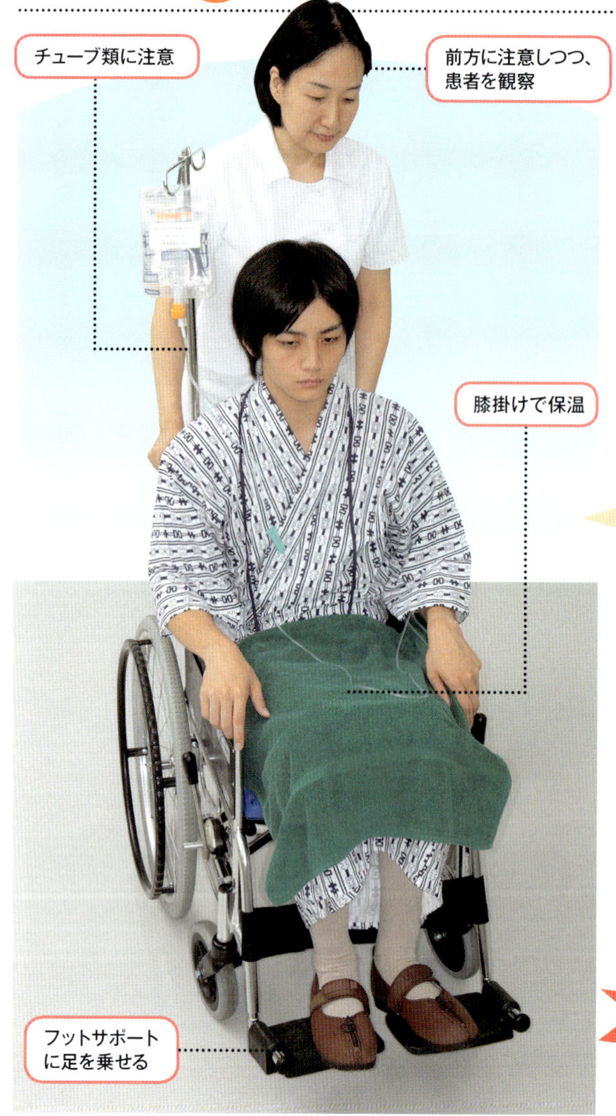

両足がきちんとフットサポートに乗っていることを確認、膝掛けで保温をはかり、ストッパーを外して移動する。
また、輸液ラインなどチューブ類が身体の下敷きになったり、車輪に絡んだりしないよう留意する。
看護師は前方に注意するとともに、患者の状態を観察する。

POINT

輸液ライン、酸素チューブに注意!

- 輸液ラインや酸素チューブが車椅子の車輪に絡むことがないよう、整理する。
- 輸液ラインや酸素チューブが、身体の下敷きになっていないか、確認する。

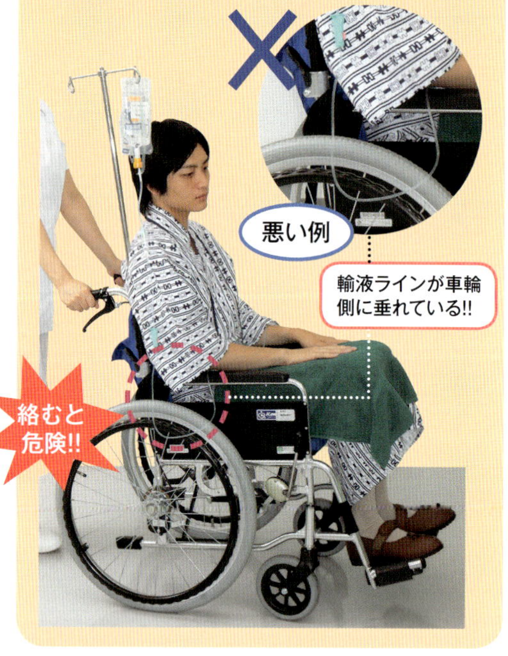

援助後に振り返ってみよう!

観察

- □ 患者のバイタルサインは?
- □ ベッド~車椅子間の移乗動作は?転倒のリスクは?
- □ 移動範囲、ADLの拡大は?
- □ 医療機器の設定(輸液速度・酸素流量)は?

記録・報告

- □ 移動動作のリスクと可能な範囲
- □ バイタルサインの変化

後片付け

- □ 車椅子など使用物品の片付け
- □ 靴の片付け

覚えておくと、役立ちます！

膀胱留置カテーテルを使用中の車椅子移動

膀胱留置カテーテルを使用中の場合は、蓄尿袋を空(から)にしてから車椅子に移乗する。蓄尿袋に尿がたまったままだと、移乗動作を妨げ、車椅子の車輪に袋が引っ掛かって破損するリスクもある。
車椅子移乗後は、蓄尿袋を膀胱より低い位置に置く。蓄尿袋が膀胱より高い位置になると、尿が逆流して、感染リスクが高まるので注意する。

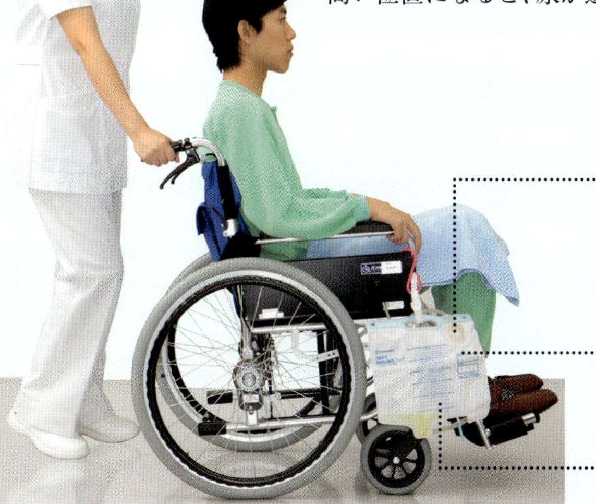

こんな時どうする？

CASE 1 術後、車椅子移動で、患者が苦痛を訴えた！

手術後の患者を車椅子でレントゲン検査に移送する際、「吐きそう。胸が苦しい」との訴えがあった。
術後合併症の１つに、下肢静脈血栓が静脈血流にのって、肺動脈を閉塞する肺血栓塞栓症がある。胸苦しさは、そのサインである可能性があるため、そばにいる医療スタッフに助けを求め、脈拍などバイタルサインを測定して、医師に連絡する。
また、手術後は麻酔の影響で嘔気があり、車椅子移動時に嘔吐することがある。嘔吐のリスクを考慮し、ビニール袋、ティッシュペーパー、ガーグルベースンを用意しておく。

CASE 2 車椅子で散歩後、酸素ボンベが空に！

患者と車椅子で散歩をして部屋に戻ると、酸素ボンベが空(から)になっていたというヒヤリ・ハット事例が報告されている。
酸素残量がなくなっていることに気づいたら、直ちに酸素チューブを中央配管につなぎ、指示量の酸素投与を行う。
さらに、患者に息苦しさなどの自覚症状がないか、チアノーゼの有無、表情、パルスオキシメーターの値などから呼吸状態を観察する。主治医に報告し、指示を仰ぐ。
酸素投与中の患者の車椅子移動にあたっては、酸素が十分に残っているか、確認することが重要である。

ストレッチャーでの移動

ストレッチャーを用いた移動の援助は、ベッドからストレッチャーへの移乗、ストレッチャーを用いた移動を安全・安楽に行うことが必要である。

ストレッチャーの構造

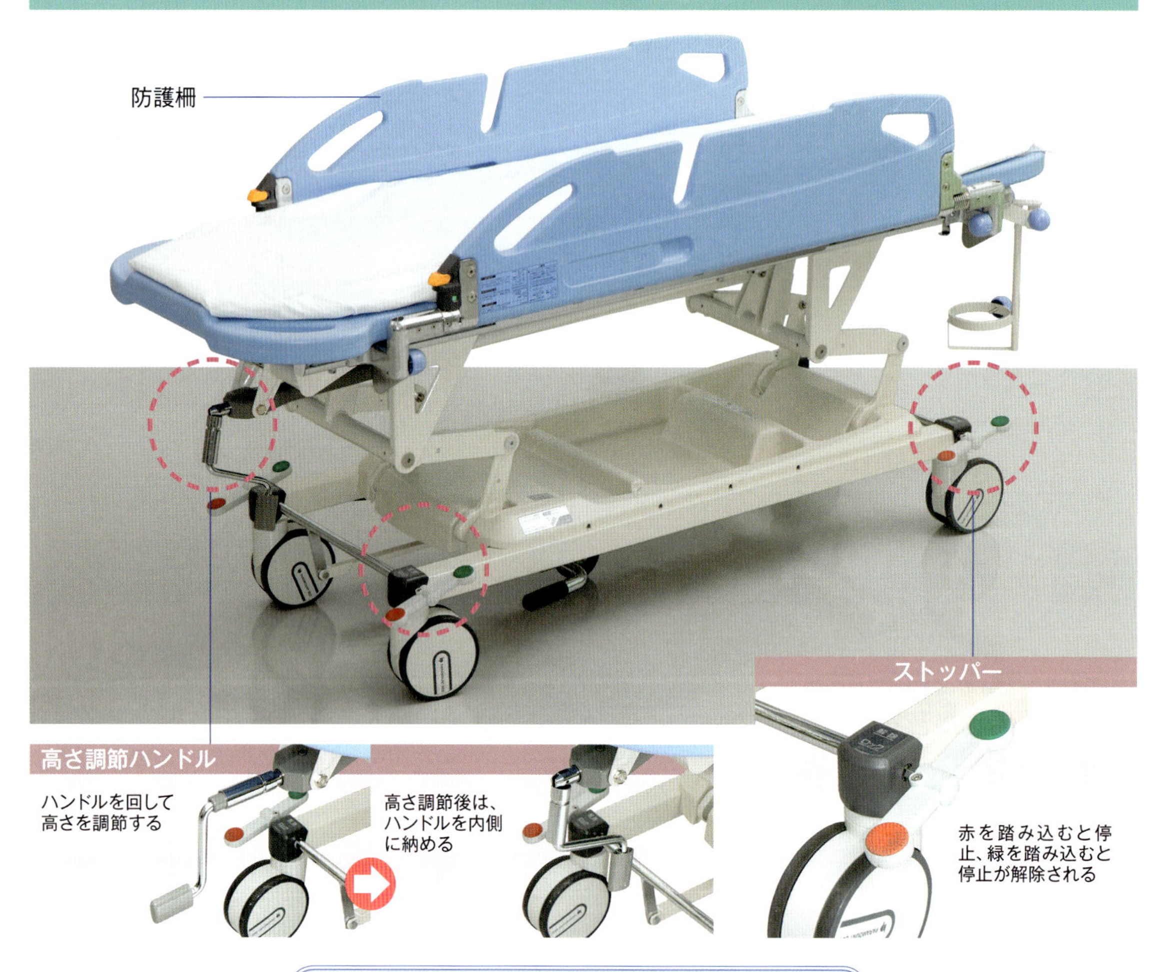

援助する前に確認しよう!

患者の状況

- □ 意識レベルは?
- □ 麻痺の有無は?
- □ 筋力はある? 長期臥床状態?
- □ 輸液ライン・ドレーン類は?
- □ 酸素投与は?

周囲の状況

- □ ベッドの高さは?
- □ つまづきやすい物が置かれていない?
- □ ストレッチャーを置くスペースが十分にある?
- □ 床は濡れていない? 滑りやすくない?
- □ 点滴スタンドやドレーン類の位置は?
- □ 酸素ボンベの準備は? 酸素の残量がある?

あなた自身

- □ ユニホームはパンツタイプで動きやすい?
- □ ストレッチャーの構造を理解している?
- □ 患者のリスクと介助方法がイメージできる?
- □ 患者のストレッチャー移送を介助したことがある?

PROCESS 1 ベッドからストレッチャーへの移乗

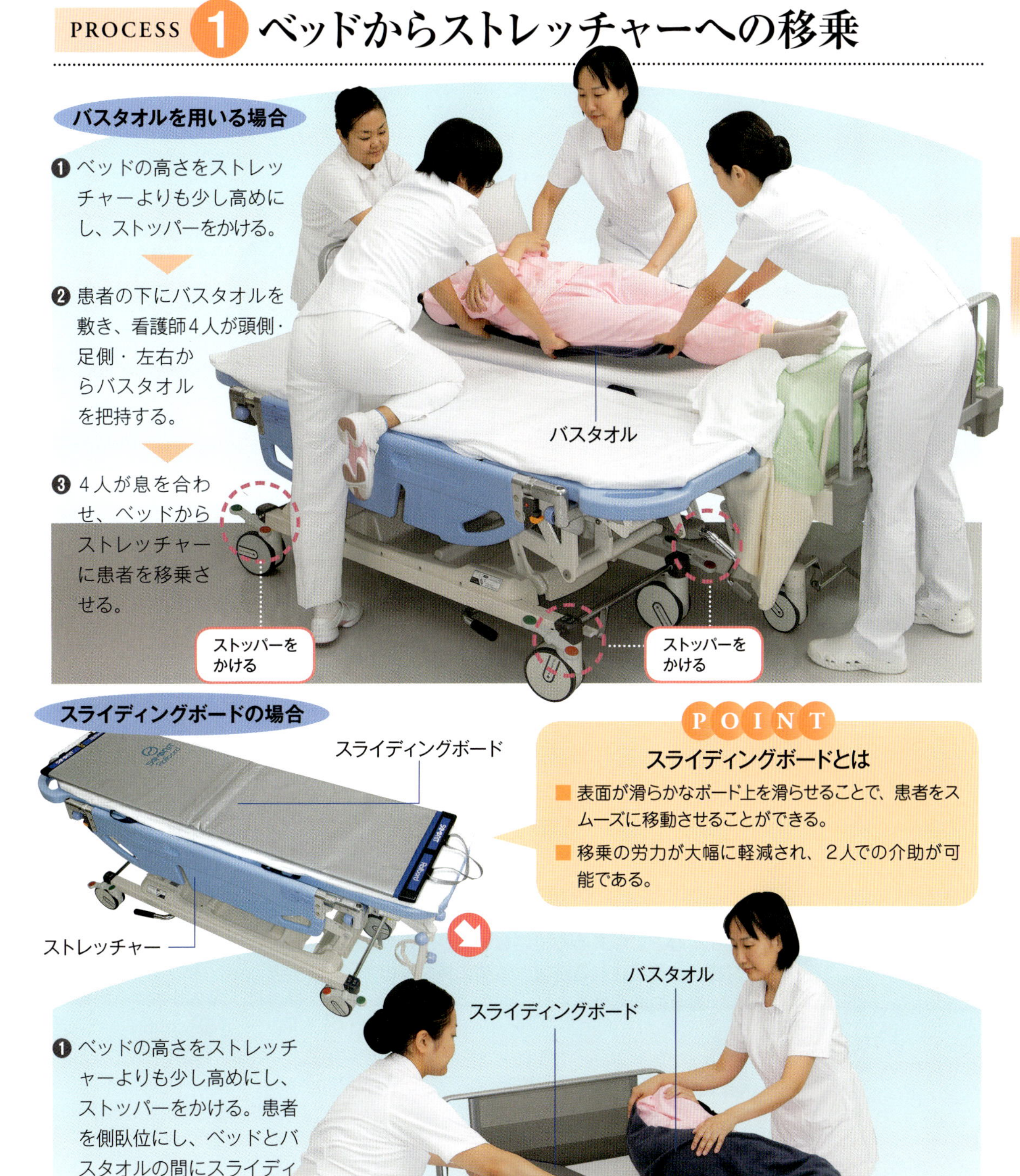

バスタオルを用いる場合

❶ ベッドの高さをストレッチャーよりも少し高めにし、ストッパーをかける。

❷ 患者の下にバスタオルを敷き、看護師4人が頭側・足側・左右からバスタオルを把持する。

❸ 4人が息を合わせ、ベッドからストレッチャーに患者を移乗させる。

スライディングボードの場合

POINT

スライディングボードとは

- 表面が滑らかなボード上を滑らせることで、患者をスムーズに移動させることができる。
- 移乗の労力が大幅に軽減され、2人での介助が可能である。

❶ ベッドの高さをストレッチャーよりも少し高めにし、ストッパーをかける。患者を側臥位にし、ベッドとバスタオルの間にスライディングボードをベッドの半分以上、挿入する。

POINT

- ベッドとストレッチャーの高さを同じにし、ストッパーをかける。

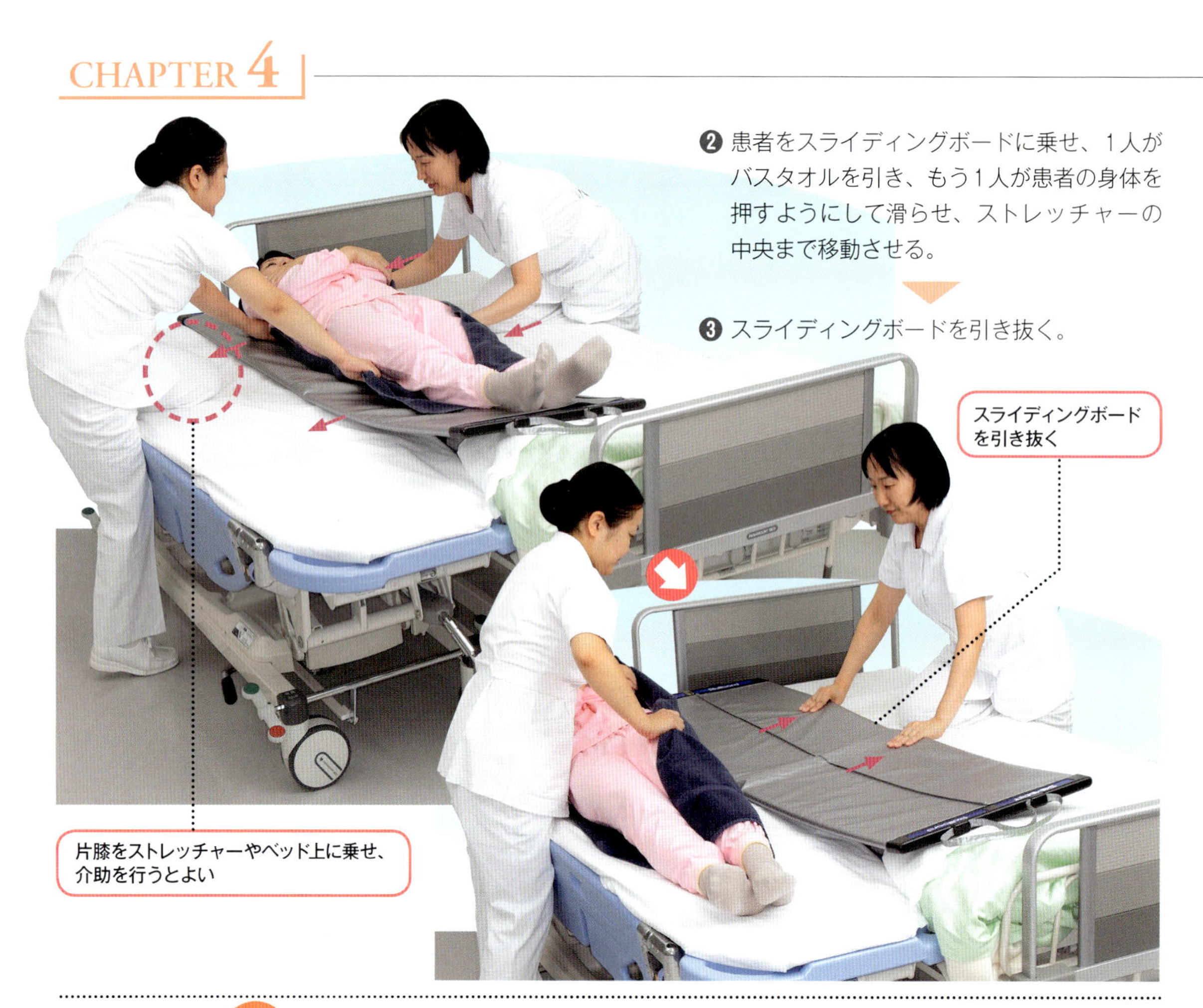

❷ 患者をスライディングボードに乗せ、1人がバスタオルを引き、もう1人が患者の身体を押すようにして滑らせ、ストレッチャーの中央まで移動させる。

❸ スライディングボードを引き抜く。

PROCESS 2 ストレッチャーでの移送

ストレッチャーでの移送は、頭側・足側にそれぞれ看護師が位置し、足を進行方向に向けて進む。足側の看護師は進行方向を見定め、頭側の看護師は患者の状態を観察。速度が速すぎると患者に嘔気を誘発することがあるので注意する。曲がり角や揺れが予想される時は、事前に声をかけて患者に知らせる。

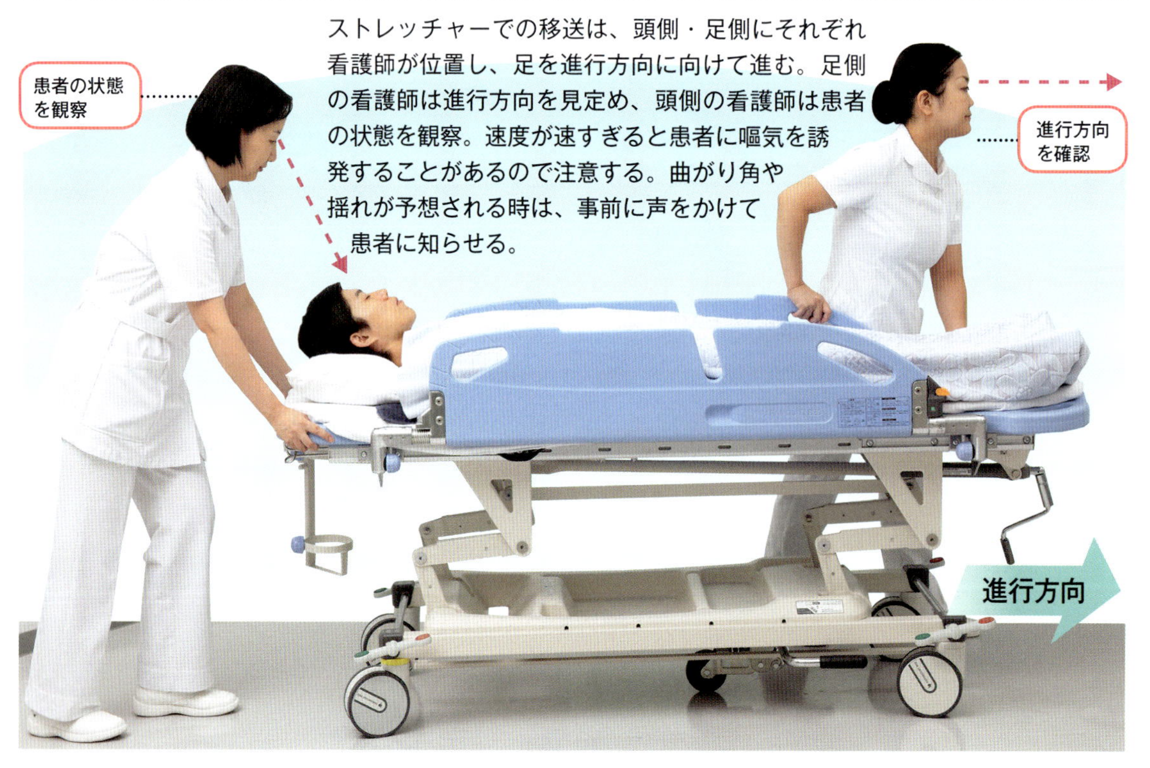

援助後に振り返ってみよう!

観 察

- □患者のバイタルサインは?
- □医療機器の設定(輸液速度・酸素流量)は?

記録・報告

- □移動動作のリスクと可能な範囲
- □バイタルサインの変化

後片付け

- □ストレッチャーなど使用物品の片付け

覚えておくと、役立ちます!

スライディングボードの活用

ベッドからストレッチャーへ移乗させる際、スライディングボードを使用すると、あまり力を用いずに、患者をスムーズに移動させることができる。

スライディングボードの表面は滑らかに移動できるような仕組み、裏面は滑り止め機能がついているボードもある。このような場合は、表裏を間違いなく使用する。

表面が滑り、裏面が滑り止めになっている場合もある

こんな時どうする?

移乗時、ドレーンや輸液ラインが引っ張られた!

ドレーンが挿入されていたり、輸液中の患者をストレッチャーで移送する場合は、まず排液バッグや輸液バッグをストレッチャーの所定の場所に移動する。その際、ラインにゆとりがあり、挿入部・刺入部がしっかり固定されていることを確認する。

移乗時に引っ張られ、ドレーンや輸液ラインが抜けてしまうなどのトラブルを防ぐことが重要である。

胸腔ドレーンによる低圧持続吸引をしている患者の移乗に際しては、低圧持続吸引の様子を見守りながら移動する看護師を1名配置するとよい。

【参考文献】 1)川島みどり監修(2007). 学生のためのヒヤリ・ハットに学ぶ看護技術. 医学書院.
2)川島みどり監修(2006). 看護技術 スタンダードマニュアル. メヂカルフレンド社.

CHAPTER 4

2 廃用症候群を予防するケア

学習のねらい

廃用症候群は、病気や障害により心身の活動が長期にわたり行われなかったために生じる退行性の変化である。筋萎縮、関節拘縮、褥瘡などがあり、臓器にも変化が生じる。特に高齢者に起こりやすく、寝たきりの固定化につながるため、予防が必要である。廃用症候群のリスクアセスメント、予防するためのケアを学ぶ。

覚えておきたい基礎知識

一定期間、臥床状態が続く場合、体力の低下が生じやすく、特に高齢者では著しい。その結果、廃用症候群と呼ばれるいくつかの症状が現れる。これが悪化すると、さらに二次的な障害に至り、寝たきりとなる悪循環に陥りやすい。廃用症候群を意識して観察し、症状の早期発見・予防に努める。

廃用症候群の主な症状

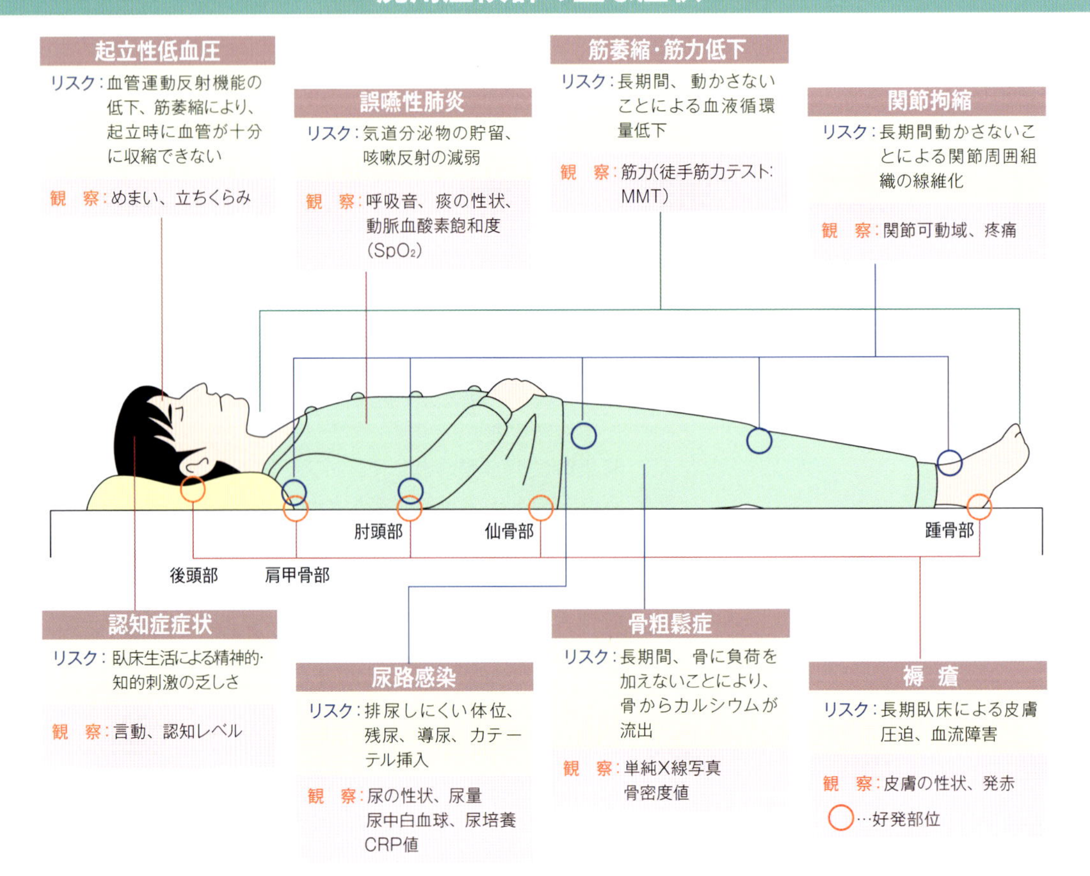

体位変換・ポジショニング

参照★新訂版 写真でわかる高齢者ケア アドバンス p126～136

廃用症候群による生体の変化を防止するための1つのケアとして、体位変換がある。
体位変換には安楽な体位をとる目的以外に、圧迫を予防したり、循環器系を刺激する作用がある。

体位変換の目的

- 同一体位による苦痛を除去し、安楽な体位をとる。
- 同一体位による循環障害や圧迫を避ける。
- 同一体位による筋萎縮・関節拘縮を防止する。
- 循環器系を刺激し、浮腫や褥瘡症状を軽減する。
- 肺の拡張促進や気道分泌物の排出を促す。

ポジショニング

- ポジショニングとは、関節拘縮・変形が避けられない場合、日常生活活動に最も支障の少ない肢位を安全・安楽に保つことをいう。
- 不動による四肢の筋緊張の固定化や拘縮を予防する。
- 患者の残存機能とともに、関節拘縮の予防を考慮し、患者に適した良肢位をとり、体位変換を行う。
- 重力に抗して身体を起こすことは、脳・内臓・血液循環などを活性化するといわれる。体位が全身に与える影響を念頭においてケアを行う。

援助する前に確認しよう！

患者の状況

- □ 疾患は？
- □ 活動制限は？
- □ 安静度の指示は？
- □ 麻痺がある？
- □ 自動運動ができる？
- □ 常に好んでとる体位は？
- □ 関節可動域は？
- □ 座位はとれる？
- □ 創部など、痛みがある部位は？
- □ 点滴静脈注射は挿入されている？
- □ 膀胱留置カテーテルは挿入されている？
- □ 酸素は投与されている？
- □ ドレーン類は挿入されている？
- □ 年齢は？
- □ 注意力、判断力、認知機能は？

周囲の状況

- □ ベッドや体圧分散寝具の種類は？

あなた自身

- □ ユニホームや手はきれい？
- □ 良肢位（ポジショニング）の知識は？
- □ 体位変換を実施したことがある？

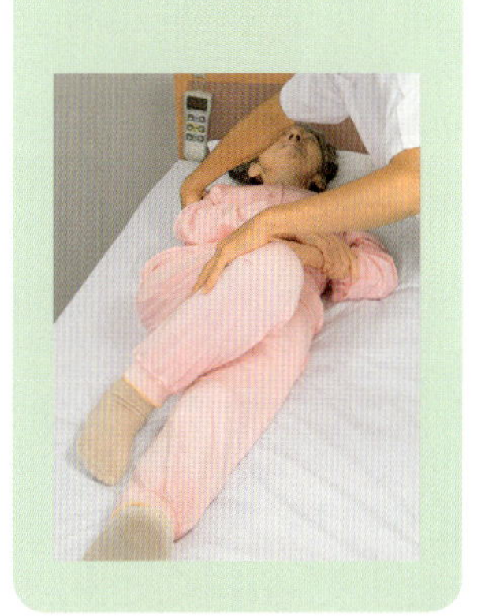

仰臥位から側臥位へ（左側臥位）

1	体の下に手を挿入	看護師2人で患者の両側から、体の下に手を差し入れる。
2	ベッド端に移動	患者の体をベッド右端に移動させる。
3	膝を立てて回転	患者の右膝を立て、右膝・右肩を支えて左側に体を向ける。
4	ポジショニング	患者にとって苦痛がなく、除圧に有効な体位を整える。

POINT

移動時は浮かす

- 患者の体を移動させる際は、引きずらずに浮かす。

POINT

30度側臥位とは

- 側臥位は30度にすることで殿筋の接触面積を増やし、体圧を分散させることができる。ただし、30度側臥位を苦痛に感じる患者も多く、仙骨・尾骨に発赤を生じる場合がある。
- その患者に応じた側臥位の角度を見出す。

ポジショニング

- クッションや枕で体全体を広範囲に支え、隙間がないようにする。
- 拘縮がある側への過度な荷重や拘縮部位どうしの接触を避け、クッションや枕を挿入する。

ギャッチアップ

背抜きする

1	大転子部の位置合わせ	ベッド屈曲部位と患者の大転子部の位置を合わせる。
2	下肢側挙上	ベッドの下肢側を挙上する。
3	頭側挙上	ベッドの頭側をゆっくりと挙上する。
4	背抜き	患者の頭側をベッドから離し、着衣のしわを伸ばす。
5	足抜き	片足ずつベッドから離し、着衣のしわを伸ばす。

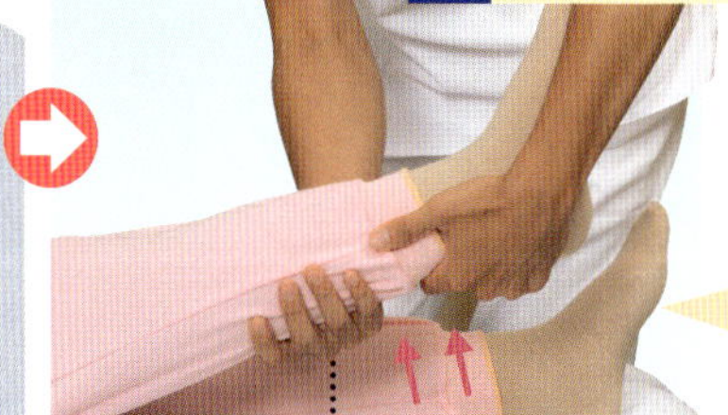

POINT

- 挙上後に背面とベッド、下腿後面とベッドの接触をいったん解除することで、微妙なずれやしわをなくすことができる。

座位(車椅子)

座位をとる場合は、圧力を殿部ではなく、骨の突出のない大腿後面で広く支持して体圧を分散させるため、股関節・膝関節・足関節を90度にした姿勢をとる。これが、座位の基本姿勢である90度ルールである。

POINT 90度ルールで体圧分散

- 股関節・膝関節・足関節を90度にして座ると、体重は大腿後面に広く分散してかかる。
- 体型や拘縮などを考慮し、クッションや枕などを使用して姿勢を保持する。

POINT 15分ごとに除圧

- 車椅子座位で過ごす場合は、15分ごとに除圧を行う。
- 自分でできない患者には、看護師が患者の体を挙上し、殿部と座面の接触を解除する(プッシュアップ)。
- 同一体位のままで長時間過ごすことは、褥瘡のリスクとなる。車椅子座位で長時間過ごすことは避ける。

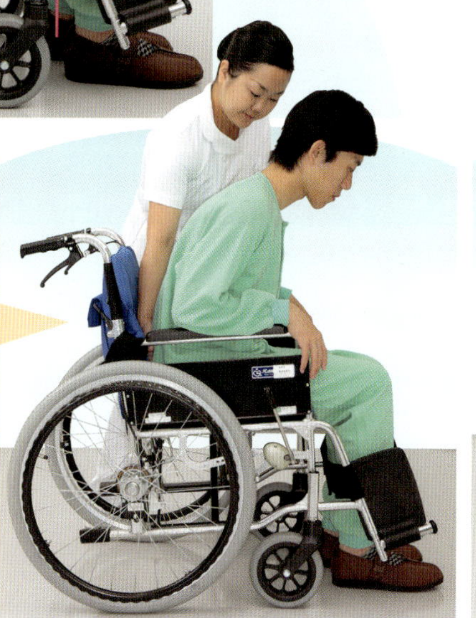

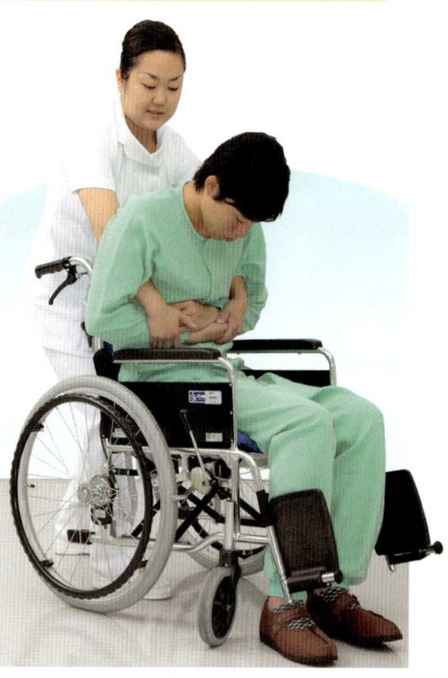

援助後に振り返ってみよう!

観察

- □ 身体の接触面が広くとれている?
- □ クッションや枕で体全体を広範囲に支えている?
- □ クッションや枕で支える部分に大きな隙間がない?
- □ 実施時の患者の表情は?
- □ 関節可動域の変化は?
- □ 筋力の変化は?
- □ 自動運動の程度の変化は?
- □ 実施後の疲労感は?
- □ 輸液ラインやドレーン類が身体の下敷きになっていない?
- □ 輸液ラインやドレーン類が引っ張られていない?
- □ 酸素ラインが身体の下敷きになっていない?
- □ 酸素ラインが引っ張られていない?

記録・報告

- □ 関節拘縮・変形の有無

後片付け

- □ 体位変換時に動かした物品を元に戻す

覚えておくと、役立ちます！

ベッド上での体位変換は2時間ごと

日本褥瘡学会の「褥瘡予防・管理ガイドライン」によると、マットレスを使用する場合は、基本的には2時間ごと（2時間以内）に、体位変換を行ってもよいとされている。

これはエビデンスに基づいた見解であり、各種ガイドラインにおいても、減圧効果のないマットレスを使用する際には、最低2時間ごとの体位変換が有効であるとされている。

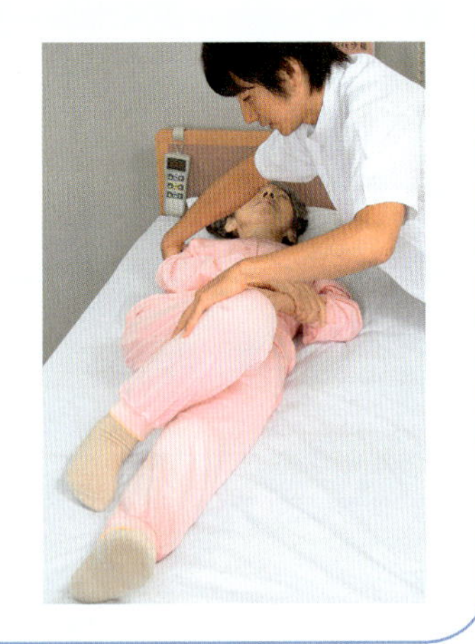

こんな時どうする？

CASE 1 拘縮が強く、体が重なってしまう！

拘縮が強い患者では、側臥位で膝や踵が重なってしまうことがある。こうしたケースでは、動かすことにより疼痛が増強するため、ゆっくりと重なった関節の間を開き、枕を挿入して体の重なりを防ぐ。枕で体重を支え、身体面積を広く支える。

患者の状況に合わせ、安楽な体位、廃用症候群を予防する体位を考える。

CASE 2 体位を整えた後、患者の動きで体位が崩れる！

患者がわずかでも自動運動ができると、体位が心地悪い場合、改善しようとして自力で移動を試みる。

背中で寝衣がずり上がっている、パジャマのズボンがつり上がっている、背抜きがされていないなどが、患者の不快感につながる。

意思の疎通が可能な場合は、患者の希望を取り入れ、不快感がないよう体位を整える。

意思の疎通ができない場合は、患者の表情を観察しながら体位を整え、不快な部分がないか確認して終えるようにする。

CASE 3 左前胸部に創があり、左側臥位がとれない！

術後の創部、ドレーン挿入部位、外傷後の創傷の位置などにより、左側臥位がとれないなど、禁忌となる体位がある。

このような場合は、実施可能な体位により体位変換を行う。

左側臥位がとれない場合は、仰臥位と右側臥位を交互に繰り返す。

関節可動域運動

廃用症候群を予防するためには、関節拘縮を予防し、
関節可動域を維持する必要がある。
関節可動域運動には、自分で動かす自動運動、受動的に行う他動運動がある。

■用語の定義

関節拘縮	関節の可動域が正常範囲より制限されている状態。その原因が関節構成体の軟部組織に由来する場合をいう。
関節可動域	関節が動く範囲のこと。自動的可動域と他動的可動域がある。測定は、他動的可動域で行われる。
関節可動域運動	関節可動域の維持、関節可動域制限の除去を目的とする運動療法である。
自動運動	介助または抵抗を用いずに運動を行う。自身の筋力により能動的に行い、運動機能回復を目的とする。
他動運動	随意的な筋収縮が得られない、または不十分な場合に介助者が行うか、訓練機器を用いて行う。自己努力によらない受動的な運動である。

■関節可動域運動を行う際の留意点

①関節の可動範囲、運動方向を事前に把握する。関節可動域の最終域で手に伝わる感じ(エンドフィール)に注意。

②必ず、リハビリテーション科の医師の指示のもと、理学療法士と運動内容を検討したうえで実施する。

③安定した姿勢と関節の支持方法を用いて行う。

④麻痺側を重点的に実施する。

⑤痛みがある場合には、無理に実施しない。
話すことができない患者の場合、表情を観察したり、痛みのサインをあらかじめ決めておく。

⑥運動は、ゆっくりと行う。

⑦過度な運動は行わない。過度な運動により、脱臼や骨折、関節炎を起こすことがある。

⑧1つの運動を1回に3～5回繰り返し、1日に1～2回程度とする。

関節の運動

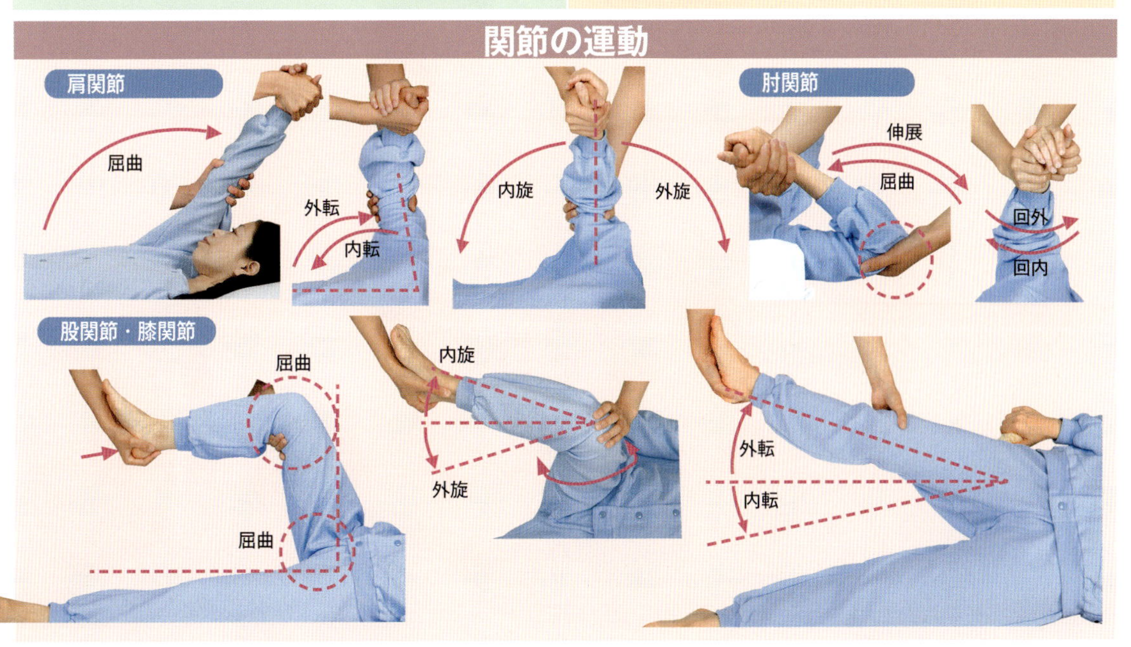

援助する前に確認しよう！

患者の状況

- □疾患は？
- □安静度の指示は？
- □運動障害の程度は？
- □麻痺の程度は？
- □筋萎縮・関節拘縮の程度は？
- □関節可動域は？
- □座位はとれる？
- □疼痛がある部位は？
- □注意力、判断力、認知機能は？

周囲の状況

- □運動ができるスペースの確保は？

あなた自身

- □ユニホームや手はきれい？
- □関節可動域の知識は？
- □患者の他動運動を見学したことがある？

肩関節の運動

屈曲

❶ 患者の手首と肘を支え、ゆっくりと行う。

❷ 患者の肘を伸ばしたまま前方に挙上（屈曲）し、そのまま戻す。

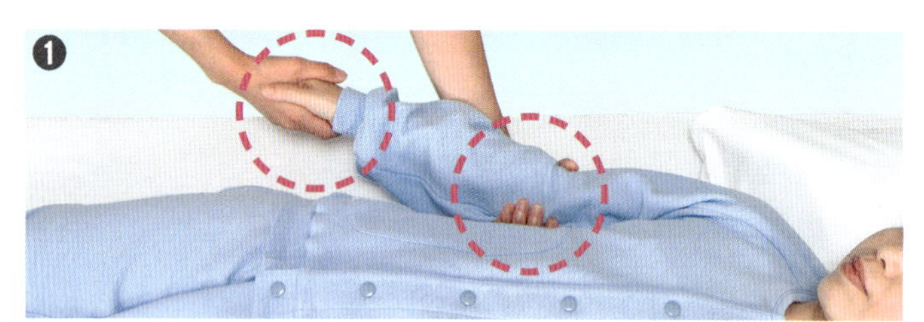

EVIDENCE

- 肩関節の可動域は、屈曲（前方挙上）180度である。
- 肩関節は球関節で小さく、外圧により脱臼や損傷を生じやすい。エンドフィール（可動最終域で手に伝わる感じ）に注意し、無理な挙上は避ける。

POINT

- ベッドが狭い場合は、患者の肘を90度程度に曲げて挙上してもよい。

❷

外転
内転

看護師は患者の手首と肘を支える。
患者の肘を曲げて立て、体側に付けた肘を外側に90度開き（外転）、元に戻す（内転）。

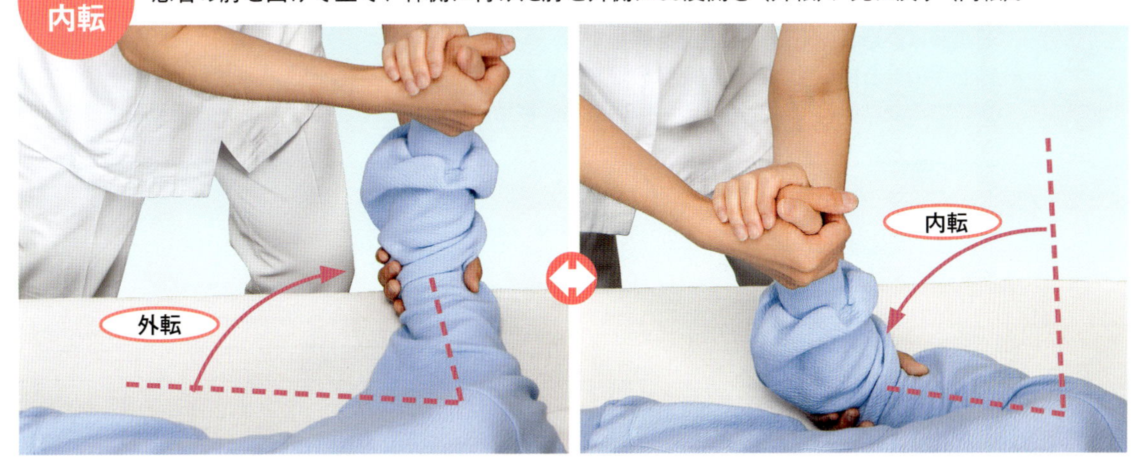

肘関節の運動

屈曲
伸展

看護師は患者の手首より、やや中枢側を支える。
肘関節を基点にして、患者の腕を体側に曲げ（屈曲）、次に外側に伸ばす（伸展）。

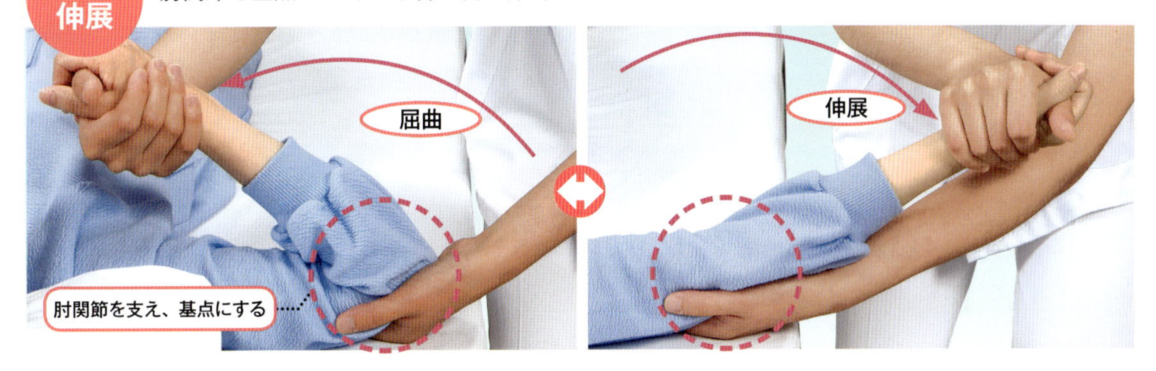

手関節の運動

掌屈
背屈

看護師は両手で、患者の手首と手掌を支持する。手首を前方に曲げ（掌屈）、元に戻し、後方にそらす（背屈）。

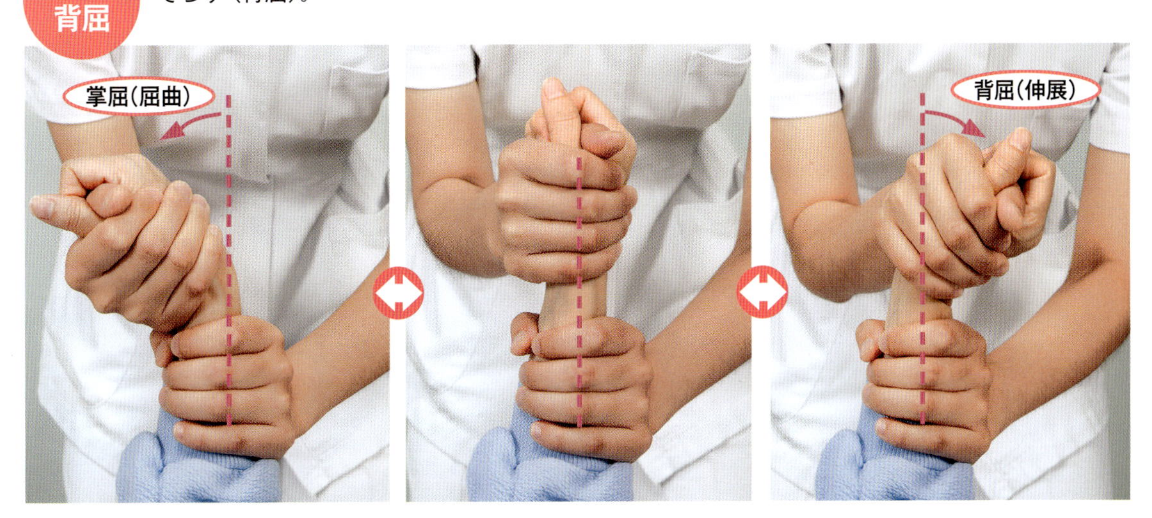

足関節の運動

背屈

看護師は、患者の下腿下部と踵を保持する。
踵を手のひらに乗せ、前腕で患者の足底を支持する。
腕の力をかけるのではなく、看護師の上体を移動させることで、患者の足関節を背屈させる。

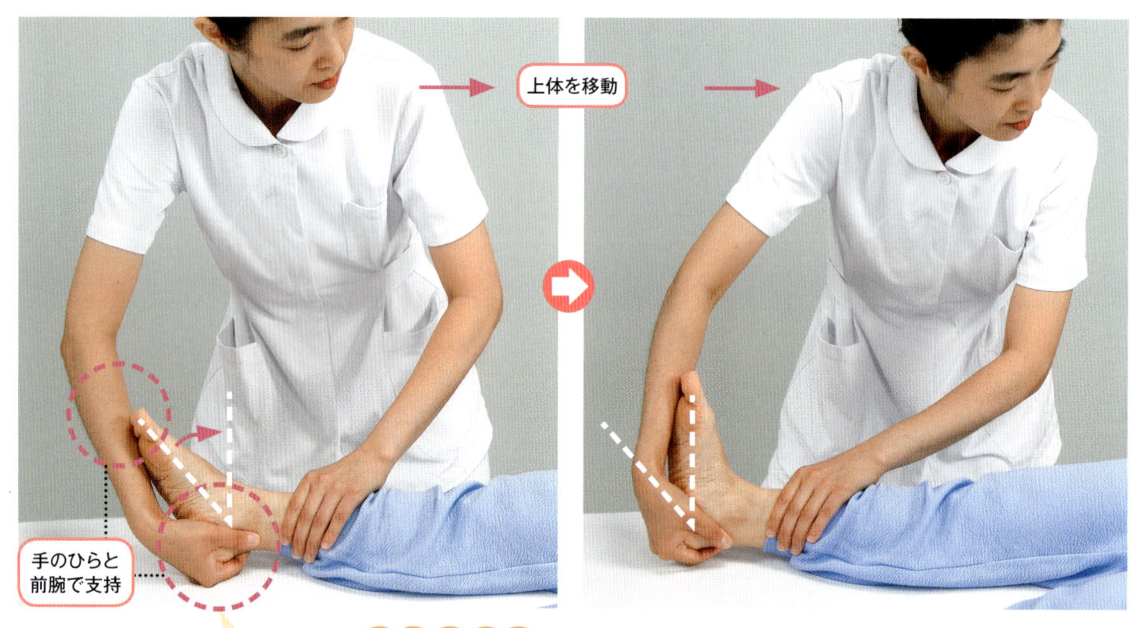

POINT

■ 踵を保持する際、アキレス腱を軽くつまむとよい。アキレス腱の伸展を感じながら、安全に足関節の背屈を行うことができる。

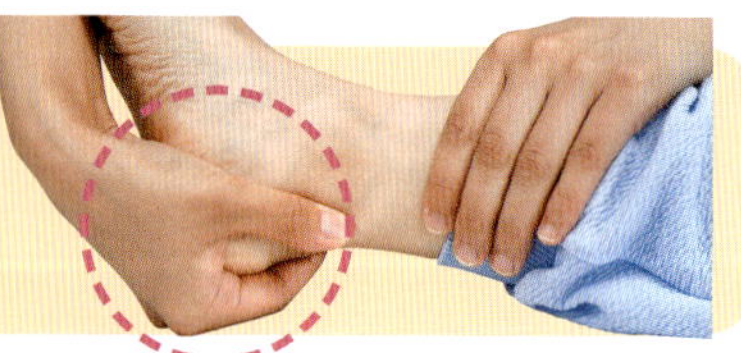

足指の屈曲・伸展

患者の足部を支持し、足指の屈曲・伸展を行う。

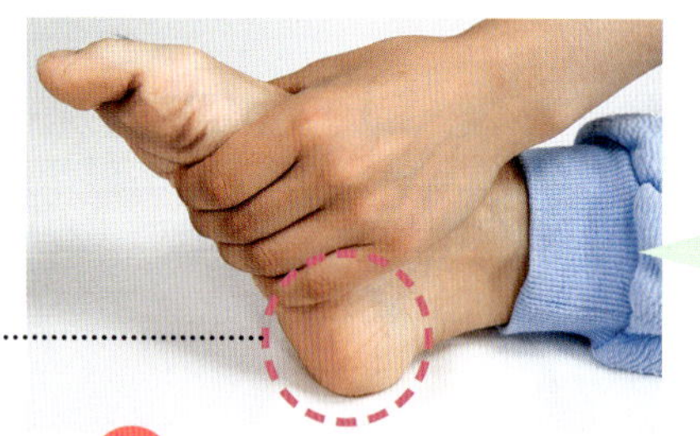

EVIDENCE

■ 足指は、屈曲した状態で拘縮しやすい。

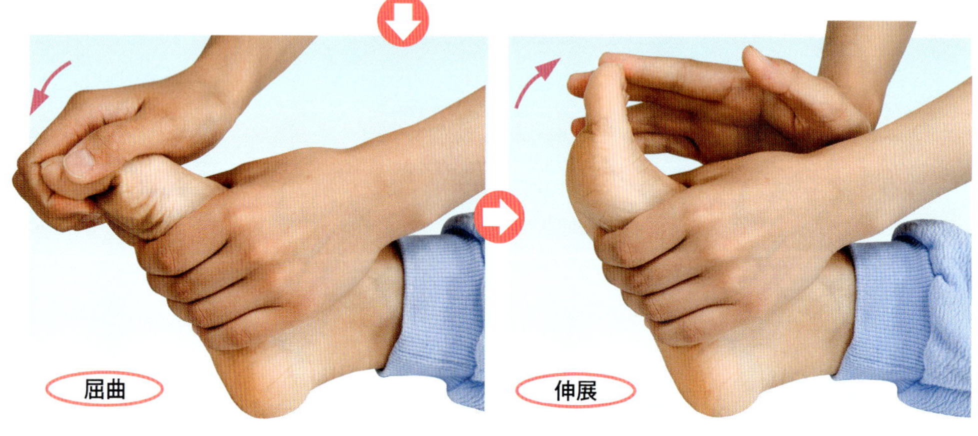

援助後に振り返ってみよう！

観 察

- □関節可動域の変化は？
- □関節拘縮の程度は？
- □筋力の変化は？
- □疼痛の程度は？
- □表情は？
- □実施後の疲労感は？

記録・報告

- □関節拘縮・変形の有無
- □運動機能の変化の有無

後片付け

- □実施時に動かした物品を元に戻す

覚えておくと、役立ちます！

運動時、注意したい疾患

神経原性・筋原性の重度の疾患を持つ患者は、過剰な運動により筋線維が変性し、筋力低下を招く可能性があるので注意する。
また、等尺性運動による血圧や心拍数の上昇が報告されている。循環動態が不安定な患者では、安静度を確認したうえで、注意深く運動を実施する必要がある。

意識障害がある患者

意識障害があり、患者自身が疼痛や不快感を訴えられない場合は、実施時に患者の表情を十分に観察しながら行う。
特に、麻痺がある場合、麻痺側の運動時は慎重に観察しながら行うことが大切である。

こんな時どうする？

関節拘縮があり、動かすと痛い！

関節拘縮や筋肉の疲れ、疼痛がある場合は、苦痛が強いため、運動を効果的に行うことができない。まずは疼痛を緩和し、安楽な状態で実施することが望ましい。
苦痛を緩和する方法に温罨法がある。ビニール袋に温めたタオルを入れて関節部に当てるホットパックや部分浴など、患者の状況に合わせて実施する。疼痛がない状態で、患者が意欲的に運動に取り組めるようにする。

関節可動域運動を行う時間がない！

関節可動域運動は、患者の日常生活の中に取り入れることができる。例えば、日常的に行う清潔ケアや更衣に、上肢・下肢の関節や肩関節の動きを取り入れる。排泄ケアには膝関節の動き、腰上げの動きを取り入れる。
日常ケアを行う過程に、関節可動域運動を取り入れ、不動の状態をできるかぎり少なくするよう心がける。

呼吸機能を高める援助

呼吸機能を高めるためには、ベッドサイドでできる運動・訓練を患者の日常に取り入れることが必要である。

呼吸機能の向上には、横隔膜が十分に弛緩できるよう上体を起こした体位が望ましい。体を起こす動作は運動にもなり、不動によりもたらされる呼吸機能低下が改善される。

離床が困難な場合は、患者の状況に合わせた体位をとり、排痰を促す。呼吸理学療法を取り入れた援助も効果的である（p187参照）。

■廃用症候群による主な呼吸機能の低下

拘縮	廃用症候群による機能低下に、関節の拘縮がある。 脊柱や肋骨間、頸部の拘縮により胸郭の可動性が低下し、呼吸機能にも影響する。
筋力低下	横隔膜などの呼吸筋も、使用しなければ萎縮し、十分な収縮・弛緩ができなくなり、呼吸機能に影響する。
心肺機能低下	臥床が長期に及ぶと、内臓が横隔膜を圧迫し、心肺機能に影響を及ぼす。
排痰機能の低下	長期の臥床により、気管支線毛運動の減少も加わり、気管支部に分泌物が貯留、排出が困難になる。 体位により下になる背下部に排出困難な痰がたまり、感染を起こした状態が沈下性肺炎である。

臥位・座位による呼吸機能の違い

臥位では、内臓による圧力で横隔膜が十分に弛緩する（下がる）ことができない。一方、座位では重力で横隔膜が下がるため、呼吸運動（横隔膜の収縮・弛緩）が行われやすい。

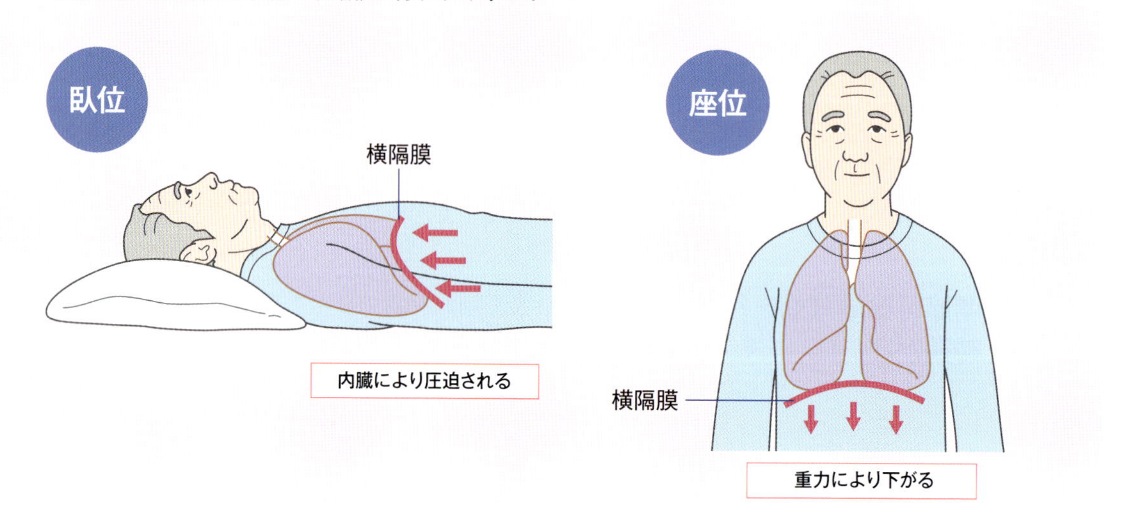

呼吸機能を高める援助

体位変換で、沈下性肺炎を予防

長期の臥床により、体位によって下になる背下部に排出困難な痰がたまり、沈下性肺炎を起こしやすい。
体位変換を行い、重力による分泌物の貯留を防ぎ、沈下性肺炎を予防する。

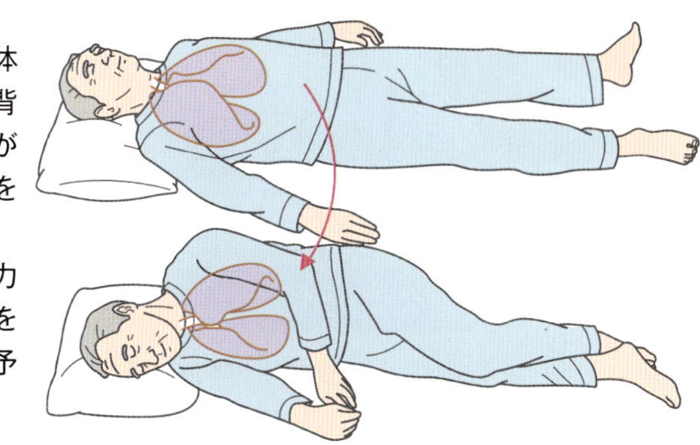

仰臥位で上肢を挙上

仰臥位で上肢を挙上する運動を行う。
胸郭の関節拘縮を防止し、筋を伸張させ、筋萎縮を予防する効果が期待される。
上肢を挙上することにより、胸腔の拡大にもつながる。

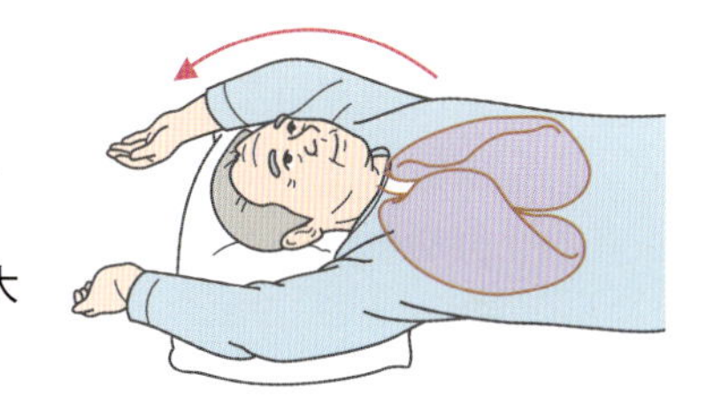

口すぼめ呼吸を実施

口をすぼめて息を吐くことにより、気道内圧が上昇し、末梢気道が閉塞することなく呼気が行われる。呼気時間も延長し、肺内の空気が出ていきやすい状態となる。酸素飽和度の増加、１回換気量の増加などの効果がある。

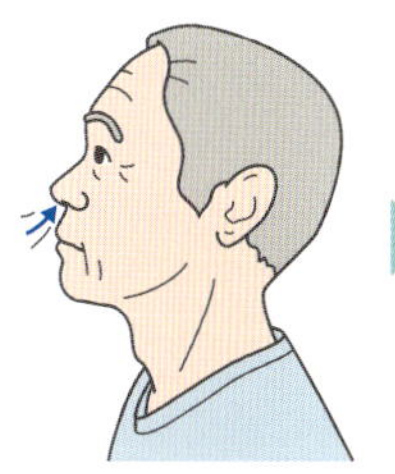
鼻から息を吸って

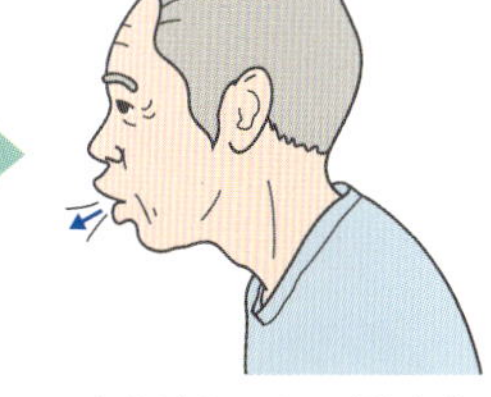
口をすぼめて、ゆっくり吐く

呼吸訓練

トライボール® による呼吸訓練を行う場合もある。一定の速度で持続的に吸気を行い、器具内のボールを浮かせ、保つ訓練である。
最大吸気持続法の１つであり、肺胞の虚脱を防ぐ効果が期待される。

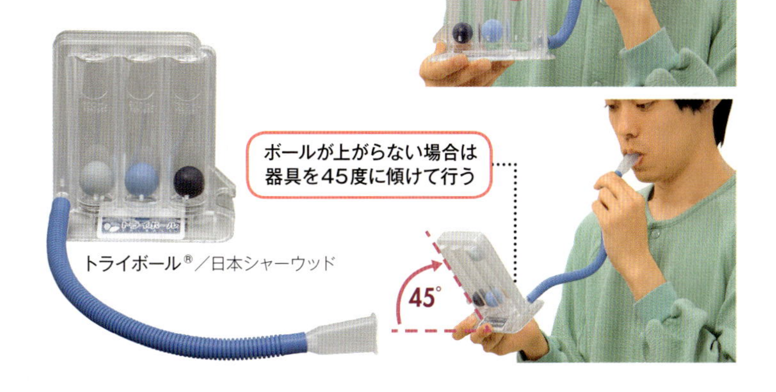

トライボール®／日本シャーウッド

【参考文献】1）村上慎一郎（2006）．廃用症候群の捉え方と予防法．呼吸器＆循環器ケア．6（5）：40-46．
2）村上慎一郎（2006）．廃用症候群の予防とベッドサイドでの運動．呼吸器＆循環器ケア．6（5）：47-55．
3）田中マキ子（2006）．動画でわかる褥瘡予防のためのポジショニング．中山書店．

CHAPTER 4

3 牽引療法を受けている人へのケア

参照★写真でわかる整形外科看護アドバンス p43～60

学習のねらい

牽引療法は四肢・体幹に持続的牽引力を加える治療法であり、骨折・脱臼の整復、良肢位の保持、関節拘縮・強直の予防などを目的とする。
牽引中は、正しい肢位・体位で、正しい方向に牽引が行われていること、神経障害・循環障害がないことを観察する。
牽引療法は安静を保つ治療法であるため、患者は動きを制限される。身体的・精神的苦痛を和らげる援助が必要である。

覚えておきたい基礎知識

牽引療法には、直接的に骨に牽引力を加える直達牽引、間接的に骨に牽引力を加える介達牽引がある。

牽引療法の種類

直達牽引

- 直達牽引は骨に鋼線などを通して直接、骨に牽引力を加える。
- 介達牽引より、より強い牽引力を加えることができる。
- 直達牽引を行っている場合は、鋼線刺入部位の感染予防が重要である。

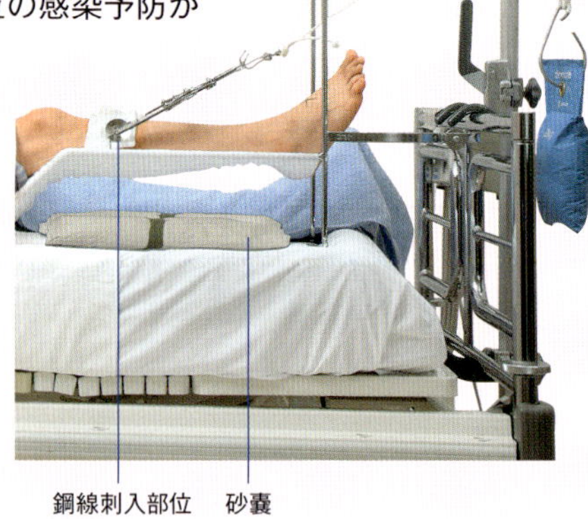

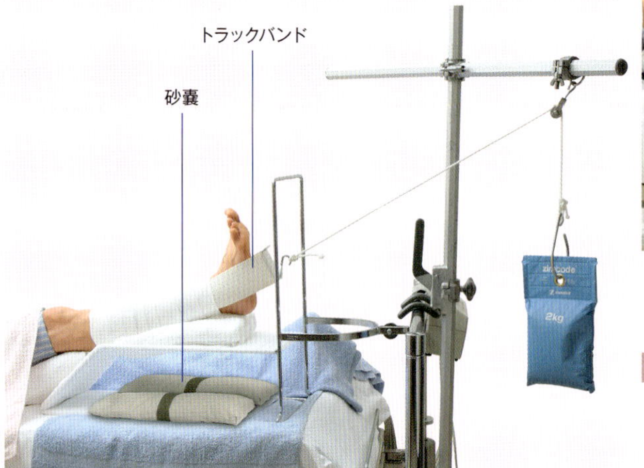

対向牽引

牽引療法中は、体が牽引方向に移動するのを防ぐため、ベッドに傾斜をつけたり、抑制帯・砂嚢などを用いて体を固定する。これを対向牽引という。

介達牽引

- 介達牽引は、皮膚に当てたトラックバンドにより、間接的に骨に牽引力を加える。
- 介達牽引を行っている場合は、皮膚トラブルの予防が重要である。
- トラックバンドを外して、観察・清拭・巻き替えを行う。

牽引療法中の観察とケア

牽引療法中は、良肢位の保持、皮膚トラブルや筋力低下・関節拘縮の予防、神経麻痺・循環障害の予防が大切である。

良肢位の保持

下肢は、外旋・内旋を避けて中間位とし、足関節は軽度の底屈（30度程度）、膝関節は屈曲10～20度とする。

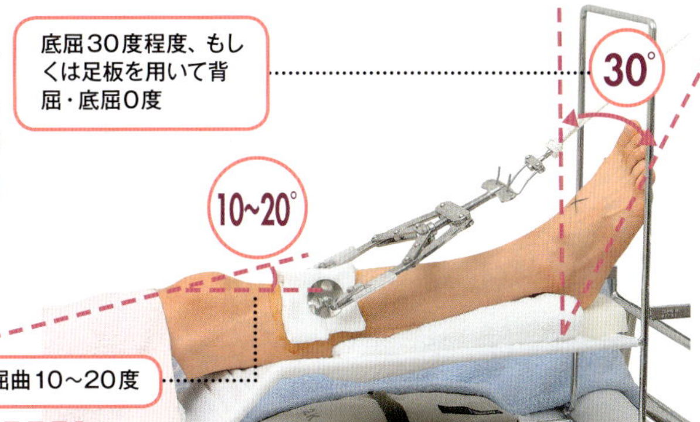

皮膚トラブルの予防

牽引療法中は、牽引器具による圧迫・摩擦により、皮膚トラブルを生じる危険がある。
皮膚に発赤・びらん・水疱はないか、圧迫・ずれ・湿潤など、皮膚トラブルの誘因はないかを観察する。

筋力低下・関節拘縮の予防

牽引療法中は、長期間の同一体位・安静により、筋力低下・関節拘縮や深部静脈血栓症のリスクがある。患肢・健肢の定期的な運動を行う。
下腿の牽引では、足指・足関節の底背屈運動を行う。

腓骨神経麻痺・循環障害の観察

腓骨神経麻痺の有無を確かめるため、足指の背屈運動ができるか、足関節の背屈運動ができるかを観察する。
また、足背動脈を触知し、循環障害・知覚障害の有無を観察する。

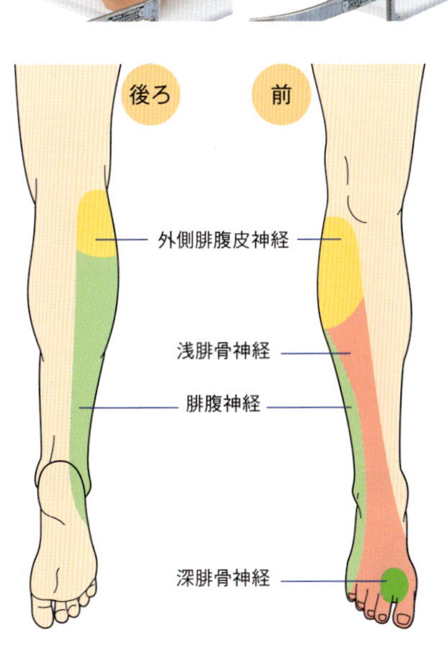

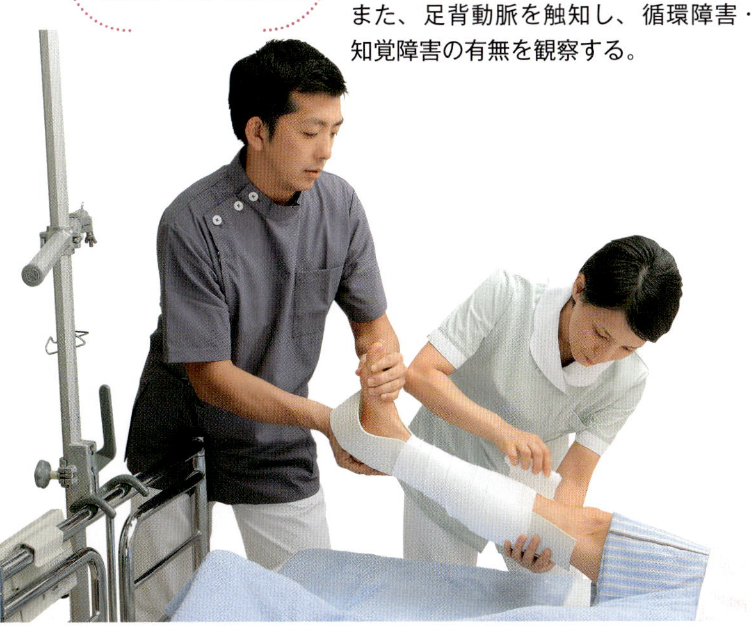

安静保持に伴う苦痛を和らげるケア

牽引療法中は、牽引や同一体位の保持に
伴う疼痛・身体的苦痛を和らげるケアが求められる。
同時に、床上安静により活動が制限されるため、
日常生活の援助、精神的援助が重要である。

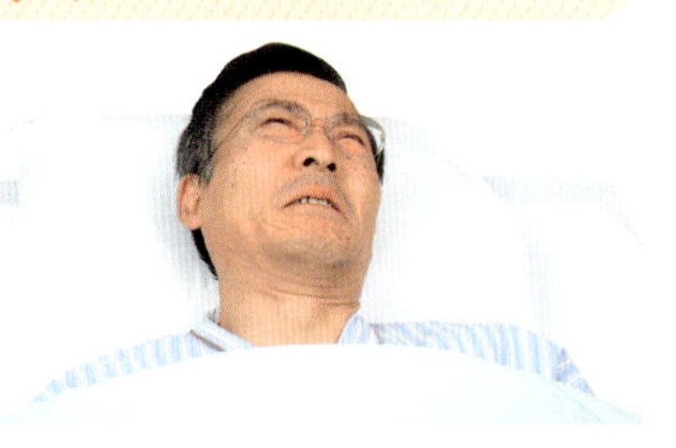

疼痛の観察

疼痛の性質・程度を観察し、患者の状態、牽引器具の点検・調整を行う。鎮痛薬の使用状況、鎮静効果を確認することも必要である。

身体的援助

枕・スポンジ・タオルなどの安楽用具を用いて、体位・肢位を工夫する。場合によっては、温罨法・冷罨法、マッサージなどにより、苦痛を緩和する。

日常生活援助

できるだけ、患者自身で日常生活が行えるよう、ナースコールや必要物品を手の届く範囲に設置するなど、環境調整を行う。
また、床上排泄となるため、羞恥心への配慮を行う。排泄後は寝衣を整え、良肢位を保持する。

精神的援助

できるだけ訪室し、患者の訴えを傾聴する。励まし、言葉かけ、気分転換などが大切である。

POINT

傾聴と気分転換が大切

- できるだけ患者のベッドサイドを訪れる。
- 傾聴、励まし、言葉かけを行い、気分転換を図る。
- 睡眠状況や食欲、抑うつやいらいらなど、精神状態を観察する。
- 高齢者は、せん妄が出現する場合があるので注意する。

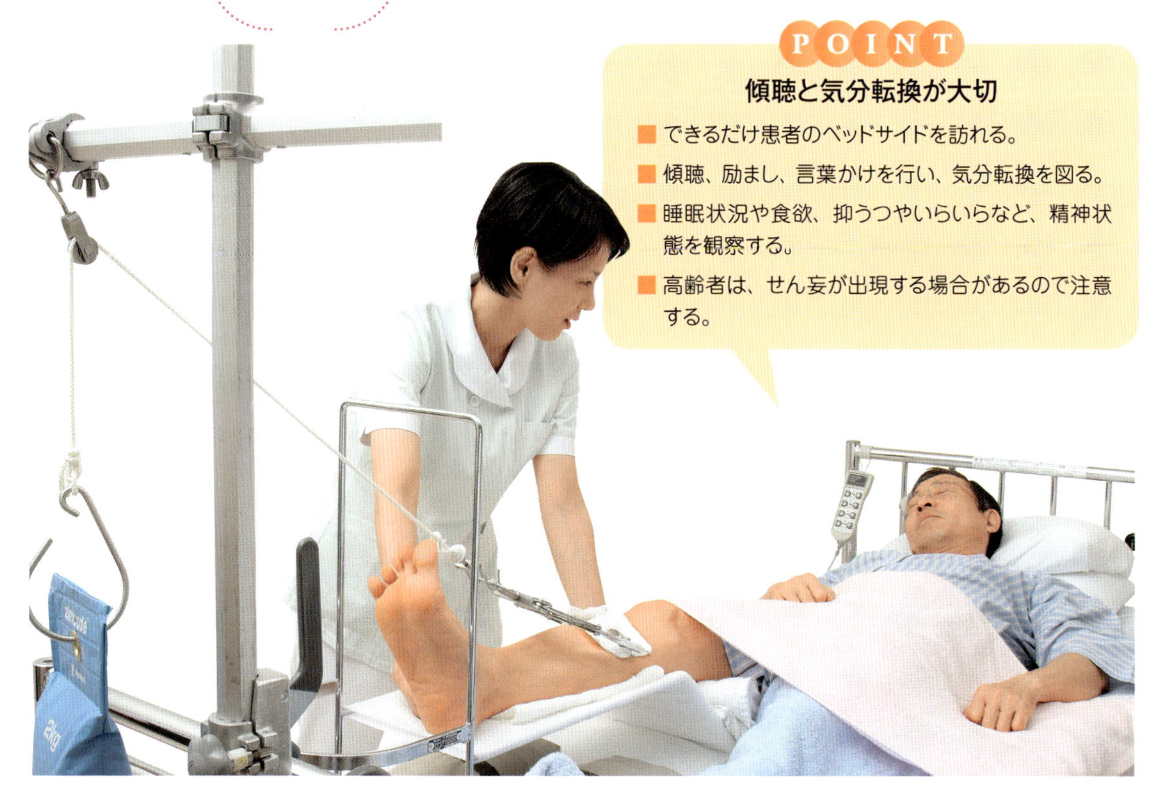

CHAPTER 4

4 睡眠を促す援助

学習のねらい

眠りを妨げる要因はさまざまである。眠りを妨げる要因を取り除いたり、緩和することも、睡眠を促す援助の1つである。

さらに、よりよい眠りは、活動と休息という1日のリズムの中で導かれる。日中の活動状況も含めてアセスメントし、よりよい眠りを援助する。

覚えておきたい基礎知識

睡眠障害：睡眠が量的・質的に障害された状態である。不眠、過眠、サーカディアンリズムの障害などが含まれる。

サーカディアンリズム：およそ1日の生体リズムのことで、概日リズムともいう。体内時計による生体リズムは、約25時間周期である。外界からの刺激により、1日24時間の昼間覚醒、夜間睡眠というリズムがつくられる。

■睡眠に影響する要因、眠りを促す支援

睡眠に影響する要因	支援
1 身体的苦痛 ● 疼痛 ● 掻痒感 ● 咳 ● 腹部膨満感 など	**身体症状の緩和** ● 眠れない理由が身体的な苦痛である場合、その苦痛を取り除く。
2 不安・孤独 ● 病状や治療に対する不安感 ● 世の中から取り残されるような孤独感 ● 予後に対する不安 ● 仕事や経済的な不安 など	**寄り添い、理解し、支援する** ● その人が不安に感じていることは何かについて理解し、支援する。 ● 経済的な不安については、ソーシャルワーカーを活用する。 ● 治療については、医師と連携しながらケアにあたる。
3 治療や睡眠薬の影響 ● 利尿薬・強心薬・ステロイド薬の影響 ● 睡眠薬が合わない など	**治療薬の種類や内服時間の検討** ● 利尿薬・強心薬・ステロイド薬の内服時間について、医師と相談。 ● 睡眠薬の内容・内服時間・量と、その人の睡眠時間を合わせてアセスメントする。
4 眠りにくい環境 ● 早すぎる消灯時間 ● 不快な音：同室者のいびき、医療機器の音、話し声、看護師の靴音 ● 明るさ、暑さ、寒さ、乾燥 ● 慣れない寝具 など	**環境を整える** ● 消灯時間に眠れない人が過ごせるようなスペースを確保する。 ● 不快な音をなるべく出さないように工夫するとともに、同室者の組み合わせも考慮する。 ● 夜間の照明は落とす。温度・湿度管理を行う。 ● 好みの寝具があれば、持参してもらう。
5 日中の活動不足	**日中の活動を促す** ● 日中の活動を促し、昼寝は短時間にする。

モーニングケアとイブニングケア

モーニングケアは、サーカディアンリズムを調えて活動に向かう支援である。日中の活動は夜間のよりよい眠りにつながる。イブニングケアは、よりよい眠りに導く支援である。

モーニングケア(起床時のケア)

起床時には次のような支援を通して、サーカディアンリズムを調え、活動に向かうよう援助する。

- カーテンを開け、日差しを浴びてもらう。
- 口腔ケア、整容・整髪を行う。
- 排泄を援助する。
- 朝食を援助する。

イブニングケア(就寝時のケア)

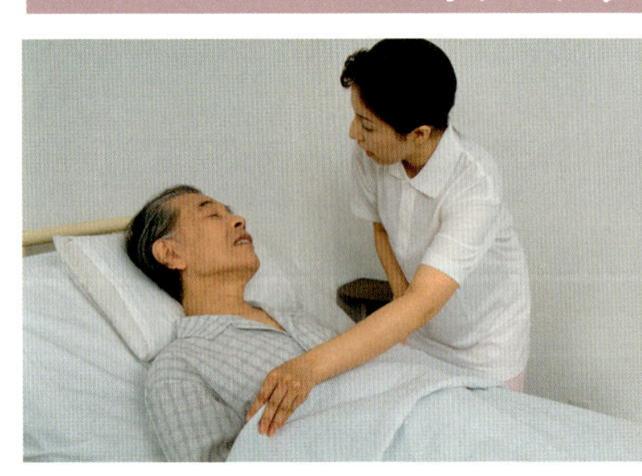

就寝時には次のような支援を通して、よりよい眠りに導く。

- 口腔ケア、着替え、寝具を整える。
- 可能なら、入浴や足浴を援助する。
- 排泄を援助する。
- 時計、ティッシュペーパー、ナースコールなど、手元に置きたいものを確認して援助する。
- 入眠状況を確認し、消灯する。

覚えておくと、役立ちます！

眠れない時に、ホットミルク

就寝時に空腹感が強いとストレスが生じ、眠れなくなる。ホットミルクは胃腸粘膜への刺激も少なく、副交感神経を優位にして眠りを促す。また、牛乳に含まれているトリプトファンというアミノ酸は、最終的にはメラトニンという睡眠を促すホルモンになり、眠りにいざなう。

入浴・足浴の入眠効果

睡眠は、身体の温度が低下していく時に導かれる。入浴や足浴は一時的に身体の温度を上げることにより、身体の温度を下げるための活動が開始される。結果的に、身体の温度を下げ、眠りを促す効果がある。
入浴や足浴によるリラックス効果、心地よい疲労感も、入眠を促すことにつながる。

【参考文献】1)小玉香津子ほか編(1995). 看護の基礎技術Ⅰ. 学習研究社.
ビデオ　1)日本看護協会. 基礎看護学. vol . 9 くつろぎと安らぎをもたらす清潔援助. 日本看護協会出版会.
2)持永静代監修. 生活を整える援助技術. 第2巻. 就寝時前の援助. イブニングケア. ジェムコ出版.

MEMO

CHAPTER 5
清潔の援助

到達目標

患者の身体の清潔と身だしなみ、
寝衣についてのニーズをアセスメントし、
患者のセルフケアのレベルに合わせた清潔の援助ができる。

CONTENTS

1 清拭

学習のポイント
- 清拭の援助を通した患者の観察
- 患者の状態に合わせた清拭、身だしなみの援助

2 陰部の清潔保持

学習のポイント
- 陰部洗浄の介助

3 手浴・足浴

学習のポイント
- 患者の状態に合わせた手浴・足浴

4 洗髪

学習のポイント
- 洗髪援助を通した患者の観察
- 患者の状態に合わせた洗髪

5 口腔ケア

学習のポイント
- 口腔ケアを通した患者の観察
- 患者の状態に合わせた口腔ケアの計画と援助

6 寝衣交換

学習のポイント
- 麻痺・拘縮のある患者の寝衣交換
- 輸液中の患者の寝衣交換

7 入浴の介助

学習のポイント
- 入浴が生体に及ぼす影響の理解、入浴前・中・後の観察
- 患者の状態に合わせた入浴介助

CHECKING & ASSESSMENT

清潔への意欲

歯磨き・入浴の習慣

意識レベル・認知力

口腔内の汚れ、嚥下機能

上下肢運動機能・拘縮・姿勢の保持

基礎疾患、安静の必要性

創部・ドレーン挿入・皮膚疾患

発汗・排泄物などの状況

新しい寝衣の準備・洗濯

感染への影響、制限

患者の状況

援助の必要性・方法をアセスメント

学生の状況

基礎知識

- □ 皮膚・粘膜の解剖生理
- □ 汚れのたまりやすい部位
- □ 創部の治癒過程
- □ 疾患

これまでの実施経験・練習

- □ 清拭・洗髪・陰部洗浄・手足浴・入浴援助の見学
- □ 受け持ち患者への清潔ケア実施の経験
- □ 浴室設備・操作、道具などの使用経験

患者へのケア場面

- □ 緊張・遠慮・焦り・リラックス・恥ずかしさなど

看護師・教員・病棟人員の状況、指導体制

- □ 清潔ケアの指導場面に立ち会う指導者
- □ どこまで指導者に手伝ってもらうか

実習方法を決定

- □ 学生が単独で実施
- □ 看護師・教員の指導の下で実施
- □ 見学を通して学習

CHAPTER 5

1 清拭

学習のねらい

清拭は、入浴・シャワー浴ができない患者の全身、あるいは一部分の汚れをとり、温熱刺激により血液循環を促進するケアである。背部・殿部など、普段みえにくい部分を観察する機会ともなることを踏まえ、清拭の方法と手順、ポイントを学ぶ。

覚えておきたい基礎知識

臥床中で活動レベルが低い状況でも、発熱、発汗、皮膚の落屑、垢、血液、排泄物、分泌物などにより、身体は汚れやすい。また、麻痺や拘縮があると、肘関節、手指・足指、手掌など汚れがたまりやすい部分が生じる。
清拭にあたっては、湯の温度が大切である。皮膚の冷覚は身体の部位によって異なり、個人の好みによる差異も大きい。清拭する部位、個人の好みにより、適温の湯を準備・調整する。

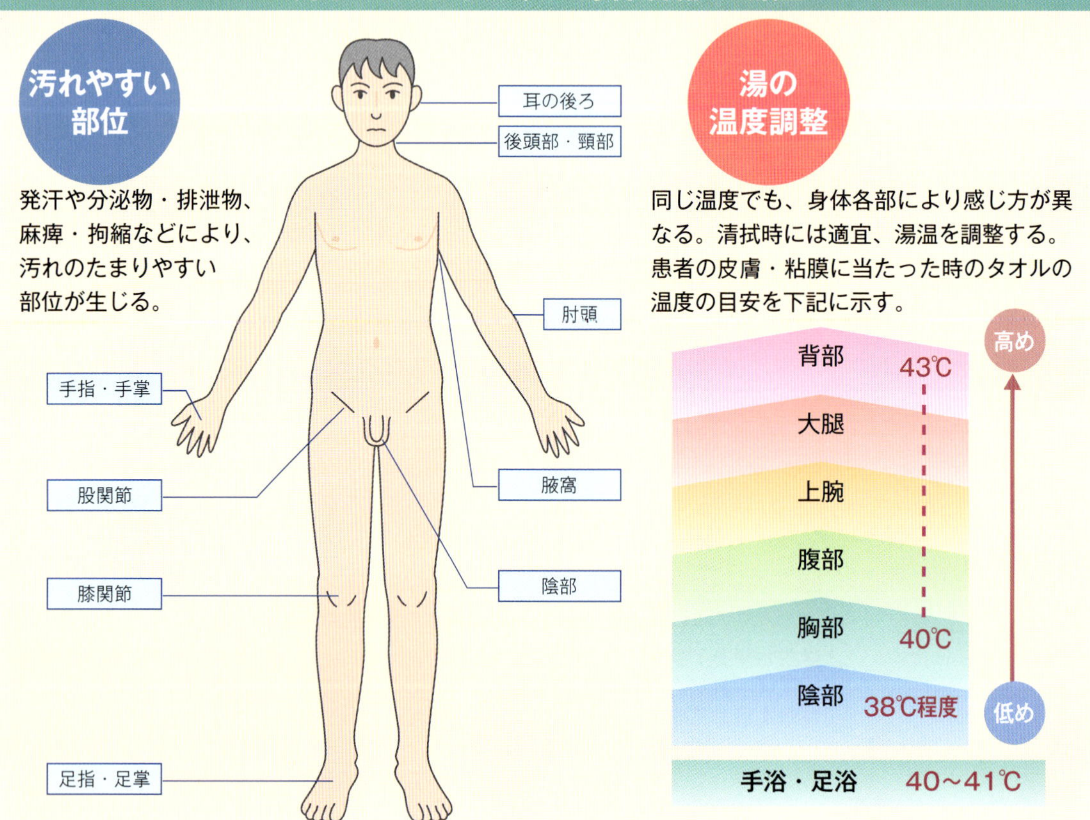

援助する前に確認しよう！

患者の状況

- □ 座位になれる？　寝たきり？
- □ 患者自身が清拭できそうなところは？
- □ 呼吸・循環状態は安定している？
- □ 疼痛の有無は？
- □ 食前？　食事直後？
- □ トイレは済ませた？
- □ 輸液ライン・酸素チューブは？ そのほか、医療器具を装着している？
- □ 創傷・褥瘡は？　軟膏処置や包帯交換は必要？

周囲の状況

- □ ベッド周りに壊れやすい物、医療器具などはない？
- □ 作業できるスペースが十分にある？
- □ 手伝ってくれる人はいる？

あなた自身

- □ 清拭は初めて？

必要物品を準備しよう！

❶ ベースン　❷ 汚水用バケツ
❸ 湯（50～60℃）
❹ タオル（フェイスタオル・バスタオル）
❺ ウォッシュクロス　❻ 綿毛布
❼ 清拭剤　❽ 湯温計
❾ 手袋・プラスチックエプロン
❿ ビニール袋
⓫ 着替え

清拭の実施

PROCESS 1 清拭前の準備

カーテンを閉め、必要物品・着替えなどを準備する。清拭する部分に応じて患者の寝衣を開き、バスタオルで覆う。55℃程度（手で絞れる限界温度）の湯で、たたんだタオルを絞り、軽く広げて皮膚に当て蒸らす。皮膚が温まったら、ウォッシュクロスの身体に当たる面が平らになるようたたみ、皮膚に密着させながら拭いていく。清拭剤を使用する場合は、2～3回拭き取り、清拭剤成分を残さない。

ウォッシュクロスのたたみ方

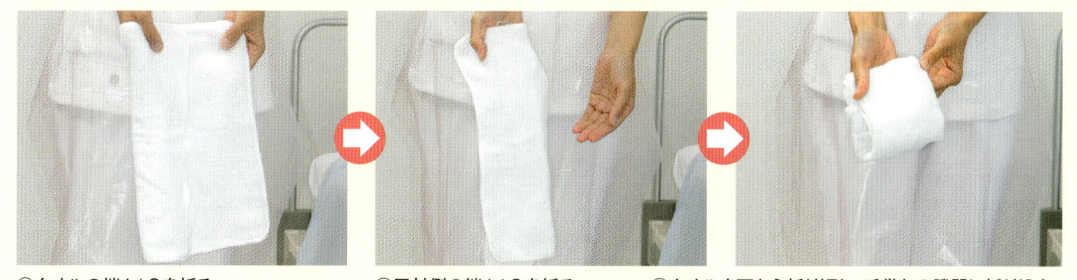

①タオルの端1/３を折る。　②反対側の端1/３を折る。　③タオルを下から折り返し、手掌との隙間に折り込む。

PROCESS 2 顔・頸部の清拭

5-1

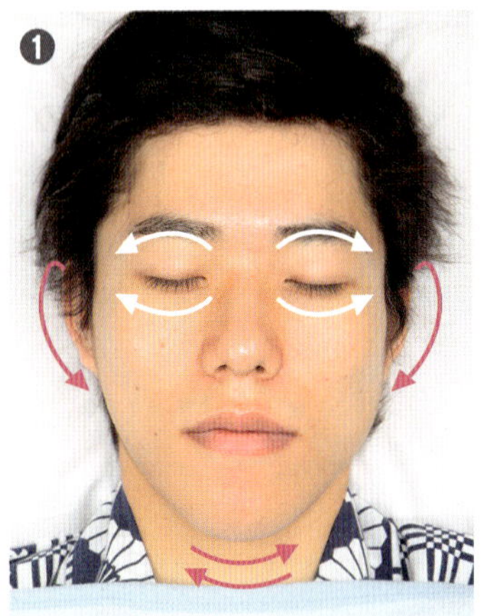

❶ タオルを絞り、顔全体を蒸らす。熱いタオルで息苦しくないか、呼吸状態に注意する。

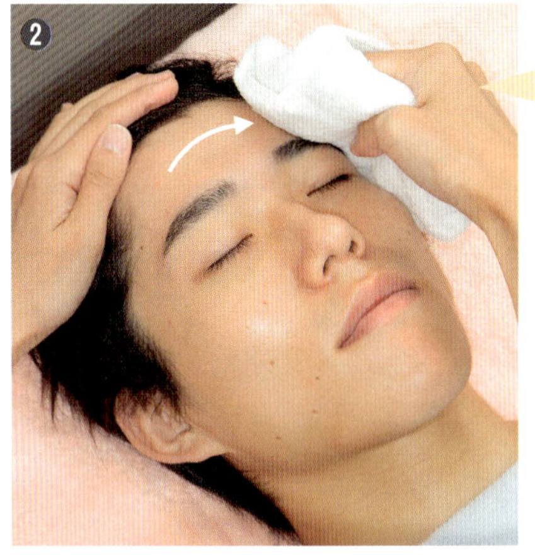

❷ 目頭→目尻→額→頬→耳→頸部の順に拭く。

POINT

■ 酸素マスクや鼻カニュラを装着している場合は、外して素早く拭き、すぐに再装着する。

■ 自分で拭ける患者には、タオルを絞って手渡す。

PROCESS 3 上肢・胸腹部の清拭

5-2

EVIDENCE

■「末梢から中枢」「中枢から末梢」「往復」のいずれの方向が皮膚血流量の促進となるかについては、見解の一致はみられていない。

皮膚に密着させて拭く

❶ バスタオルや綿毛布で覆い、清拭する部分のみを露出する。ウォッシュクロスを皮膚に密着させて拭く。

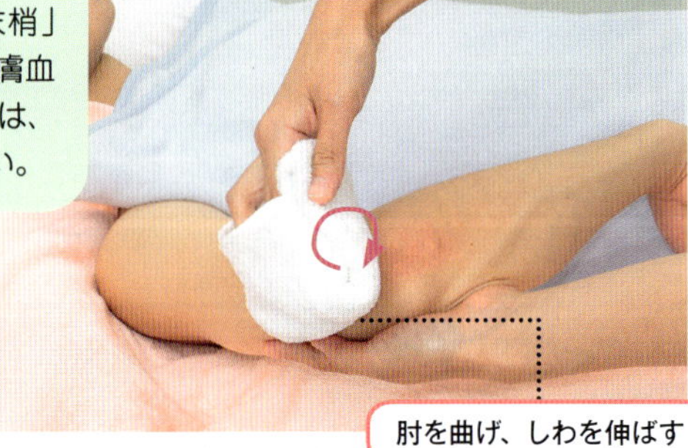

肘を曲げ、しわを伸ばす

❷ 肘は関節を支え、曲げて肘頭のしわを伸ばして拭く。腋窩もていねいに拭いていく。

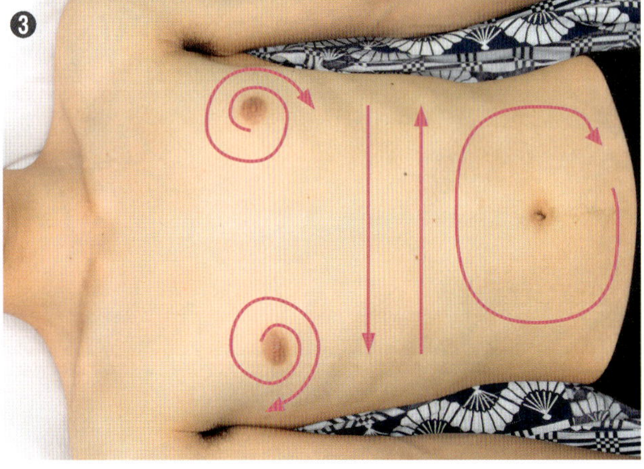

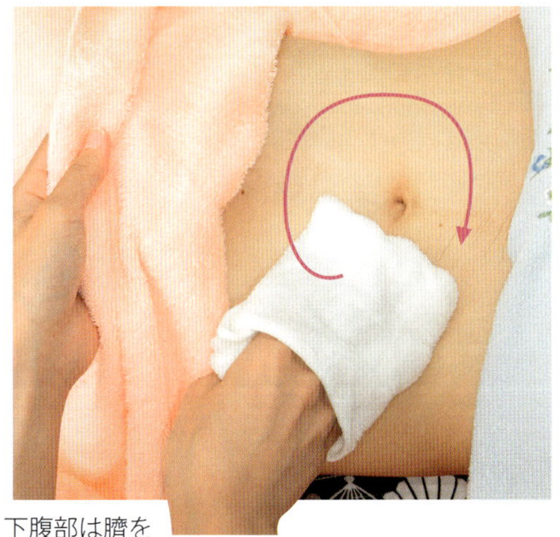

❸ 胸部は、乳房の輪郭に沿って拭く。上腹部は横向きに拭く。下腹部は臍を中心に時計回りに円を描き、腸の走行に沿って拭く。

PROCESS 4 腰背部・殿部・下肢の清拭

5-3

❶ 背中は面積が広く、温度感覚が鈍いため、熱めの湯を使用する。絞ったタオルを2枚重ね、バスタオルで覆って蒸らしてから拭く。脊柱に沿って直線に拭き、左右は円を描いて拭く。

❷ 膝を曲げ、膝頭のしわを伸ばして拭く。膝関節の裏側、足指の間も忘れずに拭く。

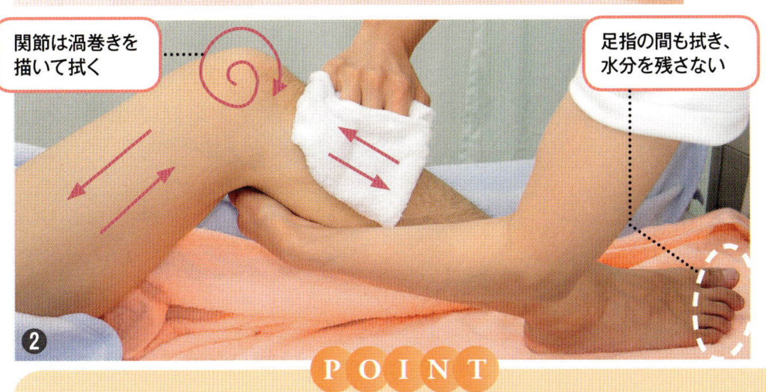

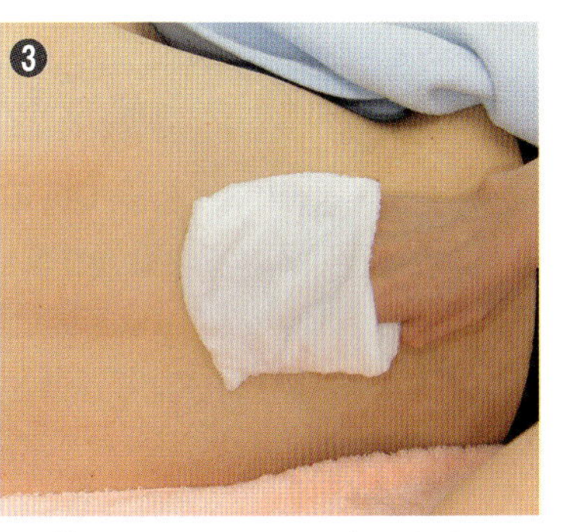

❸ 腰部・殿部も面積が広く、温度感覚が鈍いため、熱めの湯を使用する。仙骨部・腸骨部は褥瘡ができやすいため、皮膚色・弾力を観察し、骨の突出部は特にやさしく、ていねいに拭く。

POINT

- 高齢者ややせている患者は、皮膚が脆弱であるため、特に注意して、やさしく拭く。
- 足指に水分が残ると冷えるため、乾いたタオルで拭き取る。

援助後に振り返ってみよう！

観察
- □ 患者の疲労感、状態の変化は？
- □ 輸液ライン・酸素チューブなどは屈曲・閉鎖していない？

周囲の状況
- □ ベッドの高さ、ベッド柵、ナースコール、コールマット、医療器具、ごみ箱など、患者が使いやすいように戻した？
- □ リネンが濡れていない？

後片付け
- □ 汚れた寝衣をビニール袋に入れる
- □ 汚水を汚物室で下水に流す
- □ 使用済みのバケツなどを洗浄し、乾かす

こんな時どうする？

CASE 患者に清拭を断られた！

患者に清拭を勧めたら、「したくない」と断られた。このような場合は、まず患者が断る理由を考え、対策を立て、もう1度提案してみよう。「体調が悪く、気が進まない」なら、体調のよい時に短時間で行う計画に変更。「前回、体を拭いた時に寒かった」のであれば、部屋を暖め、手早く実施するなど、改善点を患者に説明する。

【参考文献】1）安ヶ平伸枝(2004). 上肢を異なる2方向で拭いた時の自律神経系反応の比較. 日本看護技術学会誌3(1):51−57.

CHAPTER 5

2 陰部の清潔保持

学習のねらい

入浴・シャワー浴ができない患者の場合、1日1回は陰部を清潔にし、感染を予防する。
陰部は粘膜であるため、清拭してこするのではなく、洗浄するほうがよい。
本項では、おむつ交換時の陰部洗浄、臥床患者の陰部洗浄について学ぶ。

覚えておきたい基礎知識

陰部は粘膜であるため、こするのではなく、38～40℃のぬるま湯を陰部洗浄用ボトルに入れて、洗浄する。看護師が行う場合は、手袋・マスク・プラスチックエプロンを装着する。
ベッドから移動できる患者は、トイレやポータブルトイレでの排泄後に陰部洗浄を行う。
臥床中の患者は、差し込み便器や紙おむつを用いて陰部洗浄を行う。

援助する前に確認しよう!

患者の状況

- □ 座位になれる? 寝たきり?
- □ 患者自身ができそうなところは?
- □ 膀胱留置カテーテルを挿入中?
- □ 殿部・陰部に創傷は? 褥瘡は?
- □ 軟膏処置や包帯交換が必要?

周囲の状況

- □ 作業できるスペースが十分にある?
- □手伝ってくれる人はいる?

あなた自身

- □ 陰部洗浄は初めて?

必要物品を準備しよう!

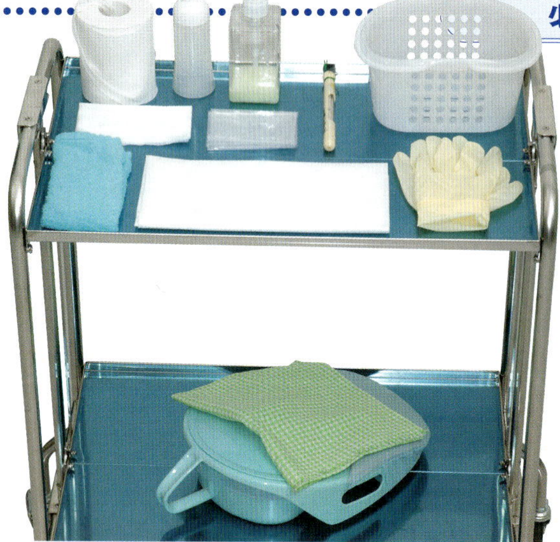

❶ 38～40℃の湯を入れた陰部洗浄用ボトル
❷ トイレットペーパー
❸ 便器
❹ 防水（ラバー）シーツ
❺ 陰部用タオル
❻ 柔らかいディスポーザブルガーゼ
❼ 石けん
❽ ビニール袋
❾ 手袋・マスク・プラスチックエプロン
❿ 処置用シーツ
⓫ 湯温計

【 お詫びと訂正 】

弊社刊行の「新訂版 写真でわかる 実習で使える看護技術 アドバンス」において下記の誤りがありましたので、お詫びして訂正いたします。

●P.261「PROCESS 2 流量・予定量を設定して、輸液開始」

「②クレンメを全開にし、～」の続きが写真に隠れている箇所

（正）
クレンメを全開にし、輸液セットの点滴筒に滴下がみられないことを確認する。

(株) インターメディカ
〒102-0072 東京都千代田区飯田橋 2-14-2
TEL 03-3234-9559 FAX 03-3239-3066

おむつ交換時の陰部洗浄

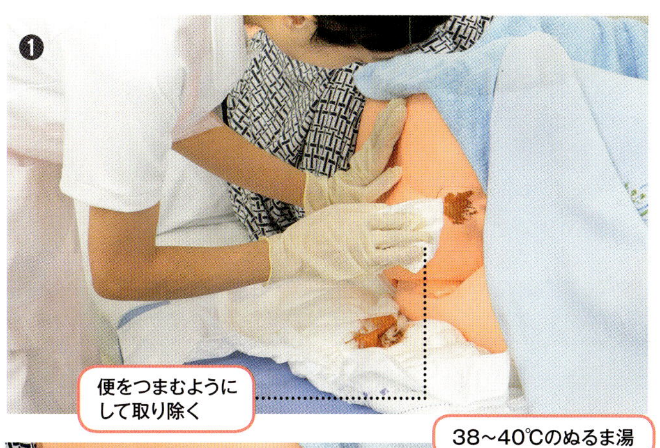

❶ 側臥位にして、おむつを開き、ペーパーで便をつまむように取り除く。

目にみえる汚れが手袋に付着した場合は手袋をかえ、おむつを交換する。

❷ 湯で陰部を湿らせ、ディスポーザブルガーゼに石けんを泡立てる。

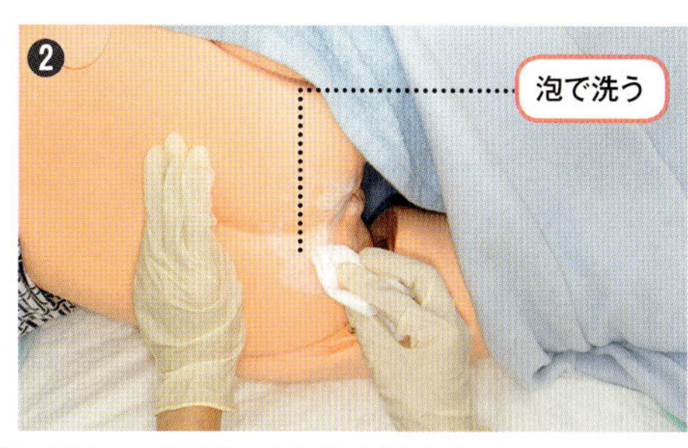

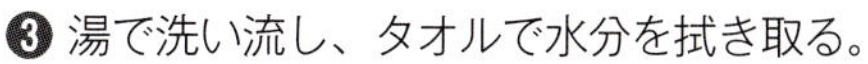

❸ 湯で洗い流し、タオルで水分を拭き取る。

臥床患者の陰部洗浄

5-4

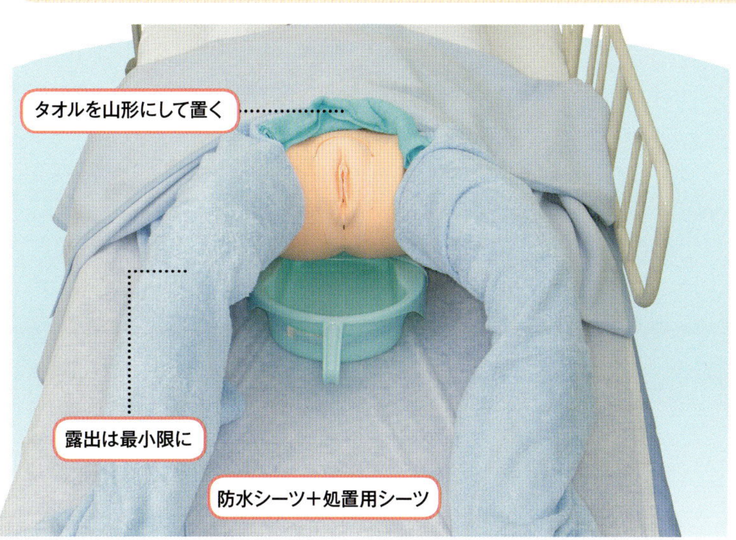

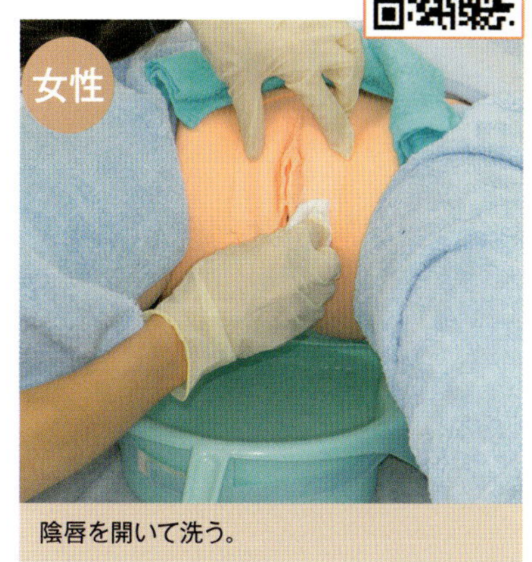

陰唇を開いて洗う。

男性

亀頭のしわを伸ばして、洗う。

❶ 仰臥位をとり、軽く股間を開いてもらう。恥骨部にタオルを山形にして置き、洗浄水で寝衣がぬれないようにする。便が出ている場合は、手袋につかないよう、ペーパーでつまむように取り除く。

❷ 湯で陰部を湿らせ、柔らかいディスポーザブルガーゼに石けんを泡立てる。泡で包み込むように、陰部をやさしく、ていねいに洗う。尿道部→肛門部の順に洗い、感染を防止する。石けん分を洗い流し、タオルで水分を拭き取る。

援助後に振り返ってみよう!

観 察

□ 陰部・肛門部の粘膜、皮膚に変化は?

周囲の状況

□ リネンの汚染や濡れは?

後片付け

□ 使用した布・汚物をビニール袋に入れる
□ 汚水を汚物室で下水に流す
□ 使用した便器を洗浄し、消毒する

こんな時どうする?

CASE 1 患者に陰部洗浄を断られた!

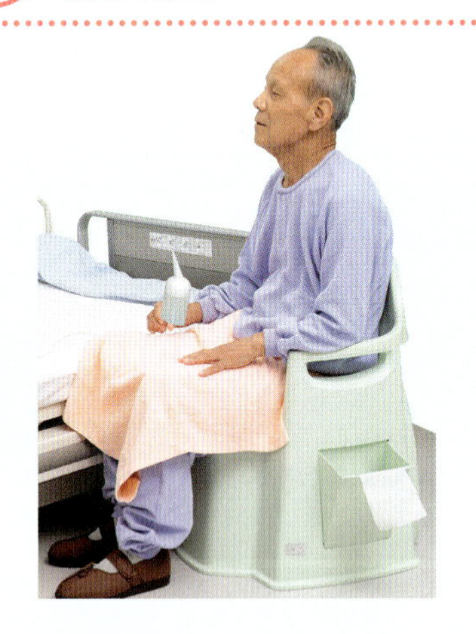

患者に陰部洗浄を勧めても、「したくない」と断られる場合がある。患者に、「なさけない、恥ずかしい」という思いがあることを忘れてはならない。できるだけ、患者自身にできる部分は、行ってもらうことが大切である。
トイレやポータブルトイレに移動できる場合は、便座に座り、患者自身で陰部洗浄ボトルを用いて洗浄をしてもらう。また、トイレのウォシュレット機能を活用し、排便のたびに清潔を保つよう促すこともできる。
ベッド上で行う場合には、できるだけ手早く行い、陰部を露出する時間を短くする。

CASE 2 陰部洗浄中に、「便が出そう」と言われた!

肛門部に湯をかけた時の刺激などにより、排便が促される場合がある。
この場合は、すっきりするまで、排便をしてもらい、再度、洗浄を行う。

CHAPTER 5

3 手浴・足浴

学習のねらい

入浴・シャワー浴ができない場合、手や足を湯に浸すことで汚れが落ち、血液循環を促進することができる。
特に、足浴はリラックス効果が高く、癒しをもたらし、入眠効果もある。
ベッド臥床中および、座位時の手浴・足浴の方法を学ぶ。

援助する前に確認しよう！

患者の状況

- □ 臥床したまま？　端座位になれる？
- □ 手関節・足関節の拘縮や麻痺、疼痛がある？
- □ 湯に浸す部分に、創や輸液刺入部がある？
- □ 手足に浮腫がある？
- □ 皮膚の知覚障害は？

周囲の状況

- □ ベッド周りに壊れやすい物、医療器具などはない？
- □ 作業できるスペースが十分にある？

あなた自身

- □ 手浴・足浴を実施したことがある？

必要物品を準備しよう！

1. ベースン／手浴・足浴用バケツ
2. 汚水用バケツ
3. 湯（40℃程度・60℃程度の2種類）・水
4. ピッチャー
5. タオル（フェイスタオル）
6. ディスポーザブルガーゼ
7. 処置用シーツ
8. 綿毛布／膝掛け
9. 石けん
10. 湯温計
11. 手袋・プラスチックエプロン
12. ビニール袋

手浴の場合

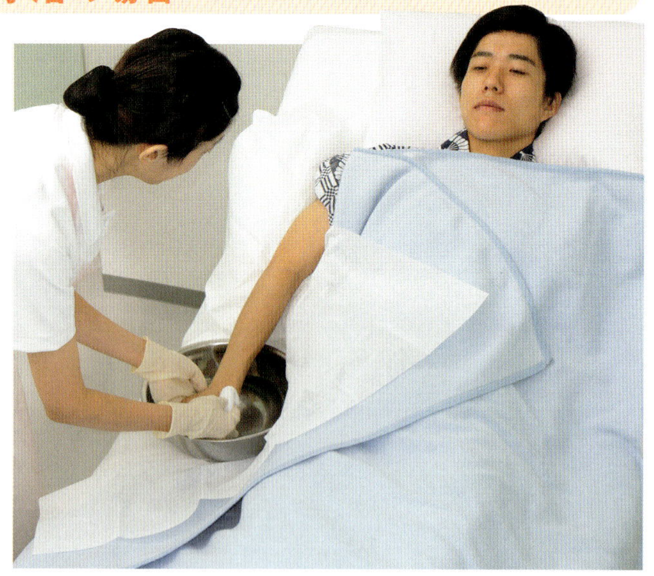

❶ 患者に説明し、ベッド端座位をとるか、ベッドをギャッチアップする。袖が濡れないよう、まくり上げる。

❷ 処置用シーツを敷き、湯を入れたベースンを準備する。

患者自身に湯の温度を確かめてもらい、手を湯につけて温める。皮膚に直接かからないようさし湯をし、温度を調節する。

❸ ガーゼに石けんを泡立て、指の間、手掌・手背などをていねいに洗う。ピッチャーで湯をかけ、石けん分を洗い流す。タオルで拭き、指の間に水分が残らないようにする。

足浴の場合

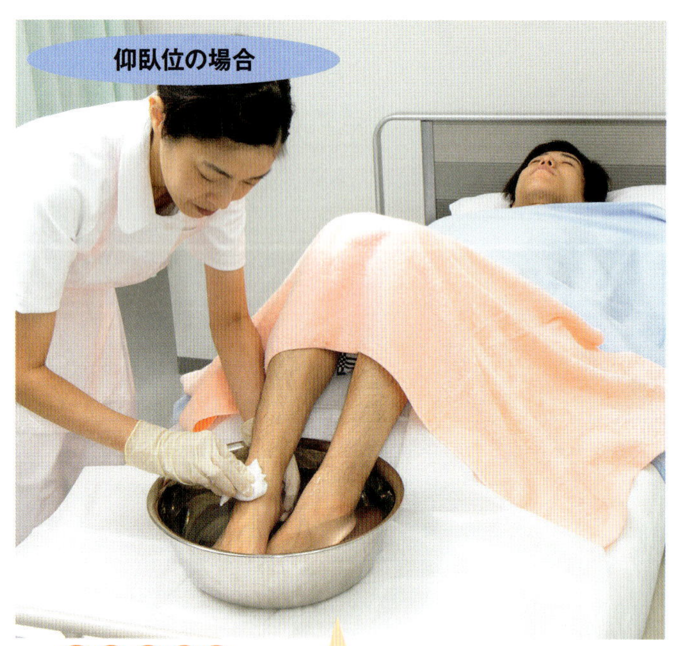

❶ 座位がとれない場合は、仰臥位をとる。両膝を立てて、クッションなどを当て、安定させる。

❷ 処置用シーツを敷き、湯を入れたベースンを準備する。

患者自身に湯の温度を確かめてもらい、足を湯につけて温める。この際、ベースンの縁で足が圧迫されないよう、両足が十分に湯につかるよう体位を整える。手浴と同様にさし湯をし、温度を調節する。

❸ ガーゼに石けんを泡立て、足指の間、足背・足裏などをていねいに洗う。ピッチャーで湯をかけ、石けん分を洗い流す。タオルで拭き、足指の間に水分が残らないようにする。

POINT

- 容器の縁で圧迫しないよう注意!
- 足指の間に水分が残らないよう拭き取る。

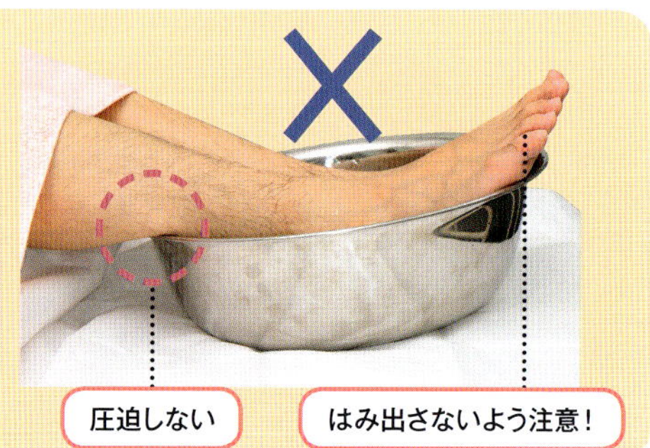

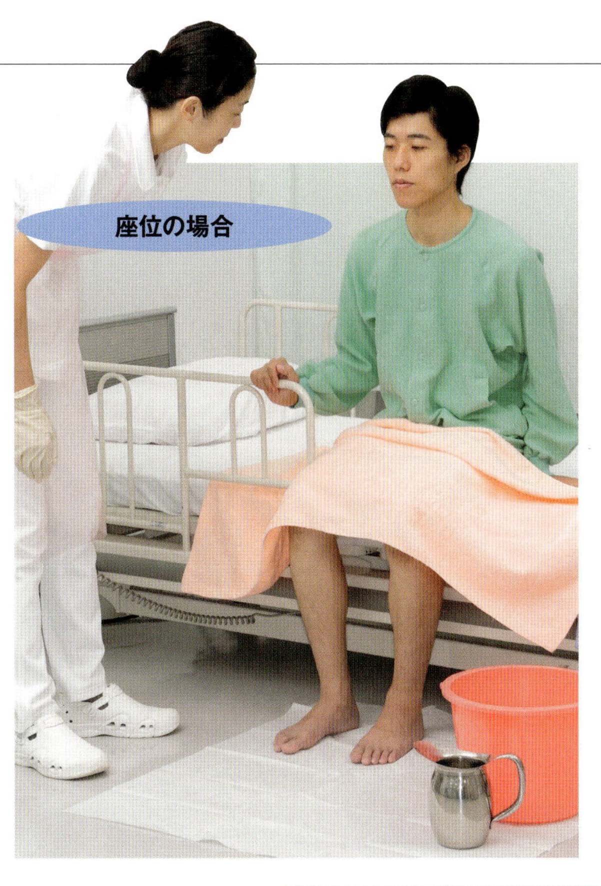

❶ 患者に説明し、座位が可能なら、ベッドや椅子に腰かけてもらう。処置用シーツを敷き、ズボンが濡れないようまくり上げる。

❷ 足浴用バケツに湯を入れて準備し、患者自身に湯の温度を確かめてもらう。バケツに足をつけて、温める。直接、皮膚に湯がかからないようさし湯をし、温度を調節する。

バスタオルや膝掛けで足全体を覆うと保温される。

❸ ガーゼに石けんを泡立て、足指の間、足背・足裏などをていねいに洗う。ピッチャーで湯をかけ、石けん分を洗い流す。タオルで拭き、足指の間に水分が残らないようにする。

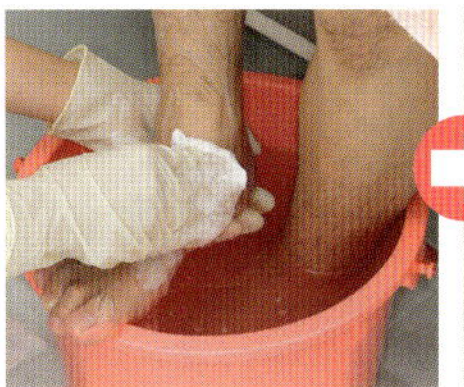
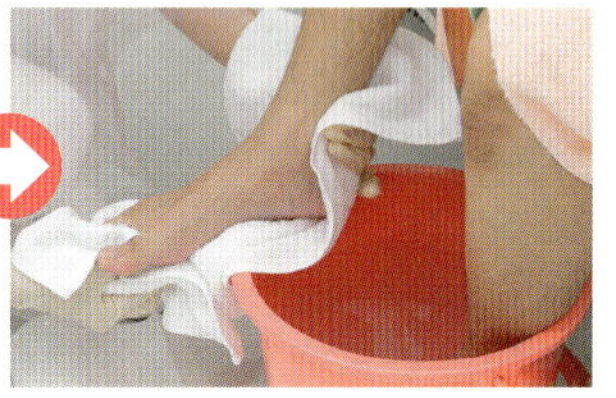

援助後に振り返ってみよう！

観 察
- □ 疲労感、状態の変化は？
- □ 皮膚を傷つけていない？

周囲の状況
- □ ベッドの高さ、ベッド柵、ナースコール、コールマット、医療器具、ごみ箱など、患者が使いやすいよう元通りにした？
- □ リネンは濡れていない？

後片付け
- □ 床が濡れた場合は拭き取る
- □ 汚水を汚物室で下水に流す
- □ 使用したベースンやバケツを洗浄し、乾かす

こんな時どうする？

CASE 1 浮腫があり、皮膚が薄い！

圧痕が残るような強い浮腫の場合、皮膚は薄く傷つきやすい状態にある。ゴシゴシこすらず、泡で包むように、手でやさしく洗浄する。長時間湯につけると、皮膚がふやけ、さらに傷つきやすくなる。疲労も考慮し、全体で10～15分を目安に終了する。
浮腫がある場合、高齢の場合など必要時、保湿クリームなどを用いて脆弱な皮膚を保護する。

CASE 2 「爪も切ってほしい」と言われた！

手浴・足浴後は、爪が柔らかくなり、切りやすくなっている。しかし、爪が肥厚したり、巻き爪、割れた爪などがあると、通常の爪切りではカットがむずかしい。専用のニッパーややすりを使用するほうがよい。慣れない場合は無理に行わず、フットケアに熟練したスタッフに相談する。

CHAPTER 5

4 洗髪

学習のねらい

入浴・シャワー浴ができない状況が長く続くと、髪や頭皮にも汚れがたまり、臭い、痒み、ふけが発生する。洗髪は、身だしなみを整えるうえでも大切であり、患者は爽快感を得ることができる。ケリーパッドを用いた床上での洗髪法、洗髪台を用いた方法を学ぶ。

覚えておきたい基礎知識

洗髪を行うには、患者の可能な体位、使用できる物品・設備により、いくつかの方法がある。

■洗髪法と患者の状況

ケリーパッド、洗髪車	洗髪台	ドライシャンプー
●前傾・前屈姿勢がとれない ●座位姿勢がとれない ●医療器具が装着され、ベッドから離れられない	●洗髪室まで移動が可能 【体位・姿勢】 ⇒前傾・前屈姿勢 ⇒リクライニングチェア（車椅子）で仰向けの姿勢 ⇒ストレッチャーで仰臥位	●頭部に創傷などがあり、頭髪を濡らすことができない ●疲労感が強く、体力消耗を最小限にしたい

❶ バケツ
❷ 汚水用バケツ
❸ ケリーパッド
❹ 湯（40℃程度・60℃程度の２種類）・水
❺ ピッチャー
❻ タオル（フェイスタオル・バスタオル）
❼ ケープ
❽ 顔用ディスポーザブルガーゼ
❾ 防水（ラバー）シーツ
処置用シーツ
❿ 綿毛布
⓫ シャンプー・リンス
⓬ ヘアブラシ・ドライヤー
⓭ 湯温計
⓮ プラスチックエプロン
⓯ ビニール袋

援助する前に確認しよう！

患者の状況

- □ 臥床したまま？ 端座位になれる？
- □ 頭部に創傷はある？ 出血傾向は？
- □ 頸部に中心静脈カテーテル挿入などは？ 濡れないよう刺入部位を保護した？
- □ 酸素吸入中？

周囲の状況

- □ 洗髪室では酸素、点滴スタンドなどが必要？
- □ 作業できるスペースが十分にある？

あなた自身

- □ 洗髪室でのリクライニングチェアや洗髪台の取り扱い方法を知っている？
- □ 洗髪を実施したことがある？
- □ 爪は短く切ってある？

ケリーパッドを用いる場合 5-5

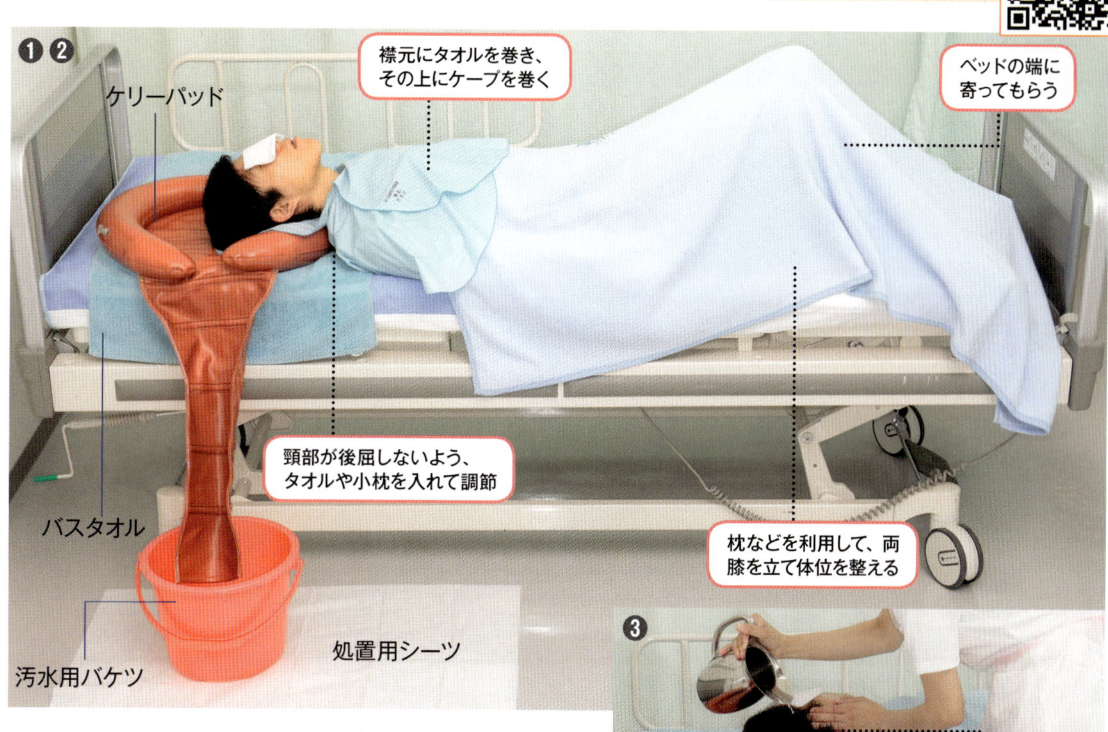

❶ 患者の枕を外し、頭部をベッドサイドに移動する。防水シーツ、バスタオル、ケリーパッドの順にそろえ、患者の頭部を持ち上げてセットする。バケツを配置し、排水しやすいよう整える。

❷ 患者の襟元を広げ、フェイスタオルを巻き、その上にケープを巻く。患者の頭が後屈しないよう体位を整え、背部に隙間があれば、タオルを敷き込む。

❸ 髪にブラシをかけ、からまりをほどく。必要時、耳栓をして目をガーゼで覆う。頭皮に湯をかけ、患者に温度を確認後、髪全体にかける。

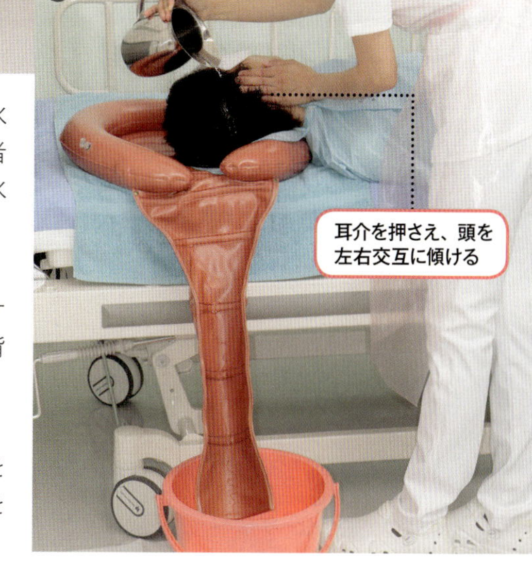

❹ シャンプーを手にとって泡立て、髪全体につける。生え際～頭頂部、後頭部～後頭部とまんべんなく洗う。

患者に洗い足りないところはないか聞く。

❺ 泡を手で取り除き、湯をかけてすすぐ。

リンスを手にとり、髪全体になじませ、湯で軽くすすぐ。

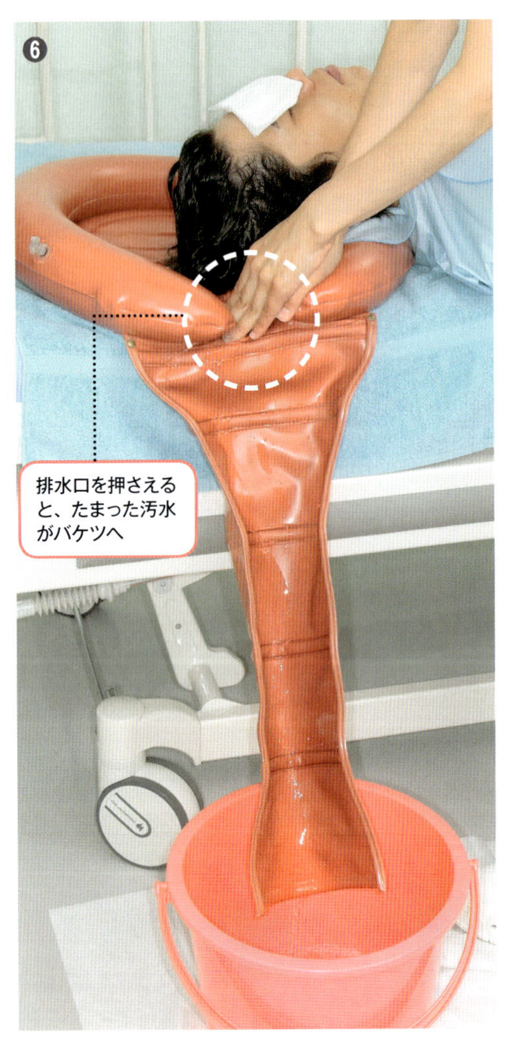

❻ ケリーパッドの排水口を手で押し下げると、スムーズにバケツ内に排水できる。ケープを外し、患者の頭部を持ち上げ、ケリーパッドを外す。

❼ 耳介・耳朶・顔面などにかかった水滴を拭き、敷いてあったバスタオルで頭髪全体を包み、水分をとる。ドライヤーで髪を乾かし、整える。

患者の体位・寝衣・ベッドを元通りにする。

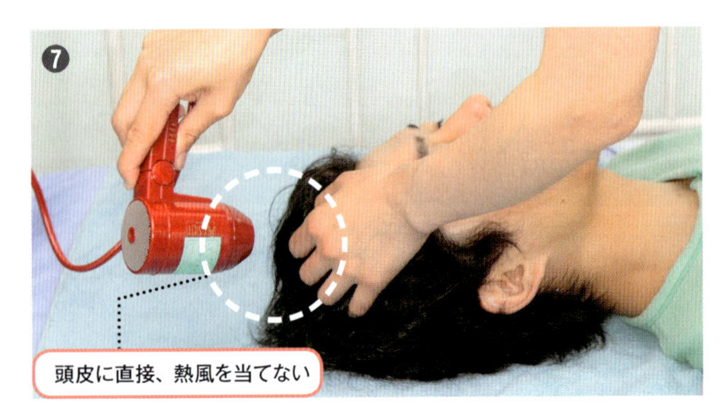

POINT

洗髪時のポイント

- 爪を立てると頭皮を傷つけるので、指腹で洗う。
- タオルで泡を取り除いてからすすぐと、湯を節約できる。
- 洗いにくい部分、すすぎにくい部分(後頸部や後頭部、耳介後部など)に注意する。

洗髪台を用いる場合

仰向けの場合

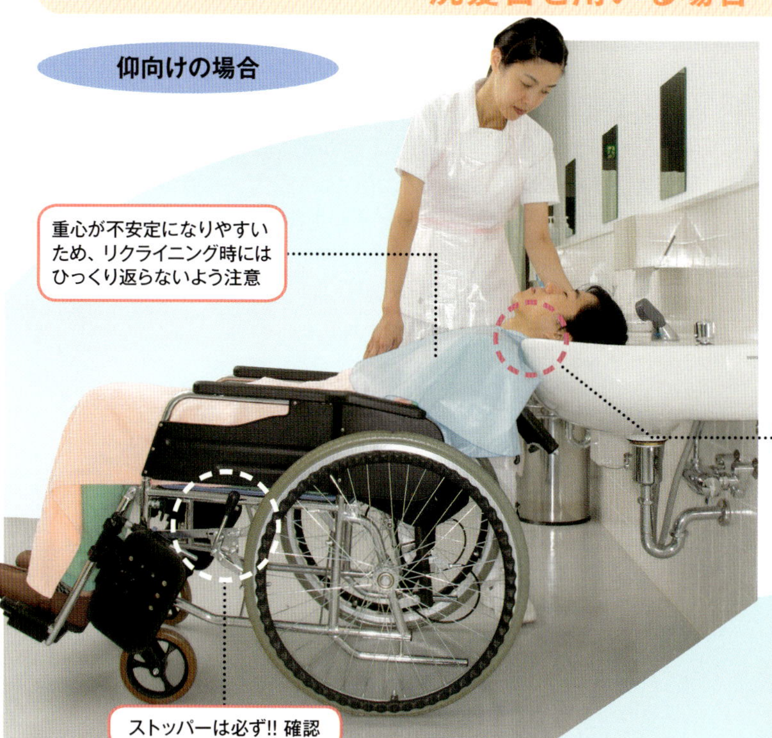

洗髪室に移動し、洗髪台を用いる場合は、体位を整え安定させることが大切である。
リクライニングチェアや車椅子の背もたれを倒す場合は、重心が傾きやすいため、看護師2名で介助するとよい。
洗髪台と頸部の間にタオルを入れて安定させる。

前傾・前屈の場合

前傾・前屈姿勢の場合は、患者の足を床につけて安定させる。

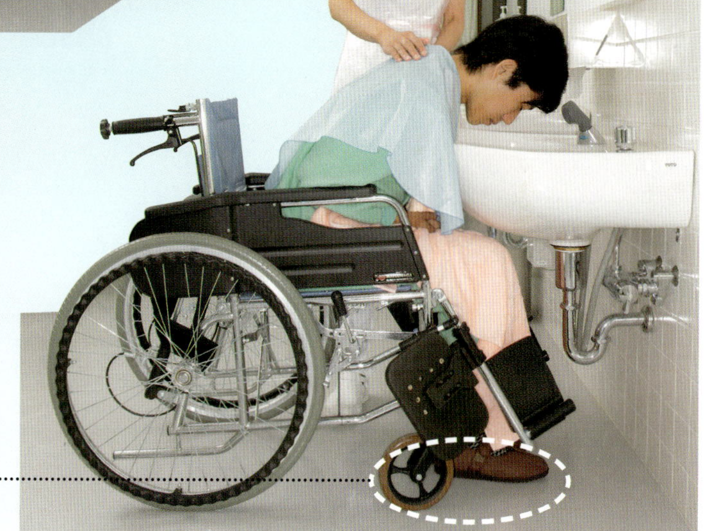

援助後に振り返ってみよう!

観　察

- □ 疲労感、状態の変化は?
- □ 頭皮を傷つけていない?

周囲の状況

- □ ベッドの高さ、ベッド柵、ナースコール、コールマット、医療器具、ごみ箱など、患者が使いやすいよう元通りにした?
- □ リネンは濡れていない?

後片付け

- □ 床が濡れた場合は拭き取る
- □ 汚水を汚物室で下水に流す
- □ 使用したケリーパッド、バケツを洗浄し、乾かす

こんな時どうする?

CASE 1 酸素吸入中の患者に、洗髪することになった!

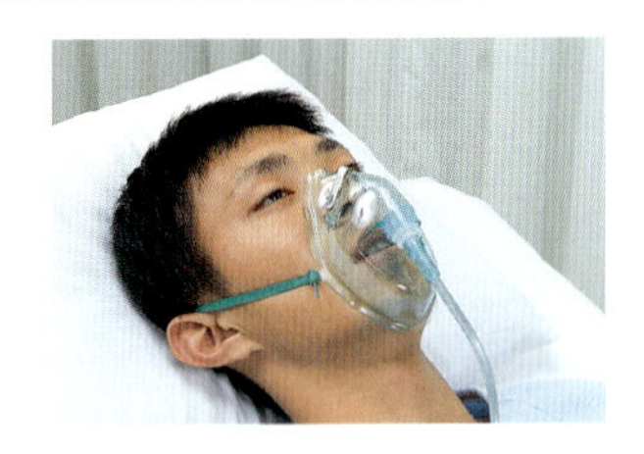

酸素吸入中や呼吸苦がある場合は、長時間の前屈姿勢、顔にガーゼをかけることにより、息苦しさが増す可能性がある。
酸素療法を行っている場合は、次のような工夫を行うとよい。
①洗髪室に酸素配管があるかどうかを確認。ない場合は、酸素ボンベを携行して、酸素吸入を継続しながら洗髪を行う。
②前屈姿勢より仰臥位が安楽な場合は、リクライニングチェア（車椅子）を用いて洗髪を行う。
③顔にガーゼをかけない。
いずれの方法をとる場合も、患者の呼吸状態を観察しながら、援助を行う。

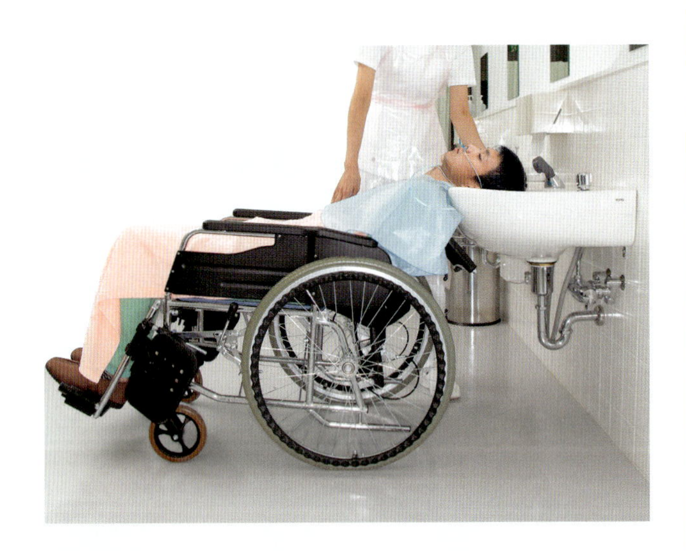

CASE 2 久しぶりの洗髪で、汚れが強い!

頭髪・頭皮の汚れが強い場合、1度のシャンプーでは泡立ちが少なく、十分に汚れがとれないため、2度洗いを行う。
体力の消耗を考慮して2度洗いができない場合は、シャンプーをやや多めに使って洗うとよい。
また、洗髪前にブラシを十分にかけ、毛髪のからまりや汚れをとっておくと、洗浄効果が高まる。
患者が、「痒いので強くこすってほしい」と要望することがある。爪を立ててこすると頭皮を傷つけるため、指の腹を当ててマッサージを行うようにする。

CASE 3 抗がん薬治療で脱毛しやすい!

抗がん薬を用いて脱毛しやすい患者では、頭皮も傷つきやすくなっている。強く洗わないよう注意する。
洗髪が刺激となって、さらに脱毛が進む場合があり、患者は脱毛の多さに驚いたり、精神的に落ち込むことがある。
洗髪と脱毛について、事前に患者とよく話をする必要がある。

CHAPTER 5

5 口腔ケア

学習のねらい

自分で歯磨きやうがいができない状況が長く続くと、患者の不快感が増し、活動意欲や自尊心が低下するなど、周囲との交流も少なくなりやすい。身体的にも口腔内が乾燥し、唾液の分泌が減少することにより、口腔内の自浄作用が低下する。また、歯周病の発生や、食欲の減退による免疫力の低下、肺炎など感染症の罹患につながり、全身状態の悪化という悪循環が生じる。
口腔内の汚染状況をアセスメントし、患者の状態に合わせて口腔内の汚れを除去する方法を学ぶことは、口腔内にとどまらず、全身状態、QOLの向上につながる。

覚えておきたい基礎知識

口腔は消化器・呼吸器・感覚器・運動器と多くの役割を果たす重要な器官である。また、歯・口蓋・舌などで複雑に構成されているため、どの部位をケアするのかにより、方法が異なる。口腔内と患者の状態をアセスメントし、適切な方法で口腔ケアを行う必要がある。

口腔の構造・機能

構造

口腔内は歯、口蓋、舌、口峡などで構成されている。

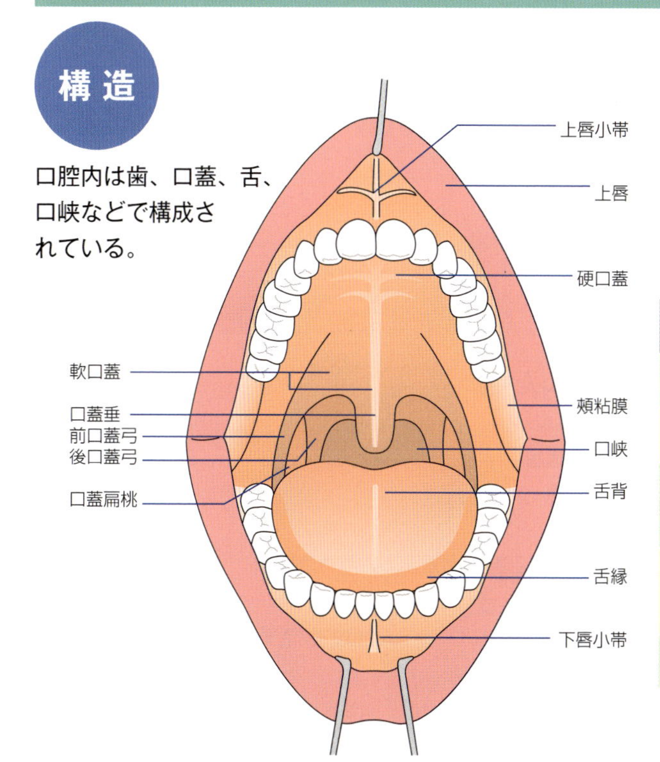

機能

口腔は、消化器・呼吸器・感覚器・運動器と多くの役割を果たす重要な器官である。

各部位	機　能
歯	咀嚼・咬合・顔面形態・発声
舌	味覚・食塊形成・輸送・嚥下・発音
粘 膜	味覚・消化吸収・保護・食塊形成・輸送
唾 液	円滑・洗浄・抗菌・消化・味覚・粘膜保護
空 間	発声・食べ物の貯留・顔面形態

口腔内のアセスメントとケアプラン

事前のアセスメント

口腔内	疼痛　腫れ　出血　湿潤状態　色　創部　口臭　口渇 う歯　欠損歯　義歯　食物残渣　歯垢　痰　舌苔
全　身	全身状態　栄養状態　心理状態　安静度　治療　経口摂取 麻痺　認知障害　嚥下障害　開口障害　感覚障害

ケアプランの立案

どこの汚れをとるのか?
- 歯
- 義歯
- 口腔粘膜
- 舌

使う物品は何がよいか?
- 歯ブラシ
- スポンジブラシ
- 洗浄剤
- フロス

★患者の状態に合わせて物品を選択
→炎症症状、出血傾向のある方には柔らかい毛のブラシを用意

どのような介助が必要か?《アセスメント・ポイント》
- 上体を起こせるか
- 同じ姿勢を保てるか
- 歯ブラシを見ることができるか
- 歯ブラシを持てるか
- 口が開けられるか
- 開口状態を保持できるか
- 水を吸うことができるか
- 水を口腔内に保持できるか
- 嚥下時、むせ込みはないか
- 水を吐き出すことができるか

口腔ケアの意義

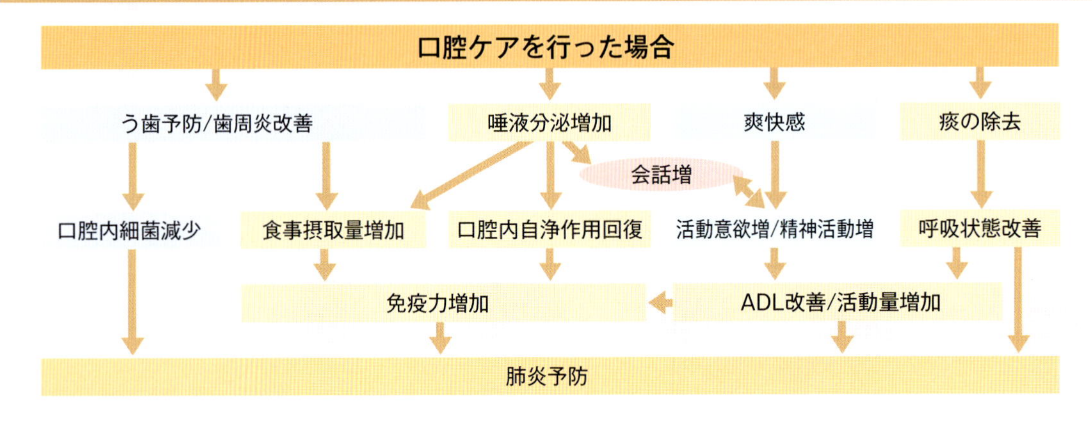

歯ブラシを用いた口腔ケア

歯ブラシを用いた口腔ケアを行う際は、
患者の頭部を挙上し顎を引いた体位を整え、誤嚥を防止することが重要である。
炎症症状・出血傾向のある患者には、柔らかいブラシを用いる。

援助する前に確認しよう！

患者の状況

- □臥床したまま？　端座位になれる？頭部はどのくらい挙上できる？
- □歯ブラシを自分で持てる？
- □むせ込みは？　嚥下障害は？
- □気管切開は？
- □患者が普段しているうがい、歯磨きの方法や習慣は？
- □食後の場合、30分以上経過している？

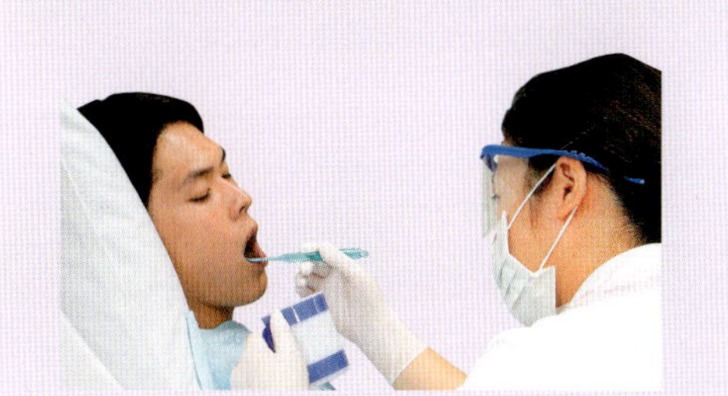

周囲の状況

- □どこで援助する？（ベッド上・洗面所など）

あなた自身

- □誤嚥しやすい姿勢を把握している？
- □口腔ケアを実施したことはある？

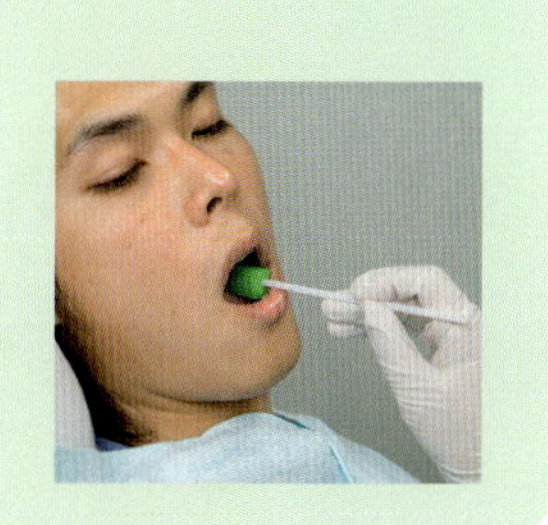

必要物品を準備しよう！

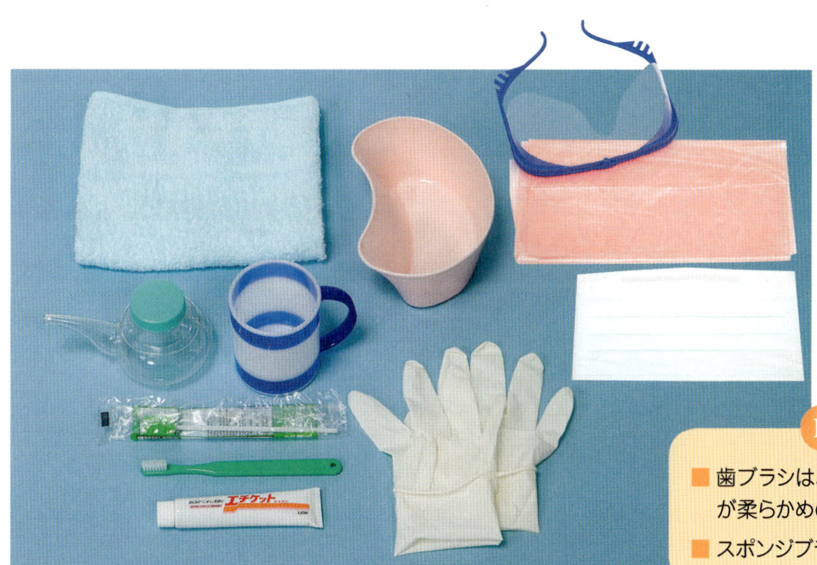

❶ 歯ブラシ
❷ 歯磨き粉
❸ スポンジブラシ
❹ ガーグルベースン
❺ 吸い飲み
❻ コップ
❼ タオル
❽ 手袋
❾ プラスチックエプロン
❿ ゴーグル
⓫ マスク

POINT

- 歯ブラシは、ブラシ部分が小さめで、毛先が柔らかめのものを選択する。
- スポンジブラシは、綿棒で代用してもよい。

PROCESS 1 患者への説明、準備、口腔内の観察

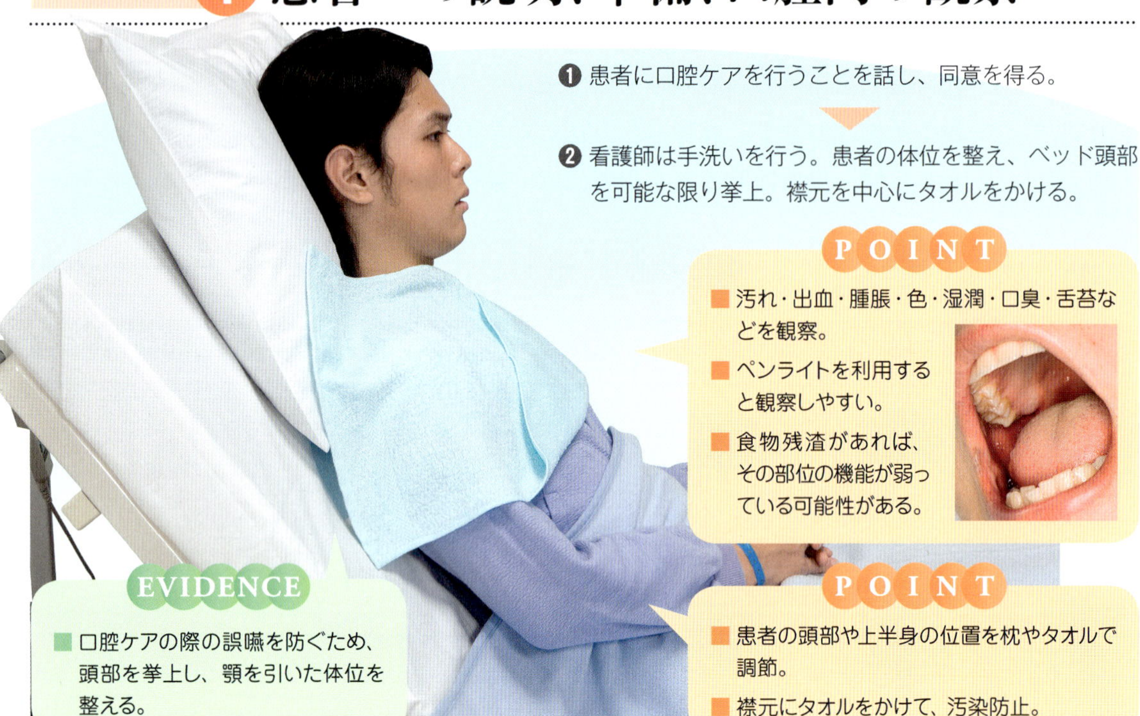

❶ 患者に口腔ケアを行うことを話し、同意を得る。

❷ 看護師は手洗いを行う。患者の体位を整え、ベッド頭部を可能な限り挙上。襟元を中心にタオルをかける。

POINT

- 汚れ・出血・腫脹・色・湿潤・口臭・舌苔などを観察。
- ペンライトを利用すると観察しやすい。
- 食物残渣があれば、その部位の機能が弱っている可能性がある。

EVIDENCE

- 口腔ケアの際の誤嚥を防ぐため、頭部を挙上し、顎を引いた体位を整える。

POINT

- 患者の頭部や上半身の位置を枕やタオルで調節。
- 襟元にタオルをかけて、汚染防止。

PROCESS 2 うがい

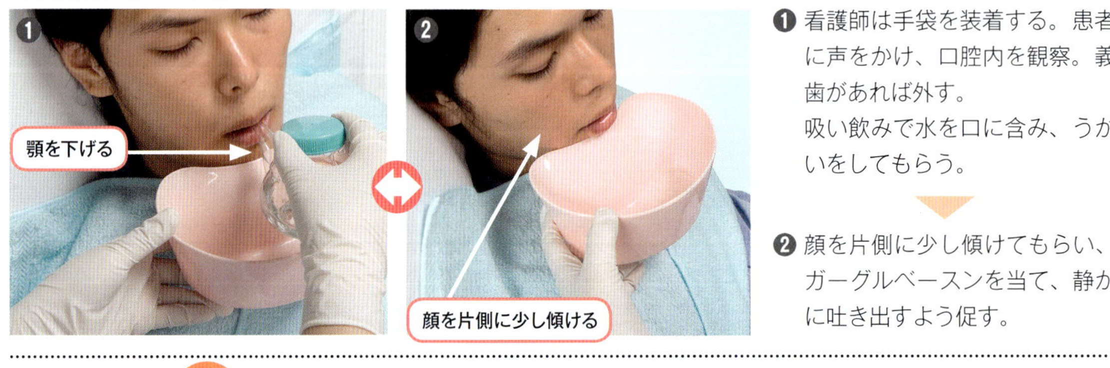

❶ 看護師は手袋を装着する。患者に声をかけ、口腔内を観察。義歯があれば外す。
吸い飲みで水を口に含み、うがいをしてもらう。

❷ 顔を片側に少し傾けてもらい、ガーグルベースンを当て、静かに吐き出すよう促す。

PROCESS 3 歯磨き

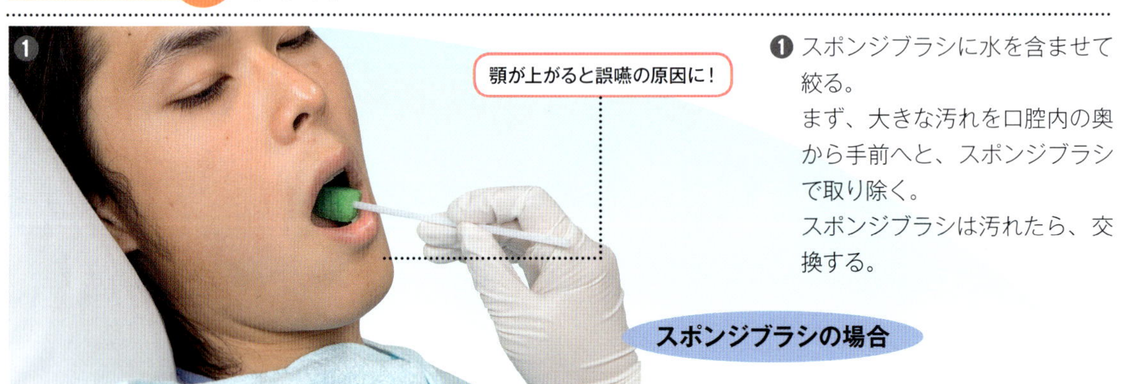

❶ スポンジブラシに水を含ませて絞る。
まず、大きな汚れを口腔内の奥から手前へと、スポンジブラシで取り除く。
スポンジブラシは汚れたら、交換する。

❷ 看護師は患者と顔の高さを同じにし、患者の利き手側に立つ。
患者に口を軽く開けてもらい、奥の歯から1本ずつ磨いていく。

❸ 口にたまった唾液や汚れを吐き出し、吸い飲みで水を含んでうがいをしてもらう。吐き出す液がきれいになるまで繰り返す。

援助後に振り返ってみよう！

観 察

- □ 口腔粘膜に損傷や出血はない？
- □ 汚れや歯磨き粉などは残っていない？
- □ 爽快感を得られた？
- □ リネンが濡れていない？

後片付け

- □ 汚水を洗面所あるいは汚物室で流す
- □ 使用した歯ブラシ、コップなどを洗浄し、乾かす

こんな時どうする？

CASE 1 うがい中に患者がむせてしまった！

嚥下困難などのリスクが予測される患者が誤嚥した場合には、呼吸状態の観察、吸引が必要である。
むせやすい患者の場合には、誤嚥しにくいように座位をとり、前屈姿勢で口の中に水を含んでもらい、「ブクブクしたら、水は吐き出してください」と声をかけながら介助する。

CASE 2 うがい水を患者が飲み込んでしまった！

患者が説明を理解して行動できない場合、濡らしたガーゼで水分を拭き取ったり、うがい水を吸引しながら歯磨きを行う方法もある。うがい水を飲み込んでしまう患者の場合、誤嚥する可能性もあるため、座位・前屈姿勢を保ちながらうがいを行う。
また、認知力の問題などでうがい水を飲み込んでしまう場合には、有害とならないように、洗浄剤の使用を避ける。

義歯の清掃

義歯は高価なものであり、取り外す場合は水を張った保管容器に入れ、紛失や変形を防ぐ。清掃時はていねいに取り扱い、破損しないように注意する。

援助する前に確認しよう!

患者の状況

- □ 自分で義歯を取り外せる?
- □ 総義歯? 部分義歯?
- □ 認知力は?

あなた自身

- □義歯の取り外しや洗浄をしたことがある?
- □義歯を取り扱う際の留意点を知っている?

必要物品を準備しよう!

❶ 義歯専用歯ブラシ
❷ 義歯保管容器
❸ 手袋
❹ ガーグルベースン
❺ コップ
❻ スポンジブラシ
❼ タオル

POINT

- 義歯専用歯ブラシがない場合は、義歯を傷つけない柔らかい歯ブラシで行い、義歯専用とする。
- 義歯を磨いた歯ブラシで、口腔内をケアすると、ブラシの傷みが激しいため、粘膜を傷つけるおそれがある。

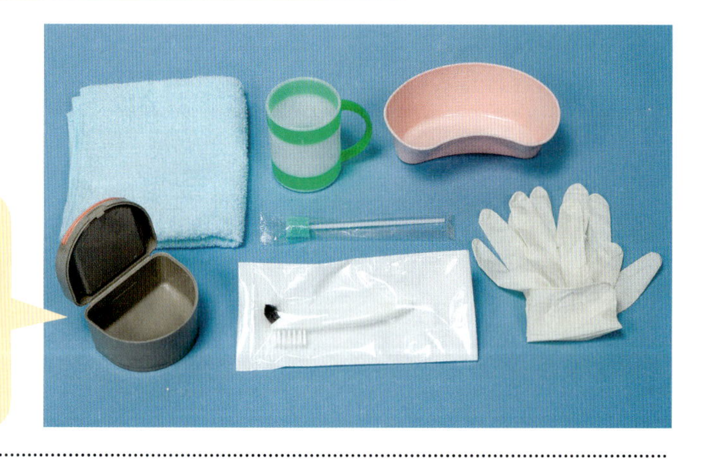

PROCESS 1 義歯の取り外し

看護師は手洗いを行い、手袋を着用する。患者に口を開けてもらい、義歯を確認。義歯を持ち、ゆっくりと力をかけて静かに取り出し、ガーグルベースンに入れる。

POINT

- 外した義歯は、ティッシュペーパーに包むなどすると、紛失する可能性が! 保管容器に入れる。

部分義歯の場合

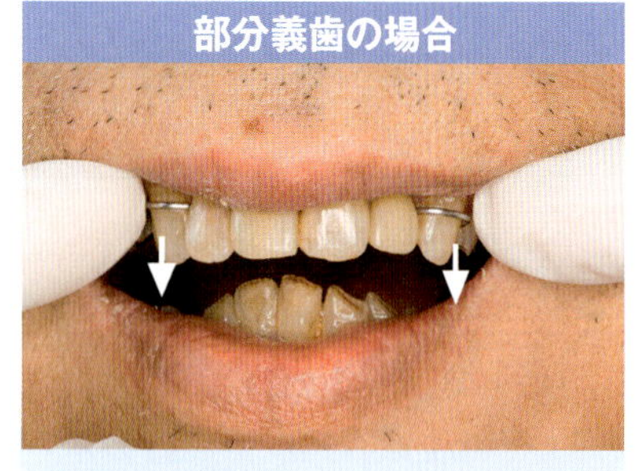

金具の両端に爪をかけ、左右平行に取り外す。

総義歯の場合

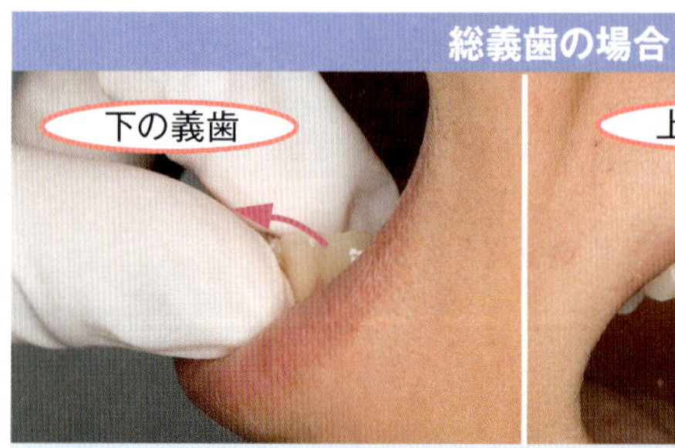

前側を上に持ち上げるか、少し傾けて外す。

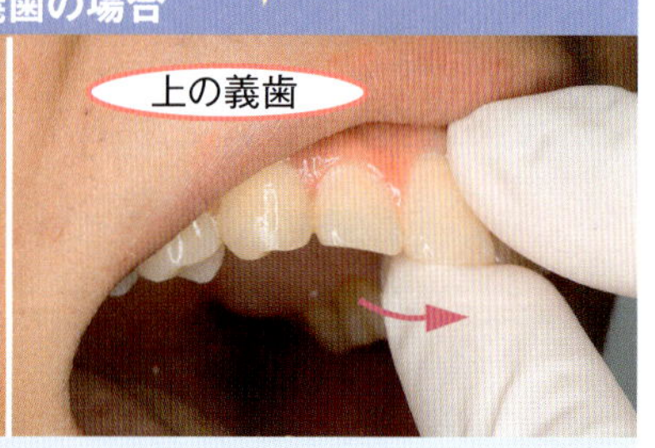

前側を持ち、少し手前に傾けるようにして、義歯と口蓋の間に空気を入れて外す。

PROCESS 2 義歯の洗浄

❶ 洗面台のシンクに水を張ったガーグルベースンを置き、その上で義歯をゆすぎ、ブラッシングを行う。

❷❸ 義歯のブラッシングと洗浄を行う。ブラッシングで汚れを取るのが基本。時に義歯洗浄剤を用い、清潔を保つようにする。

POINT

■ 義歯を落とし、破損しないようにあらかじめ下に水を張っておくと、ダメージを少なくできる。

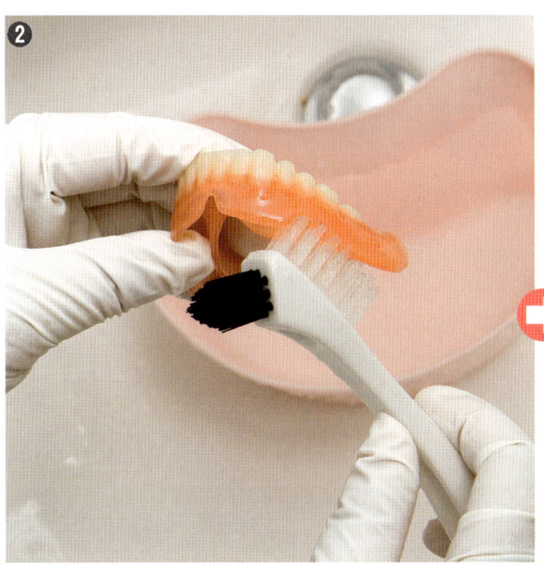

PROCESS 3 義歯の装着

義歯を装着する際は、上の義歯から入れ、次に下の義歯を入れる。
装着後は、ゆっくりかんで、合っていることを確認する。

EVIDENCE

義歯装着の手順

上の義歯を入れる
▼
下の義歯を入れる

■ 下の義歯からはめると、上の義歯を入れる際、引っかかって入れにくい。

部分義歯の場合

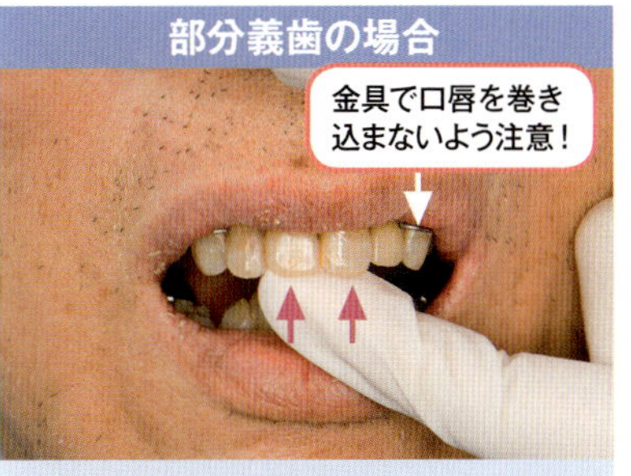

金具の両端を持って入れ、指で奥まで入れる。

総義歯の場合

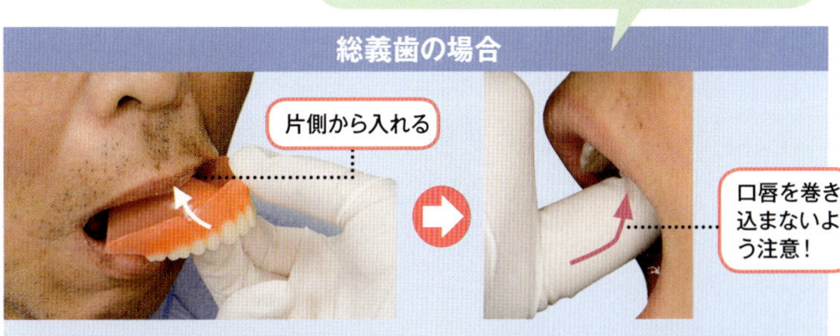

①左右の片方を入れてから、もう片方を入れる。麻痺がある場合は、麻痺側から入れる。

②義歯を入れたら、最後に指で中央を押して、密着させる。

PROCESS 4 義歯の保管

義歯は専用の保管容器に入れ、十分に浸るぐらい水を張り、蓋をして保管する。紙やハンカチに包んでおくと、紛失の可能性があるため、義歯保管容器に入れることを習慣づける。

POINT

- 水を張った容器に保管する。
- 基本的に、夜間は義歯を外す。本人の希望により夜間も装着する場合には、日中、数時間外すなど、粘膜を休める時間帯をつくる。

EVIDENCE

- 高温の湯や乾燥により、義歯が変性することがある。

援助後に振り返ってみよう！

観察

- □ 義歯の破損はない?
- □ 保管する場合、容器に水を張った?

後片付け

- □ 使用した義歯用歯ブラシを洗浄し、乾燥させる

こんな時どうする？

CASE 1 患者が自分で義歯の取り外しができない!

義歯は1日中口腔内に入れておかず、基本的に夜間は外し、口腔粘膜を休めたほうがよい。日中に義歯を外す場合は、容貌の変化もあるため、患者と十分に相談し、時間帯などを決める。

CASE 2 義歯についた汚れが落ちない!

義歯についた色素沈着やしつこい汚れなどには、義歯洗浄剤を使用する。一般的な歯磨き粉で研磨剤などが入っているものは、義歯を損傷する可能性があるため使用しない。

CASE 3 歯磨きを勧めたら、「10年以上磨いてません」

患者に歯磨きを勧めたところ、「10年以上磨いていないから」という答えが返ってきた。実はこのケースでは、患者は総義歯で、“歯磨き＝義歯洗浄”とは考えていなかったため、「磨いていない」という発言になったことがわかった。実際には、義歯の洗浄は行っていたのである。
患者のこれまでの習慣について十分に話を聞き、ケアを行うことが大切である。

CHAPTER 5

6 寝衣交換

学習のねらい

更衣動作を行うには、姿勢を保持してバランスを保つ力、体重移動を行う力、肩関節・股関節の可動域、四肢の筋力、清潔への意欲、医療器具の装着状況などが大きく影響する。患者が1人で更衣できない場合には、介助が必要となる。
麻痺・拘縮のある患者、輸液中の患者の寝衣を交換する方法について学ぶ。

麻痺・拘縮のある患者の寝衣交換

麻痺や拘縮の部位、疼痛の有無を確認し、寝衣交換の一連の過程の中で、患者ができない部分を介助する。

援助する前に確認しよう！

患者の状況

- □ 体位は臥床したまま？　端座位になれる？
- □ 麻痺や拘縮の部位は？　疼痛は？
- □ 自分でできる部分は？
- □ 医療機器は装着している？
- □ 排泄は済ませている？

あなた自身

- □ 実施中にどこを援助すればよいかわかっている？
- □ 寝衣交換を介助したことがある？

必要物品を準備しよう！

● 新しい寝衣

かぶり式の衣類の着脱

「脱健着患」が更衣の原則であるが、かぶり式の衣類の場合は、患側から脱ぐほうがスムーズである。

PROCESS 1 かぶり式の上衣を脱ぐ

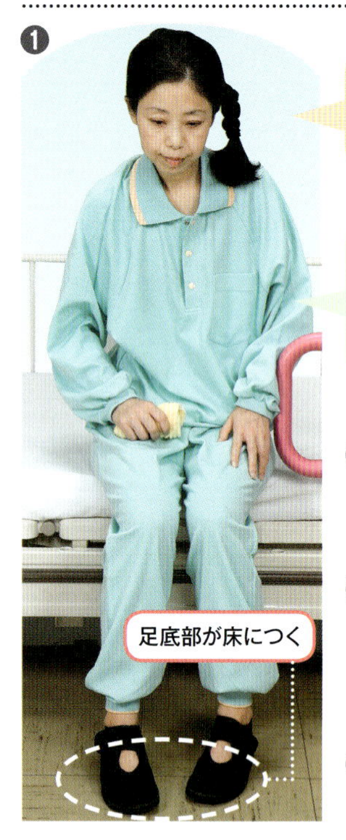

POINT

■ 患者が1人で行う場合には、背もたれのある椅子や車椅子を使用。

EVIDENCE

■ 更衣動作には、体重移動が必要。体のバランスを崩しやすく、後方や前方に倒れることがある。

❶ 端座位をとり、足底部を床につけて姿勢を安定させる。

❷ 首を前に曲げてやや前傾姿勢で、健側の手で襟の後ろを引き上げて、頭を抜く。

❸ 健側の手で、患側の袖を引く。患側の前腕部を脱がせる。

❹❺ 患側の手を膝に保持し、健側の腕を抜く。

PROCESS 2 かぶり式の上衣を着る

❶ 端座位をとり、足底部を床につけて姿勢を安定させる。

❷ 患側の袖口に、患側の手首を通し、前腕部まで上げる。

❸ 健側の手を健側の袖に通す。

❹ 健側の手で襟ぐりの後ろをつかみ、引き上げる。
襟ぐりから頭をくぐらせる。

❺ 健側の手で上衣を引き下げ、整える。

POINT

■ 姿勢の保持や動作ができない場合は、介助する。

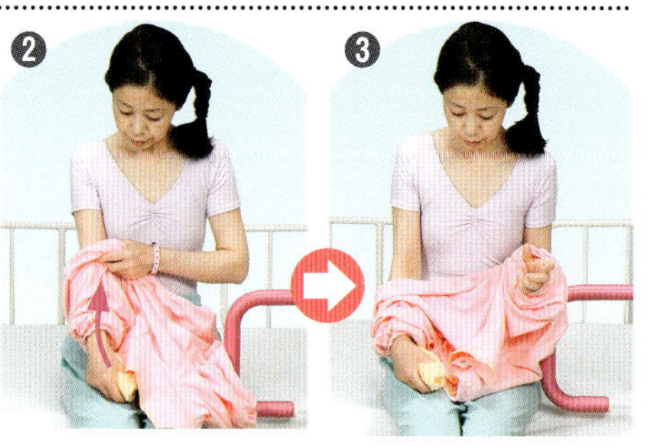

前開きの衣類の着脱

前開きの衣類では、ボタンの着脱がむずかしい場合がある。
患者の状況に応じて、介助する。

PROCESS 1 前開きの上衣を脱ぐ

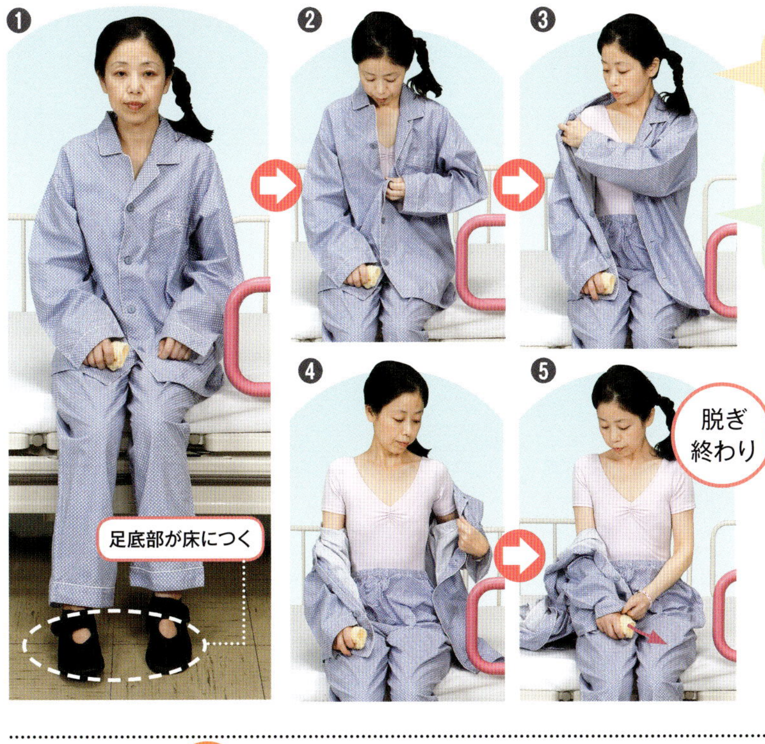

POINT
- むずかしい場合は、介助する。

EVIDENCE
- 患側の肩を外すことにより、健側の袖を脱ぐ際、患側肩関節への過度な緊張を避けることができる。

❶ 足底部を床につけ、端座位をとる。
❷ 健側の手でボタンを外す。
❸ 健側の手で患側の肩から上衣を外す。
❹ 健側の肩を外して、袖を抜く。
❺ 健側の手で、患側の袖を抜く。

PROCESS 2 前開きの上衣を着る

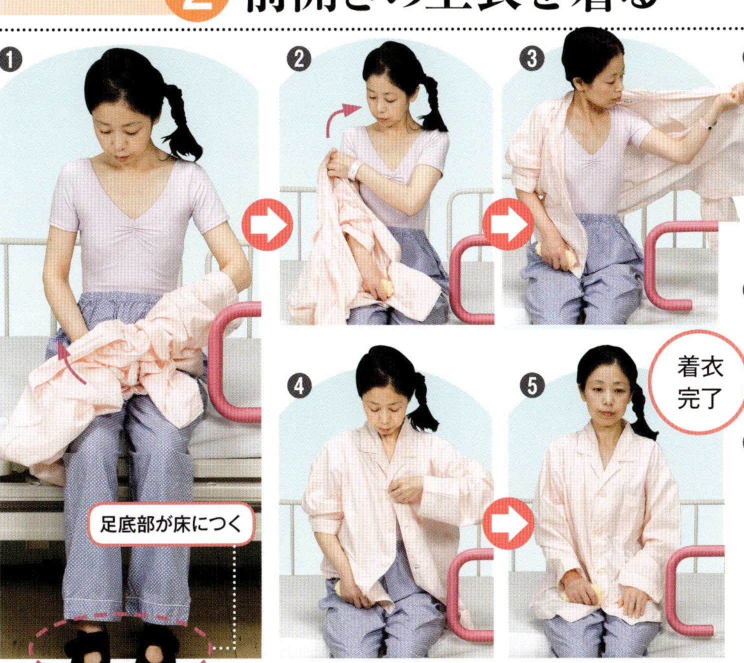

❶ 患側の袖口から健側の手を通し、患側の手をつかんで、袖に通す。
❷ 患側の袖口から手が出たら、健側の手で、袖を肩まで持ち上げる。
❸ 健側の手で襟ぐりをつかみ、後ろ身ごろを背中に回し、健側の袖に腕を通す。
❹❺ 健側の手でボタンをとめる。

POINT
- ボタンをとめるのがむずかしい場合は、マジックテープにしたり、フック式ボタンを利用するとよい。
- できない場合は、介助する。

ズボンの着脱

ズボンの着脱は、立ち上がる、片足を持ち上げるなど、姿勢が不安定になりやすい。患者の状況に応じて、介助する。

PROCESS 1 ズボンを脱ぐ

POINT

■ 姿勢が不安定になる場合は、介助者が支える。

❶ 健側の手で、ズボンを足の付け根まで下ろす。

❷ 立ち上がり、健側の手でズボンを膝まで下げる。手すりを離せない場合は、介助者がズボンを下ろす。

❸ 健側の手で、患側下肢を健側下肢の上に乗せる。

❹ 健側の手で、患側の靴、ズボンを脱ぐ。健側の手で患側下肢を持って、下ろす。

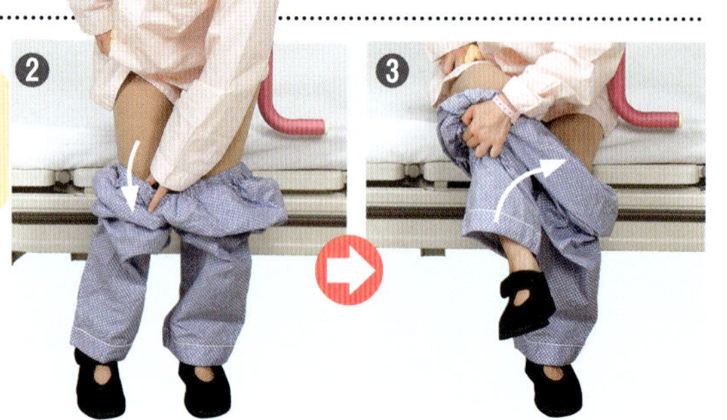

❺ 前傾姿勢をとり、足首まで健側のズボンを下ろす。健側の靴を脱ぐ。

PROCESS 2 ズボンをはく

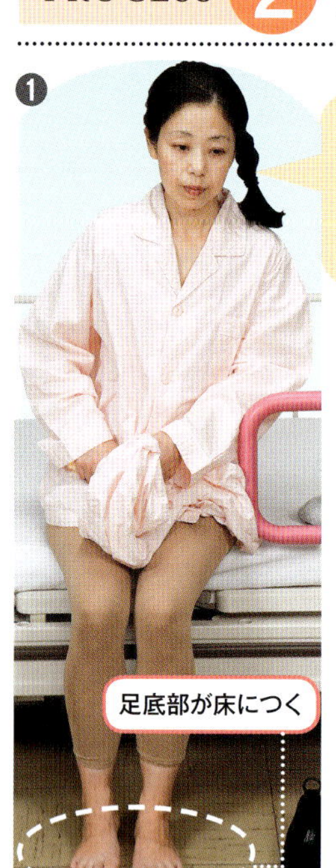

POINT

■ 患側のズボンを輪にして準備する。

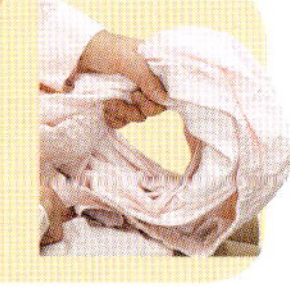

❶ 足底部を床につけ、端座位をとる。

❷ 輪にしておいた患側のズボンを、患側の足に通す。

❸ 健側の手で、患側下肢を下ろす。

❹ 健側の足をズボンに入れる。

❺ 手すりを離し、健側の手でズボンを腰まで上げる。

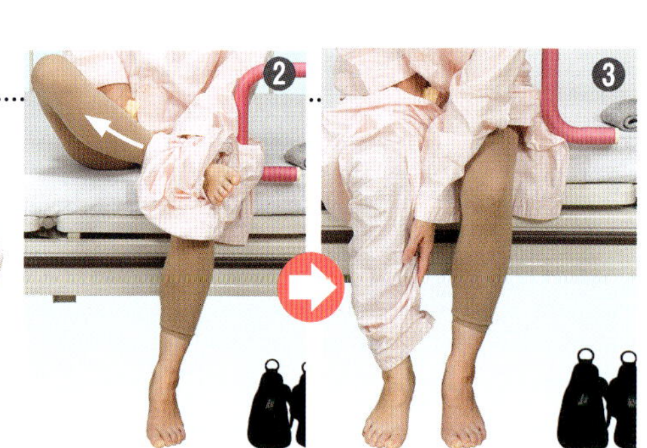

POINT

■ 必要時、介助者がズボンを上げる。

援助後に振り返ってみよう!

観察

- □ 疼痛は?
- □ 医療器具の装着、作動状況は?

後片付け

- □ 汚れた衣類は、たたんで袋に入れる

覚えておくと、役立ちます!

「脱健着患」と覚えると、スムーズ!

麻痺や拘縮がある場合、関節の伸展・屈曲が自由にできる健側から衣類を脱ぎ、関節が伸展・屈曲しにくい患側から衣類を着るとスムーズに行える。これを「脱健着患」という。

脱健着患の原則を守ると、患側に負荷をかけずに更衣を行うことができる。これは輸液ラインを装着している場合も、同様である。

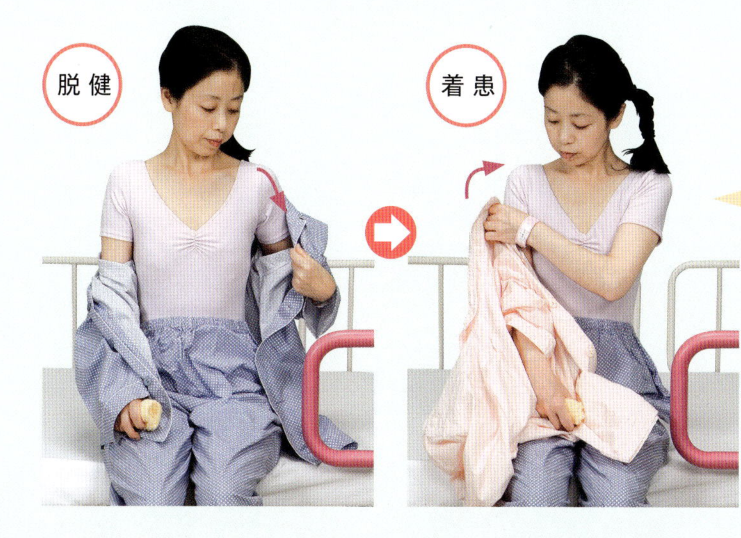

POINT

脱健着患とは

- 麻痺や拘縮がある場合の更衣の原則である。
- 健側から脱ぎ、患側から着ると、更衣がスムーズに行える。

こんな時どうする?

CASE 1 麻痺・拘縮側の手足がうまく着脱できない!

麻痺・拘縮側の手足がうまく着脱できない場合は、脱健着患の原則通りに行ったかを確認し、最初からやり直す。

途中でうまく着脱できなくなってしまった場合、無理に衣類を引っ張ったり、関節を曲げたりしないよう注意する。

CASE 2 「何回も袖を通すのが大変」と言われた!

患者が下着や上着などを何枚も重ね着している場合は、事前に衣類を1つに重ね、袖や襟ぐりを合わせておくとよい。一度に袖や首、足を通せば着用できるので、何度も同じ動作を繰り返す必要がなく、立位になる回数を減らすこともできる。

輸液中の寝衣交換

輸液中の寝衣交換は、輸液バッグとラインを寝衣の袖にくぐらせる必要があり、その際、点滴を一時クランプする。
寝衣交換の前後に、輸液ラインに異常がないことを確認する。

援助する前に確認しよう！

患者の状況

- □ 安静度の指示は？
- □ 運動機能（関節可動域、筋力）は？
- □ 自分でどこまで更衣ができる？
- □ 輸液ラインはどの部位に挿入されている？
- □ 輸液ラインは何本？
- □ 投与されている薬液の種類、予定時間、滴下数、量は？
- □ 注意力、判断力、認知機能は？

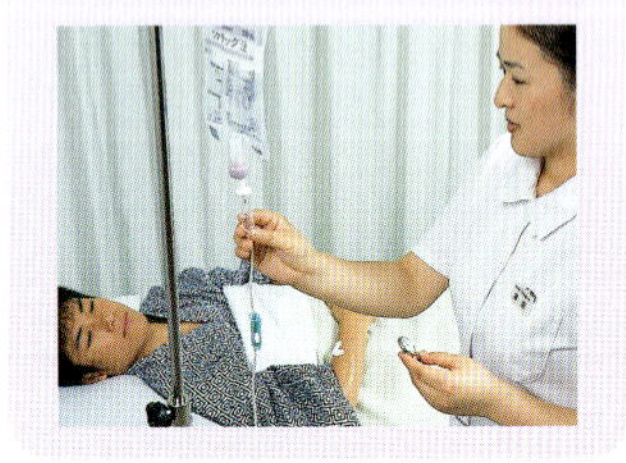

周囲の状況

- □ ベッド周囲に作業の妨げになるものはある？
- □ 動きやすいスペースは十分にある？
- □ 点滴スタンドは、輸液ラインが挿入されている側にある？
- □ ベッドの高さは？
  - ＊端座位で行う場合は、患者の足底が床につく高さ
  - ＊ベッド上で行う場合は、腰を痛めないように作業のしやすい高さ
- □ 着替えの準備は？

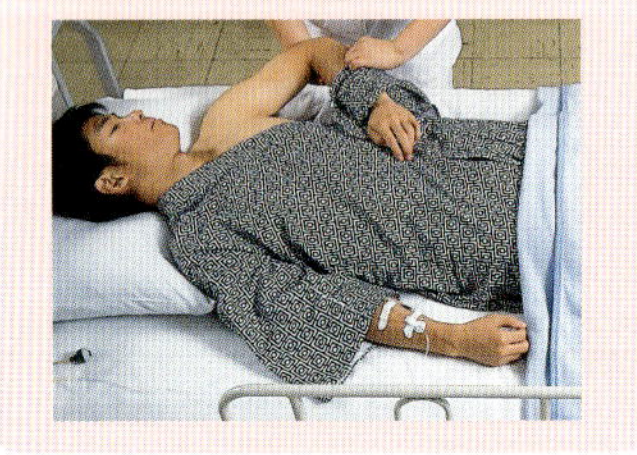

あなた自身

- □ ユニホームや手はきれい？
- □ 寝衣交換の経験は？
- □ 輸液ラインのある患者の寝衣交換の経験は？
- □ 学内演習での経験は？
- □ 受け持ち患者の援助を見学したことは？
- □ 輸液中の患者の観察ポイントについて、基礎知識はある？

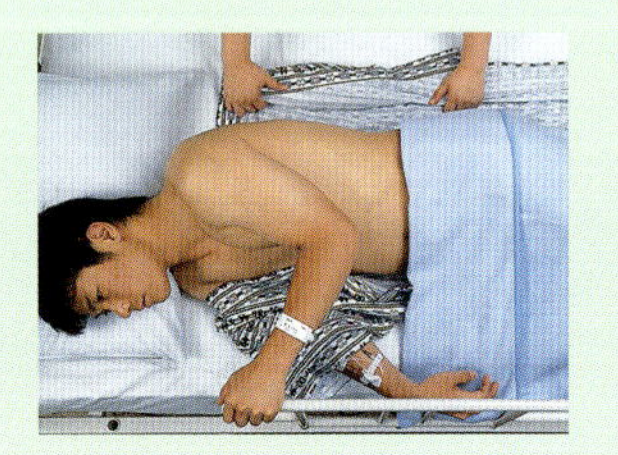

必要物品を準備しよう！

❶ 新しい寝衣
❷ タオルケット、もしくは綿毛布

POINT

■ 上掛けの下では重くて着替えにくいため、タオルケットのような軽く覆えるものを選択する。

PROCESS 1 輸液ラインの確認

寝衣交換を実施する前に、輸液バッグ→滴下筒→輸液ライン→刺入部の順にたどり、異常がないことを確認する。

■ 輸液ラインは、作業の始めと終わりに必ず、確認。

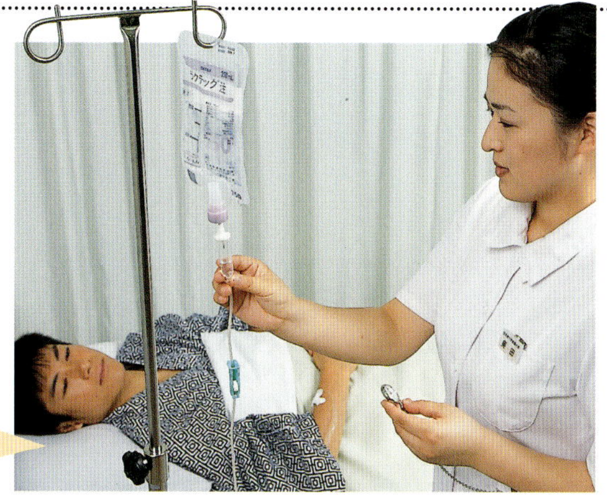

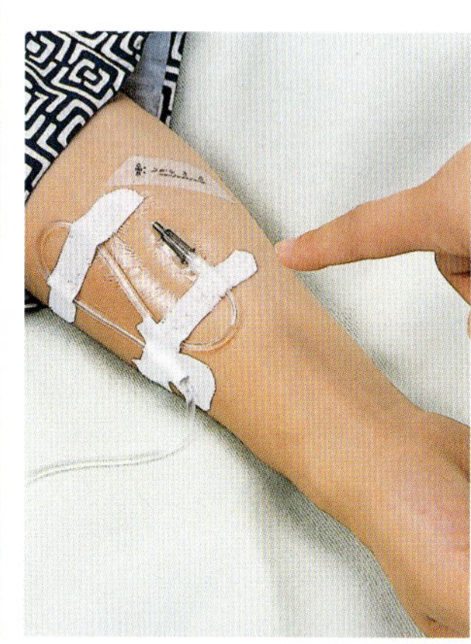

PROCESS 2 寝衣を脱ぐ

※ 臨床現場では2人で行うことが多いため、動画では「2人で行う輸液中の寝衣交換」を収録。
※ 露出を避けるため綿毛布を掛けて行うが、ここでは、みえやすいよう一部ずらして行っている。

5-6

POINT
■ 患者の肘を下から支える。

❶ 上掛けをタオルケット、もしくは綿毛布に替え、寝衣のひもを外して、前を開く。まず、輸液ラインの入っていない側の袖を抜く。作業時は患者に声をかけ、協力してもらう。

POINT
■ 汚物やくずは広げないよう、寝衣に丸め込む。
■ 体位変換の際は、背中の下に寝衣があることを患者に話す。「背中の山を越えましょう」などと説明。

❷ 患者に輸液側を下に側臥位をとってもらう。脱いだ寝衣は内側に丸めて、背中の下に入れ込む。側臥位を保持できない場合は2人で介助し、もう1人の介助者が支える。

❸ いったん、仰臥位に戻り、次に輸液側を上にした側臥位をとり、背中にある寝衣を引き出す。この際、背中の状態を観察する。

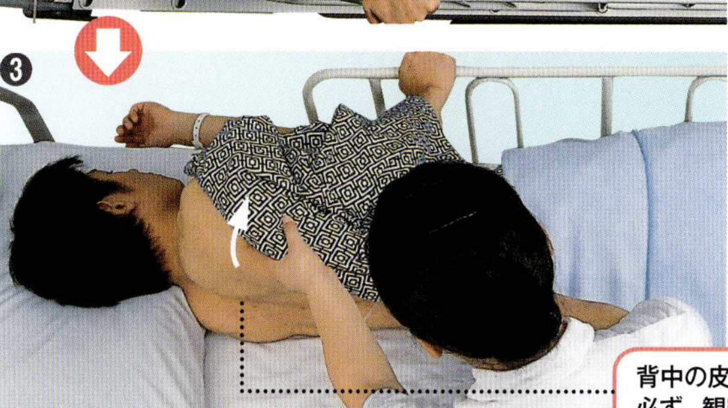

背中の皮膚の状態を必ず、観察

PROCESS 3 輸液バッグを袖から抜く

5-7

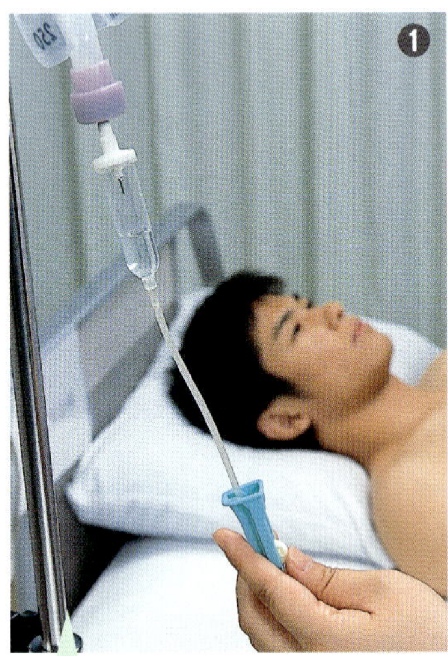

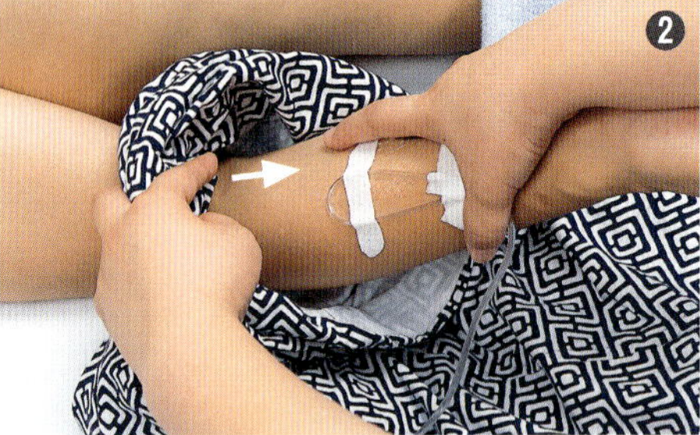

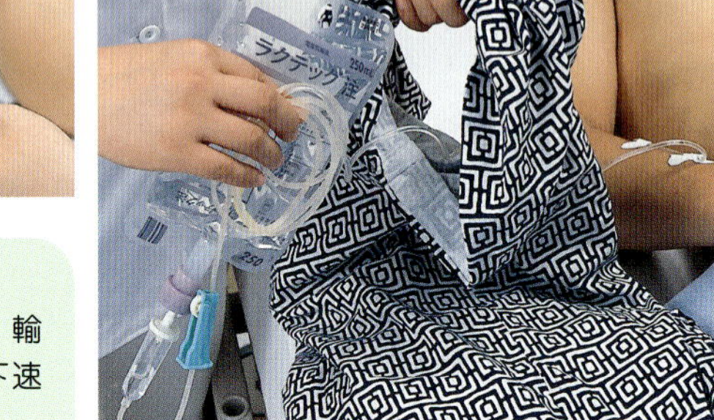

❶ まず点滴をクランプし、輸液の逆流や滴下数の変化を防ぐ。

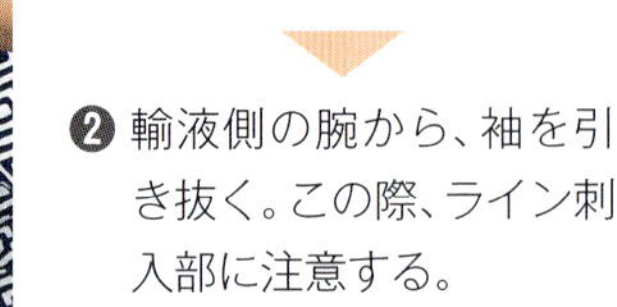

❷ 輸液側の腕から、袖を引き抜く。この際、ライン刺入部に注意する。

❸ 輸液バッグとラインをまとめて持ち、袖をくぐらせる。

EVIDENCE

■ 滴下したまま作業を行うと、輸液バッグを下げた際、滴下速度が変化してしまう。

POINT

■ 輸液バッグは、刺入部より常に高くして、血液の逆流を防ぐ。

PROCESS 4 新しい寝衣を着る

5-8

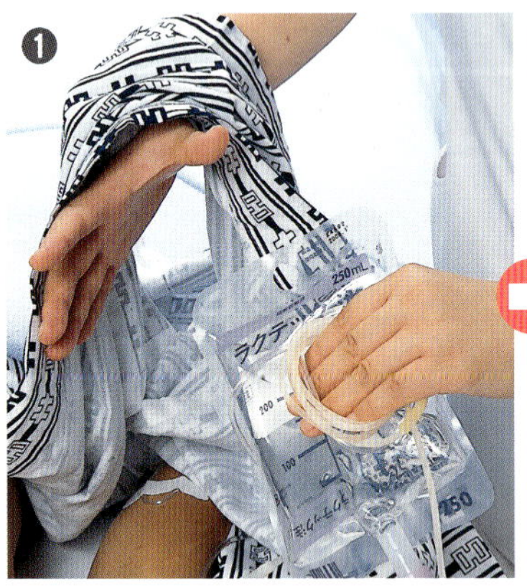

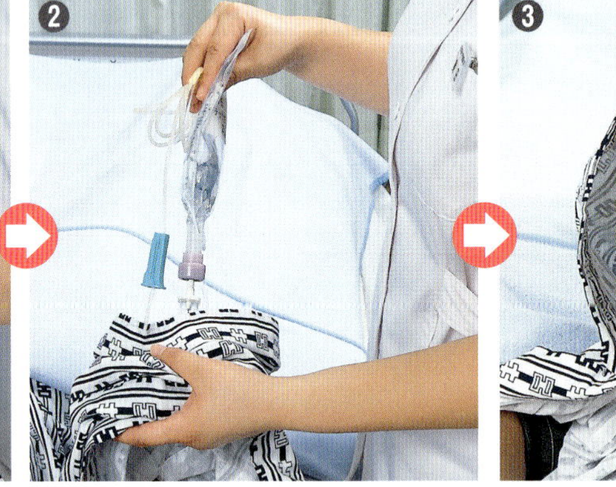

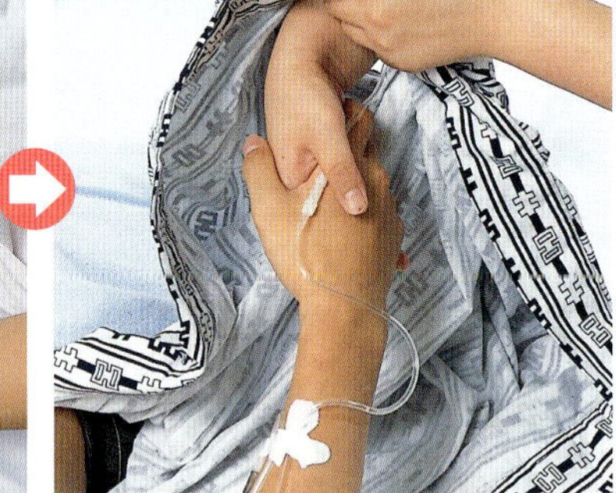

❶❷ 輸液側の袖に、内側から輸液バッグを通す。この際、袖は扇子折にして看護師の手首にかけ、反対側の手で輸液バッグとラインをまとめて持ち、迎え手で把持して、袖をくぐらせる。

❸ 袖に輸液バッグを通した後、輸液側の手を袖に通す。この際、刺入部が袖に引っかからないよう注意。

❹ クレンメを開き、滴下数を調節、点滴を再開する。

輸液側上の側臥位→輸液側下の側臥位→仰臥位と体位変換をしながら、寝衣を着せる。

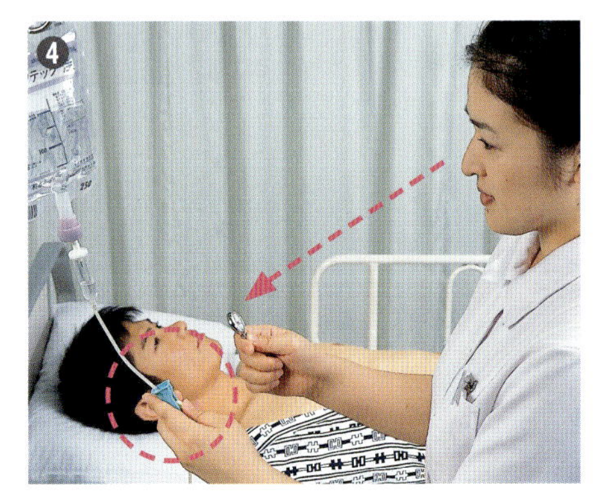

PROCESS 5 終了後の観察

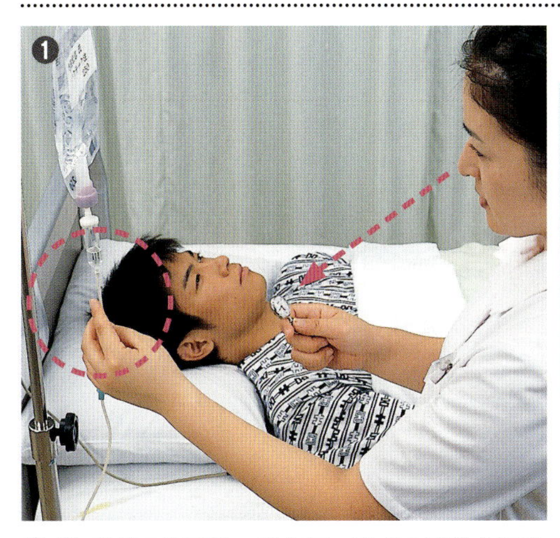

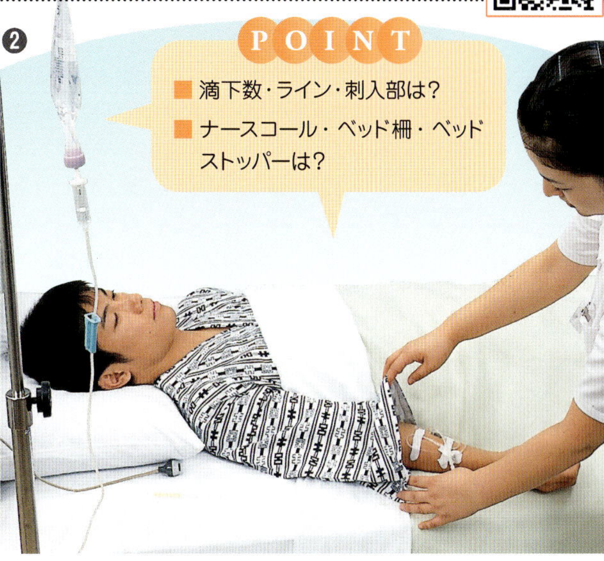

❶❷ 輸液の滴下数、刺入部、患者の状態を観察し、異常のないことを確認する。

援助後に振り返ってみよう!

観 察

- □ 患者の体位は?
- □ 患者の状況は?
- □ 輸液の滴下速度は?
  刺入部は?
  ラインの屈曲は?
  閉塞は?
- □ ナースコールの位置は?
- □ ベッド柵、ストッパーは?

記録・報告

- □ 患者の運動機能の変化
  (できたこと、参加度など)
- □ 全身の皮膚状態
- □ 輸液刺入部の状態

後片付け

- □ 脱いだ寝衣を片付ける
- □ 作業のために動かした物品を元に戻す
  (患者の希望に沿って配置)

覚えておくと、役立ちます!

点滴の一時停止には、ワンタッチクレンメ

寝衣交換の際、点滴を一時的に止める場合は、ワンタッチクレンメを用いるとよい。ローラークレンメによる滴下調整には変更を加えないため、再開した際、滴下数に大きな変化がない。
ただし、動きによる変動はあるため、点滴を再開した際、必ず滴下数を確認する。

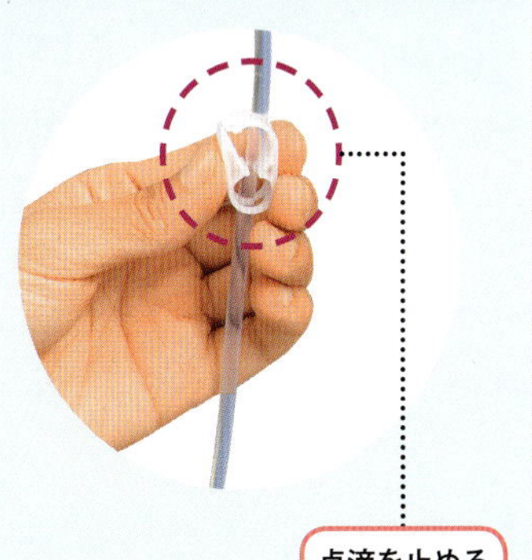

こんな時どうする？

クランプ後、点滴再開を忘れていた!

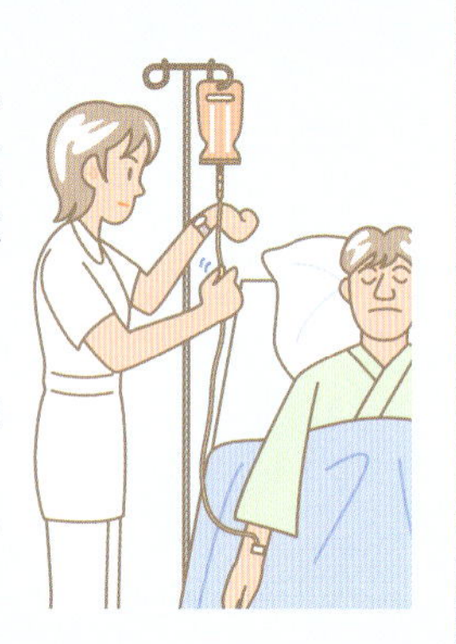

寝衣交換時に点滴をクランプし、その後、再開を忘れていた場合は、気づいた時点で点滴を再開。滴下状態、滴下数を確認する。
クランプを開けても点滴が再開されない場合は、閉塞している可能性がある。
自分で対応できない場合は、無理をせず、速やかに報告する。

寝衣交換後、血液が逆流した!

輸液バッグが刺入部より下になると、血液が逆流することがある。血液逆流の量が少量の場合は、輸液バッグを刺入部より高くすると逆流はなくなる。
逆流が多い場合は、速やかに報告する。
このような事態を避けるため、輸液バッグを寝衣の袖から抜く時、通す時は、いったん点滴をクランプし、着衣が済んだら速やかに再開する。

着衣の際、輸液バッグを通す方向を間違えた!

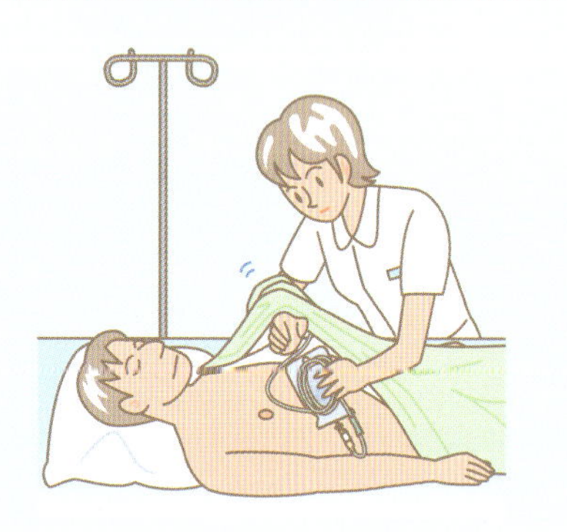

輸液バッグを通す方向を間違えないために、“患者の手の先と輸液バッグが一体になっている”とイメージするとよい。
寝衣を着る際、腕は寝衣の内側から通す。輸液バッグも同じように考えて、着衣時は内側から通すと覚える。
通す方向を間違えた場合は、あわてずに、もう１度輸液バッグを袖から抜き、寝衣の内側から通し直す。
直したつもりでも、輸液ラインが絡まってしまった場合は、無理をしないで助けを求める。

寝衣交換したい患者は、輸液ポンプ使用中!

輸液ポンプの使用中は、輸液ラインをポンプから外して、寝衣交換を行う。
点滴をクランプした後、ポンプからラインを外し、脱衣後、輸液バッグとラインを新しい寝衣の袖に通し、再びポンプに装着。クランプを開け、輸液を再開する。ポンプからラインを外さずに、ラインの接続部を外して袖を通すこともあるが、接続部からの感染のリスクが高まるので、状況によって方法を選択する。
輸液ポンプの取り扱いには知識・技術が必要であるため、看護師と相談して行う。

Google 社短縮 URL サービス終了に伴う
当社書籍 Web 動画の視聴方法に関するご案内

本書掲載の QR コードは、Google 社の短縮 URL サービスを利用して作成しておりますが、Google 社のサービス終了に伴い、**2025 年 8 月 25 日以降は本書籍の QR コードが無効となる見込みです。**皆様には多大なご迷惑をおかけし、誠に申し訳ございません。

本書籍の Web 動画につきましては、弊社ホームページの特設ページより、全動画をご視聴いただけます。下記にアクセスいただきますと、すべてご視聴いただけます。

Web 動画視聴特設ページ　https://www.intermedica.co.jp/video

こちらからご視聴いただけます⇒

※各書籍の「Web 動画の視聴方法」ページ、
および上記特設ページ内に記載されたパスワードを入力してご視聴ください。

ご不明な点がございましたら、弊社販売部までご連絡ください。
今後も皆様のお役に立つ書籍づくりに努めてまいりますので、
引き続きご愛顧賜りますよう何卒よろしくお願い申し上げます。

2025 年 1 月

株式会社インターメディカ　販売部
TEL：03-3234-9559　FAX：03-3239-3066
e-mail: info@intermedica.co.jp

CHAPTER 5

7 入浴の介助

学習のねらい

入浴は身体への負荷も大きく、転倒・転落などの事故も多く発生する援助である。ここでは、入浴が身体に及ぼす影響や、入浴前・入浴中・入浴後の観察や援助のポイントについて学ぶ。

覚えておきたい基礎知識

入浴は、患者の身体を清潔に保つための大切なケアである。一方、呼吸・循環など全身状態への影響がある。特に高齢者では血圧の変動が大きいなど、入浴による身体への負荷に注意が必要である。入浴の身体に与える影響を十分理解したうえで、介助を行う。

入浴による身体への影響

アセスメントと援助のポイント

入浴は身体への影響が大きいため、
入浴前・入浴中・入浴後と患者の状態をアセスメントし、適切な援助を行う。
浴室・脱衣所の温度や設備、器具など、環境を整えることも重要である。

入浴前のアセスメント

- □ 血圧・循環動態、呼吸状態などの変動に注意が必要？
- □ 長期臥床、麻痺や筋力低下などでふらつきがあり、転倒しやすい？
- □ 創部やドレーンは？
- □ 留置針、尿道カテーテルを挿入している？
- □ リハビリテーション直後？　空腹？　食事直後？
- □ 酸素吸入中？

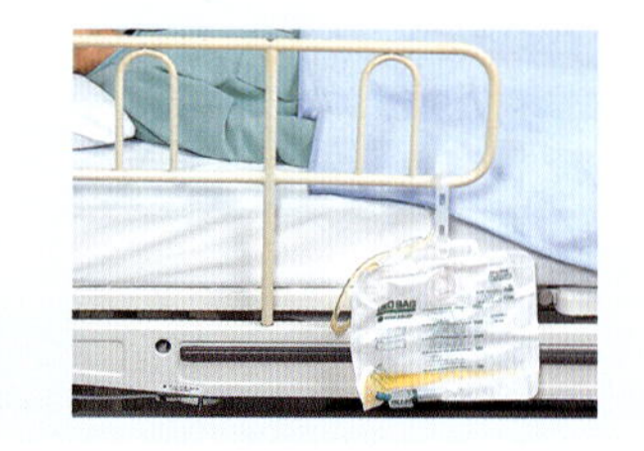

- □ バイタルサイン、全身状態を確認し、入浴可能かどうかを検討する
- □ 介助の必要な部分を患者とともに確認する
- □ 創部、ドレーン、留置針、カテーテルは、フィルムなどで保護あるいは抜去する
- □ 運動、食事の前後30分は時間をおき、循環動態や胃腸の血流量の回復を待つ
- □ 酸素吸入量の確認（労作時の投与指示に変更はないか）

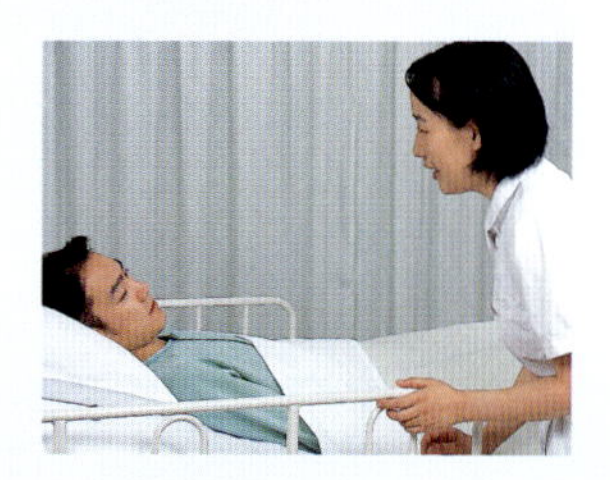

浴室・脱衣所の環境を整える

- □ 浴室と脱衣所との気温差が少なく、暖まっている？
- □ 器具の使用方法を知っている？
- □ ナースコールはある？
- □ 酸素投与可能な設備がある？
- □ 滑りやすいところはない？
- □ 手すりはある？

入浴中の観察とケア

- □ 気分不快はない？
- □ 長湯をしていない？
- □ 背部・腹部・陰部など、普段観察しづらい部位の皮膚の状態は？
- □ ふらつきはない？
- □ 姿勢は保持できている？

- □ 入浴中に患者の様子をうかがい、声をかける
- □ 患者にナースコールの位置を伝える
- □ 着替えなどの準備を整え、洗いにくい部分を手伝う
- □ 手すりの位置を確認しながら、転倒しないように支える

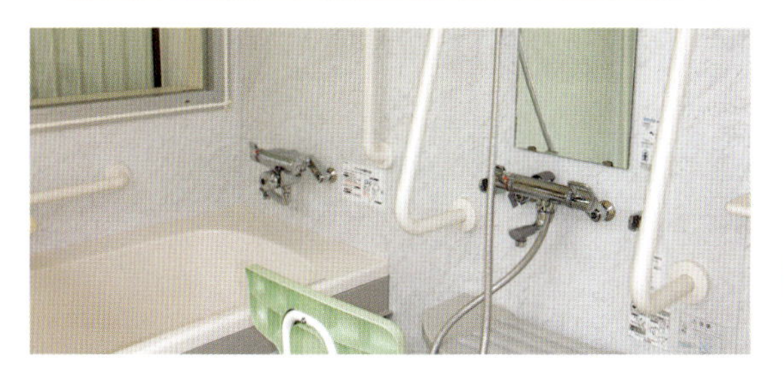

入浴後の観察とケア

- □ 気分不快はない？
- □ 創部やドレーン部位からの出血や滲出液は？
- □ 留置針、尿道カテーテルは抜けていない？
- □ 浴室から病室までは歩ける？

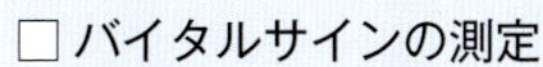

- □ バイタルサインの測定
- □ 創部、ドレーン部位のドレッシングを行う
- □ チューブ、刺入部位の再固定を行う
- □ 入浴は体力を消耗するため、車椅子で病室まで戻る

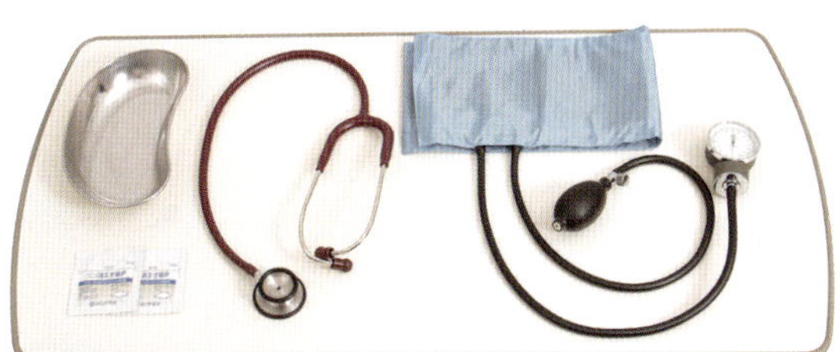

こんな時どうする？

CASE 1 「1人で入浴したい」と言われた！

患者が「1人でゆっくりと入浴したい」と思う気持ちは、もっともである。
転倒のリスクが低い場合には、手すりの場所を患者と確認し、浴室への歩行、脱衣所から浴室、浴槽から洗い場などの移動の時だけ、部分的に介助するなどの方法がある。
なるべく近くに待機し、途中で安全確認の声かけを行う必要がある。

CASE 2 入浴の途中、「疲れたから横になりたい」

患者が疲れやすい場合は、浴槽につかると呼吸・循環への影響も大きいため、途中で様子を見ながらシャワー浴だけにするとよい。
入浴後の疲労感が強い場合は、無理に脱衣所で着替えず、とりあえずバスタオルで全身を覆って車椅子に移り、病室のベッドで休んでからゆっくりと着替えることもできる。
また、洗髪は前かがみの姿勢をとるなど負担が大きいため、入浴と洗髪を一度に行わないなどの工夫をするとよい。入浴時間が長くならないよう気をつけることが大切である。

CHAPTER 6
呼吸・循環を整える技術

到達目標

呼吸・循環を整える技術においては、ケアの実施前・中・後に、呼吸・循環の観察、アセスメントを行うことが重要である。また、使用する機器の注意点を熟知する必要がある。本章では基本的な知識・技術を学習し、呼吸・循環を整える技術を安全・安楽に提供することを目標とする。

C O N T E N T S

CHECKING & ASSESSMENT

患者の状況

- 呼吸状態
- 意識レベル・認知力
- 循環動態
- 麻痺の有無
- 医療機器の装着
- 医療機器の設定（患者に応じた）
- 呼吸・循環に影響する既往歴・現病歴
- 治療による呼吸・循環への影響
- 使用する薬剤
- 不安・心配
- 周囲の環境（電源・中央配管の有無）

援助の必要性・方法をアセスメント

学生の状況

基礎知識

- □ 呼吸・循環の観察ポイント
- □ 医療機器の操作手順
- □ 呼吸・循環に影響する要因

これまでの実施経験・練習

- □ 呼吸・循環を整える技術の見学、学内演習
- □ 関連する医療機器の取り扱いの練習
- □ 受け持ち患者の呼吸・循環を整えるケアの見学、実施

患者へのケア場面

- □ 緊張・遠慮・リラックス
- □ 不安・焦り・時間的余裕

看護師・教員・病棟人員の状況、指導体制

- □ 呼吸・循環を整える技術を指導してくれる指導者
- □ 学生が実施すること、指導者がサポートすることの確認
- □ 患者ケアに必要な人数のスタッフが確保できるか

実習方法を決定

- □ 学生が単独で実施
- □ 看護師・教員の指導の下で実施
- □ 見学を通して学習

CHAPTER 6

1 呼吸・循環のアセスメント

学習のねらい

呼吸・循環のケアの実施前・中・後には、呼吸・循環のアセスメントを行うことが重要である。本項では、呼吸・循環のアセスメントとしてどの技術にも共通して必要とされる観察について学習する。

呼吸・循環状態の観察

呼吸・循環のアセスメントを行うには、呼吸音聴診と胸部の観察、皮膚の観察、呼吸状態の把握が重要である。

肺がしっかり拡張し換気できているか、呼吸数、動脈血酸素飽和度（SpO_2）、息苦しさなどの自覚症状の有無、皮膚の温度・色調などを確認する。

呼吸音の聴診

頸部→肺（上葉→中葉→下葉→側面）の順に、呼吸音を聴診する。また、肺の拡張による胸郭の動きを観察する。

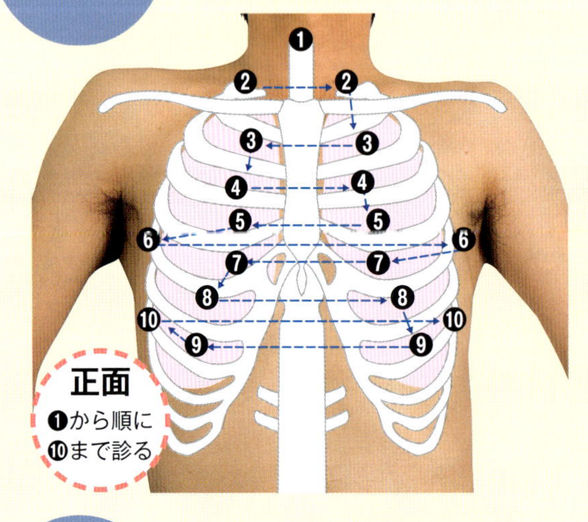

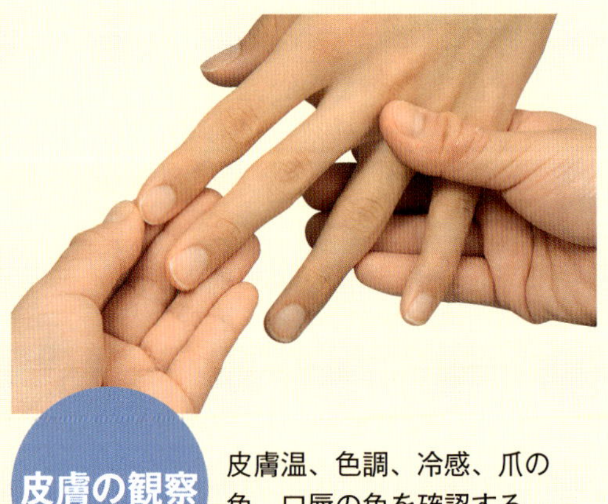

皮膚の観察

皮膚温、色調、冷感、爪の色、口唇の色を確認する。

呼吸状態の把握

呼吸数の観察、パルスオキシメーターによる動脈血酸素飽和度（SpO_2）の測定により、呼吸状態を把握する。SpO_2が95％以下の場合は、低酸素血症が疑われるため、担当看護師に速やかに報告し、対処する。

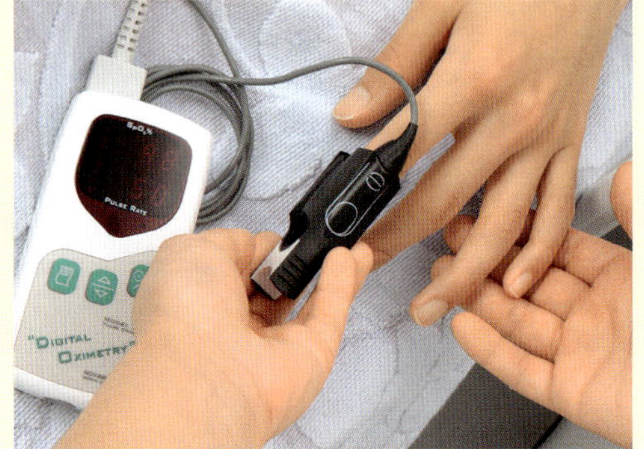

CHAPTER 6

2 酸素吸入療法

学習のねらい

何らかの原因で低酸素状態にある人に酸素を投与することで、呼吸・循環状態の改善を図ることができる。酸素は危険物であり、取り扱いには十分な注意が必要である。本項では、酸素投与の方法と、酸素投与中の患者の観察やケアについて学ぶ。

覚えておきたい基礎知識

酸素吸入を行う際の酸素供給源は、大きく分けて中央配管式と酸素ボンベがある。これらの適切な取り扱い方法や、酸素の性質・危険性を十分理解したうえで、援助を行うことが大切である。

酸素の性質、供給システム

酸素の性質と危険性

- 空気に対する酸素の体積の割合は1/5で、4/5は窒素である。
- 酸素ボンベは、液体空気の中から窒素ガスを取り除き、液体酸素を気化・充填したものである。
- 断熱状態で空気を急激に膨張させると、低い温度で液体の空気がつくれる。
- 酸素には助燃性・爆発性があるため、取り扱いは火気厳禁である。
- 酸素吸入の際は、酸素の吹き出し口に十分注意しなければならない。

空気

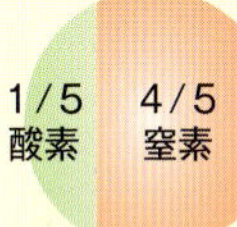

中央配管式

病院内に設置された液体酸素タンクから、気化された酸素が供給される。病室や外来の壁にアウトレットが設置されたり、天井吊下型もある。

アウトレットは接続ミスが起こらないよう、接続面の穴の形状が異なる。

酸素

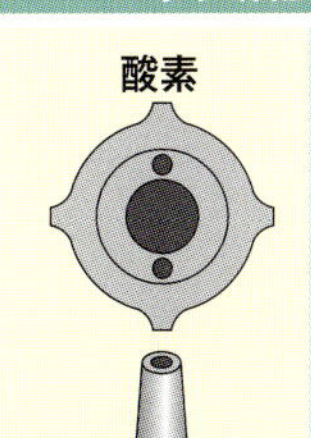

吸引

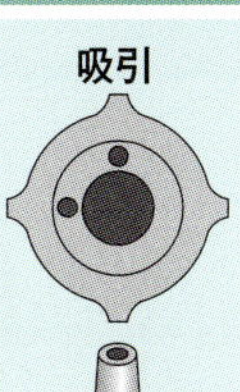

圧縮空気

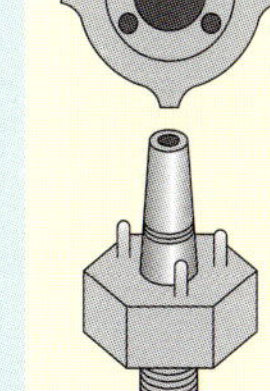

笑気

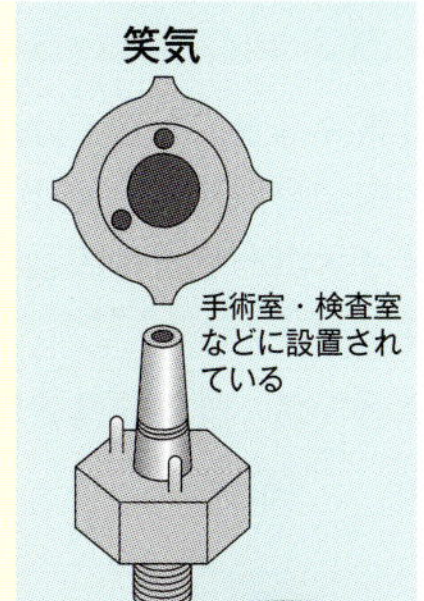

酸素ボンベ

- ボンベは細長く倒れやすいので、使用中・保管中も確実に固定。
- 万一、火災が生じた場合には、直ちに閉じる。
- 酸素ボンベは40℃以下で、直射日光の当たらない場所に保管する。
- ボンベの色は気体の種類によって定められているが、色がはげ落ちている場合もあるため、必ず表示文字を確認する。酸素と二酸化炭素の取り違え事故も報告されている。

● 酸素　● 水素　● 窒素　● 二酸化炭素

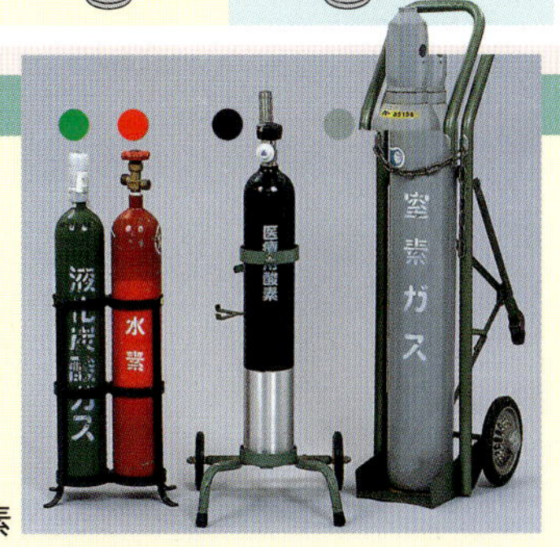

酸素吸入

酸素吸入を行う際は、酸素流量計を中央配管のアウトレットや酸素ボンベにしっかりと接続し、酸素が流れていることを確認する。投与量を正しく設定し、酸素吸入を開始する。

援助する前に確認しよう！

患者の状況

- □ 呼吸状態（呼吸数･深さ･リズム、息苦しさ、チアノーゼなど）は？
- □ 動脈血ガス分析値（PaO_2、$PaCO_2$）は？
- □ 動脈血酸素飽和度（SaO_2、SpO_2）は？
- □ 全身状態は？

周囲の状況

- □ 火気（ガス･たばこ･ライター･ろうそく･線香･灯油･石油など）は？
- □ 器具の破損はない？

あなた自身

- □ 酸素の危険性を理解している？
- □ 酸素の準備をしたことがある？

必要物品を準備しよう！

中央配管式の場合

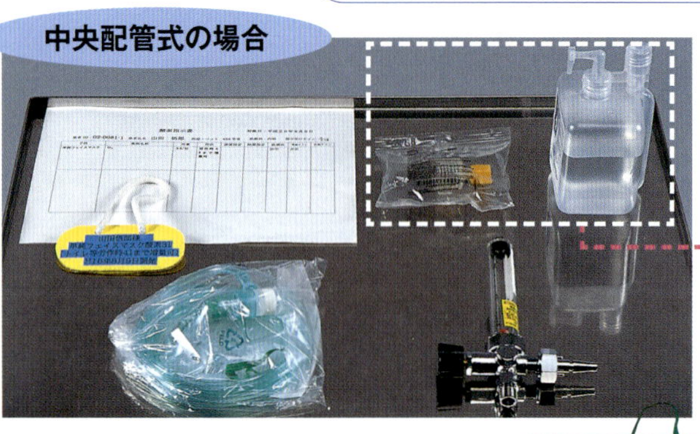

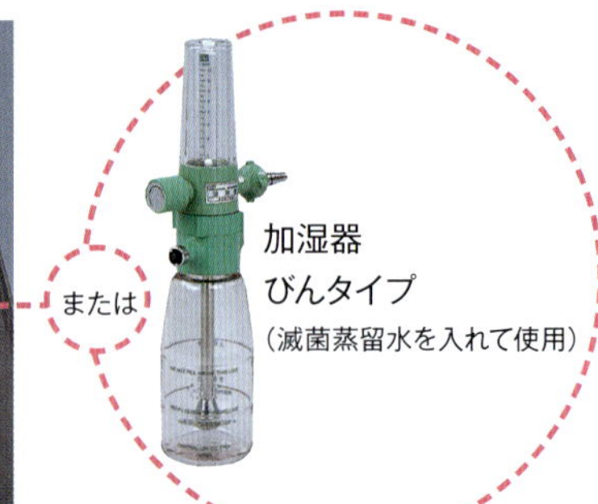

1. 酸素マスク、もしくは鼻カニュラ
2. 中央配管用酸素流量計
3. ディスポーザブル加湿器
4. 指示書
5. 患者氏名・酸素流量表示札
6. テープ（必要時）

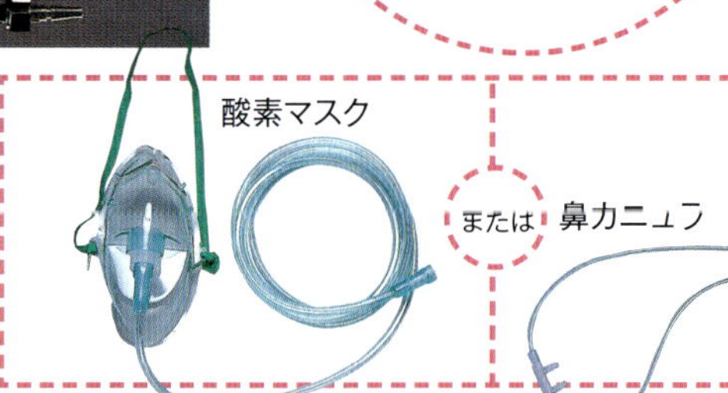

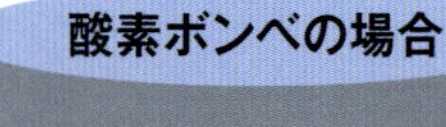

酸素ボンベの場合

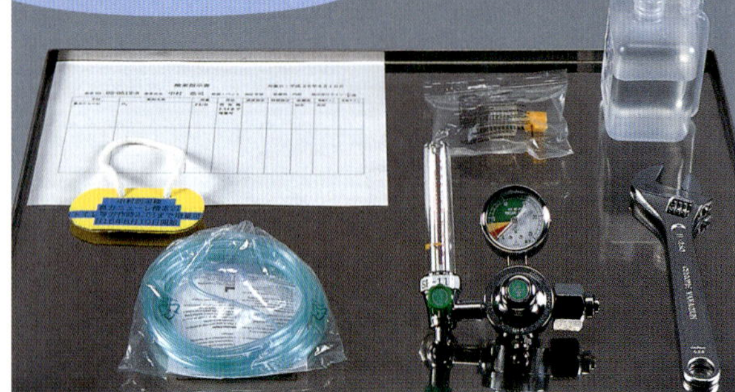

1. 酸素マスク、もしくは鼻カニュラ
2. ボンベ用酸素流量計（圧力計付き）
3. ディスポーザブル加湿器
4. 指示書
5. 患者氏名・酸素流量表示札
6. テープ（必要時）
7. 酸素ボンベ、架台
8. 工具（スパナ）

中央配管式の場合

加湿器を取り付けた酸素流量計を中央配管の酸素アウトレットに接続し、
酸素吸入を行う。

PROCESS 1 酸素流量計・加湿器の取り付け

POINT

■右の写真のような加湿びんを用いる場合は、滅菌蒸留水を注入してから、酸素流量計を接続する。

POINT

■カチッという音がするまで差し込む。
■緩み、ぐらつきがないか確認。

❶ 加湿器と酸素流量計を接続する。コネクターを回してしっかりと固定する。

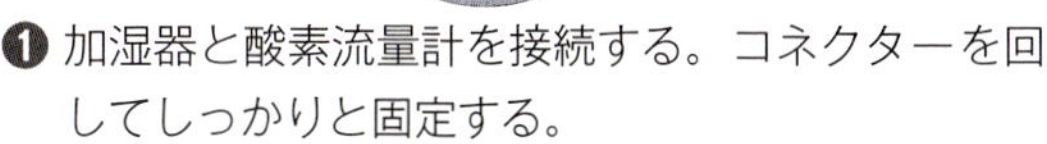

❷ 中央配管の酸素のアウトレットを確認し、栓を外す。酸素流量計を酸素のアウトレットに接続する。

PROCESS 2 酸素吸入の開始

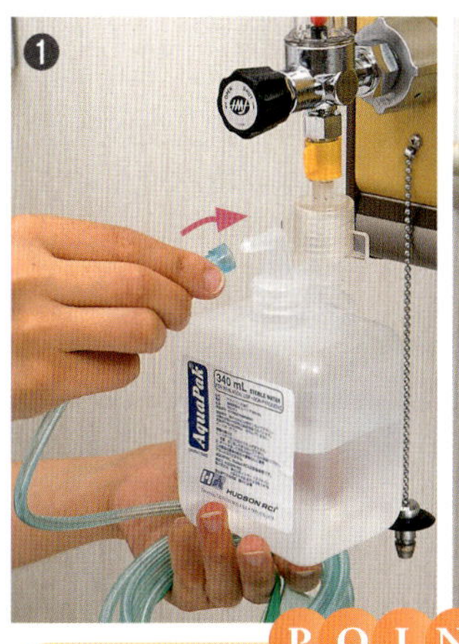

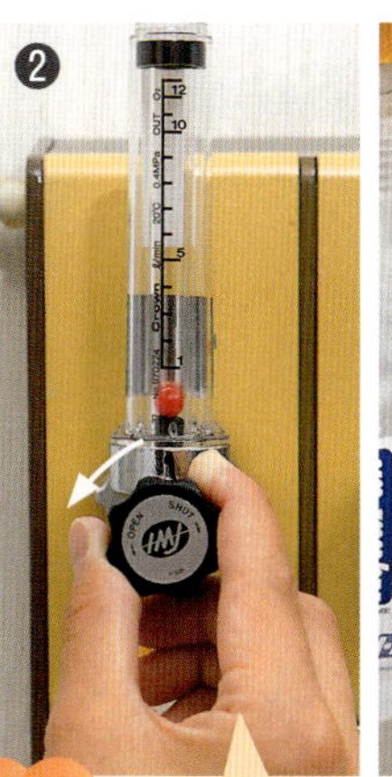

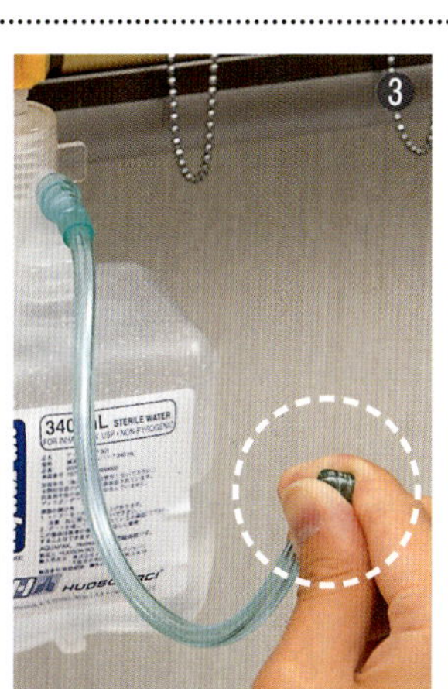

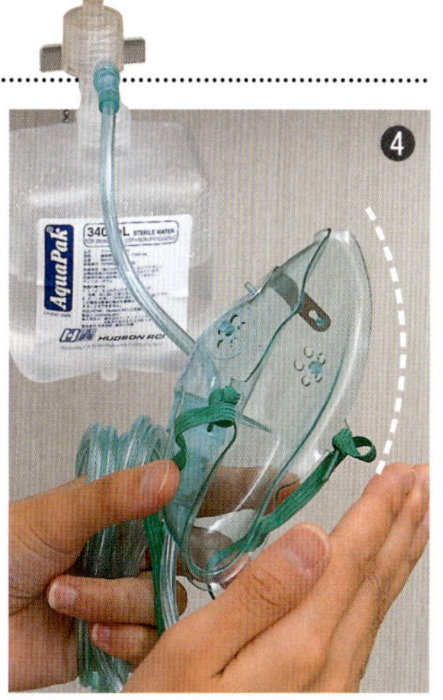

POINT

■浮子が動くこと、加湿器内に水泡が出ていることを確認。
■目盛りは、浮子のトップ、センター、アンダーの3種類の表示があるため確認する。
■明るい所で目線と浮子の高さを合わせて確認する。深夜、暗い病室で誤って酸素流量を操作したミスが生じている。

❶ 酸素チューブを加湿器に接続する。

❷ 酸素流量計のつまみを回し、流量を正確に設定する。

❸ チューブを屈曲させ、離した時の「プシュッ」という音で酸素が出ていることを確認。

❹ 酸素マスク、あるいは鼻カニュラの先端に湿らせた指をかざし、酸素の流れを確認する。

援助後に振り返ってみよう！

観察	記録・報告
□ 周囲に火気はない？	□ 酸素吸入方法、投与量
□ 投与後の呼吸状態の変化は？	□ 呼吸状態
□ 酸素チューブの屈曲、接続の緩みは？　長さは十分？	

酸素ボンベの場合

酸素ボンベは原則として、未使用のものを用いる。
開始前にバルブが閉じていることを確認、ボンベの色（黒）、表示ラベルにより酸素であることを確認し、架台に立てて使用する。

PROCESS 1 酸素流量計・加湿器の取り付け

❶ 酸素流量計を酸素ボンベに接続する。

❷ 酸素流量計とボンベの接続部をスパナで堅く締める。

POINT

- 酸素流量計は、地面に対して垂直となるよう固定する。ストレッチャーなどにボンベを斜めに固定する場合は、特に注意。

❸ 酸素流量計のつまみが閉じていることを確認したうえで、酸素ボンベのバルブを「全開」まで開ける。圧力計の目盛りを読み、酸素が充填されていることを確認する。

POINT

- 圧力計の目盛りが10～14.7MPa（100～150kg/cm²）であることを確認。
- 5MPa（50kg/cm²）以下、もしくはボンベ残量が使用患者の酸素流量で残り30分になった場合は取り替え。

PROCESS 2 酸素吸入の開始

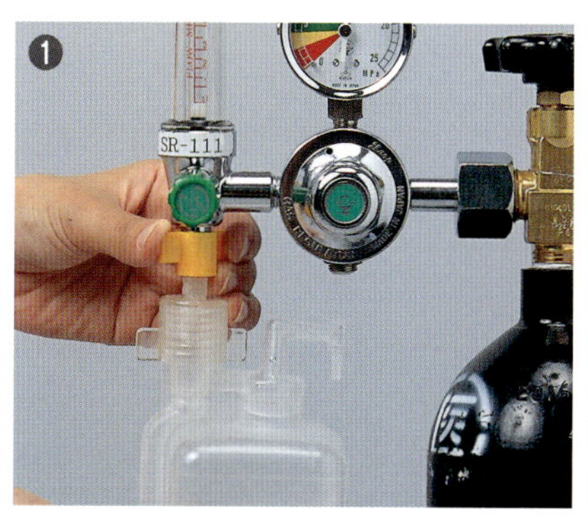

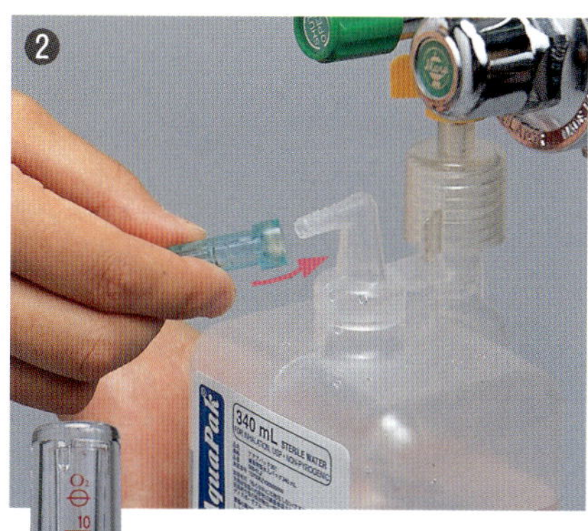

❶ ディスポーザブル加湿器に、コネクターを取り付け、酸素流量計に接続する。

❷ ディスポーザブル加湿器の酸素チューブとの接続口を折り、酸素チューブをしっかり接続する。

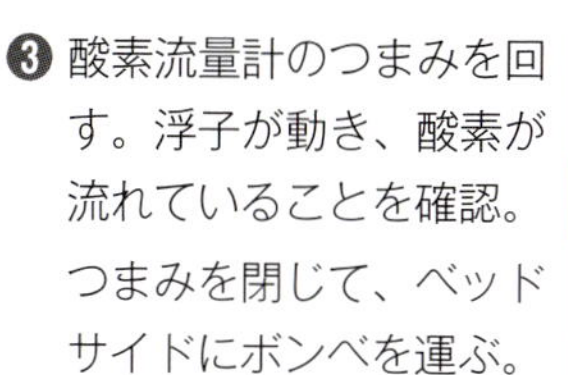

❸ 酸素流量計のつまみを回す。浮子が動き、酸素が流れていることを確認。

つまみを閉じて、ベッドサイドにボンベを運ぶ。

❹ 酸素ボンベの「充瓶」札を切り取り、「酸素使用中」の札にする。

❺ 酸素吸入中は、呼吸状態・全身状態を観察する。

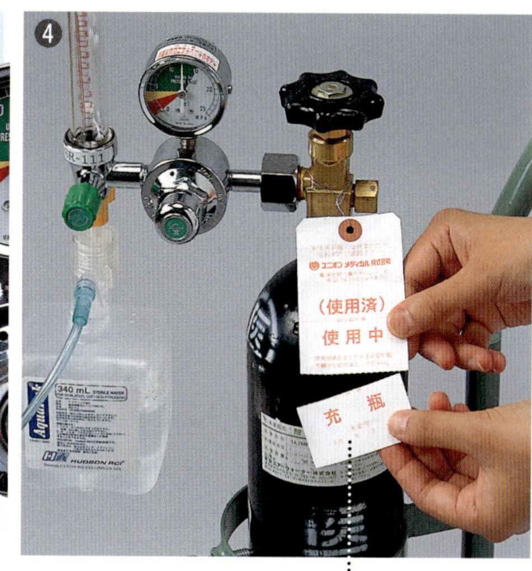

PROCESS 3 酸素吸入の終了

POINT

■ バルブを閉じた後、酸素流量計との接続部分に残留している酸素が出てしまってから酸素流量計を閉じる。

❶❷ 酸素ボンベのバルブを締め、酸素マスク、あるいは鼻カニュラを外す。圧力計が0になったのを確認し、酸素流量計のつまみをOFFにする。

中止日時を記録し、患者の顔を拭く。ボンベから酸素流量計を外し、使用物品を片付ける。

援助後に振り返ってみよう！

観察

- □ボンベは安定した場所に設置されている？
- □周囲に火気はない？
- □投与後の呼吸状態の変化は？
- □酸素残量は十分？
- □酸素チューブの屈曲、接続の緩みは？長さは十分？

記録・報告

- □酸素吸入方法、投与量
- □呼吸状態

後片付け

- □取り替えた空（から）の酸素ボンベを片付ける

こんな時どうする？

CASE 1 移動中に、酸素ボンベの残量がなくなった!

検査を受ける場合など、予定より時間が長引き、酸素ボンベの残量が少なくなってしまうことがある。

病院内なら、中央配管式酸素アウトレットがある場所に移動し、酸素投与を継続して検査を受ける。病室へ移動したら充填した酸素ボンベに付け替える作業を行う。

施設外の場合には、速やかに替えの酸素ボンベを用意する。酸素ボンベの残量を確認し、何時間くらい使用可能かを計算しておくとよい。

酸素ボンベの残量は、圧力計の値（最高充填圧が20℃で150kg/cm²）とボンベの容量から計算できる。使用可能時間の概算は、次の計算式で求められる。

酸素ボンベの残量と使用可能時間

残量（L）＝残圧（kg/cm²）÷150kg/cm²×ボンベ容量（L）
＝残圧（MPa）÷14.7×ボンベ容量（L）

残りの使用可能時間（分）＝ 残量（L）÷使用流量（L/分）

（例）500Lボンベで80kg/cm²の圧表示の場合

80÷150×500 ＝**267L**の酸素が残留し、

6L/分で酸素を投与している場合、

267÷6＝ **44.5分**となる。

CASE 2 加湿されずに酸素が投与されている!

米国の学会が提示するガイドラインの中には「4L/分以下の酸素流量の場合、加湿の有効性を示すエビデンスがない」とされている。

日本でも加湿は必要ないとの考え方がみられるが、明確な基準は示されていないのが現状である。

酸素吸入療法を受けている人へのケア

酸素吸入療法を行う場合は、酸素吸入の目的と吸入方法・種類を理解し、観察・ケアを行い、安全に正しく実施することが重要である。

酸素吸入療法の目的・目標

酸素吸入療法の目的

- 動脈血中の酸素が不足すると、低酸素血症を起こす。酸素の供給が不十分になると細胞のエネルギー代謝が障害されるため、それらを治療・予防する。

酸素吸入療法の目安

- 動脈血酸素分圧(PaO_2)≦60mmHg あるいは動脈血酸素飽和度(SpO_2)≦90%

＊SpO_2が90％以下、PaO_2が60mmHg以下になると、酸素解離曲線のカーブが急激に低下するため、酸素吸入療法開始の目安とされる。

- 中心性チアノーゼがある場合
- 低酸素血症の有無にかかわらず、重症外傷、急性心筋梗塞、麻酔後、手術などの場合

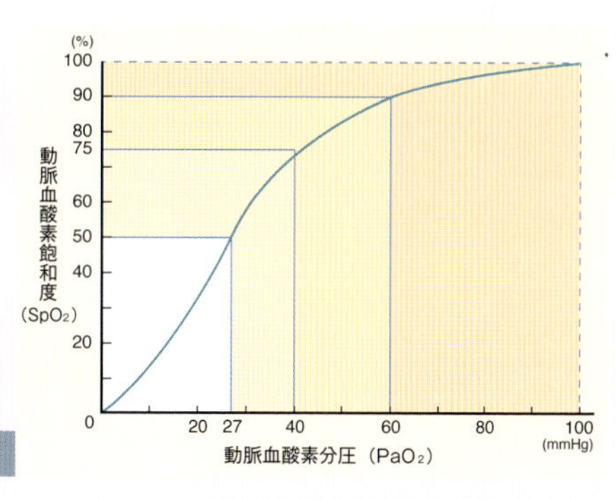

酸素解離曲線

目標となる動脈血酸素分圧

- 慢性呼吸不全の場合：60～65mmHg
- 急性呼吸不全の場合：80mmHg以上

酸素吸入中の観察・ケア

呼吸状態・全身状態

- 表情
- 呼吸数、呼吸の深さ、呼吸困難感の有無、呼吸音など
- 血圧・脈拍
- 末梢血酸素飽和度
- 意識レベル

鼻腔・口腔・口唇の乾燥

- 酸素マスク使用中は口唇・口腔が乾燥しやすいため、リップクリームなどを塗布、うがいを行う。

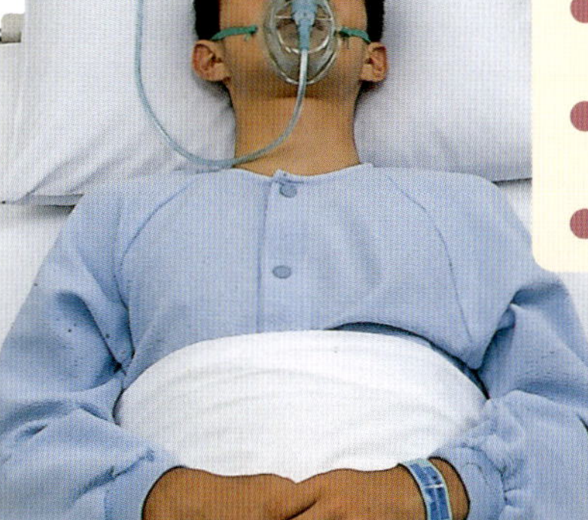

酸素チューブ接続部の緩み、外れ、閉塞

- 訪室ごと、ケアの実施前後に酸素ライン全体を点検。
- ポータブルトイレへの移動時など、チューブの長さが十分あることを確認。
- チューブの閉塞がないことを確認。

酸素流量

- 酸素流量は訪室ごと労作時前後、ケア実施前後に必ず、確認。
- 患者・家族、ほかの看護師にも酸素流量がわかるよう、札をかけておくとよい。

マスク・カニュラの圧迫による皮膚障害

- 1日1回は皮膚を清拭し、定期的にテープの位置を変える。

酸素マスク・鼻カニュラの清潔

- 痰や唾液、鼻汁で汚染されやすいため、適宜清掃する。

加湿器交換

- 加湿びんを使用する場合は、滅菌蒸留水の追加注入は行わない。

酸素吸入法の種類と特徴

低流量システム

100%酸素を吸気流量より少ない流量で投与する。
鼻カニュラ、単純顔マスク、リザーバー付き酸素マスクなどの種類がある。

種　類	適　応	特徴・注意点
鼻カニュラ	4L/分までの酸素投与	手軽に装着可能で不快感が少ない。 口呼吸・鼻茸・鼻汁・鼻閉塞時は効果がない。 先端が鼻腔内に留置されるため、短期間に交換する必要がある。 4L/分以上では鼻腔が乾燥し、不快感が増す。
単純顔マスク（フェイスマスク）	5L/分以上の酸素投与	マスクと顔面の隙間が大きい場合、吸入酸素濃度が低下する。 CO_2が蓄積しやすいため、5L/分以上の酸素流量が必要。 顔面を覆うため、不快感がある。
リザーバー付き酸素マスク	50％以上の高濃度の酸素投与	呼気をリザーバー内に貯留し、吸気時に吸入することにより、高濃度の酸素吸入が可能。ただし、正確な酸素濃度は規定できない。 酸素流量が少ない場合には、CO_2の再吸入が起こる。 食事や会話を妨げる。

高流量システム

吸気流量を上回る流量で投与する。
ベンチュリーマスク、ネブライザー機能付き装置などの種類がある。

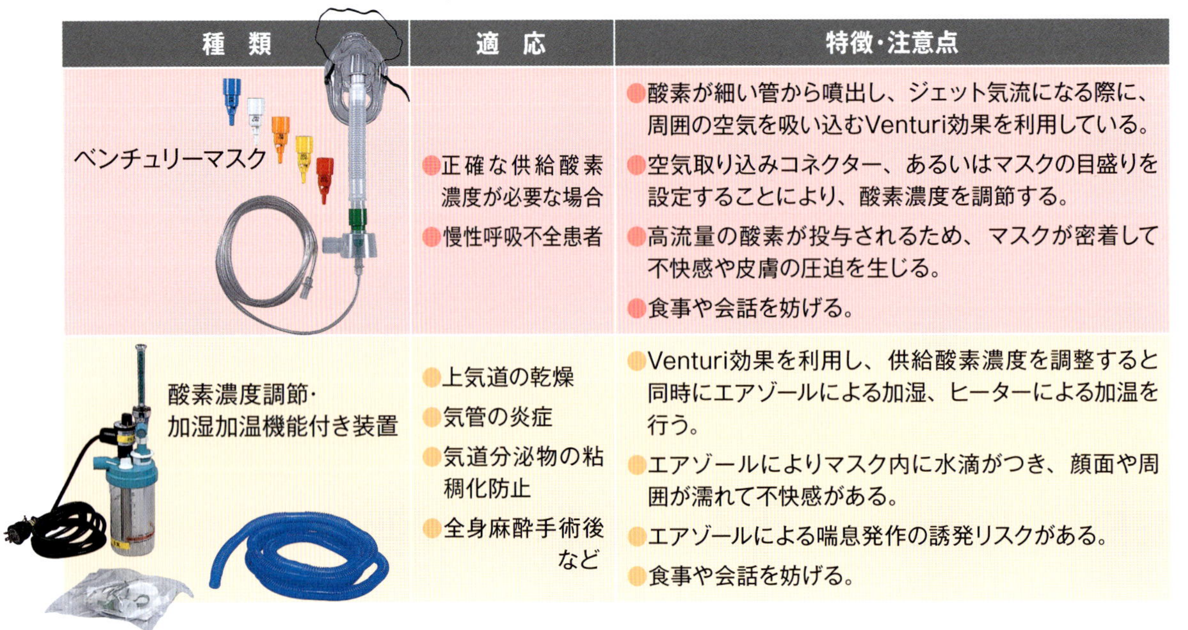

種　類	適　応	特徴・注意点
ベンチュリーマスク	正確な供給酸素濃度が必要な場合 慢性呼吸不全患者	酸素が細い管から噴出し、ジェット気流になる際に、周囲の空気を吸い込むVenturi効果を利用している。 空気取り込みコネクター、あるいはマスクの目盛りを設定することにより、酸素濃度を調節する。 高流量の酸素が投与されるため、マスクが密着して不快感や皮膚の圧迫を生じる。 食事や会話を妨げる。
酸素濃度調節・加湿加温機能付き装置	上気道の乾燥 気管の炎症 気道分泌物の粘稠化防止 全身麻酔手術後など	Venturi効果を利用し、供給酸素濃度を調整すると同時にエアゾールによる加湿、ヒーターによる加温を行う。 エアゾールによりマスク内に水滴がつき、顔面や周囲が濡れて不快感がある。 エアゾールによる喘息発作の誘発リスクがある。 食事や会話を妨げる。

＊ 伊関 憲, 田勢長一郎：酸素吸入装置と使い分け. 酸素濃度と酸素流量. 呼吸管理 専門医にきく最新の臨床, 中外医学社, 2003, p61－66をもとに作成

酸素吸入による合併症と予防

合併症	病態生理	症状／予防・治療
CO_2ナルコーシス	●肺胞換気量の低下により高二酸化炭素血症、呼吸性アシドーシスとなり、中枢神経の異常が生じ、意識障害を起こした状態。 ●慢性呼吸不全患者（Ⅱ型呼吸不全で、$PaCO_2$が上昇するタイプ）に比較的高濃度の酸素療法を行うと、$PaCO_2$がさらに上昇し、意識障害が出現する。 ●$PaCO_2$の上昇により脳脊髄液中のpHが低下し、意識障害をきたす。	主症状：意識障害／呼吸性アシドーシス／自発呼吸の減弱 初期症状：呼吸促迫／頻脈／発汗／頭痛／羽ばたき振戦 進行症状：傾眠／昏睡／縮瞳／乳頭浮腫 【予防・治療】 ●酸素は低流量から開始。目標は酸素飽和度90％。 ●動脈血ガス分析結果をモニタリング。 ●$PaCO_2$が改善されず、呼吸状態が悪化する場合は非侵襲的陽圧換気(NPPV)の適用を考慮する。
酸素中毒	●高濃度酸素療法により、肺胞上皮細胞や血管内皮細胞が傷害されて生じる肺障害。 ●吸入気酸素分圧がより高く、吸入時間が長いほど障害は高度となる。	主症状：気管・気管支炎症状／胸骨下の疼痛／肺活量の低下／肺拡散能の低下 【予防・治療】 ●早期に100％酸素吸入から離脱する。

こんな時どうする？

CASE 1 「少しだけ、鼻カニュラを外したい」と言われた！

顔を拭いたり、着替えを行うなど、日常生活のさまざまな場面で、チューブ類は煩わしいものである。しかし、着替え時に座位になったりすることで、臥床時よりも労作量が増え、息苦しさが増強する場合があるため、酸素吸入をすることは重要である。

患者が鼻カニュラを外したいと希望する場合は、主治医に確認をとったうえで、経皮的に酸素飽和度を測定しながら呼吸状態を観察し、ケアを進めていくとよい。

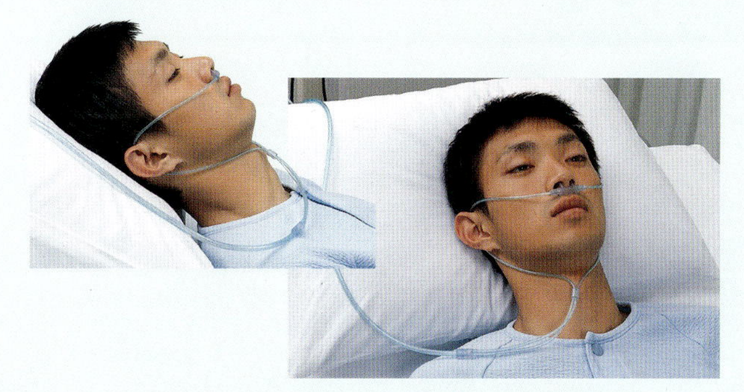

CASE 2 「たばこを吸いに行きたい」と言われた！

酸素ボンベを携行したまま、たばこなどの火気に近付くと、引火して酸素が爆発する危険がある。酸素吸入中は、病室・屋外にかかわらず火気厳禁である。

たばこのほかに、ライター・マッチ・ストーブ・カセットコンロの裸火なども引火の危険がある。

【参考文献】1)加藤湖月ほか(2003). 低流量酸素吸入時の加湿に関する検討. 岡山大学医学部保健学科紀要14(1)：85－94.

CHAPTER 6

3 気道加湿法（ネブライザー）

学習のねらい

気道加湿法は圧縮空気のジェット気流により、薬液などをエアゾール(噴霧状の微粒子)にして上気道から吸い込み、粘膜から薬を作用させたり、気道の加湿を行う。
本項では薬液吸入の仕組み、超音波ネブライザーを用いた吸入の方法と管理を学ぶ。

覚えておきたい基礎知識

気道を加湿して分泌物を出しやすくする場合や、気道内に直接、去痰溶解薬や気管支拡張薬などを投与する場合に、気道加湿法が行われる。
エアゾールを発生させる噴霧装置(ネブライザー)には、代表的なものとして加圧式ジェットネブライザー、超音波ネブライザーがあり、各々エアゾール発生の仕組みと微粒子の大きさが異なる。

エアゾールの気道内沈着と噴霧装置

加圧式ジェットネブライザー

①コンプレッサーから送られてきた圧縮空気は、内部の管が非常に細いため、速い速度で出てくる。
②薬液は垂直の管を上昇し、圧縮空気のジェット気流によってエアゾールを発生する。 発生するエアゾールの大きさは5～15μmといわれる。

超音波ネブライザー

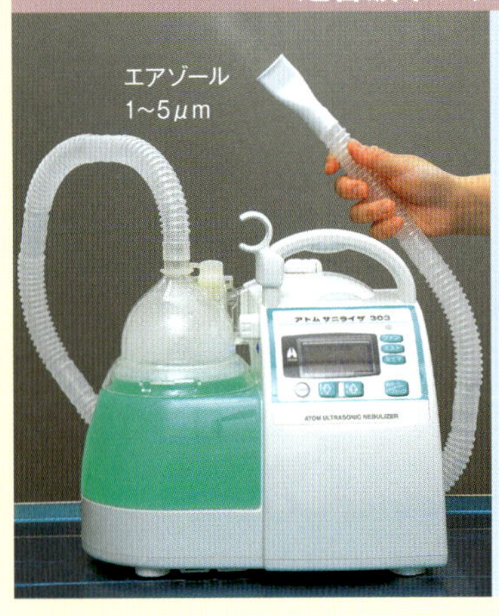

①超音波発振器が、それに接続している振動子を振動させる。
②その振動が、水槽内の水を介してダイヤフラムと呼ばれる超音波振動膜に伝わる。
③ダイヤフラムは50～200万回/秒、振動する。これにより薬筒内の薬物や蒸留水を均一な細かい粒子にする。

＊ジェットネブライザーより超音波ネブライザーのほうが、小さい粒子を発生させる（1～5μm）。薬剤の種類によっては、超音波により薬理作用が変化する場合もあるため、注意する。
＊ブロムヘキシン塩酸塩、アセチルシステインなど去痰薬（粘液溶解薬）は、超音波ネブライザーには適さない。

定量噴霧式吸入器

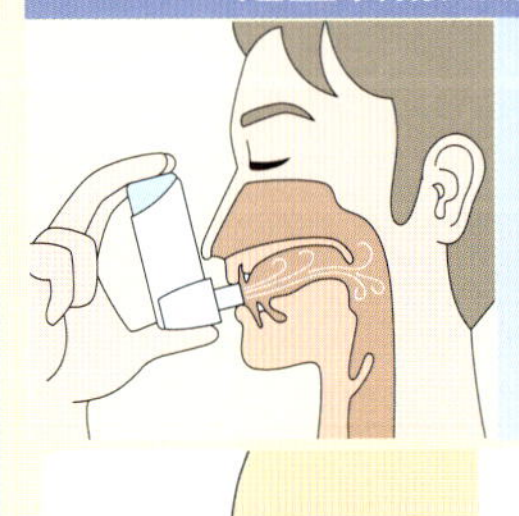

1回ごとに加圧することにより、一定量の薬液をエアゾール化する。
ハンドネブライザーとも呼ばれ、持ち運びに便利である。

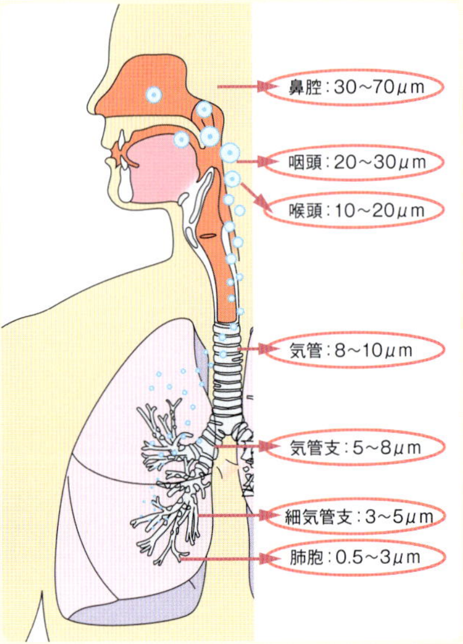

超音波ネブライザーを用いた吸入

超音波ネブライザーに滅菌蒸留水・薬液を正しく注入し、噴霧量を設定する。吸入時は呼吸法を指導し、呼吸状態・全身状態を観察する。

援助する前に確認しよう！

患者の状況

- □ 呼吸状態（呼吸数・深さ・リズム、息苦しさ、チアノーゼなど）は？
- □ 痰の量や性状は？
- □ 動脈血酸素飽和度（SpO_2）は？
- □ 食事の直前あるいは直後？
- □ 座位になれる？

周囲の状況

- □ 電源はある？
- □ 器具の破損はない？

あなた自身

- □ ネブライザーの操作方法を理解している？
- □ 薬剤の使用目的・副作用を理解している？

必要物品を準備しよう！

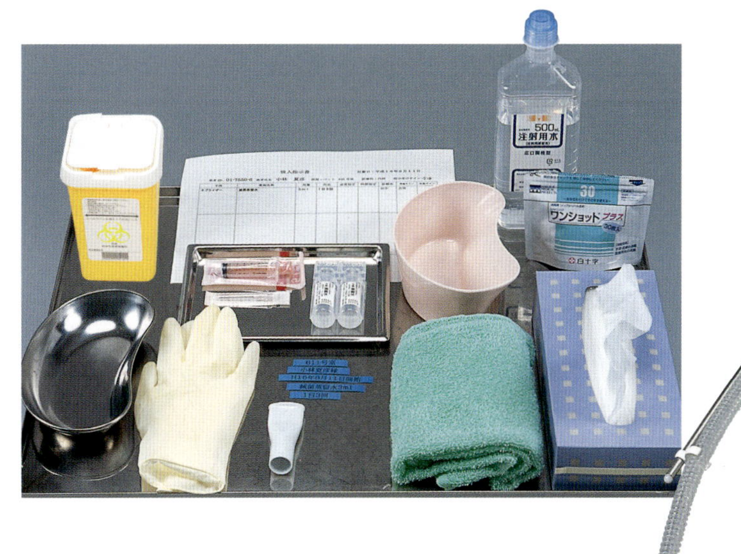

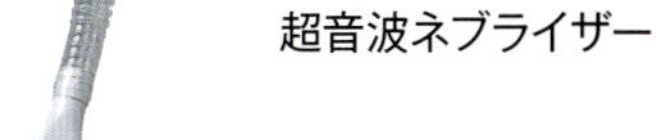

超音波ネブライザー

❶ ネブライザー機器
❷ 薬剤（色付きシリンジに吸い上げておく）
❸ 指示書
❹ 針捨容器／膿盆／ガーグルベースン
❺ 器械・患者氏名・薬剤名のラベル
❻ アルコール綿／トレー／手袋
❼ 滅菌蒸留水
❽ ネブライザー用マウスピース、またはマスク
❾ タオル
❿ ティッシュペーパー

POINT

■ 蛇腹チューブの先端はネブライザー用マスク、もしくはマウスピースと接続する。

ネブライザー用マスク

PROCESS 1 機器・薬液の準備、患者への説明

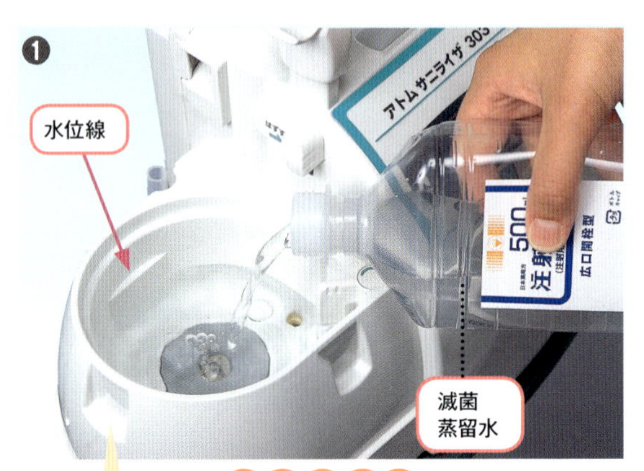

POINT

- 滅菌蒸留水が水位線より少ないと、超音波振動を吸収できず、霧化せずに器械の破損原因にもなる。
- 水道水を使用すると不純物が多いため、器械の故障原因となる。

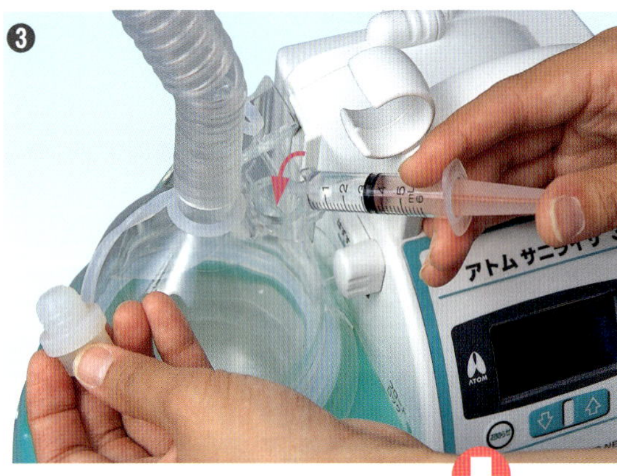

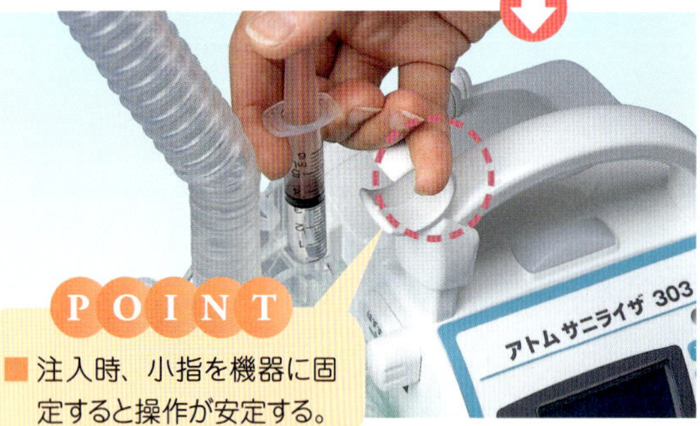

POINT

- 注入時、小指を機器に固定すると操作が安定する。

POINT

- 噴霧量が多すぎるとむせてしまい、効果的に吸入されない。刺激で咳嗽や喘息発作が誘発されることもある。
- 噴霧量が多いほど効果が大きいわけではないことを、患者に説明する。

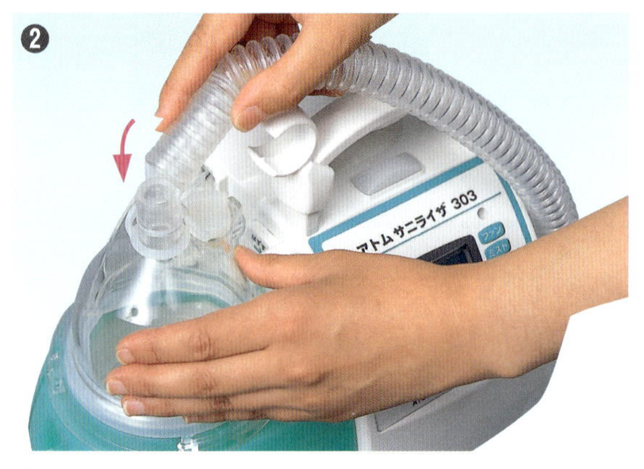

❶ 石けんで手を洗い、準備した薬剤·指示書（患者氏名·部屋番号・薬品名・1回量・投与経路・投与日時）を再確認する。

▼

ホルダー固定レバーを押して、噴霧槽・ファンカバーを取り外す。作用水槽に滅菌蒸留水を水位線まで注ぐ。

▼

❷ 薬液カップにつぶれや傷、破れがないことを確認し、薬液カップを装着する。薬液カップのフランジ部分に、カップパッキンを差し込み、装着する。
噴霧槽・ファンカバーをセットし、ホルダー固定レバーを押してしっかり固定する。
蛇腹チューブを送風口に差し込んで、接続。先端にはマウスピース、もしくはネブライザー用マスクを接続する。

▼

❸ 薬液注入口のキャップをとり、指示された薬剤を薬液槽に注入する。その際、清潔操作に注意する。

▼

電源コードをコンセントに差し込み、電源スイッチを入れて作動確認を行い、スタートボタンを押す。

▼

❹ 作動状況を確認し、ファンで風量、ミストで噴霧量、タイマーで時間を設定する。
①ファン/ミスト/タイマーを押す。②調節ボタンで設定するという手順で行う。

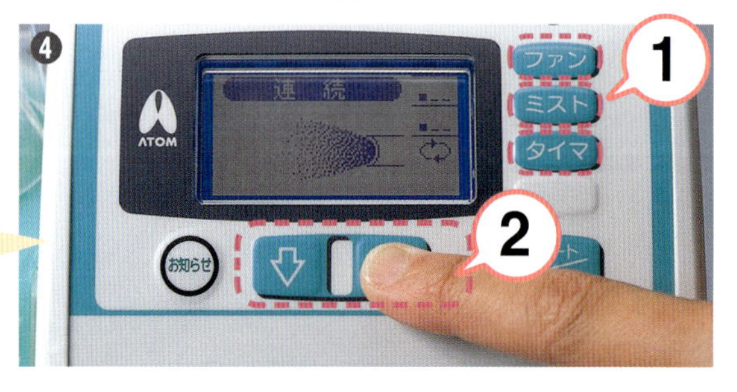

PROCESS 2 薬液吸入中の観察・管理

❶ 患者の氏名を確認する。患者とともに指示書とネームバンド、ベッドネームを確認する。

❷ 患者に、吸入中の体位・呼吸方法を説明する。呼吸方法は数回、一緒に行ってみる。必要時、痰の喀出方法についても説明し、練習する。

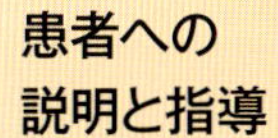

- 吸入の実施は、食事の直前・直後を避ける。薬剤による嘔気や味覚の変化が生じやすい。
- 吸入中の体位・呼吸方法、必要時には痰の喀出方法も説明する。
- 吸入中は、起座位・ファウラー位など、上半身を起こした体位とする。
- 意識がない患者は側臥位とし、吸入中の誤嚥を防止する。
- 横隔膜を下げ、胸郭が広がるような体位を選択する。
- 肩に力が入り、緊張状態になると胸郭も広がらないため、リラックスしてもらい腹式呼吸を指導。

❸ 体位を整え、襟元にタオルをかける。ガーグルベースンを渡し、口腔内に貯留した薬液は飲み込まずに、吐き出すよう説明する。

❹ 吸入器の電源を入れ、マスクを装着、またはマウスピースをくわえてもらう。風量・噴霧量・時間を設定して、吸入を開始する。

❺ 必要時、声をかけながら呼吸方法を誘導する。吸入中は、呼吸状態・全身状態を観察する。

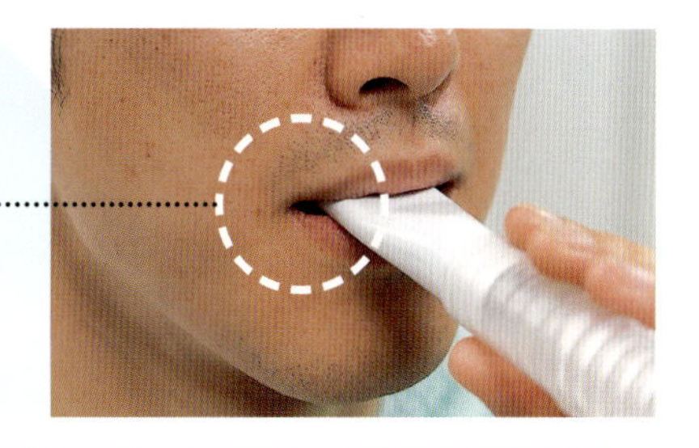

POINT

呼吸状態・全身状態の観察が大切

- エアゾールによって寝衣が濡れやすいため、襟元にタオルをかける。
- マウスピースを使用する場合は、口を半開きにし、呼吸しやすいようにする。
- 薬剤の処方に応じて吸入時間を設定する。
- 口腔内に貯留した薬液は、飲み込まずに吐き出す。薬液が消化管から吸収されると、嘔気・嘔吐・全身作用が発現する場合がある。
- 観察事項：呼吸状態→咳嗽・呼吸困難・痰がらみなど
  循環状態→冷汗・チアノーゼ・気分不快など
  消化器症状→嘔吐・嘔気など
- 呼吸困難や気分不快が生じたら、すぐに知らせるように説明する。

EVIDENCE

呼吸状態・全身状態の観察が大切

- エアゾール吸入自体が気道を刺激し、気管支痙攣を誘発するリスクがある。
- 肺では吸入薬剤の血中移行が速いため、副作用が速やかに発現することがある。
- 人工呼吸器装着時、呼吸状態が不安定、意識のない患者の場合、吸入中に酸素飽和度が低下することがある。

援助後に振り返ってみよう!

観 察

- □ 呼吸状態、痰の喀出状況は?
- □ 嘔気は?
- □ リネンは濡れていない?

後片付け

- □ ネブライザーの電源を切る
- □ 薬液槽や蛇腹チューブ、マウスピースなどは洗浄後、消毒・乾燥させる

こんな時どうする?

CASE 吸入中、患者がむせ込んだ!

吸入時、最初から風量や噴霧量が多いと呼吸が苦しくなり、むせ込むことがある。
最初は弱風・少量から開始し、むせ込みがないことを確認しながら調節するとよい。

MEMO

CHAPTER 6

4 排痰の援助

学習のねらい

痰の貯留は換気を妨げるため、痰の排出を促進する援助を行う必要がある。
本項では呼吸理学療法、口鼻腔吸引、気管吸引について学ぶ。

呼吸理学療法

呼吸理学療法では、呼気に圧迫を加えることで換気量を増し、
呼気流速を高め、痰を出しやすくする（スクイージング・用手的呼吸介助法）。
この際、痰の貯留部位と肺や気道の構造を考慮し、
重力により痰を出しやすくする体位ドレナージを併用する。
さらに、振動法・ハフィングなどを組み合わせると効果的である。

排痰法の手順

体位ドレナージ（痰の貯留部位を上）

↓

スクイージング・用手的呼吸介助法

↓

振動法（叩打法）

↓

ハフィング

スクイージング・用手的呼吸介助法の流れ

患者への説明と同意、呼吸状態の確認

↓

体位を整える

↓

患部の胸壁の必要部位に手を置く

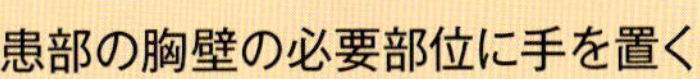

↓

患者の呼吸に合わせて両手を動かし、呼吸のリズムを確認する

↓

呼気時に軽く圧迫する。呼気は口すぼめ呼吸を促す。
呼気の始めには軽く圧迫を加え、
徐々に圧を強くし呼気を促していく

スクイージング・用手的呼吸介助法を行う際の留意点

- 呼吸の生理学的な特徴に配慮し、呼気相に合わせ、胸郭の生理的運動方向に一致させて胸郭を圧迫する。
- 1つの手技につき、3～5分を目安に行う。強さは患者に苦痛がない程度とする。
- 指に力が入っていると圧迫された時に痛みを伴う。手掌全体で圧を加える。
- 呼気は口すぼめ呼吸を促しながら、呼気の始めには軽く圧迫を加え、徐々に圧を強くして呼気を促していく。

体表面からみた肺の位置

- 右肺は上葉・中葉・下葉、左肺は上葉・下葉に分かれる。上葉・中葉の境界は第4肋骨、中葉・下葉の境界は第6肋骨が目安になる。

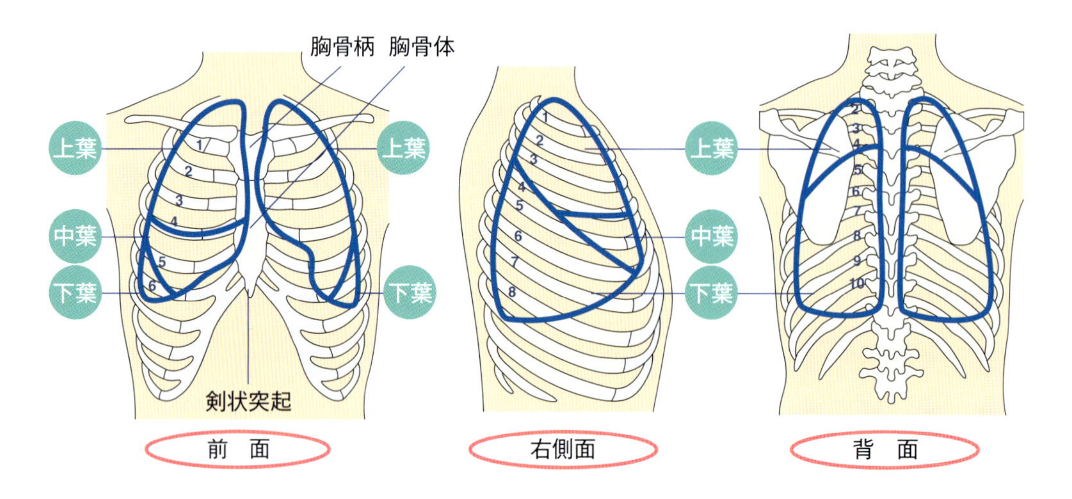

援助する前に確認しよう！

患者の状況

- □ 呼吸苦やチアノーゼなど、呼吸状態は？
- □ 痰の貯留部位は？
- □ 痰の自己喀出ができる？
  吸引が必要？
- □ 禁止されている体位がある？
- □ 麻痺がある？
- □ 点滴静脈注射、ドレーン類は？
- □ 酸素投与をしている？
- □ 認知力は？

周囲の状況

- □ ベッドの高さは？
- □ 枕など体位保持に使用できる物品は？
- □ 点滴スタンドやドレーン類の位置は？

あなた自身

- □ ユニホームはパンツタイプで動きやすい？
- □ 呼吸理学療法を学内演習したことがある？
- □ 患者に呼吸理学療法を援助したことがある？

必要物品を準備しよう！

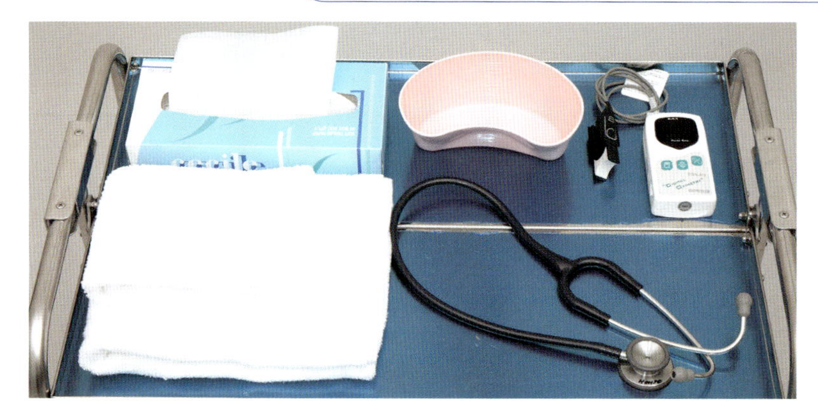

❶ 枕
❷ バスタオル
❸ タオル
❹ ガーグルベースン
❺ ティッシュペーパー
❻ 聴診器
❼ パルスオキシメーター

スクイージング・用手的呼吸介助法

1	呼吸状態の確認	胸部を聴診し、雑音が聴かれる位置を確認。 胸部を打診し、音が鈍くなる位置を確認(痰の貯留部位)。
2	使用物品の準備	ティッシュペーパー、吸い飲み、ガーグルベースンなどを手の届きやすい位置に置く。

以下、痰の貯留部位が「右上葉」「右中葉」の場合を例にとり、解説する

痰の貯留部 右上葉

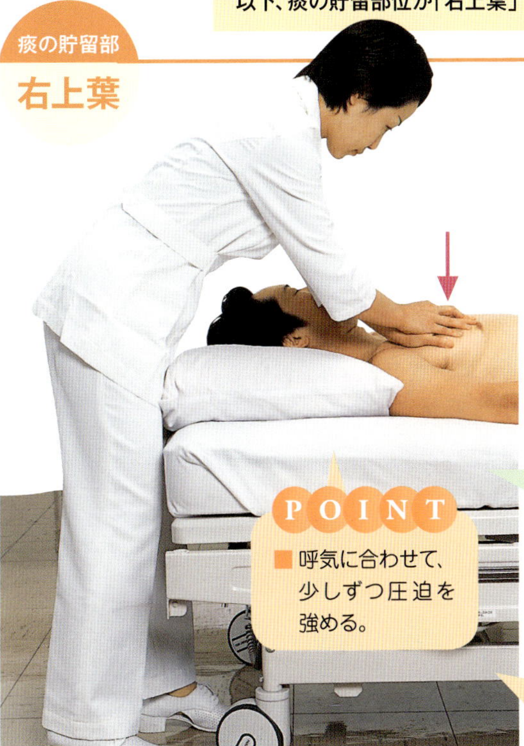

POINT
- 呼気に合わせて、少しずつ圧迫を強める。

❶ 体位は仰臥位。第4肋骨より上部の肺野に手を置く。

❷ 胸郭の動きに合わせて呼吸介助を行う。

❸ 体位による呼吸苦やSpO_2の変化に注意する。

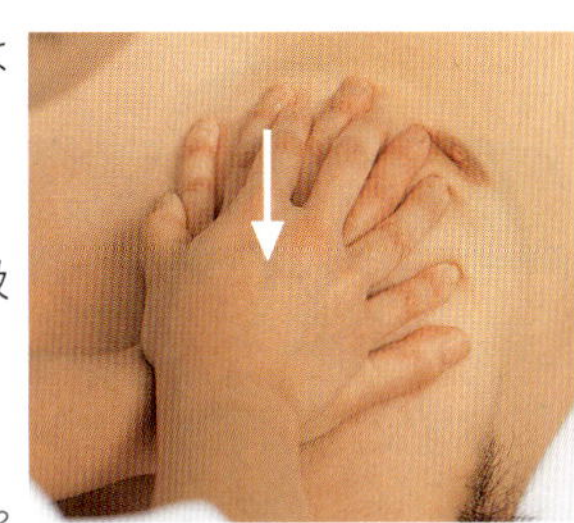

EVIDENCE
- 上葉は第4肋骨よりも上にある。
- 胸郭の動きに合わせて呼吸介助をすることで、痰の移動を促す。
- 呼気に合わせて十分に圧迫することで、より深い吸気を促す。

POINT

呼吸苦がある患者
- 呼吸苦がある場合、胸郭が広がりやすく換気しやすい「上体を起こした体位」が最も適している。
- 水平にすることで換気が阻害されるおそれがあるため、注意する。

痰の貯留部 右中葉

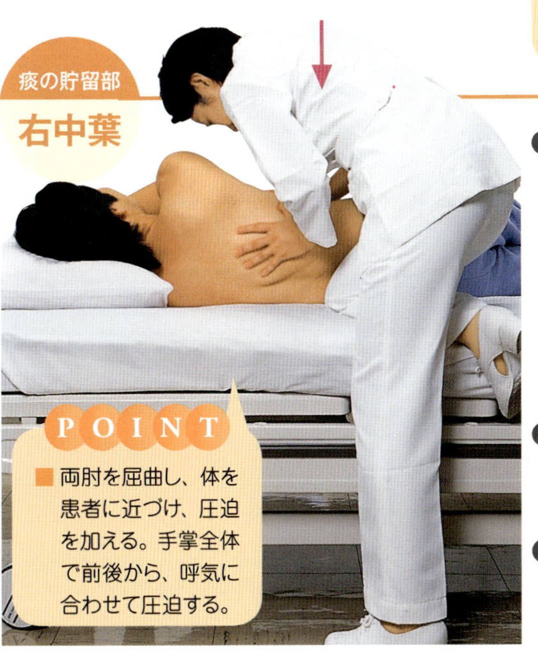

POINT
- 両肘を屈曲し、体を患者に近づけ、圧迫を加える。手掌全体で前後から、呼気に合わせて圧迫する。

❶ 体位は3/4背臥位とする。背中に枕を入れると行いやすい。チューブ類が体の下にならないよう注意。
前胸部の手は第4肋骨と第6肋骨の間に置く。背側の手は肩甲骨の下角に置く。

❷ 呼気に合わせ、徐々に圧迫を強める。

❸ 体位による呼吸苦やSpO_2の変化に注意する。

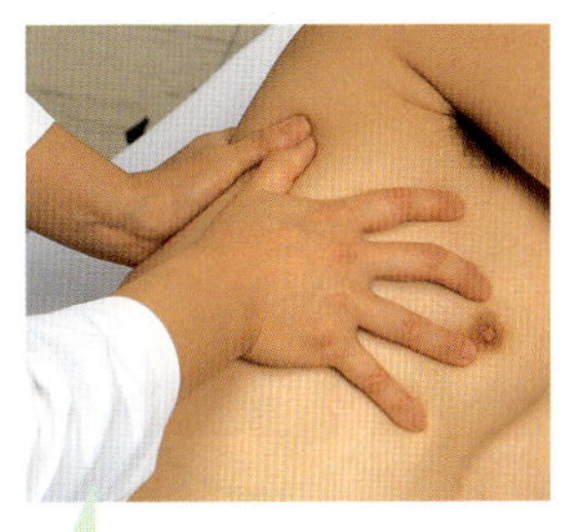

EVIDENCE
- 中葉は第4肋骨と第6肋骨の間にある。

援助後に振り返ってみよう!

観 察

- □ 患者のバイタルサインは?
- □ 呼吸状態の変化(呼吸音・SpO_2)は?
- □ 医療機器の設定(点滴の速度、酸素流量)は?
- □ 痰の喀出状況(性状・量など)は?

記録・報告

- □ 呼吸音の変化
- □ 痰の性状・量、自己喀出の有無
- □ バイタルサインの変化

後片付け

- □ 枕・ガーグルベースンなど使用物品の片付け

覚えておくと、役立ちます!

体位と換気量

呼吸苦がある場合、胸郭が広がりやすい「上体を起こした体位」が最も適している。水平にしたり、頭部を低くすることで、換気が妨げられるおそれがある。
体位のとり方によっては換気量が減少する可能性もあるため、パルスオキシメーターの数値、患者の自覚症状に注意する必要がある。

禁忌体位に注意!

頭蓋内圧亢進時は、頭部を低くすることは禁忌である。
また、麻痺があったり、術後の場合、側臥位をとることが禁じられていることがある。
あらかじめ、指示を確認しておく。

こんな時どうする?

CASE 呼吸介助で圧迫をしたら、「痛い」と言われた!

呼吸介助で圧迫をする場合、胸郭の動きと異なる圧迫を行うと、患者は痛いと感じることがある。もう1度、胸郭の生理的な動きを確認しよう。
胸郭の可動域が少ない患者の場合、無理に圧迫すると骨折の危険がある。「痛い」という訴えがあれば、無理に圧迫するのはやめ、吸入や吸引など、ほかの排痰法を検討する。

口鼻腔吸引

自力で痰を喀出できない人の場合、気道分泌物を除去して換気を促すため、口鼻腔吸引を実施する。安全・安楽な手技で実施し、患者の苦痛を取り除き、換気を改善する。

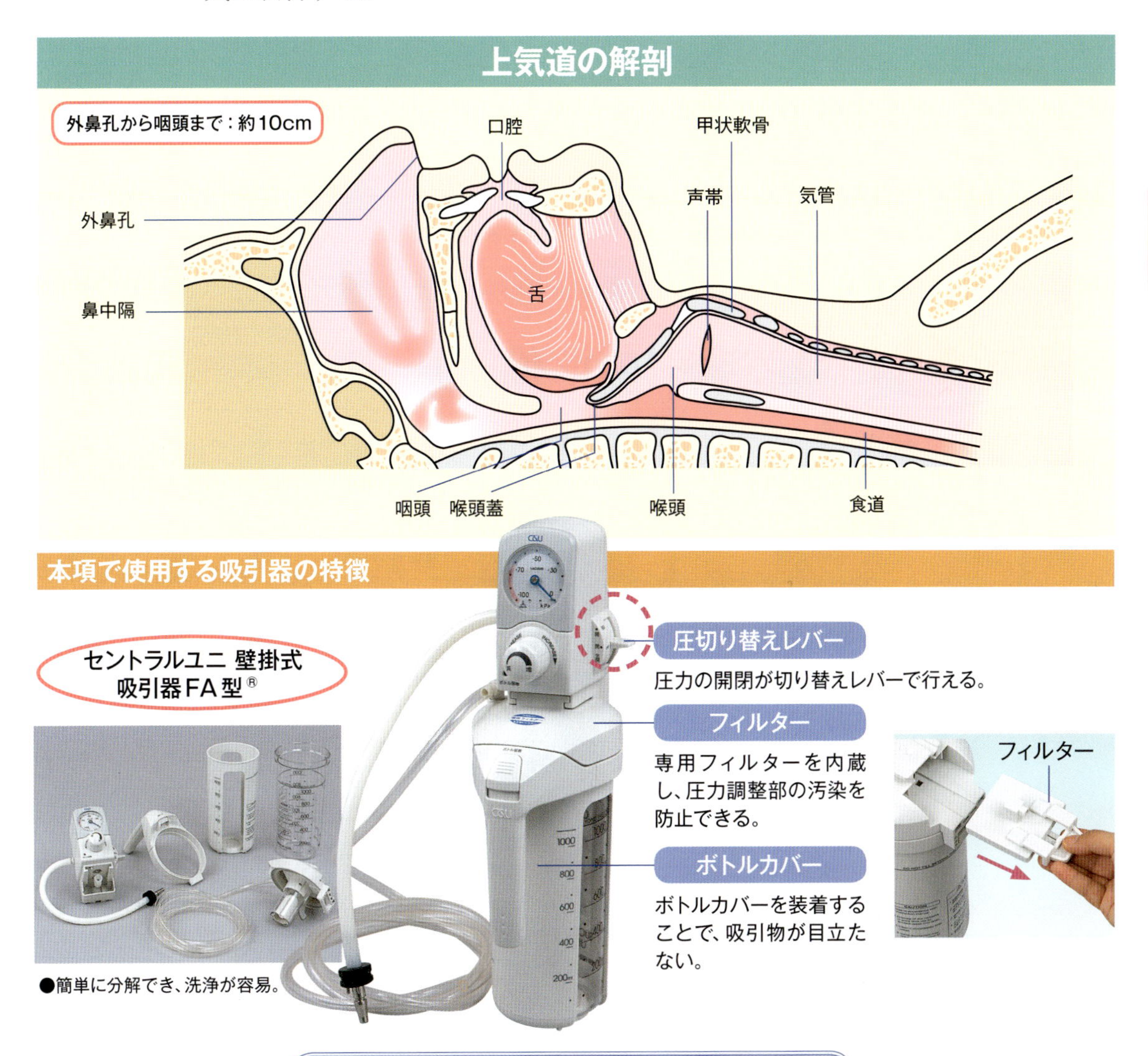

援助する前に確認しよう！

患者の状況

- □ 呼吸苦やチアノーゼなど、呼吸状態は？
- □ 痰の貯留部位は？
- □ 痰の自己喀出ができる？ 吸引が必要？
- □ 酸素投与をしている？
- □ 認知力は？

周囲の状況

- □ 吸引器の設置は？
- □ 吸引チューブの準備は？

あなた自身

- □ 上気道の解剖がわかる？
- □ 口鼻腔吸引のポイントがわかる？
- □ 患者に口鼻腔吸引の援助を行ったことがある？

必要物品を準備しよう！

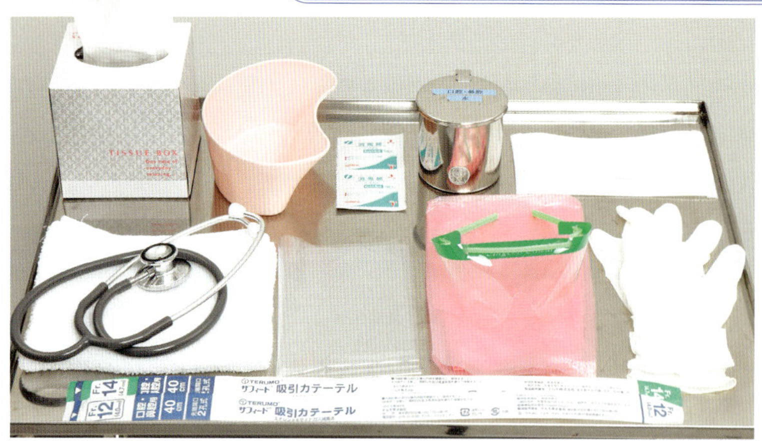

❶ 吸引器
❷ 口腔・鼻腔吸引用カテーテル（成人：14Fr程度）
❸ 手袋（両手）
❹ プラスチックエプロン
❺ マスク
❻ 水
❼ アルコール綿
❽ タオル
❾ ガーグルベースン
❿ 聴診器
⓫ ビニール袋
⓬ ティッシュペーパー
⓭ カップ

※カップは滅菌である必要はない。写真右のようなディスポーザブルのものや紙コップなどでもよい。

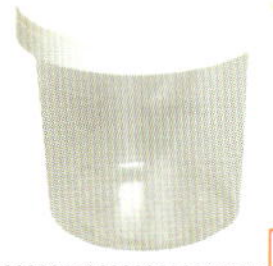

PROCESS 1 口鼻腔吸引の準備

6-1

❶ 吸引は苦痛を伴う手技である。事前に説明をし、患者の同意と協力を得る。

❷ 患者の襟元をタオルで覆い、ガーグルベースンやティッシュペーパーを手の届く位置に置く。

❸ 吸引カテーテルを接続部側から開封し、丸めながら取り出す。

❹ 吸引カテーテルと吸引器のチューブをしっかりと接続する。

POINT
■ 吸引カテーテルが周囲に触れないよう注意。

PROCESS 2 口鼻腔吸引の実施

★口腔でも鼻腔でも吸引できる場合は、苦痛の少ない口腔吸引から行う。
★口腔からの吸引がむずかしい場合は、鼻腔吸引を行う。

6-2

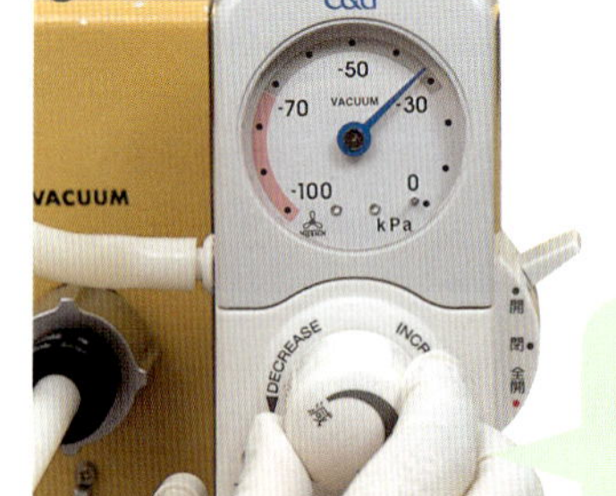

❶ 圧力調整ハンドルを回し、吸引圧を設定する（切り替えレバーは開とする）。

POINT
吸引圧の設定
■ 成人は34.6kPa以下（260mmHg以下）が安全とされる。
■ 13～27kPa（100～200mmHg）がよいとの見解もある。
■ 切り替えレバーを「閉」にすると吸引を停止できる。「開」にすると前回設定した圧で吸引できる。

EVIDENCE
■ 高すぎる吸引圧では、粘膜剥離の危険がある。

❷ 吸引前に、まずカテーテルに通水し、滑りをよくすると同時に、吸引圧を確認する。

圧をかけずに、カテーテルを口腔に静かに挿入する。鼻腔から行う場合もある。両方から行う場合は、口腔吸引後に鼻腔吸引を行う。

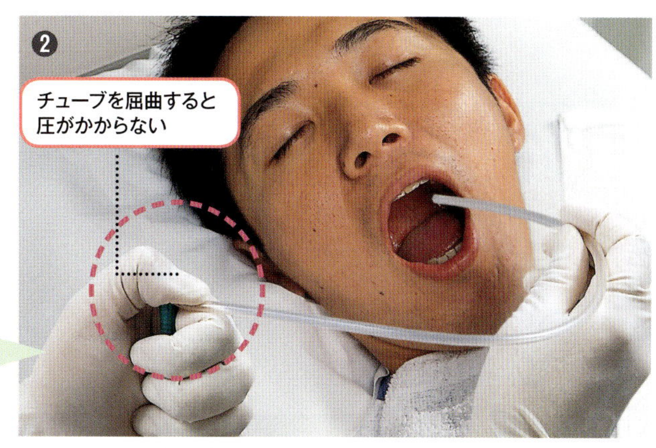

EVIDENCE

■ 挿入時に圧をかけないことで、気道内の空気を吸わず、粘膜を傷つけずに、吸引部位にカテーテルを届けることができる。

❸ カテーテルを5～10cm挿入し、回転させながら吸引する。

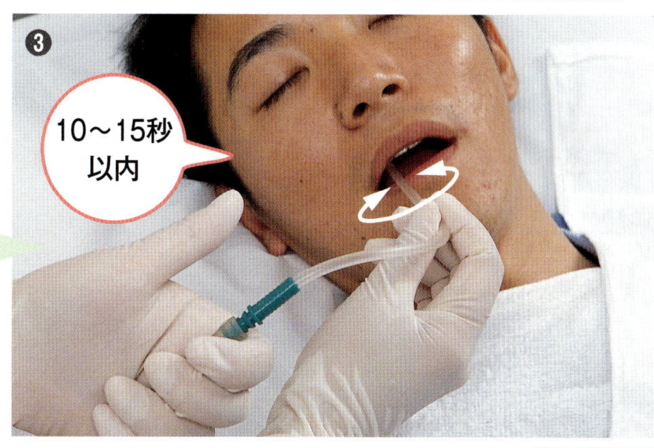

EVIDENCE

■ 回転させることで、圧が1点にかからず、粘膜損傷を防ぐことができる。

■ 長すぎる吸引は、低酸素状態を招く。

鼻腔吸引を行う場合も、同様の手順で実施する。

PROCESS 3 カテーテルの後始末

6-3

❶ 使用済みの吸引カテーテルを手袋に巻きつけ、連結チューブから取り外す。

❷ 手袋を裏返し、カテーテルを内側に収納。そのまま破棄する。

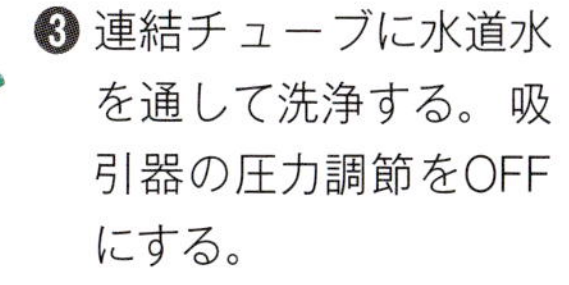

❸ 連結チューブに水道水を通して洗浄する。吸引器の圧力調節をOFFにする。

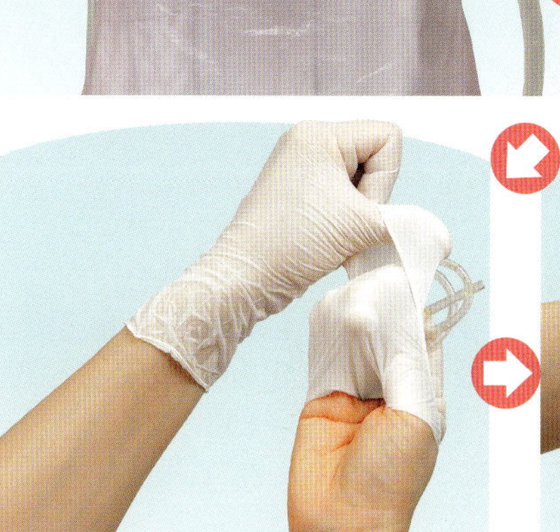

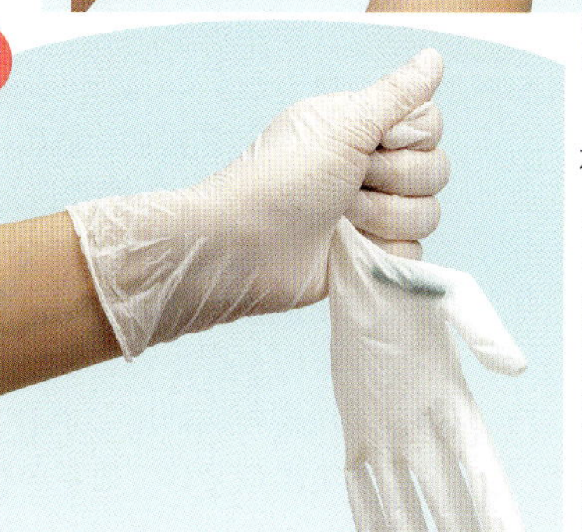

援助後に振り返ってみよう！

観察	記録・報告	後片付け
□ 患者のバイタルサインは？	□ 呼吸音の変化	□ 吸引カテーテルなど使用物品の片付け
□ 呼吸状態の変化（呼吸音・SpO_2）は？	□ 痰の性状・量、自己喀出の有無	
□ 吸引物の観察（性状・量など）は？	□ バイタルサインの変化	

覚えておくと、役立ちます！

安全な吸引圧設定のエビデンス

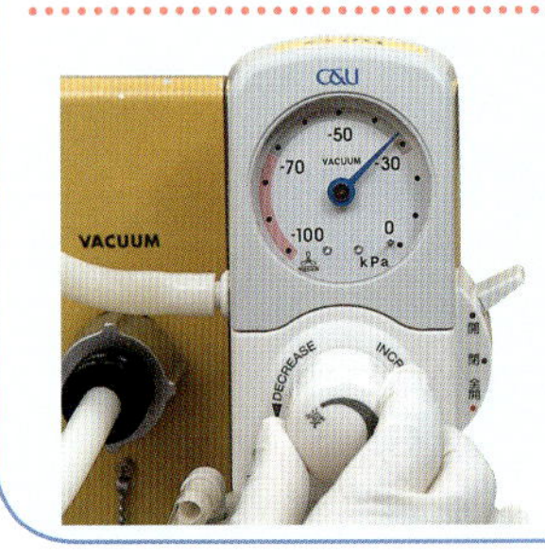

口鼻腔吸引の吸引圧に関するエビデンスを示した文献は、まだ少ない。安全な吸引圧は成人の場合、34.6kPa以下（260mmHg以下）とされたり、13〜27kPa（100〜200mmHg）とされることもある。

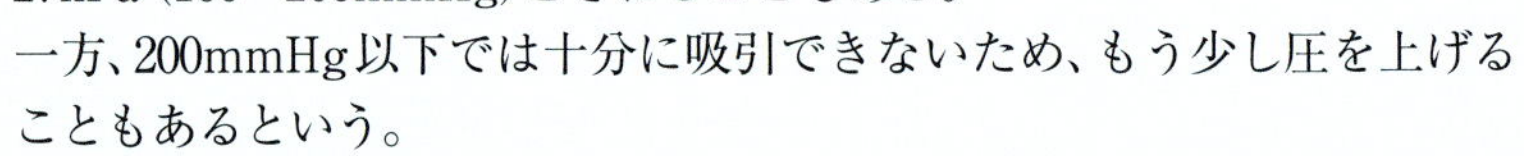

一方、200mmHg以下では十分に吸引できないため、もう少し圧を上げることもあるという。

口鼻腔吸引は、気管吸引より高い圧でよいとされることが多いが、あまり高い圧は粘膜損傷につながる。

吸入や加湿などで、事前に痰の粘稠度を下げておくことが大切である。

こんな時どうする？

CASE 1 食後に吸引をしたら、嘔吐した！

患者に口鼻腔吸引を行う場合、できるだけ食前に済ませておくとよい。食後に吸引を行うと、吸引による刺激で食物を嘔吐したり、誤嚥する可能性がある。

CASE 2 痰が粘稠で吸引できない！

痰が粘稠で吸引しにくい場合、安易に吸引圧を上げてはいけない。高すぎる吸引圧は粘膜損傷につながるおそれがある。吸引前に吸入などを行い、痰の粘稠度を下げておくことが大切である。

CASE 3 「苦しいから吸引はやめて」と言われた！

患者が「苦しいから」と吸引をいやがる場合がある。

吸引を実施する前に、吸入、用手的呼吸介助法、ハフィングなどを行い、患者自身の力で痰を出すような援助を行うことは、どの患者にも必要である。それでもなお、痰の自己喀出がむずかしい場合、肺炎などの状態悪化を防ぐためにも、吸引が必要であることを患者に伝え、理解と協力を得る。

技術の熟練度が患者の苦痛と関連するため、実施前に練習を重ねておく必要がある。

気管吸引

気管吸引は、気管挿管や気管切開をしている人の気道分泌物や貯留物を除去し、気道閉塞や呼吸困難を防ぐ重要な処置である。
患者への苦痛をより少なく、無菌操作を徹底し、効果的な吸引を実施することが必要である。

気管挿管や気管切開をしている人の状態

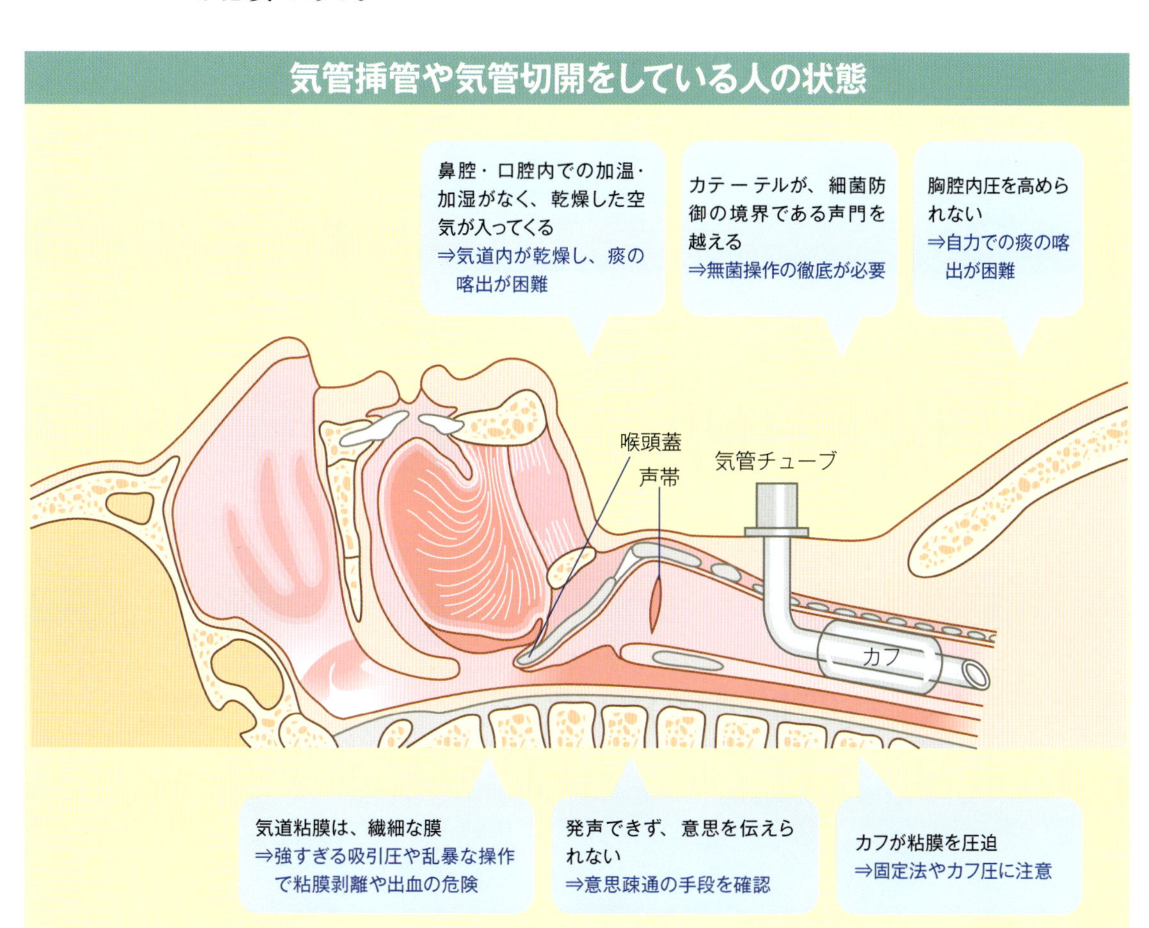

援助する前に確認しよう！

患者の状況

- □ 呼吸苦やチアノーゼなど、呼吸状態は？
- □ 痰の貯留部位は？
- □ 気管挿管？　気管切開？
- □ 挿管チューブの長さは？
- □ チューブの固定は？
- □ 酸素投与の有無・指示量は？

周囲の状況

- □ 吸引器の設置は？
- □ 吸引チューブの準備は？

あなた自身

- □ 気管挿管や気管切開をしている人の解剖がわかる？
- □ 気管吸引のポイントがわかる？
- □ 患者に気管吸引の援助を行ったことがある？

必要物品を準備しよう！

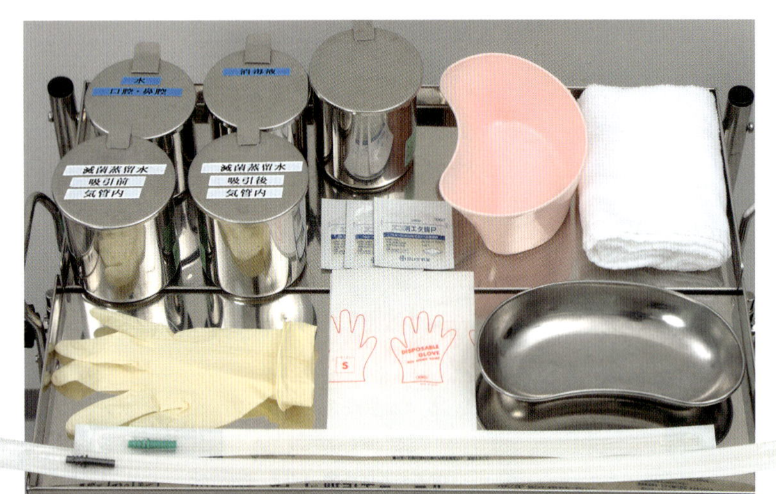

❶ 吸引器
❷ 気管吸引カテーテル
❸ 滅菌手袋（利き手）
　または滅菌鑷子
❹ 手袋（利き手ではない手）
❺ 滅菌カップ（2個）
　滅菌蒸留水（2個）
❻ 水道水入りカップ
❼ 消毒薬
❽ アルコール綿（個別包装）
❾ 膿盆・ガーグルベースン

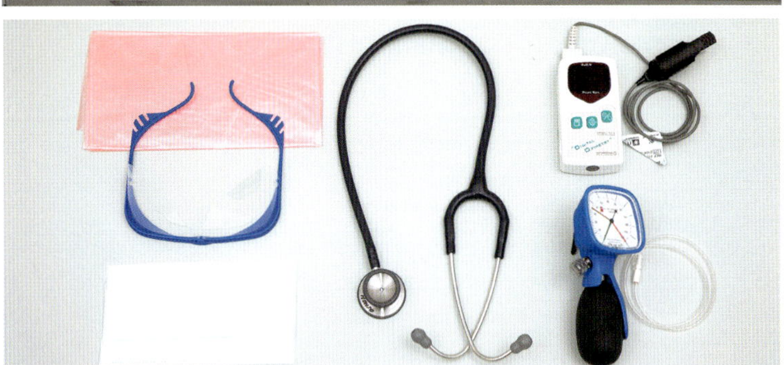

❿ カフ圧測定器
⓫ 聴診器
⓬ パルスオキシメーター
⓭ プラスチックエプロン
⓮ マスク
⓯ ゴーグル
⓰ 使い捨て
　滅菌カップ

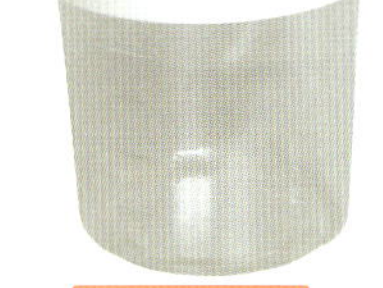

PROCESS 1 気管吸引の準備

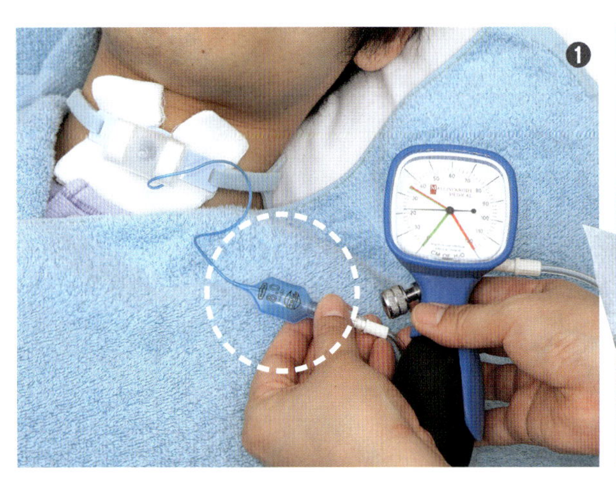

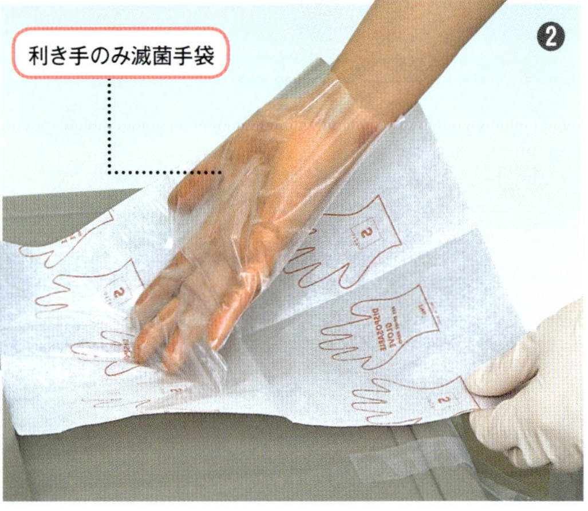

❶ 事前に説明をし、患者の同意と協力を得る。患者の襟元をタオルで覆う。

▼

カフ圧を測定する。カフには、唾液や吐物の誤嚥を防ぎ、気管からの空気漏れを防ぐ役割がある。

吸引前に、カフ圧が適切に保たれていることを確認する。カフ圧は20～25hPa（cmH_2O）がよい。

▼

❷ 利き手の反対側の手に手袋をし、利き手に滅菌手袋を着用する。

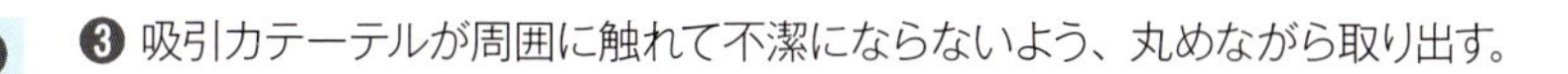

❸ 吸引カテーテルが周囲に触れて不潔にならないよう、丸めながら取り出す。

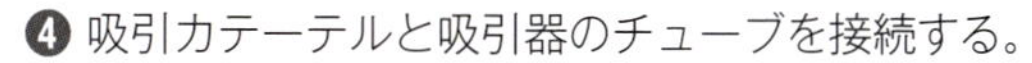

❹ 吸引カテーテルと吸引器のチューブを接続する。

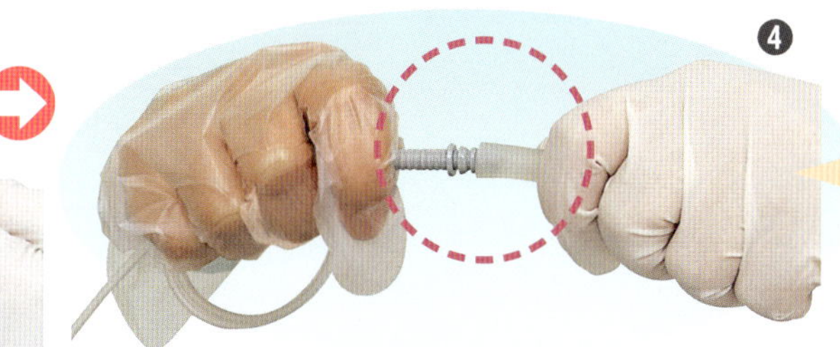

POINT
■ 吸引カテーテルが周囲に触れないよう気をつける。

PROCESS 2 気管吸引の実施

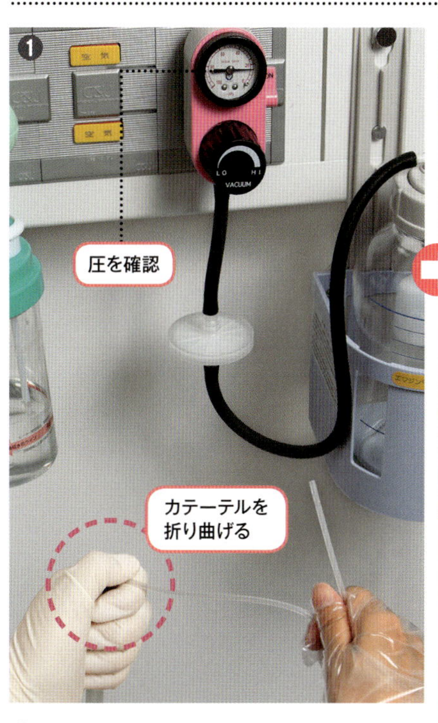

❶ カテーテルを折り曲げ、実際の吸引操作で最も圧のかかる状態を想定して、吸引圧を確認。20kPa（150mmHg）以下とする。

❷ 滅菌手袋を装着していない手で、滅菌蒸留水の蓋を開ける。カテーテル先端が不潔にならないよう気をつけ、滅菌蒸留水を吸引する。

❸ 圧をかけずにカテーテルを挿入。回転させながら10～15秒以内で吸引する。

POINT
■ 吸引時間は10～15秒以内。低酸素状態を予防する。

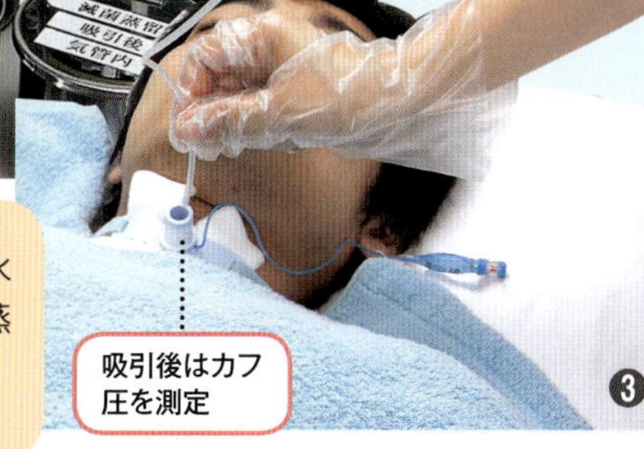

POINT
■ 吸引前の滅菌蒸留水と、吸引後の滅菌蒸留水は別に用意し、無菌操作を徹底する。

PROCESS 3 カテーテルの後始末

	原　則	何回か使用する場合
カテーテルの廃棄	●カテーテルは1回使用するごとに廃棄する。	①カテーテルの外側をアルコール綿で拭く。 ②カテーテルに滅菌蒸留水（吸引後用）を通す。 ③カテーテルに消毒液を通す。 ④カテーテルをよく乾燥させた後で、乾燥した滅菌カップに入れる。もしくは、消毒液に浸す。 ※ただし、④に関してはエビデンスを探求するさらなる研究が必要。 ⑤再使用時には、まず滅菌蒸留水を通す。

援助後に振り返ってみよう！

観察

- □ 患者のバイタルサイン（脈拍・血圧など）は？
- □ 呼吸状態の変化（呼吸音・SpO_2）は？
- □ 胸郭の動き（左右差）は？　□ カフ圧は？
- □ 吸引物の観察（性状・量など）は？

記録・報告

- □ 呼吸音の変化
- □ 痰の性状・量、自己喀出の有無
- □ バイタルサインの変化

後片付け

- □ 吸引カテーテルなど使用物品の片付け

覚えておくと、役立ちます！

吸引カテーテルを挿入する長さ

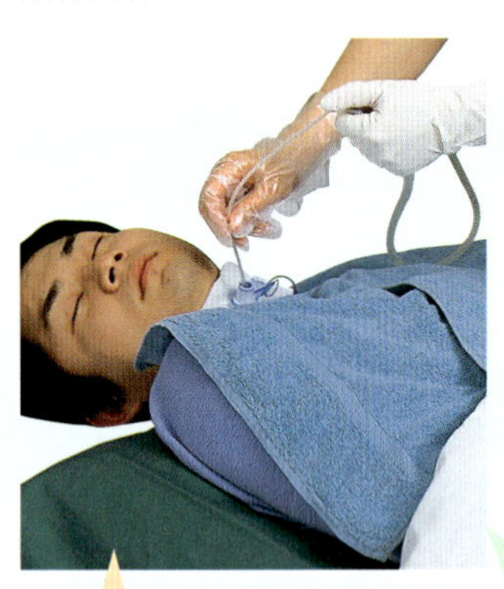

吸引カテーテルの挿入にあたっては上気道の長さ、気管の角度を解剖学的に理解しておく必要がある。

挿管していない人では、門歯から気管分岐部までの長さを目安に挿入の長さを決める。聴診により痰の貯留部位を確認し、痰の位置までカテーテルを挿入する。吸入や呼吸理学療法により痰を上方にあげておくことが大切である。

挿入部位により、以下のように行う。

①気管チューブ・気管カニューレから出ない範囲
　⇒痰が十分に吸引できるなら、この方法が安全

②気管チューブ・気管カニューレから2～3cm出る場合
　⇒気管分岐部付近まで届くため、チューブの位置を確認

③気管分岐部を越えて行う場合
　⇒右側を吸引する時は患者の胸部を右に向け、顔を左側に向ける
　⇒左側を吸引する時は患者の胸部を左に向け、顔を右側に向ける

POINT

■ 左側気管支を吸引する時は、胸部を左に向け、顔を右側に回す。

EVIDENCE

■ 上気道の長さ、気管の角度

外鼻孔→咽頭：約10cm
門歯→気管分岐部：男性約26cm　女性約23cm
輪状軟骨から気管分岐部：10～12cm

＊ 川島みどり編著：改訂版 実践的看護マニュアル 共通技術編. 看護の科学社, 2002, p440より

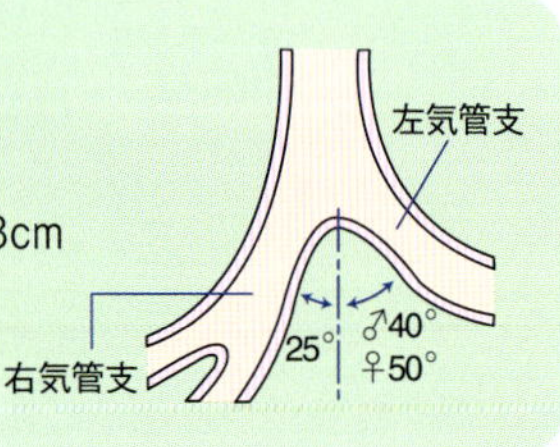

こんな時どうする？

痰がとりにくく、吸引圧を上げてしまった！

痰が吸引しにくい場合、吸引圧を上げすぎると粘膜に損傷を与えるおそれがあり、危険である。

近年、日本呼吸療法医学会では、気管吸引の圧20kPa（150mmHg）を超えないことを推奨している。

吸引圧を上げる前に、事前に吸入などをして痰を柔らかくしておくことが大切である。

【参考文献】1）渡辺敏ほか監修（2000）. New人工呼吸器ケアマニュアル. 学研メディカル秀潤社.
2）吉田聡編（2002）. JJNスペシャル：実践 呼吸器ケア. 医学書院.
3）日本呼吸療法医学会コメディカル推進委員会（2007）. 気管吸引ガイドライン作成ワーキンググループ. http://square.umin.ac.jp/jrcm/page021.html（参照2008. 8. 5）
4）川島みどり編著（2002）. 改訂版 実践的看護マニュアル 共通技術編. 看護の科学社.

CHAPTER 6

5 胸腔ドレーンの管理

学習のねらい

胸腔に空気や液体が貯留すると、肺での換気がスムーズに行われない。貯留した空気や液体を胸腔内から抜き取るために、ドレナージを行う必要がある。
胸腔内は陰圧に保たれているため、ドレナージの際には陰圧を保つ必要がある。胸腔ドレーンを挿入している患者が、呼吸障害を起こすことなくドレナージができるよう、観察・管理のポイントを学ぶ。

覚えておきたい基礎知識

胸腔は、常に陰圧に保たれている。吸気時の胸腔内圧は一般に$-10cmH_2O$に達し、呼気時は0である。ドレーンの挿入位置は、空気をドレナージするのか、液体をドレナージするのかにより異なる。

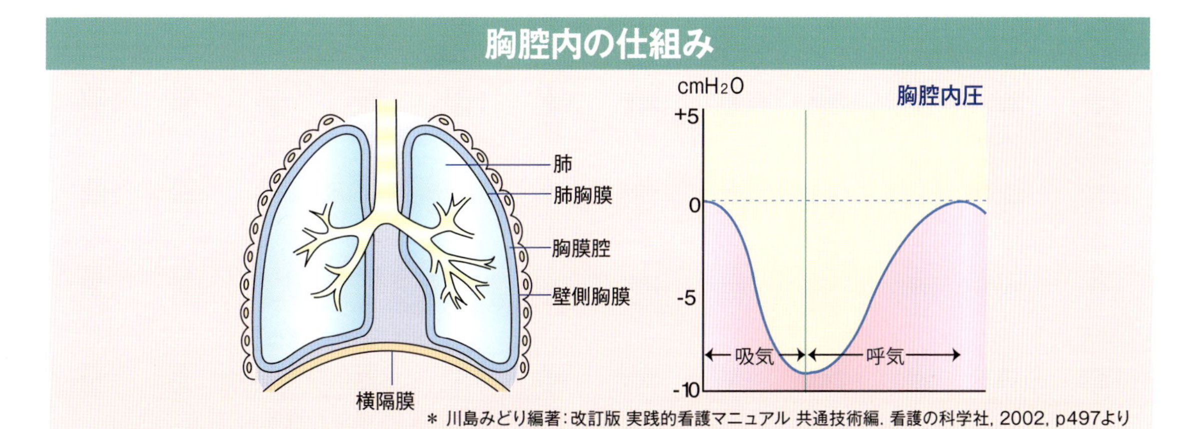

＊ 川島みどり編著：改訂版 実践的看護マニュアル 共通技術編．看護の科学社，2002，p497より

胸腔ドレーンの挿入位置

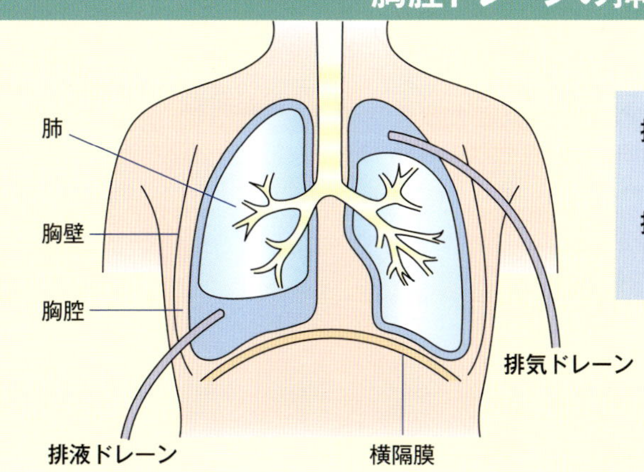

排気：空気は肺上部に貯留するため、肺上部にドレーンを挿入

排液：血液・漿液など液体は肺の下部に貯留するため、肺下部にドレーンを挿入

援助する前に確認しよう！

患者の状況

- □ 何のためのドレナージ？
- □ 排気？　排液？
- □ 原疾患は？
- □ 呼吸状態は？
- □ 疼痛を訴えていない？
- □ ドレナージの方法は？
- □ 注意力、判断力、認知機能は？

周囲の状況

- □ ドレナージボトルはどこに置かれている？
- □ 医師から指示されている吸引圧は？

あなた自身

- □ ユニホームや手はきれい？
- □ 胸腔ドレーンの基本的知識は？
- □ 胸腔ドレーンを演習でみたことがある？
- □ 受け持ち患者の胸腔ドレーンを観察したことがある？

胸腔ドレーン挿入中のケア

胸腔ドレナージにより、低圧持続吸引中の場合は、①全身状態、②ドレーン、③ドレナージボトル、④胸腔ドレーン留置による合併症という４つの視点から観察を行う。

観察のポイント

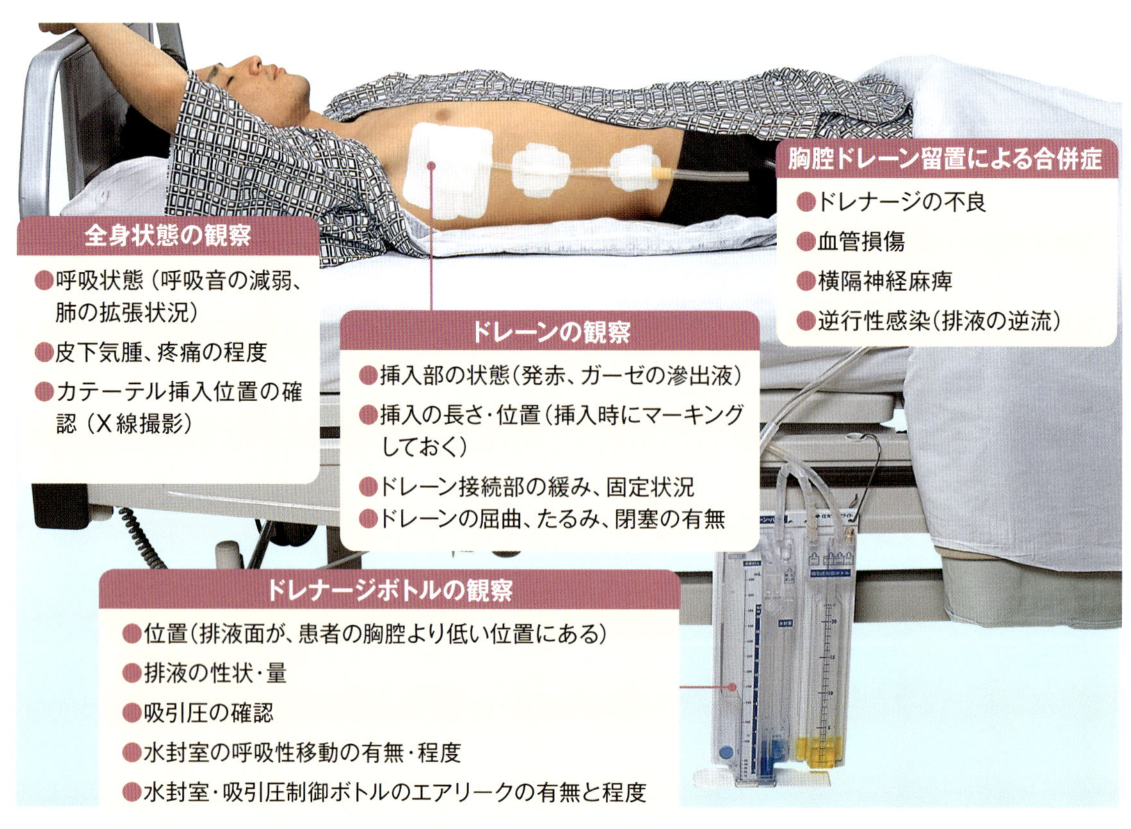

ドレーンの観察

観察項目

□ドレーン挿入部の状態は？
□ドレーン挿入の位置は？
□ドレーン挿入の長さは？
□ドレーンの屈曲・閉塞は？

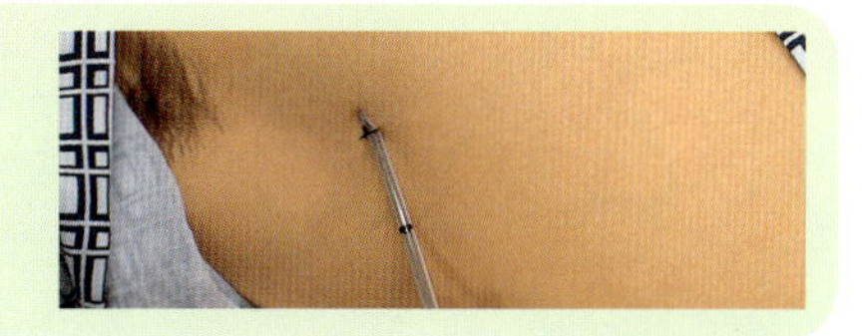

ドレーン挿入部

ドレーン挿入部からの出血がないか、腫脹・発赤・疼痛の有無を観察する。挿入部から漿液性の滲出液がにじんでいることがあるので注意。滲出がない場合は、透明なフィルムドレッシング材を用いる場合がある。

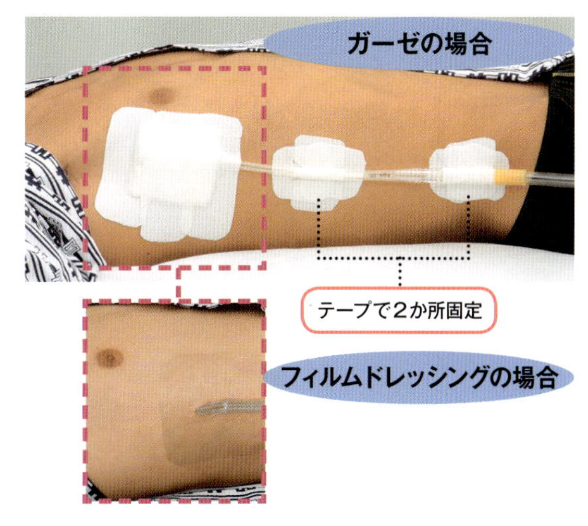

ドレーンの固定

ドレナージチューブはテープで2か所固定し、体動による抜去を防止する。固定が緩むと皮下から空気が流入し、気密性が保たれない危険性がある。体動・発汗による固定用テープのはがれに注意する。

接続チューブ

ドレーン接続チューブは、スムーズに排液されるようまっすぐにし、テープを巻いて、安全ピンで寝衣に固定する。

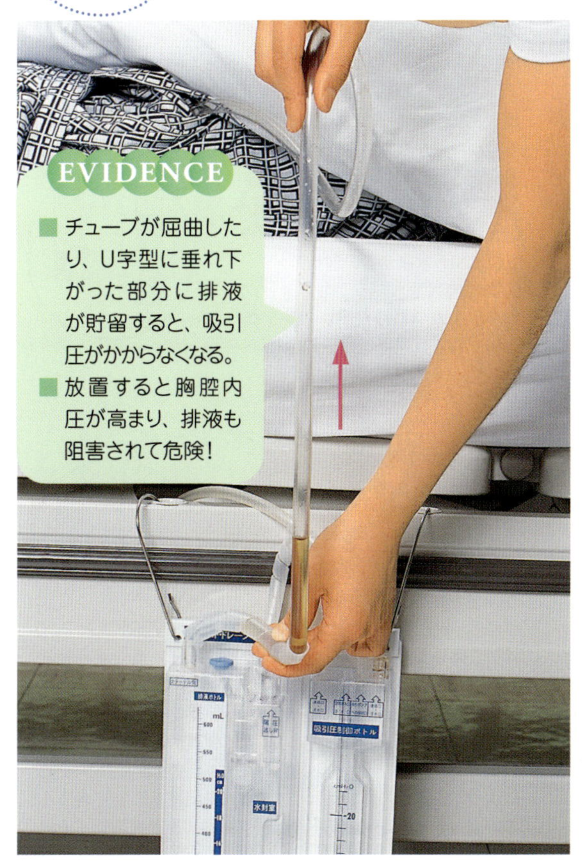

EVIDENCE

- チューブが屈曲したり、U字型に垂れ下がった部分に排液が貯留すると、吸引圧がかからなくなる。
- 放置すると胸腔内圧が高まり、排液も阻害されて危険！

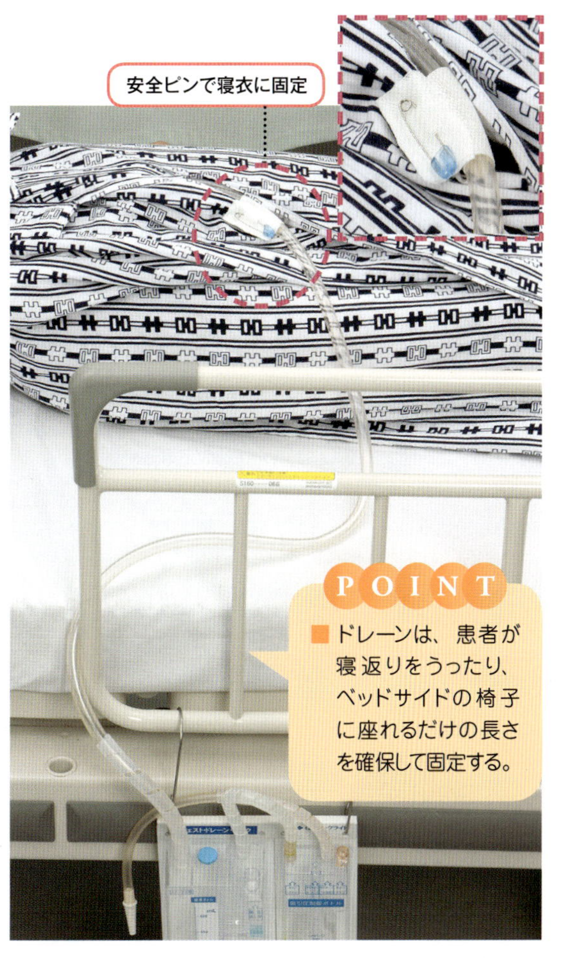

POINT

- ドレーンは、患者が寝返りをうったり、ベッドサイドの椅子に座れるだけの長さを確保して固定する。

ドレナージボトルの観察

観察項目
- □ 排液面が胸腔より低い位置にあるか?
- □ 吸引圧は指示通りか?
- □ 水封室の呼吸性移動はあるか?
- □ エアリークはないか?
- □ 排液の性状・量は?

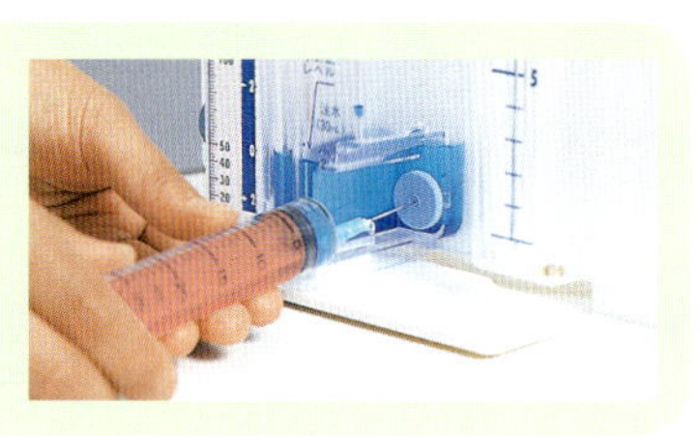

指示圧の確認

チェスト・ドレーン・バック® の場合

吸引圧制御ボトルの水位、水封室の水位、指示圧を確認する。

■吸引圧制御ボトルの水位と、水封室の水位の和が陰圧を示す。

例)水封室−2cm+吸引圧制御ボトル−10cm=胸腔内圧−12cmH₂O

■設定吸引圧より高くなった場合、吸気孔から空気が吸い込まれ、水封室の圧が一定に保たれる。

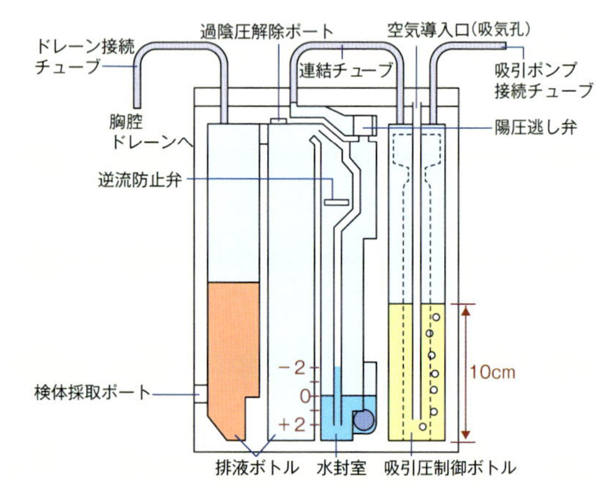

低圧持続吸引器の場合

表示される吸引圧を確認する。
バーグラフと数字で表示される。

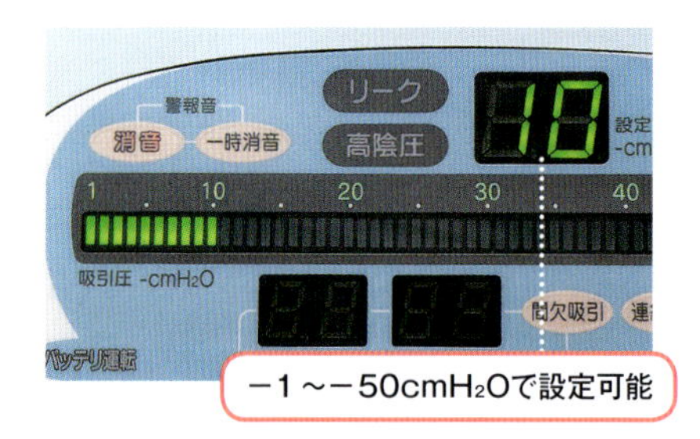

−1〜−50cmH₂Oで設定可能

水封室の確認

水封室の気泡

水封室の気泡は、胸腔部からの排気状態を示す。胸腔からの空気は、排液ボトルを経て水封室の滅菌蒸留水の中を気泡となって通過する。システムにエアリークがないのに激しく気泡が発生する場合は、胸腔内異常の可能性→主治医に連絡。

■間欠的気泡:呼気時には胸腔内圧が上昇し、胸腔内の空気がドレーンから排気される。

■持続的気泡:持続的な気泡の発生は、
①胸腔ドレーン挿入部の固定の緩み
②ドレーン、チューブ接続部の緩み
③ユニット本体からの漏れ
④胸腔内異常
が考えられる。胸腔ドレーンをクランプして気泡が止まる場合は、胸腔内からのリークと判断する。

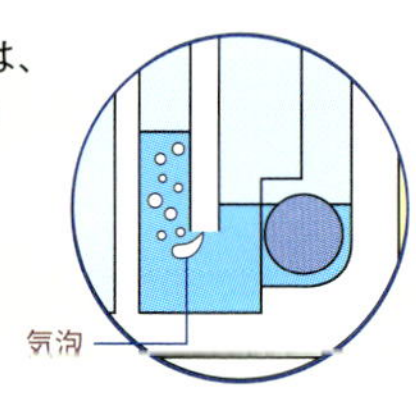

水封室水面の呼吸性移動

水封室の水面は呼吸に伴って移動する。これは、胸腔とドレーンユニットが気密性を保っていることを示す。

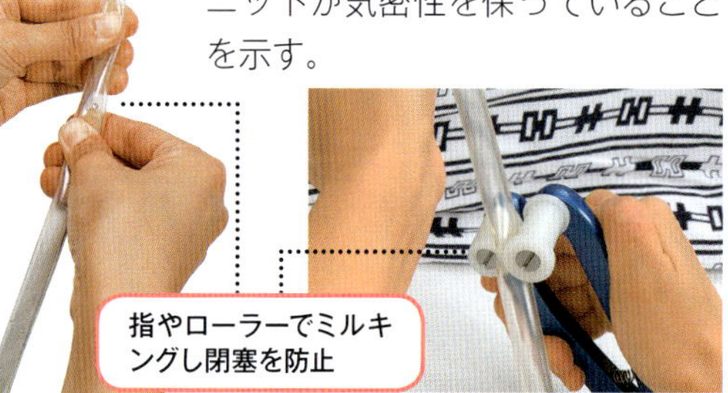

指やローラーでミルキングし閉塞を防止

■呼吸性移動の消失は、
①肺が完全に膨張
②ドレーンの閉塞
③エアリークを示す

水面の移動

②の場合は、チューブの屈曲がないか確認し、チューブ内に貯留している排液を流す。凝血塊がある場合は、ミルキングローラーで除去したり、体位変換や深呼吸、咳嗽を促す。排液が血性で血塊が多い場合は、心タンポナーデを起こす危険がある。
ローラーや指でミルキングすることで閉塞を除去する際は、ドレーン挿入部を引っ張ってはならない。体位変換や咳嗽によっても胸腔内圧が上昇し、チューブ閉塞を改善できる。
③の場合は、接続部の緩み、チューブ破損の有無を確認する。

低圧持続吸引による合併症の観察

- 低圧持続吸引による排気が不良である場合、皮下気腫の症状が出ることがある。
- ドレーン挿入により血管を損傷していたり、逆行性感染を起こす場合がある。
- 出血や感染の徴候、バイタルサインを注意深く観察し、合併症の早期発見に努める。

皮下気腫の観察法

肺から漏れた空気が皮下に入り、皮膚の滑らかな隆起として認められるのが皮下気腫である。
皮下気腫は、触診によって確認する。漏れた空気は上に上がっていくため、頸部から徐々に下に向かって触診する。手で触れると、プツプツとはじけるような感じがする。感覚的には、ビーズクッションや雪を踏むような感じ（握雪感）がある。
皮下気腫が認められた場合は、皮下の空気上昇を防ぐため、枕を外して水平にし、安静にする。ほとんどの場合、時間経過とともに吸収される。

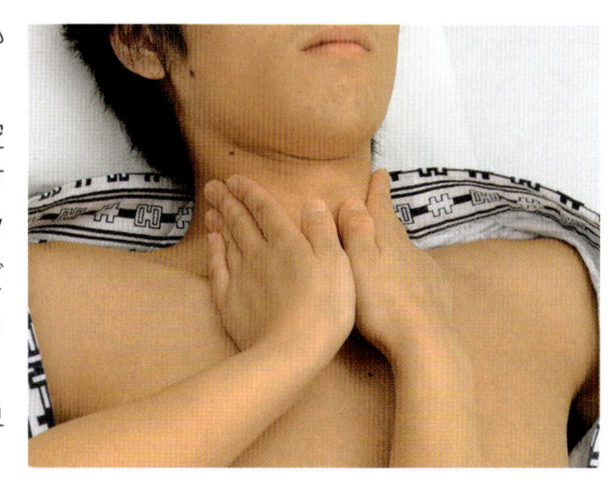

POINT

皮下気腫の観察と対処法

- 肺から漏れた空気が上に上がっていく。
- 頸部から下に向かって触診。
- プツプツとはじける感じがある。
- 枕を外して、空気の上昇を防ぐ。

援助後に振り返ってみよう！

観察	記録・報告	後片付け
□ 患者の状況は？	□ 呼吸状態	□ 寝衣を整える
□ ドレナージボトルの位置は？	□ 呼吸性移動の有無	□ 作業のために動かした物品を元に戻す（患者の希望に沿って配置）
□ 吸引圧の設定は？	□ ドレーン挿入部の状態	
□ ドレーンや接続チューブが患者の体の下にない？	□ 排液の性状	
□ クランプした場合、忘れずに開放した？		

こんな時どうする？

CASE 1 ドレーンが抜けかけている！

患者の体動が激しく、ドレーンが抜けかけている場合がある。ドレーンが抜けたまま時間がたつと胸腔内圧が高まり、十分な換気が行えなくなる。ドレーンが抜けかけていることに気づいたら、医師に報告。胸部X線撮影でドレーンの位置を確認し、挿入しなおすことになる。
患者の動き方に合わせた固定法を検討し、自然抜去が起こらないよう、対策を立てることが必要である。

こんな時どうする？

CASE 2 胸腔ドレーン挿入中、「トイレに行きたい」！

胸腔ドレーン挿入中の患者が、トイレに行くことを希望したら、患者の安静度・移動時の対応に関する指示を確認する。ドレナージの目的が排気の場合、排液の場合によって、クランプをするのか、しないのかなど対応が異なる。
患者がトイレを希望したからといって、安易に付き添わず、必ず指示を確認し、安全な状況で移動する。

覚えておくと、役立ちます！

胸腔ドレーンのクランプについて

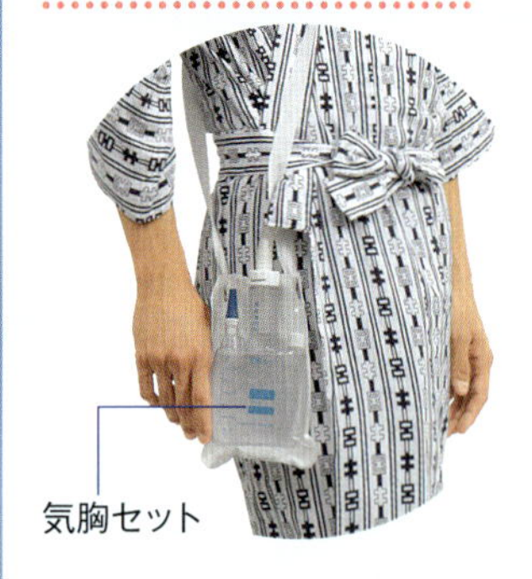

胸腔ドレーンのクランプは、ドレナージの目的が排気か、排液かにより対応が異なる。

【排気の場合】
排気の場合、クランプは禁忌！ クランプすると空気が抜けず、胸腔内圧が上昇し肺がつぶれてしまう。移動時も空気が貯留しないようクランプはしない。逆流を防ぐため、排気バッグは胸腔より下げて移動する。

【排液の場合】
排液の場合は、逆流防止弁があればクランプは必要ない。ただし、排液ボトルは胸腔より下げて移動する。逆流防止弁がない場合は、排液ボトル内の液体が逆流する危険があるため、鉗子で必ず2か所をクランプする。移動時は看護師が付き添い、鉗子の重みなどでドレーンが抜けないよう注意する。

ドレーン接続チューブの固定

ドレーン接続チューブの固定は、まずテープをチューブの丸みに沿ってしっかりと貼り、両端を開いて皮膚に貼る。さらに、Y字カットしたテープをチューブに貼ったテープにかませて貼り、固定を強化する。テープは、角（かど）を丸くカットすると、はがれにくくなる。

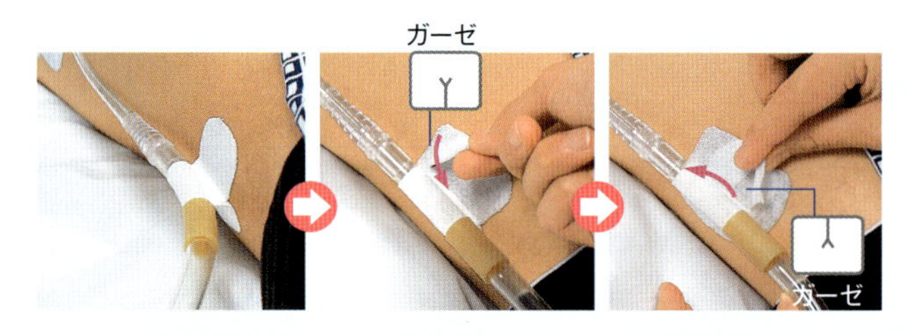

ドレーン抜去を防止するために

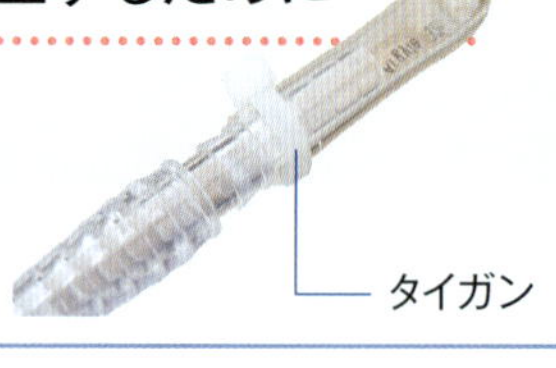

ドレーンの接続部は、結束帯（タイガン）で固定すると確実である。固定が緩むと気密性が保たれなくなる。
胸腔ドレーンを挿入した際、ドレーンにマーキングをしておく。マーキングの位置を観察し、ドレーンが抜けていないことを確認する。

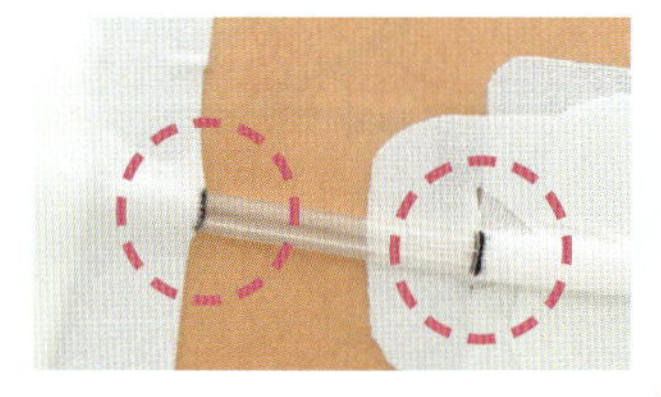

CHAPTER 6

6 人工呼吸器装着中の患者の観察

学習のねらい

呼吸、すなわち換気の維持は、生命を維持するうえで必須である。人工呼吸器を装着している人は、換気が器械によって行われているため、人工呼吸器の管理を誤ると、生命の危機に直結する。
人工呼吸器の管理と患者の観察ポイントについて学ぶ。

覚えておきたい基礎知識

正常な時、胸腔内圧は陰圧に保たれ、肋間筋・横隔膜の収縮・拡張により換気が行われる。人工呼吸器は、気管内にガスを送り込み、胸腔内圧を陽圧にして換気を行う。
人工呼吸器を使用する際は、呼吸回路の点検、人工呼吸器の設定、患者のモニタリングという「ケアの3本柱」のうち、どれか1つが抜け落ちても生命の危機に直結する。

自発呼吸と人工呼吸の違い

普段行っている呼吸

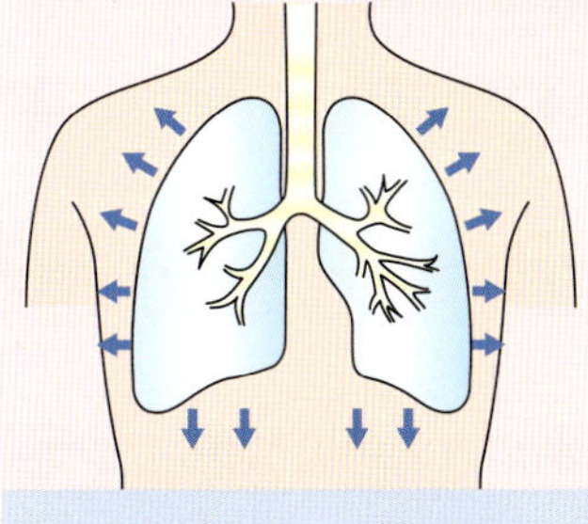

吸気：外肋間筋収縮、横隔膜収縮
呼気：内肋間筋収縮、横隔膜拡張
胸腔内圧：陰圧

人工呼吸

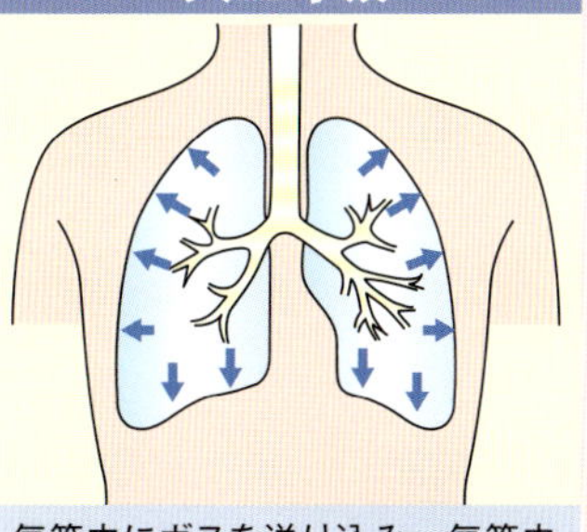

気管内にガスを送り込み、気管内圧、肺胞内圧を上昇させ(陽圧をかけ)、肺・胸郭系を拡張させる。
胸腔内圧：陽圧

ケアのポイント

援助する前に確認しよう！

患者の状況

- □ 意識·認知力は？
- □ 自発呼吸の有無は？
- □ 患者が使う人工呼吸器の種類と設定指示は？
- □ 患者に合わせたアラーム設定は？

周囲の状況

- □ 人工呼吸器の設置場所は？
- □ 周囲に障害物は？

あなた自身

- □ 人工呼吸器の設定指示を知っている？
- □ 人工呼吸器の仕組みがわかっている？
- □ 人工呼吸器装着中の患者へのケアのポイントを理解している？
- □ 人工呼吸器を装着している患者のケアをしたことがある？

人工呼吸器・呼吸回路の点検

気管チューブ、気管チューブのカフ、蛇腹チューブ（チューブの接続）、加温加湿器、モニター画面、電源をチェックする。患者の口から人工呼吸器の電源まで、順番にチェックしていく。

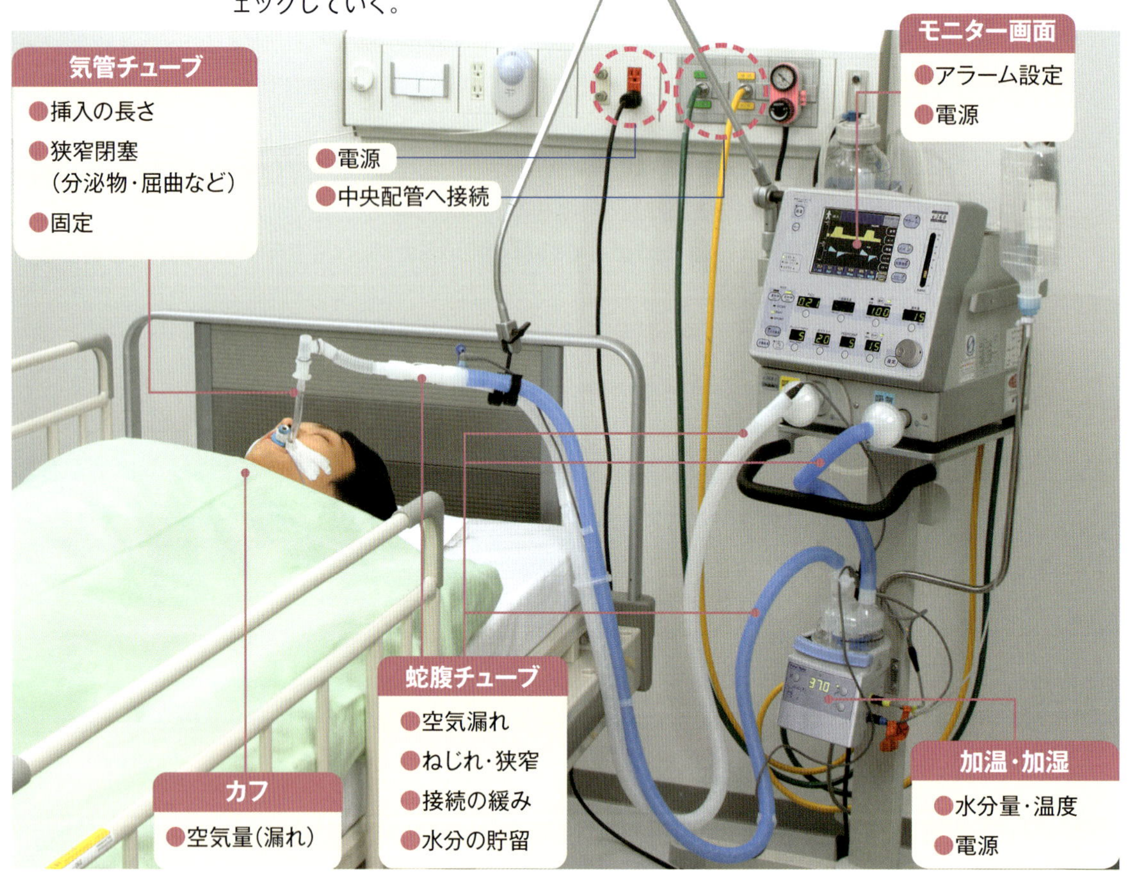

人工呼吸器の設定（ニューポートe360® の場合）

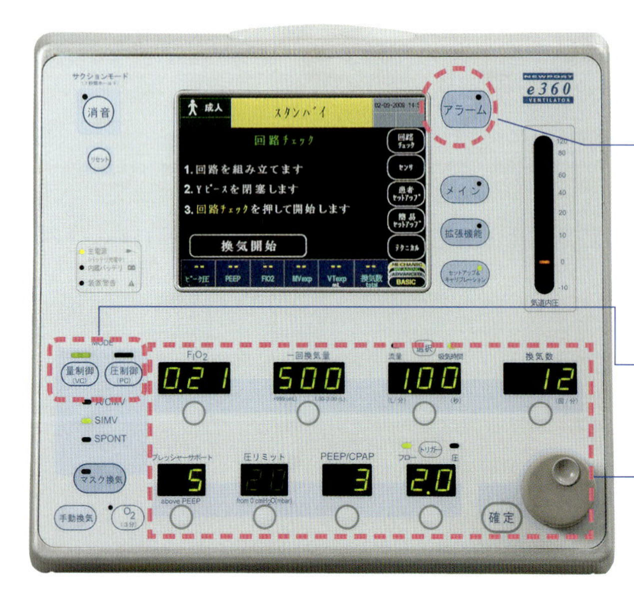

ニューポートe360® 本体には、上部にモニター、下部に設定に関する機能がわかりやすくまとめられている。

アラーム

ボタンを押すと、モニターにアラーム設定画面が表示される。気道内圧、分時換気量、頻呼吸、無呼吸、リーク許容範囲、アラーム音量・トーンなどが設定できる。

量換気／圧換気設定

量制御換気と圧制御換気のいずれの設定も可能。

人工呼吸の設定

吸入酸素濃度、吸気流量、吸気時間、呼吸回数などの設定が表示されている。

患者のモニタリング

人工呼吸器装着中は、人工呼吸器との同調や胸郭の動き、呼吸リズム、呼吸音、全身状態、動脈血ガスなど、換気状態を評価することが大切である。
また、気道分泌物の観察と吸引により呼吸器合併症を防ぐことも必要である。
ストレスによる潰瘍のおそれもあるため、消化器症状を観察。気管チューブ固定部の皮膚損傷を防ぎ、体位変換で褥瘡を予防する。患者は発声ができず拘束感が強いため、コミュニケーションの方法を工夫し、ストレスを緩和することが大切である。

	換気状態の評価	呼吸機能への影響	消化器の障害	皮膚の損傷	心理面への影響
POINT	●人工呼吸器との同調 ●胸郭の動き ●呼吸リズム ●呼吸音 ●全身状態(血圧・脈拍など) ●胸部X線写真 ●動脈血ガス分析/酸素飽和度	●気道分泌物の観察と吸引	●消化器症状の観察	●気管チューブの固定方法 ●体位変換	●コミュニケーション ●ストレス
EVIDENCE	●肺の加圧による合併症や酸素中毒などを未然に防ぐ	●痰の自己喀出が困難で、気道分泌物がたまりやすい	●ストレスによる潰瘍が発生するおそれがある	●皮膚トラブルや褥瘡を防ぐ	●発声できず、拘束感が強い

必要物品を準備しよう！

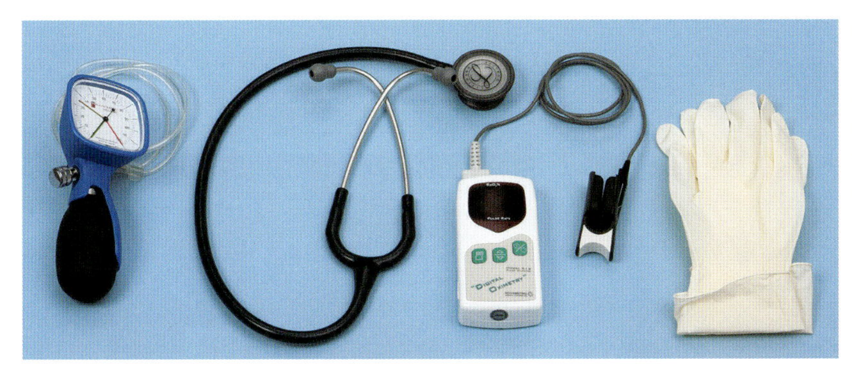

❶ 人工呼吸器
(回路・中央配管・テスト肺)
❷ パルスオキシメーター
❸ 聴診器
❹ カフ圧計
❺ 手袋

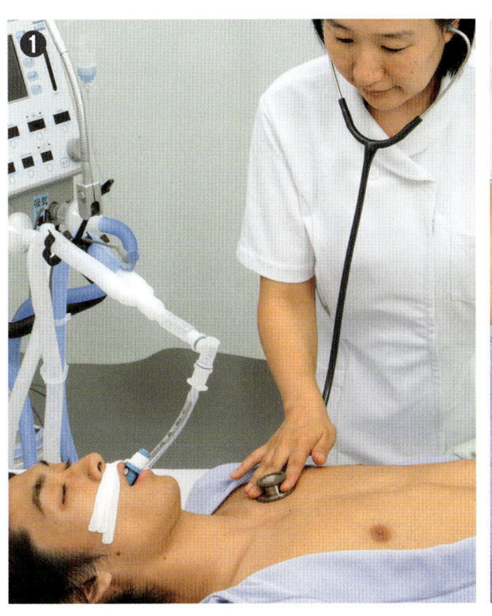

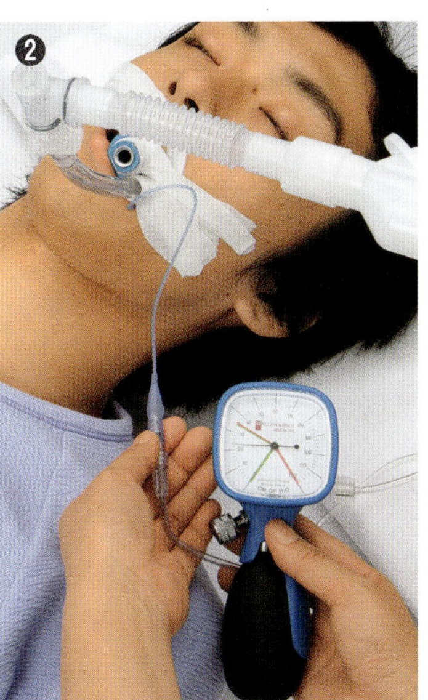

❶ 胸郭運動、呼吸音などの呼吸状態をはじめ、バイタルサインを確認する。

❷ 訪室時や吸引の前後などに、必ずカフ圧を測定し、確認する。

援助後に振り返ってみよう!

★人工呼吸器装着中の患者は、人工呼吸器の正常な作動が生命に直結している。
正常に作動していることを振り返り、確認することは非常に重要である。

観 察	記録・報告	後片付け
□ バイタルサイン、顔色、胸郭の動きは? □ 呼吸回路の異常の有無は? □ 人工呼吸器の設定は? □ アラーム設定は?	□ 人工呼吸器の設定と回路の状況 □ バイタルサイン、胸郭の動き、呼吸状態	□ 使用した物品を片付ける

覚えておくと、役立ちます!

アラームが鳴った!

人工呼吸器のアラームが鳴った時には、次の原因が考えられる。

① **呼吸回路の閉塞**
② **呼吸回路の緩み、亀裂・破損**
③ **カフ圧の不足**
④ **患者の状態の急変**

ニューポート e360®では、本体アラームと加温加湿器のアラームが異常を知らせてくれる。アラームの内容をまず、確認する。

アラーム音+ライトで表示

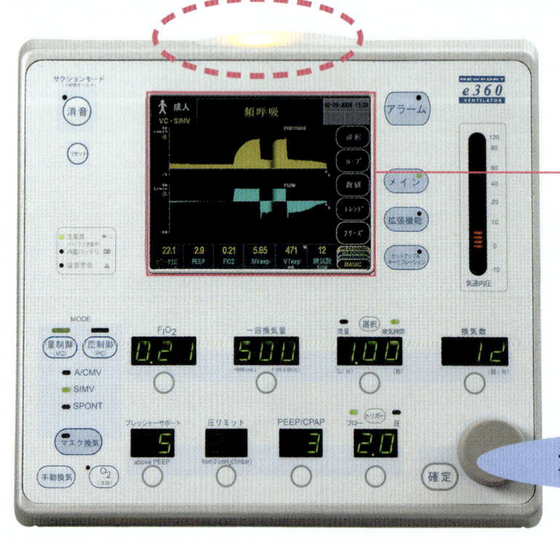

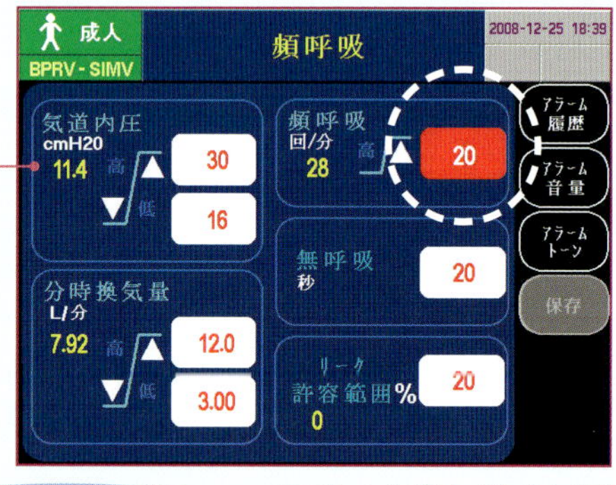

本体アラーム

アラーム音とライトで異常を知らせ、モニター画面にどこが異常なのかが表示される。

加温加湿器のアラーム

加温加湿器に異常がある場合は、アラーム音が鳴り、異常部位がイラスト内にライトで表示される。

アラーム音+ライトで表示

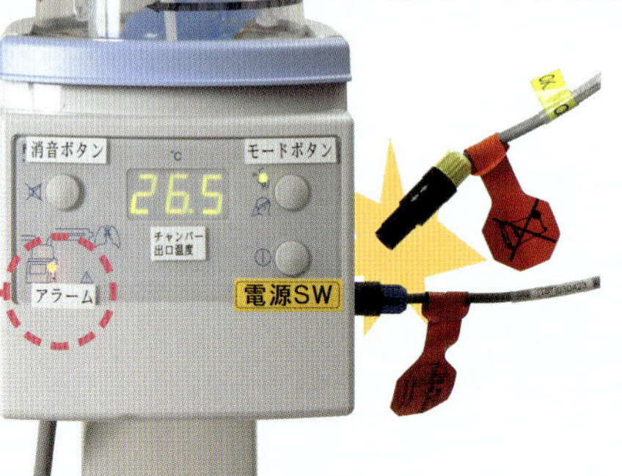

こんな時どうする?

CASE 1 一時的に回路を外すので、消音にしてよい?

ケアを行う際、回路を外すためアラームを消音にし、そのまま退室して、事故につながった例がある。安易な消音は事故につながる。原則として消音は行わない。

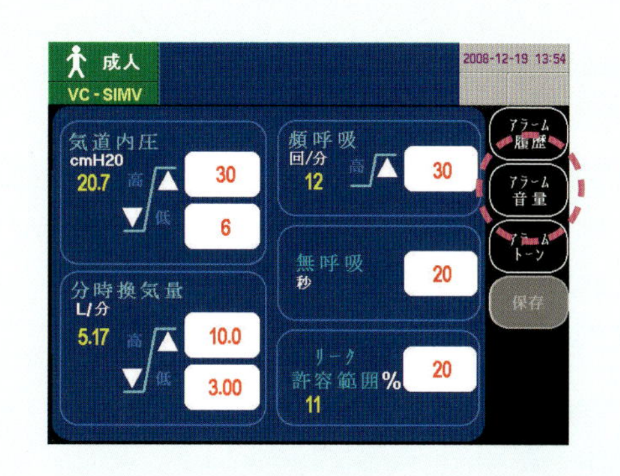

CASE 2 ウォータートラップを使用する場合は?

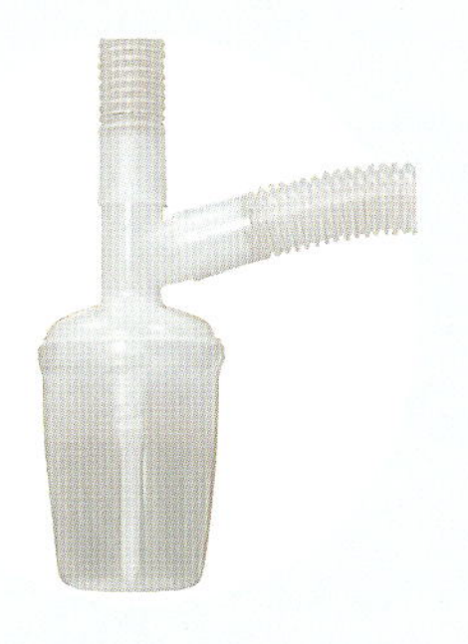

ウォータートラップは、人工呼吸器回路内に発生した水滴を貯留させるもので、水滴が器械や患者に流れ込むのを防ぐ役割をしている。ウォータートラップは、人工呼吸器回路のいちばん低い位置にくるようにし、定期的に水分を取り除く。

ウォータートラップは、必ず呼気側に取り付け、緩みはエアリークの原因になりやすいので注意する。

「デュアルヒートタイプ」の呼吸器回路は、呼気側チューブに熱線が通してあり、水滴を水蒸気として蒸発させるため、ウォータートラップがついていない。ただし、全く水分が貯留しないわけではなく、水分が貯留すると人工呼吸器と患者の同調性が悪くなるため、随時取り除く。

CASE 3 機器の作動状況さえ確認すればよい?

機器の作動状況を確認することは、患者の生命に直結しており、不可欠のケア。もちろん、患者の観察も忘れず、呼吸苦や痰の貯留状態をチェックする。

患者は挿管や気管切開により声を出せないため、訴えに心を傾ける。

ストレスが強い状況下にある患者の精神的サポートを忘れずにケアを行う。

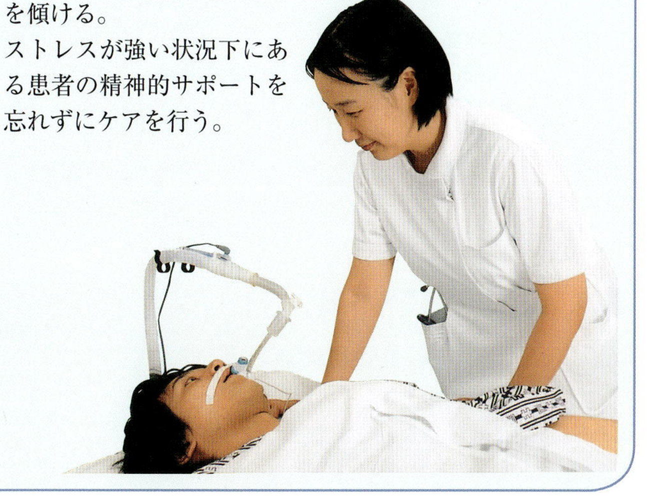

CHAPTER 6

7 体温調節と循環を促すケア

学習のねらい

罨法は治療の一環としての目的と、心地よさや痛みの緩和など、安楽としての目的がある。温罨法、冷罨法それぞれに適温があり、熱傷や凍傷を起こさないよう注意が必要である。本項では、温罨法と冷罨法を学習する。

＊「罨」は覆いかぶせて魚や鳥を捕る網を意味する。

覚えておきたい基礎知識

罨法とは、身体の一部に温熱や寒冷の刺激を与え、血管・筋・神経系に作用させる治療法の総称である。

罨法の効果と適応

	温罨法　身体の局所を皮膚上から温刺激して、貼付部位の組織温を上げる方法	冷罨法　身体の局所を皮膚上から冷刺激して、貼付部位の組織温を下げる方法
効果	●血管の拡張、血流の増加 ●炎症部分の組織の代謝亢進、炎症の消退を促進 ●局所の炎症性産物の消退で知覚神経の緊張、興奮の低下による疼痛緩和 ●筋弛緩効果による疼痛緩和 ●血行促進による腸蠕動の促進	●血管の収縮による止血 ●炎症部分の組織の代謝低下による細菌の活動・増殖の低下 ●組織への血流減少により知覚神経の活性を抑制し、疼痛感覚を鈍くすることによる疼痛緩和 ●頭痛・不眠における休息や入眠
適応	●筋肉痛・関節痛 ●便秘、排ガス困難、術後の腸管麻痺 ●疼痛緩和	●高熱時、体温を下げる目的で腋窩・鼠径部・頸部など大きな動脈の走行部に貼付する ●腫脹・熱感・疼痛のある炎症の急性期 ●打撲・捻挫・骨折などの初期 ●外傷など発赤・腫脹のある創傷 ●炎症のある眼、歯痛、頭痛
禁忌	●炎症の急性期 ●出血傾向のある時 ●知覚鈍麻・知覚麻痺のある時 ●浮腫・脱水などで皮膚が脆弱な時	●循環不全・うっ滞のある時 ●知覚鈍麻・知覚麻痺のある時 ●浮腫・脱水などで皮膚が脆弱な時

罨法の種類と方法

罨法には温罨法と冷罨法があり、それぞれ温湿布やホットパック、氷枕などが用いられる。

温罨法

温湿布

❶ 70℃程度の湯でタオルを固く絞る。熱傷を負わないよう、手袋をはめて行う。

❷ 45～55℃に冷まして、患部に当てる。直前に患者自身の前腕内側などで温度を確認する。数秒後、当てている部位の皮膚に紅斑などの変化がないか確認する。
皮膚が脆弱な場合は、あらかじめオリーブ油・ワセリンなどを塗布する。

❸ ビニールをかけ、タオルで覆い、熱の放散を防ぐ。寝衣・寝具の湿潤を防止するため、絞ったタオルをビニール袋に入れて使用する場合もある。

❹ タオルが冷める前に除去する。

ホットパック

ホットパックは、熱保有度の高い物質でできており、適切な温度に温めて、患部を覆う。温湿布と同様の方法で使用する。使用中は皮膚の観察を行い、熱傷に注意する。

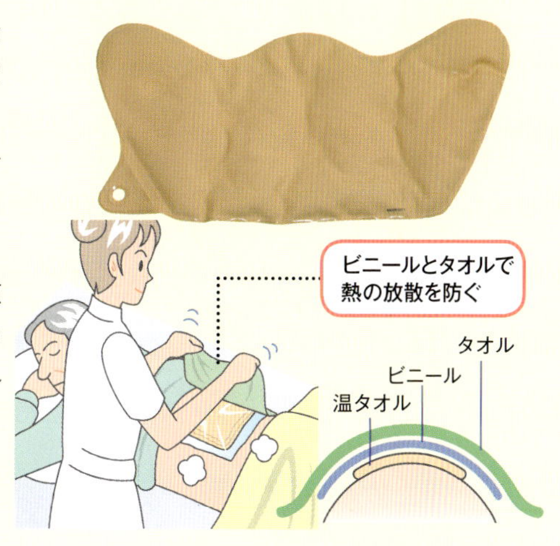

冷罨法

氷枕

❶ 枕に水を1/3ほど入れて留め金をかけ、逆さまにして水が漏れないことを確認する。

❷ 枕を空にし、氷を2/3程度入れ、少量の水を入れて氷の隙間をなくし、空気を抜いて余分な水を捨て留め金をかける。
空気は熱伝導が悪く、形態も不安定になるため、空気を抜くことが必要である。

❸ 水滴で寝具を濡らさないよう、氷枕袋に入れる。留め金が皮膚に当たらないよう、また過度な冷却を防止するため、布カバーをかけて使用する。

❹ 使用後は氷枕と接触していた皮膚の観察を行い、循環障害・感覚麻痺・凍傷に注意する。

CHAPTER 7 創傷ケア

到達目標
患者の状態をアセスメントし、
患者の状態に合わせて褥瘡予防、創傷ケアができる。

C O N T E N T S

CHECKING & ASSESSMENT

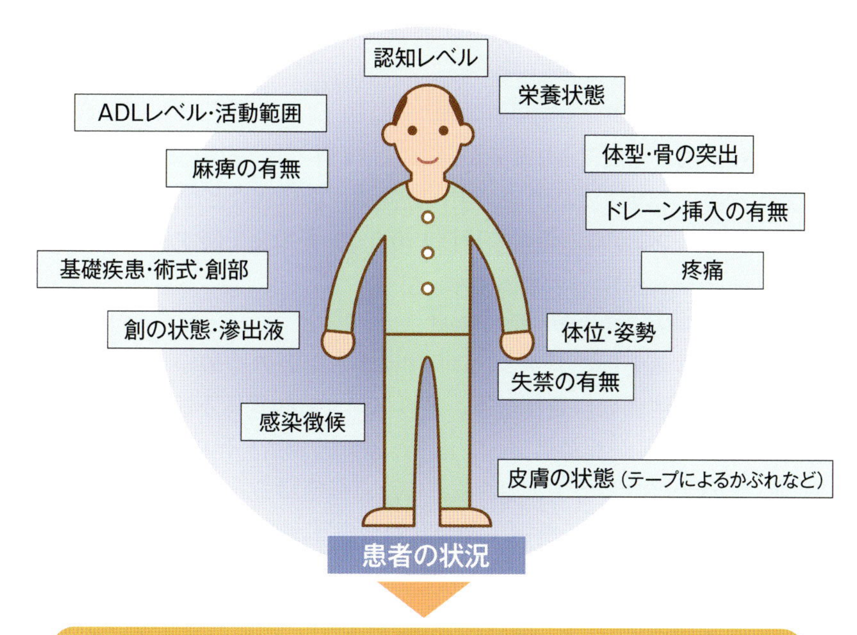

患者の状況

↓

援助の必要性・方法をアセスメント

↓

学生の状況

基礎知識

- □ 褥瘡の発生要因
- □ 褥瘡予防のケア技術
- □ 創の治癒過程の観察ポイント
- □ 閉鎖式ドレッシングと開放式ドレッシングの仕組み

患者へのケア場面

- □ 緊張・遠慮・リラックス
- □ 学生の不安や焦り、実施時の時間的余裕

これまでの実施経験・練習

- □ 褥瘡のリスクアセスメントの見学・学内演習
- □ 褥瘡予防のケア技術の見学・学内演習
- □ 創治癒状況の観察の見学・学内演習
- □ 受け持ち患者の褥瘡ケアの見学
- □ 受け持ち患者の創処置の見学

看護師・教員・病棟人員の状況、指導体制

- □ 創傷ケアの方法を確認してくれる指導者
- □ 学生が実施すること、指導者がサポートすることの確認
- □ 患者ケアに必要な人数のスタッフが確保できるか

↓

実習方法を決定

- □ 学生が単独で実施
- □ 看護師・教員の指導の下で実施
- □ 見学を通して学習

CHAPTER 7

1 褥瘡を予防するケア

学習のねらい

褥瘡は持続的な圧迫により血流が低下し、皮膚・皮下組織に損傷が発生する。褥瘡発生の要因には、圧の持続、摩擦、ずれ、湿潤、低栄養などがあり、これらを排除することが褥瘡予防につながる。患者の特性を踏まえ、褥瘡を予防するケアを計画し、実施する。

覚えておきたい基礎知識

褥瘡が発生する要因の1つに、局所にかかる圧力の持続がある。この背景には患者の移動能低下、体動の自発性低下、痛みに対する知覚低下などがある。さらに、身体状態(低栄養・循環血液量低下・老化・浮腫)や、発汗や尿・便失禁による皮膚の湿潤、摩擦、ずれなどが発生要因となる。また、褥瘡は骨と皮膚表層間の軟部組織の血流障害により発生するため、解剖学的に骨の突出部が好発部位となる。

褥瘡リスクのアセスメント

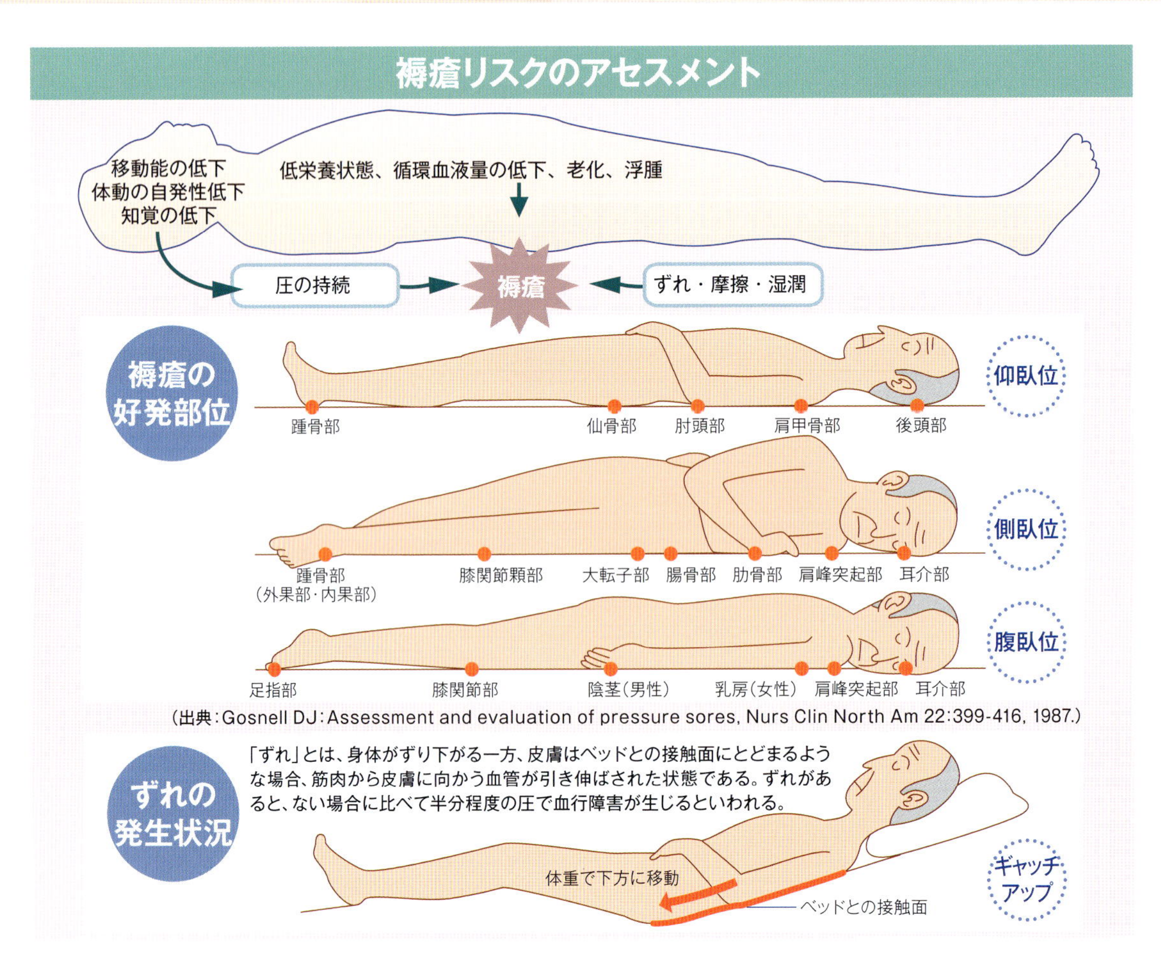

アセスメントスケール

褥瘡発生要因をアセスメントするスケールで、国際的に用いられているのがブレーデンスケールである。「知覚の認知」「湿潤」「活動性」「可動性」「栄養状態」「摩擦とずれ」の6項目からなり、項目ごとの数字を合計して採点する。合計点数が低いほど、褥瘡発生の危険性が高いと判断される。

褥瘡発生予測スケール(日本語版ブレーデンスケール)

知覚の認知	湿潤	活動性	可動性	栄養状態	摩擦とずれ
圧迫による不快感に対して適切に反応できる能力	皮膚が湿潤にさらされる程度	行動の範囲	体位を変えたり整えたりできる能力	普段の食事摂取状況	
1.まったく知覚なし	1.常に湿っている	1.臥床	1.まったく体動なし	1.不良	1.問題あり
痛みに対する反応(うめく、避ける、つかむ等)なし。この反応は、意識レベルの低下や鎮静による。あるいは、体のおおよそ全面にわたり痛覚の障害がある。	皮膚は汗や尿などのために、ほとんどいつも湿っている。患者を移動したり、体位変換するごとに湿気が認められる。	ねたきりの状態である。	介助なしでは、体幹または四肢を少しも動かさない。	決して全量摂取しない。めったに出された食事の1/3以上を食べない。蛋白質・乳製品は1日2皿(カップ)分以下の摂取である。水分摂取が不足している。消化態栄養剤(半消化態、経腸栄養剤)の補充はない。あるいは、絶食であったり、透明な流動食(お茶・ジュース等)なら摂取したりする。または、末梢点滴を5日間以上続けている。	移動のためには、中等度から最大限の介助を要する。シーツでこすれず体を動かすことは不可能である。しばしば床上や椅子の上でずり落ち、全面介助で何度も元の位置に戻すことが必要となる。痙攣、拘縮、振戦は持続的に摩擦を引き起こす。
2.重度の障害あり	2.たいてい湿っている	2.座位可能	2.非常に限られる	2.やや不良	2.潜在的に問題あり
痛みにのみ反応する。不快感を伝える時には、うめくことや身の置き場なく動くことしかできない。あるいは、知覚障害があり、体の1/2以上にわたり痛みや不快感の感じ方が完全ではない。	皮膚はいつもではないが、しばしば湿っている。各勤務時間中に少なくとも1回は寝衣寝具を交換しなければならない。	ほとんど、またはまったく歩けない。自力で体重を支えられなかったり、椅子や車椅子に座る時は、介助が必要であったりする。	時々体幹または四肢を少し動かす。しかし、しばしば自力で動かしたり、または有効な(圧迫を除去するような)体動はしない。	めったに全量摂取しない。普段は出された食事の約1/2しか食べない。蛋白質・乳製品は1日3皿(カップ)分の摂取である。時々消化態栄養剤(半消化態、経腸栄養剤)を摂取することもある。あるいは、流動食や経管栄養を受けているが、その量は1日必要摂取量以下である。	弱々しく動く、または、最小限の介助が必要である。移動時皮膚は、ある程度シーツや椅子、抑制帯、補助具等にこすれている可能性がある。たいがいの時間は、椅子や床上で比較的よい体位を保つことができる。
3.軽度の障害あり	3.時々湿っている	3.時々歩行可能	3.やや限られる	3.良好	3.問題なし
呼びかけに反応する。しかし、不快感や体位変換のニードを伝えることが、いつもできるとは限らない。あるいは、いくぶん知覚障害があり、四肢の1、2本において痛みや不快感の感じ方が完全ではない部位がある。	皮膚は時々湿っている。定期的な交換以外に、1日1回程度、寝衣寝具を追加して交換する必要がある。	介助の有無にかかわらず、日中時々歩くが、非常に短い距離に限られる。各勤務時間中に、ほとんどの時間を床上で過ごす。	少しの動きではあるが、しばしば自力で体幹または四肢を動かす。	たいていは1日3回食事をし、1食につき半分以上は食べる。蛋白質・乳製品を1日4皿(カップ)分摂取する。時々食事を拒否することもあるが、勧めれば通常補食する。あるいは、栄養的におおよそ整った経管栄養や高カロリー輸液を受けている。	自力で椅子や床上を動き、移動中十分に体を支える筋力を備えている。いつでも、椅子や床上でよい体位を保つことができる。
4.障害なし	4.めったに湿っていない	4.歩行可能	4.自由に体動する	4.非常に良好	
呼びかけに反応する。知覚欠損はなく、痛みや不快感を訴えることができる。	皮膚は通常乾燥している。定期的に寝衣寝具を交換すればよい。	起きている間は少なくとも1日2回は部屋の外を歩く。そして少なくとも2時間に1回は室内を歩く。	介助なしで頻回にかつ適切な(体位を変えるような)体動をする。	毎食おおよそ食べる。通常は蛋白質・乳製品を1日4皿(カップ)分以上摂取する。時々間食(おやつ)を食べる。補食する必要はない。	
●14点～17点が褥瘡発生危険点(配点は各項目の頭の数字)				Total	

援助する前に確認しよう!

患者の状況

- □ 痛みを知覚できる?
- □ 汗をかきやすい?
- □ 排泄の方法は?
- □ 陰部は湿潤している?
- □ 下痢はしていない?
- □ 寝返りがうてる?
- □ 座位はとれる?
- □ 可動性は?
- □ 栄養状態は?
- □ 皮膚の状態は?
- □ 常に好んでとる体位は?
- □ ギャッチアップの際、ずり落ちる?
- □ ブレーデンスケールの合計点は?
- □ 注意力、判断力、認知機能は?

周囲の状況

- □ マットレスの種類は?
- □ シーツは濡れていない?

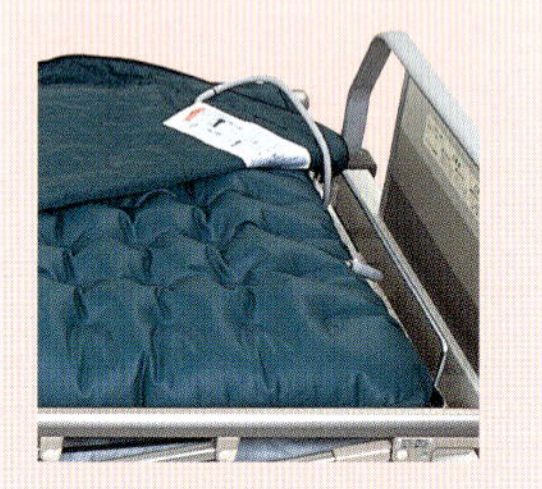

あなた自身

- □ ユニホームや手はきれい?

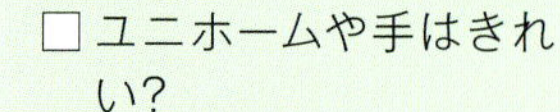

- □ 褥瘡の知識は?
- □ 体位変換を実施したことは?

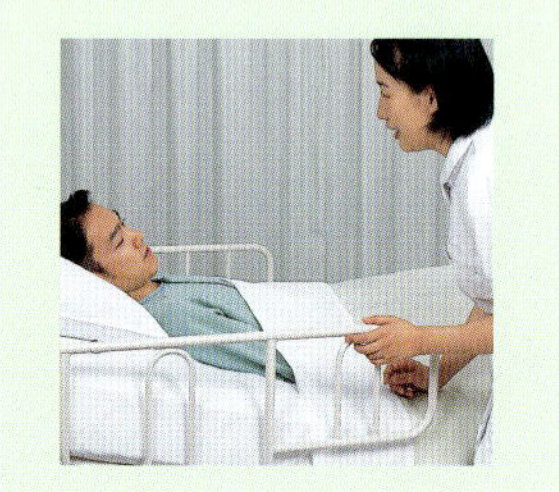

体位の工夫

患者にとって安楽な体位をとり、ずれや同一体位による圧迫、血流障害を避ける。

体位

体位は、30度側臥位とする。褥瘡好発部位である仙骨部、腸骨部、大転子部の圧迫を避け、かつ安楽な体位を選択する。

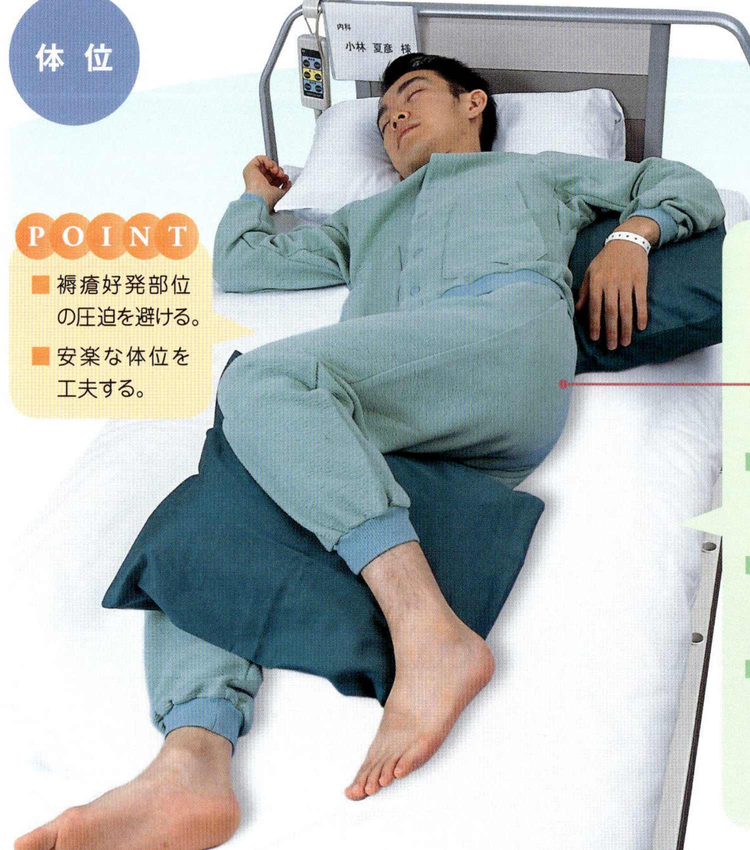

POINT

- ■ 褥瘡好発部位の圧迫を避ける。
- ■ 安楽な体位を工夫する。

EVIDENCE

褥瘡を予防する体位

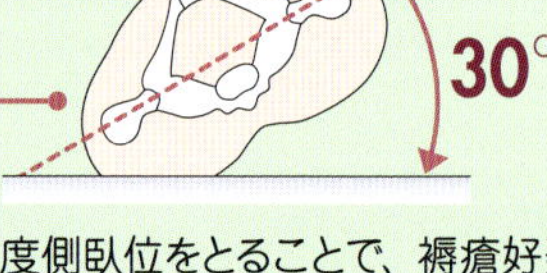

- ■ 30度側臥位をとることで、褥瘡好発部位である仙骨部・腸骨部・大転子部の圧迫を避ける。
- ■ 30度側臥位は、解剖学的にみると、安楽な姿勢であるかは疑問との指摘もある。
- ■ 患者が自分で体を動かせる場合は、無理に30度側臥位をとるより、体圧分散寝具を使用する。自分で枕を外してしまい、摩擦やずれが生じる場合がある。

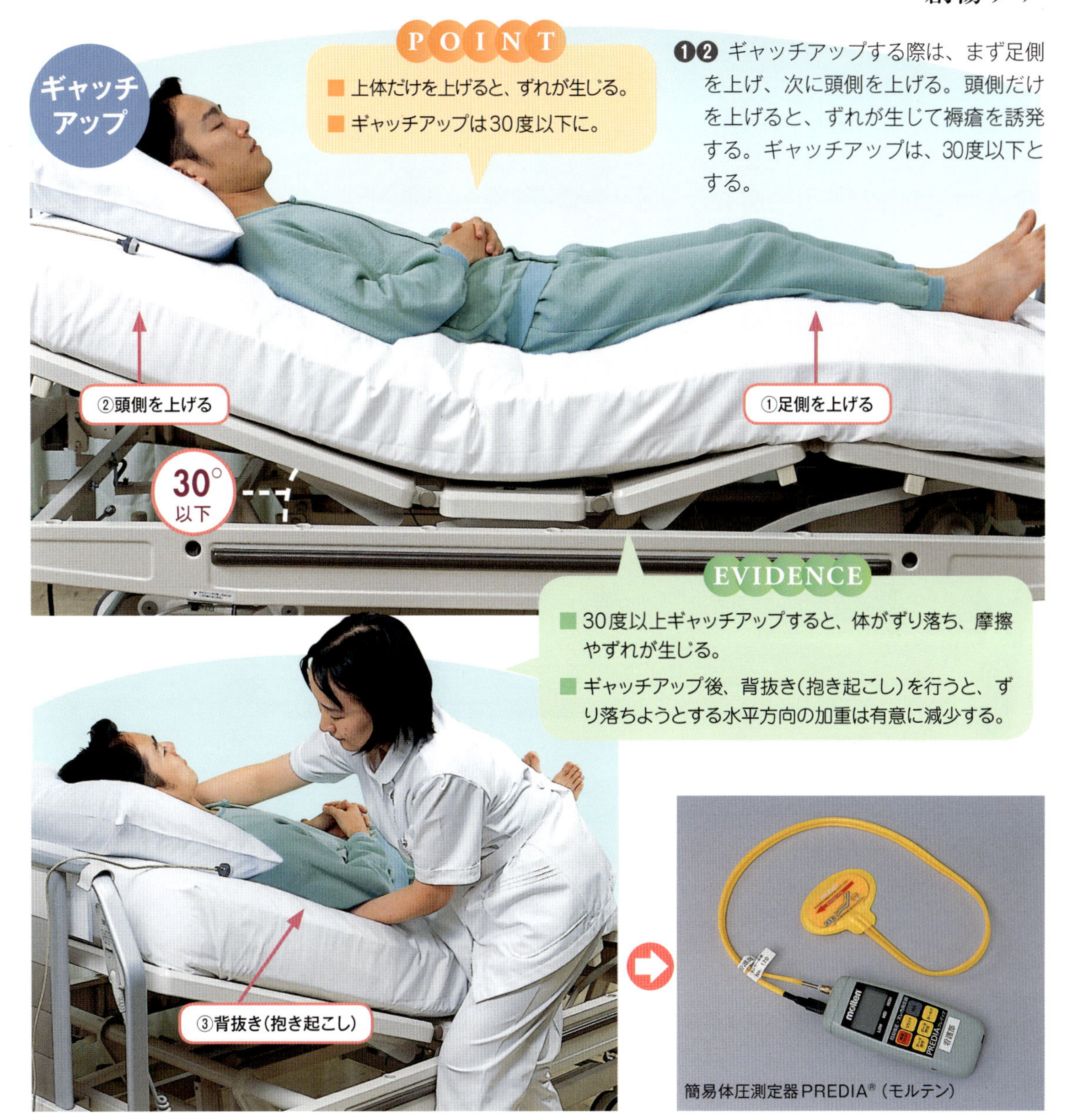

POINT

- 上体だけを上げると、ずれが生じる。
- ギャッチアップは30度以下に。

❶❷ ギャッチアップする際は、まず足側を上げ、次に頭側を上げる。頭側だけを上げると、ずれが生じて褥瘡を誘発する。ギャッチアップは、30度以下とする。

EVIDENCE

- 30度以上ギャッチアップすると、体がずり落ち、摩擦やずれが生じる。
- ギャッチアップ後、背抜き(抱き起こし)を行うと、ずり落ちようとする水平方向の加重は有意に減少する。

❸ ギャッチアップをした後、ベッドから抱き起こし(背抜き)、背中のシーツや衣類を整えて戻す。背抜きにより、ずれ力が減少し、安楽が得られる。

❹ 簡易体圧測定器を用いて、体圧やずれ力を測定し、体位を評価するとよい。

POINT

褥瘡を予防する体位変換のポイント

- 体位変換は2時間ごとを目安とし、皮膚の弱い人、褥瘡リスクの高い人には、頻回に行う。
- 体位変換の際、褥瘡好発部位を観察し、発赤などがみられたら、2時間より前に変換。
- 体圧、背部表面皮膚温度、皮膚血流量を用いた研究からも、体位変換間隔は1～2時間以内と提唱されている。
- 摩擦は褥瘡発生の要因であるため、患者を引きずらないよう注意。2人で行うとよい。
- バスタオルは吸湿性はあるものの、温度が上昇して発汗を招き、湿潤の原因となる。また、バスタオルを背部に敷いて体位変換を行うと摩擦が起きる可能性もあり、敷かないほうがよいと指摘されている。

体圧分散寝具

体圧分散寝具は、体圧を分散させることで寝具と皮膚接触面とを除圧、減圧する。除圧用具とは、どの体位においても皮膚の接触圧を細動脈側毛細血管圧32mmHg以下に保つことができ、圧切り替え機能がある。接触圧を32mmHg以下に保つことができない用具は、減圧用具という。
褥瘡発生リスクの高い患者には、除圧用具を用いることが望ましい。十分な除圧ができるよう、体位変換なども取り入れたケアを行う。

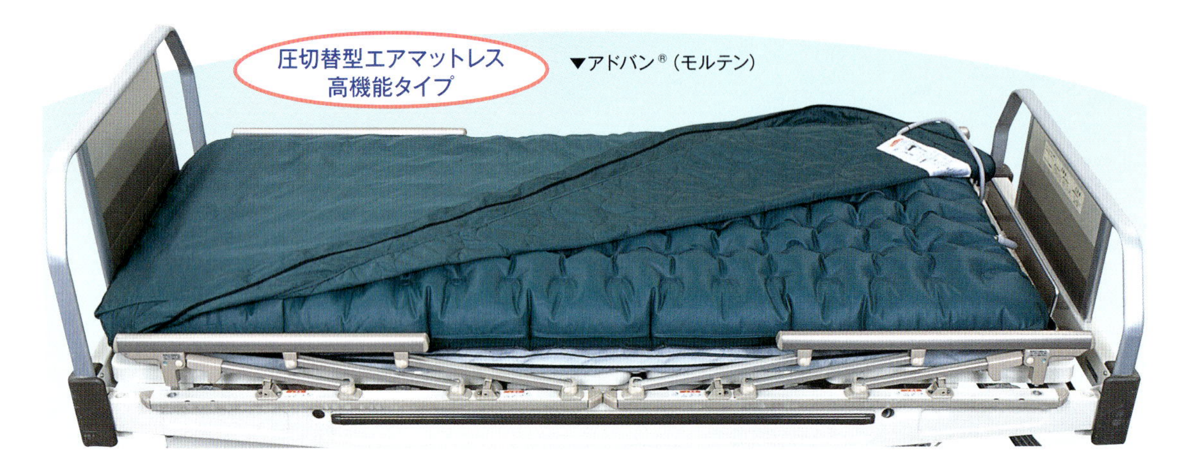

▼アドバン®（モルテン）

マットレス

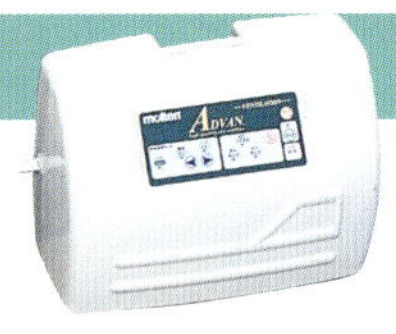

体重による圧力設定は不要で、
自動的にコントロール機能が働く。

栄養状態の管理

低栄養状態は褥瘡発生のリスクを高め、創傷の治癒を遅らせる。
検査データや食事摂取量、体重減少を含む患者の状態をアセスメントする。
医師や栄養士と相談し、患者の疾患や状態に合わせ、経管栄養法や中心静脈栄養法も含めた栄養管理を行う。

評価の視点	アセスメント項目	POINT
血液検査データ	●血清アルブミン値（Alb）	●血清アルブミン値3.5g/dL以下では、褥瘡発生のリスクが高い。 ●血清アルブミン値は、脱水などさまざまな要因で変化するため、注意が必要である。
食事摂取パターン	●口腔内の状態 ●嚥下機能 ●消化器症状 ●食事内容 ●食事摂取量	●口腔内の状態、嚥下機能による栄養の補給内容・摂取方法から、栄養不良になっていないかをアセスメントする。 ●消化器症状による食欲不振から栄養不良になっていないかを観察し、食事内容と食事摂取量を含めた、総合的な栄養評価を行うことが大切。
身体状況	●体重の変化	●短期間での体重減少は、低栄養状態である可能性が高く、褥瘡発生のリスクが高まる。

スキンケア

皮膚のバリア機能とは、外部からの刺激を防御する働き、体内の水分が外に逃げないよう保護する働きである。皮膚のバリア機能が低下すると、皮膚損傷のリスクが高まる。褥瘡を予防するためには、予防的なスキンケアが大切である。

清潔の保持

やさしく、ていねいに洗浄

入浴や足浴は、皮膚の清潔を保つだけでなく、循環を促し、褥瘡の予防につながる。

清拭を行う場合は、やさしくていねいに行う。ゴシゴシと力を入れると、皮脂や角質が摩擦ではがれ、皮膚のバリア機能が低下する。

また、熱い湯は皮脂をとり、保湿機能を低下させるので注意する。

参照★新訂版 写真でわかる高齢者ケア アドバンス p93～95

湿潤状態の改善

濡れた寝衣・おむつは、速やかに交換

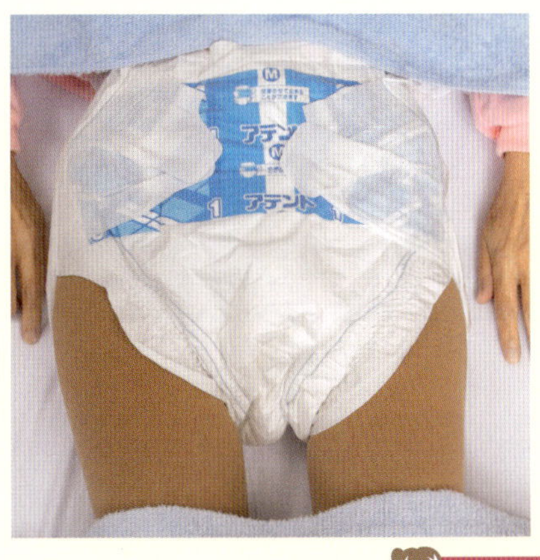

皮膚が湿潤していると、皮膚のバリア機能が低下し、皮膚損傷のリスクが高くなる。汗を拭き取り、環境を調整する。寝衣が濡れている場合は、速やかに交換する。

尿は、おむつの中で時間がたつとアルカリ性に傾き、皮膚障害を起こしやすくなる。便の接触も皮膚障害につながる。できるだけおむつの装着を避けることが望ましいが、むずかしい場合は、頻回の観察を行う。排泄物を皮膚に接触させないよう、皮膚保護剤の使用も考慮する。

参照★新訂版 写真でわかる高齢者ケア アドバンス p59～64

援助後に振り返ってみよう!

観 察

- □ 皮膚の色調・腫脹・湿潤・温度は?
- □ 体位変換時の患者の表情は?
- □ ポジショニングは?
- □ 除圧の程度、底づき(p220参照)は?
- □ 排泄物の状態は?

記録・報告

- □ 皮膚の状態（発赤の有無、湿潤状態など）
- □ 自覚症状

後片付け

- □ 体位変換時に動かした物品を元に戻す

覚えておくと、役立ちます！

シーツや寝衣のしわは、褥瘡リスク

シーツや寝衣にしわがあると、その部分が局所的に皮膚を圧迫する。これが長時間続くと、血行障害を生じて、褥瘡につながる。シーツや寝衣はしわを伸ばして整える。

排泄物は、拭き取るより洗浄

ティッシュペーパーで排泄物をゴシゴシこすりとると、皮膚障害の原因になる。微温湯で洗い流すほうが、皮膚の負担を軽減できる。
ただし、頻回の石けん洗浄は皮脂を洗い流してしまうため、石けんの使用は1日1回を目安とする。

エアマットレスの底づきの確認とは？

底づきの確認とは、エアマットレスを使用している場合に、1日1回は圧が適切か、仙骨部が底についていないかを確認することである。手のひらを上にしてマットレスの下に指を差し込み、指を曲げた時に2.5cm以上の余裕があることを確認する。

ライン類は当たっていないか？

褥瘡は、輸液などのライン類が原因で発生する場合もある。例えば、持続点滴のサーフロー針と輸液ラインの接続部の凹凸、酸素マスク、鼻カニュラをかけている耳の裏側、胃チューブを固定する鼻翼部分にできることがある。医療器材の局所的な圧迫に注意を！

こんな時どうする？

CASE 1 体位変換で「呼吸が苦しい」と言われた！

肺炎や胸水が貯留している患者は、炎症や胸水がある側を上に向けた場合、換気が十分に行われずに低酸素状態となり、SpO_2が低下し、呼吸苦を自覚する。生命の危険を伴い、患者の安楽も保つことができない。
症状のある側を上にした側臥位を避け、仰臥位と呼吸苦のない側臥位を交互に繰り返す。

CASE 2 交換したばかりのドレッシング材が汚染！

ドレッシング材に便がついていると感染リスクが高まるため、迅速に除去しなくてはならない。しかし、交換したばかりのドレッシング材は粘着力が強いため、はがすことによる皮膚への負担は大きく、新たな創傷を作るリスクも高まる。
汚染された部分のみをカットし、新たなドレッシング材で補強する。汚染部分が広範囲な場合は、皮膚の負担がないよう、濡らした状態ではがすなどの工夫を行う。

【参考文献】 1)真田弘美編(2004).オールカラー褥瘡ケアガイド予測・予防・管理のすべて.学習研究社.
2)日本褥瘡学会編(2005).科学的根拠に基づく褥瘡局所治療ガイドライン.照林社.

CHAPTER 7

2 手術創のケア

学習のねらい

手術創のある患者のケアを行う場合には、創の治癒過程を理解したうえで、創部の観察を行い、異常の早期発見と対応を行うことが大切である。
本項では、創傷の治癒過程の基本的な知識を理解し、創部の観察ポイントや処置の仕方について学ぶ。

覚えておきたい基礎知識

創の治癒過程には、感染のおそれがない創の一次治癒と、皮膚の上部や真皮が露出し閉鎖できない創の二次治癒がある。
手術創に代表される一次治癒においては、創の治癒過程を**①炎症期→②増殖期→③成熟期**の3つの期に分けてみていくことが多い。炎症期は、直後から3日程度続き、創には発赤・腫脹・疼痛がある。増殖期は、術後2日目頃から3週間程度続き、肉芽の増殖がみられ、創の色はピンクや赤色となる。成熟期は1年以上続き、創は白色線状の瘢痕となっていく。創の治癒には、年齢、栄養状態、術式、合併症などの全身状態が影響を与える。

創の治癒過程

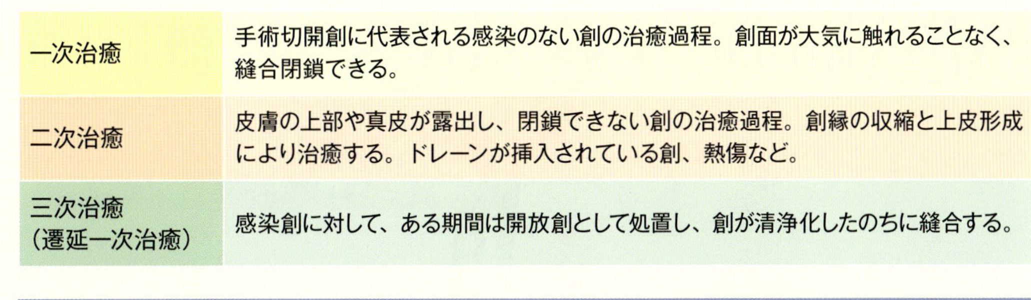

一次治癒	手術切開創に代表される感染のない創の治癒過程。創面が大気に触れることなく、縫合閉鎖できる。
二次治癒	皮膚の上部や真皮が露出し、閉鎖できない創の治癒過程。創縁の収縮と上皮形成により治癒する。ドレーンが挿入されている創、熱傷など。
三次治癒 （遷延一次治癒）	感染創に対して、ある期間は開放創として処置し、創が清浄化したのちに縫合する。

創の治癒過程（一次治癒）

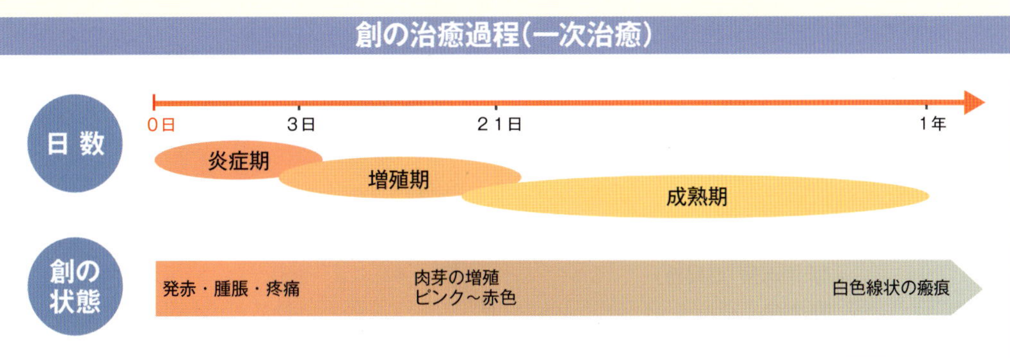

援助する前に確認しよう!

患者の状況

- □ 術式と術後の経過は?
- □ 創の部位、状況（滲出液・感染など）は?
- □ ドレーン挿入の有無は?
- □ 使用するドレッシング材（閉鎖式・開放式）は?
- □ 発熱などのバイタルサインは?

周囲の状況

- □ ベッドの高さは?
- □ 処置に必要なスペースはある?

あなた自身

- □ 創処置の知識はある?
- □ 学内で創処置の技術演習をしたことがある?
- □ 受け持ち患者の創処置を見学したことはある?

必要物品を準備しよう!

閉鎖式ドレッシング

1. 手袋
2. 処置用シーツ
3. フィルムドレッシング材
4. バスタオル
5. ごみ袋または膿盆

ガーゼを用いた（開放式）ドレッシング

1. 手袋
2. 処置用シーツ
3. バスタオル
4. ガーゼ
5. テープ
6. 消毒薬（必要時）
7. 鑷子
8. ごみ袋または膿盆

観察

視診・触診により創部、ドレーン挿入部を観察する。
また、ドレーンバッグ内の排液量と性状を観察し、創傷治癒の経過を確認する。

創の観察

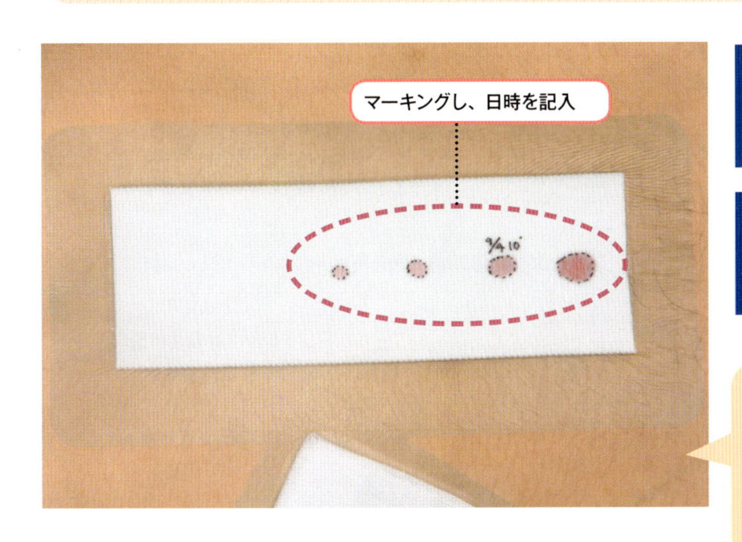

1 出血や滲出液を確認
出血や滲出液の色・量・性状・臭いを観察する。

2 創離開・感染徴候を確認
創離開の有無、感染徴候の4つの指標：発赤・腫脹・熱感・疼痛を観察する。

POINT

- マーキングと日時の記入により、いつから出血が拡大したかがわかる。
- 術後2～4日目に出血したり、膿汁（アイテル）が認められる場合は、再感染による創離開が考えられる。

出血少量
出血が少量の場合は、ドレッシング材の上に出血範囲をマーキングし、日時を記入する。出血範囲が拡大していく場合は、いつから出血しているのか、どのように拡大しているのかがわかる。

出血多量
ドレッシング材の交換を行う。血液が付着したガーゼは感染防止のためにビニール袋に入れ、重さを量る。その重さから、同じ枚数の未使用ガーゼとビニール袋の重さを引くと、出血量がわかる。

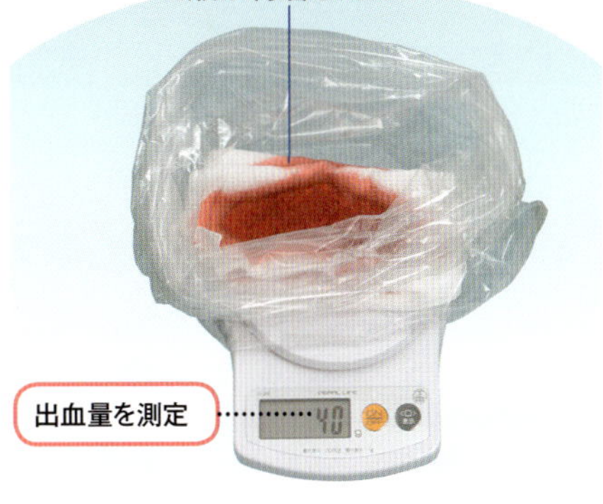

排液の観察

順調な経過をたどる場合、排液量は徐々に少なくなり、性状は血性→漿液血性（淡血性）→漿液性（淡黄色）と色調が薄くなっていく。

術後、鮮血が排出されている場合は、内出血を疑う。

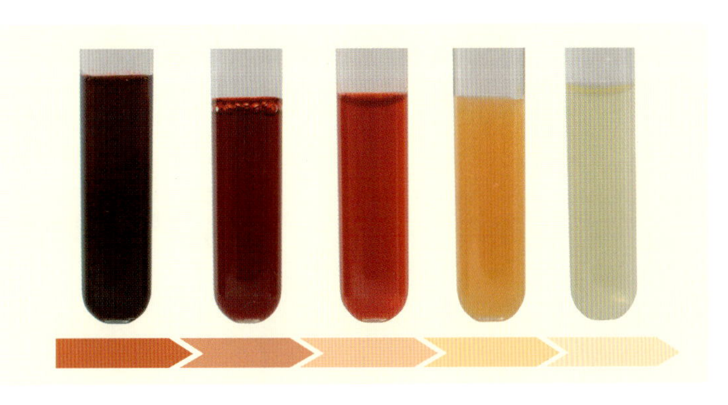

閉鎖式ドレッシング

創に滲出や感染がない場合には、閉鎖性のフィルムドレッシング材を使用して、創部の湿潤環境を保ち治癒を促す。

手術創のドレッシング

7-1

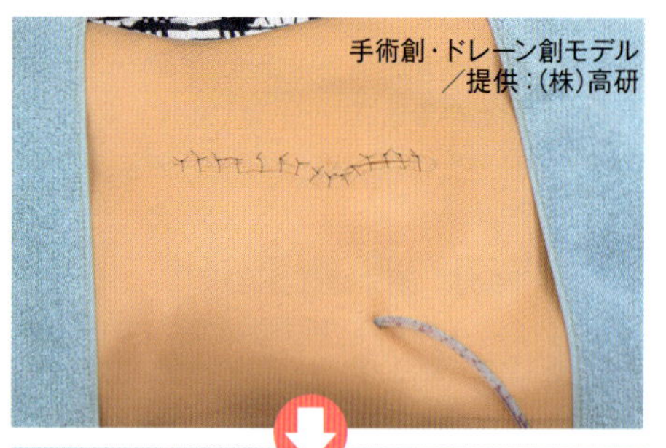

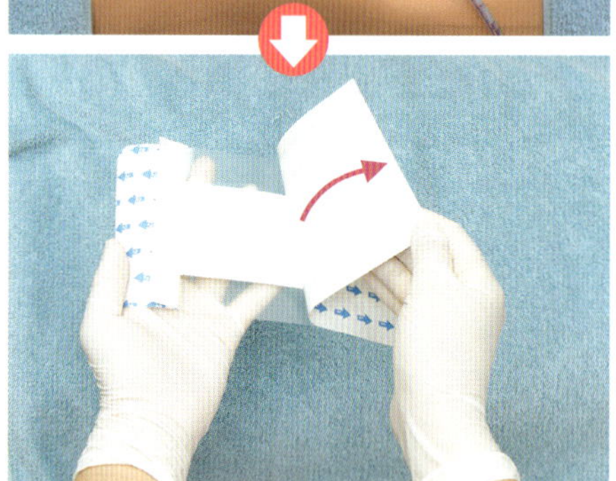

1	説明	事前に説明し、患者の同意と協力を得る。
2	処置前の準備	カーテンを引き、プライバシーを保護する。手洗いをし、手袋を装着する。
3	ドレッシング材の準備	創を覆うサイズのドレッシング材を準備する。
4	ドレッシング材の貼付	フィルムドレッシング材の貼付面のシートをはがし、皮膚の表面に密着させて貼る。
5	透明シートの除去	最後に表面の透明シートをはがす。

ドレーン創のドレッシング

7-2

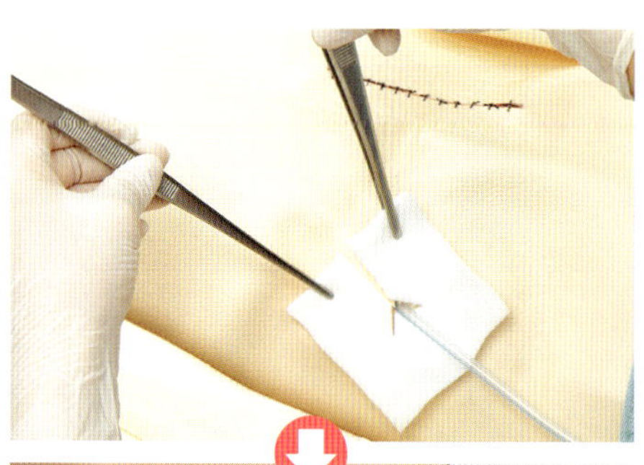

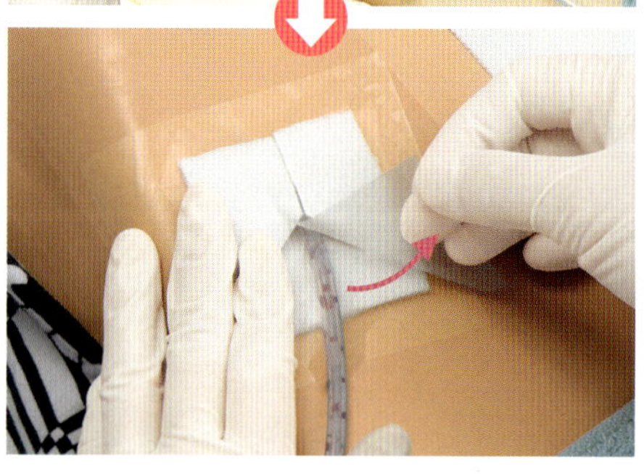

1	説明	事前に説明し、患者の同意と協力を得る。
2	処置前の準備	カーテンを引き、プライバシーを保護する。手洗いをし、手袋を装着する。 ガーゼにY字型の切り込みを入れる。
3	ガーゼの挿入	ドレーン挿入部に滅菌されたY字型の切り込みを入れたガーゼを挿入する。
4	ドレッシング材の貼付	フィルムドレッシング材の貼付面のシートをはがし、ドレーン挿入部に貼る。
5	透明シートの除去	最後に表面の透明シートをはがす。

ガーゼを用いたドレッシング

創に滲出がある場合や感染が疑われる場合には、
閉鎖性のフィルムドレッシング材を使用せずに、ガーゼを用いたドレッシングを行う。医師の指示に基づき、消毒や洗浄などの処置が行われる。

創のガーゼ交換

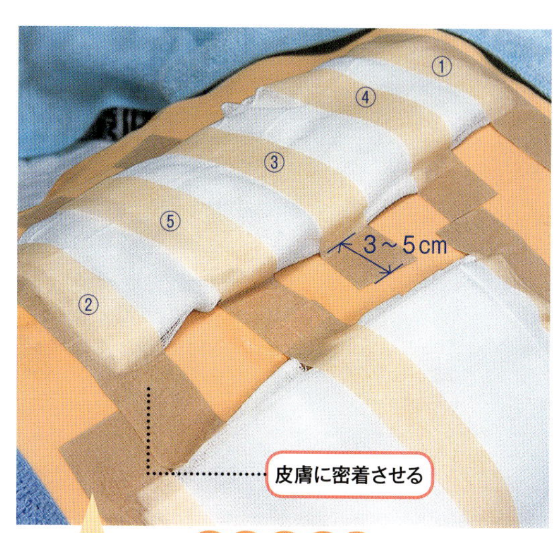

POINT

- テープは皮膚とガーゼに沿わせて貼る。
- ガーゼ側面にも密着させ、隙間を作らない。

1	説明	事前に説明し、患者の同意と協力を得る。
2	処置前の準備	カーテンを引き、プライバシーを保護する。手洗いをし、手袋を装着する。
3	ガーゼをはがす	皮膚を押さえながら、ていねいにゆっくりとテープやガーゼをはがす。
4	ガーゼを廃棄	はがしたガーゼをビニール袋に入れ、周囲への汚染を避ける。
5	新しいガーゼで覆う	新しいガーゼで創を覆う。
6	テープで固定	テープでガーゼを両端から固定する。テープは皮膚の走行に沿って縦または横に①～⑤の順に貼り、テープの端3～5cmを皮膚に密着させる。

援助後に振り返ってみよう！

観察

- □ 創滲出の量・性状は？
- □ 感染徴候は？
  （発赤・腫脹・疼痛・熱感）
- □ バイタルサインは？
- □ 血液データ（CRP、白血球）は？

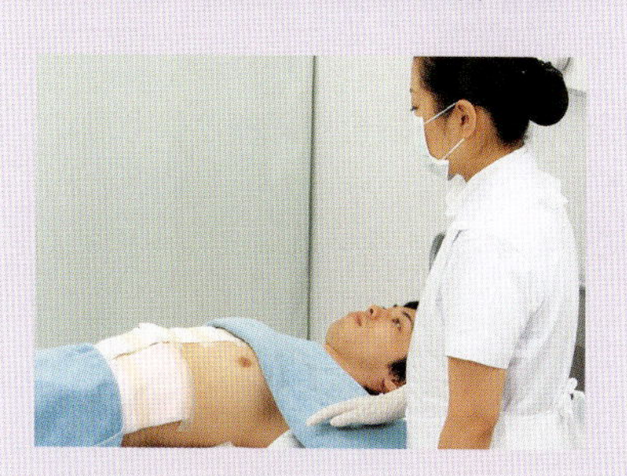

記録・報告

- □ 創滲出の量・性状
- □ 感染徴候の有無

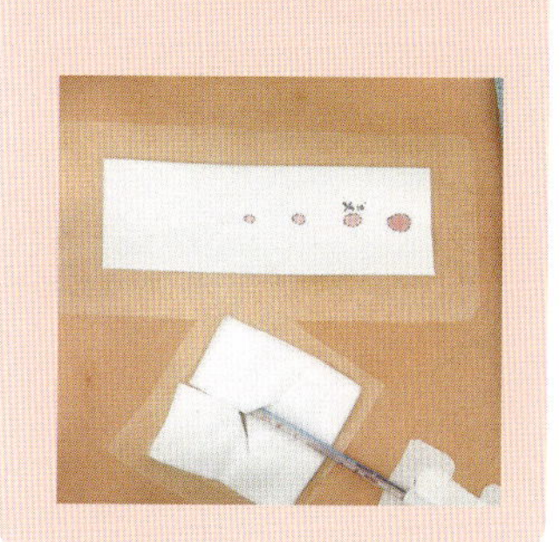

後片付け

- □ ドレッシング材を廃棄する
  （医療廃棄物として）
- □ 使用物品を片付ける

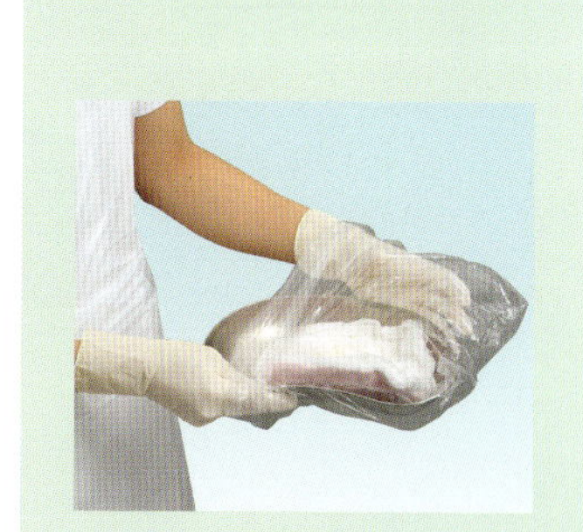

覚えておくと、役立ちます！

手術創は感染がある場合のみ消毒

消毒剤は、創傷治癒に必要な細胞を死滅させるおそれがあるため、感染などがなく、順調な経過をたどる手術創の消毒は不要である。
また、感染があり消毒を行う場合は、1回ずつ使いきることができるディスポーザブル製品の使用が望ましい。

消毒剤

感染リスクを低下させるため、消毒にはディスポーザブル製剤を用いる。綿棒とポビドンヨードがセットされた製品などがある。

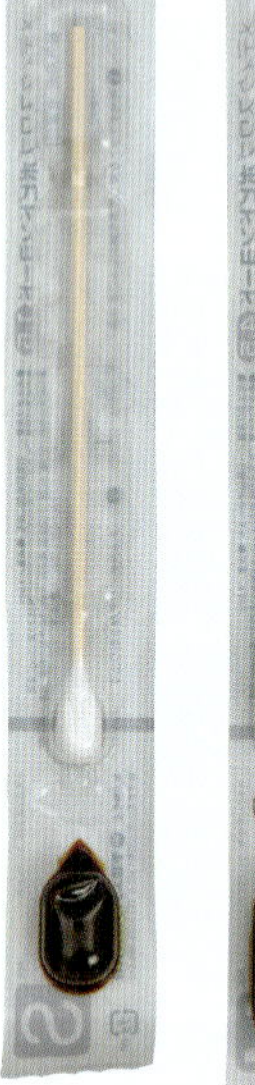

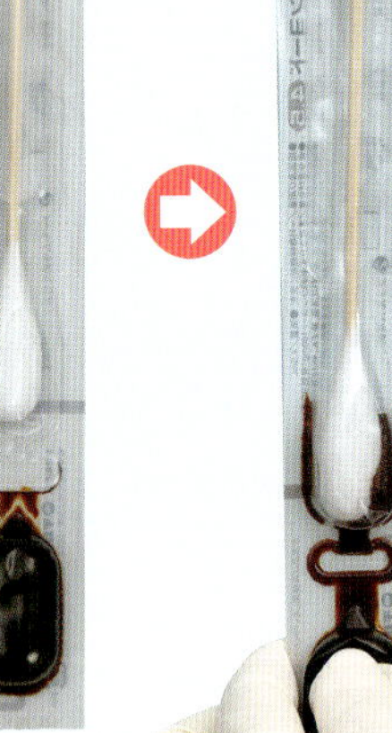

POINT
- 外装の上から、ポビドンヨードの位置を圧迫すると、綿棒にしみ込む。
- 清潔操作で外装をはがし、綿棒を取り出す。

POINT
- 外装を指示線でカットすると、ポビドンヨードに浸された綿棒を取り出すことができる。

消毒の実施

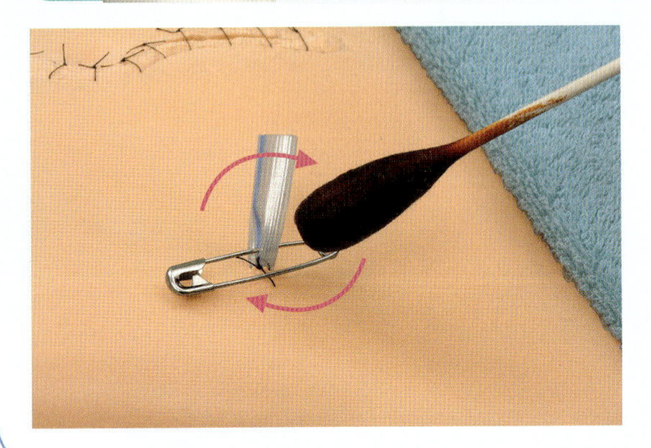

術後は、医師が縫合創、ドレーン創の消毒を行う。消毒時は部位ごとに消毒剤を取り替え、汚染された消毒剤で消毒しないよう注意する。

手術創は、縫合部の上→縫合部両側という順に消毒する。ドレーン創は、中心から外側へと円を描くように消毒する。

こんな時どうする?

CASE 1 テープを貼っているところが痒い!

「テープを貼っているところが痒い」と患者が訴える時は、かぶれを起こす可能性がある。テープをはがした後の皮膚を観察して、発赤の有無など皮膚の変化を確認する。
テープの接着剤がついた皮膚を清拭し、清潔に保つことも重要。パッチテストを行ったうえで、かぶれを起こしにくいテープを選択するとよい。
また、テープの貼付部位は毎回変えて、同じ部位に貼らないようにする。

CASE 2 ドレッシング材がはがれかけている!

創部のドレッシング材がはがれかけているのをみつけたら、担当看護師に伝え、新しいものに貼り替えを行う。

CASE 3 ガーゼ上層まで滲出液がみられる!

創部の滲出液がガーゼ上層にまでみられる時は、担当看護師に伝え、ガーゼの交換を行う。
滲出液の量が多いことが予想される場合には、防水シートのついた当てガーゼをしておくとよい。

CASE 4 腹帯がうまく巻けない!

腹帯は下のほうからしっかりと巻いていき、上のほうは呼吸を妨げない強さになるよう注意する。
腹帯は創部の保護につながり、痛みの軽減にも役立つ。

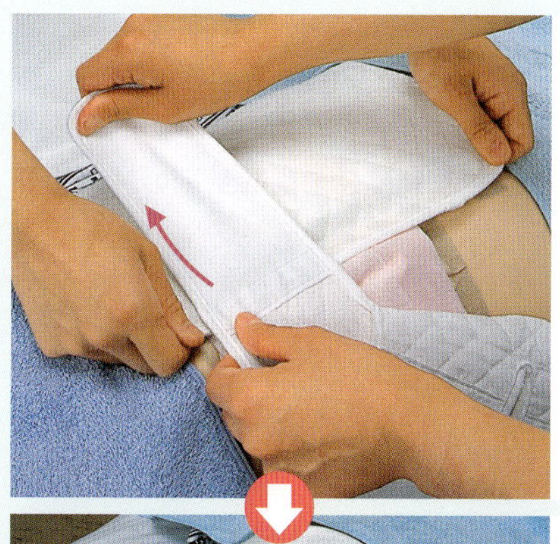

腹帯は下方から締め、上方は呼吸を圧迫しないよう緩めに締める。

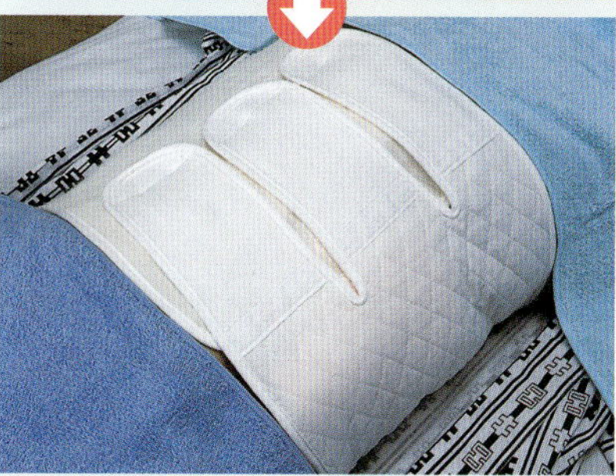

腹帯による適度な圧迫で、創部の安定を図る。患者は腹圧がかけやすく、座位・立位をとりやすくなる。

CHAPTER 8
与薬の技術

到達目標

与薬におけるヒヤリ・ハット、医療事故を防ぐために、投与経路・投与方法の特徴を理解できる。
必要な薬剤を安全に適切に投与するための留意事項、観察ポイントを理解し、実施できる。

C O N T E N T S

CHECKING & ASSESSMENT

意識レベル・認知機能
体位・姿勢・歩行状況
嚥下・消化吸収機能
食事・飲水制限、禁飲食
肝・腎機能
創部・ドレーン挿入・皮膚疾患
便秘・下痢など排便状況
基礎疾患・治療に用いる薬剤の作用・副作用
膀胱留置カテーテル
薬剤の自己管理能力
体重・身長・年齢・アレルギー体質

患者の状況

与薬方法の選択・留意点をアセスメント

学生の状況

基礎知識

- □ スタンダードプリコーション
- □ 安全な投与のための確認事項
- □ 起こりやすいヒヤリ・ハット、事故事例
- □ 投与経路による特徴・観察ポイント

これまでの実施経験・練習

- □ 与薬準備、実施場面（経口・注射など）の見学、モデルを用いた演習
- □ 処方箋内容の確認方法、ダブルチェックの見学・実施

患者へのケア場面

- □ 緊張・リラックス
- □ スケジュール、ケア・検査の焦り、作業中断のリスク

看護師・教員・病棟人員の状況、指導体制

- □ 与薬技術を確認してくれる指導者

実習方法を決定

- □ 学生が単独で実施
- □ 看護師・教員の指導の下で実施
- □ 見学を通して学習

CHAPTER 8

1 安全な与薬のための基礎知識

学習のねらい

安全・確実に薬剤を投与するために必要な基本的知識を学ぶ。

薬剤の投与経路

薬剤の投与には、①内服、②外用、③注射という3つの経路がある。投与経路ごとに投与手技、体内に吸収される仕組みが異なる。

内服　薬剤を内服すると、嚥下･消化･吸収・代謝機能による影響を受ける。薬剤は胃・小腸から吸収され、門脈・肝臓を経て血液中に入り、全身を循環する。

外用　外用薬は皮膚や粘膜に分布する毛細血管を通して、比較的穏やかに体内に吸収される。皮膚や粘膜の汚染、投与手技によっては吸収に差異が生じることがある。

注射　注射による薬剤投与は、消化・吸収の影響を受けず、速やかに体内に取り入れられるため、薬理作用・副作用の発現も急速である。
組織に直接針を刺入するため、苦痛を伴う。

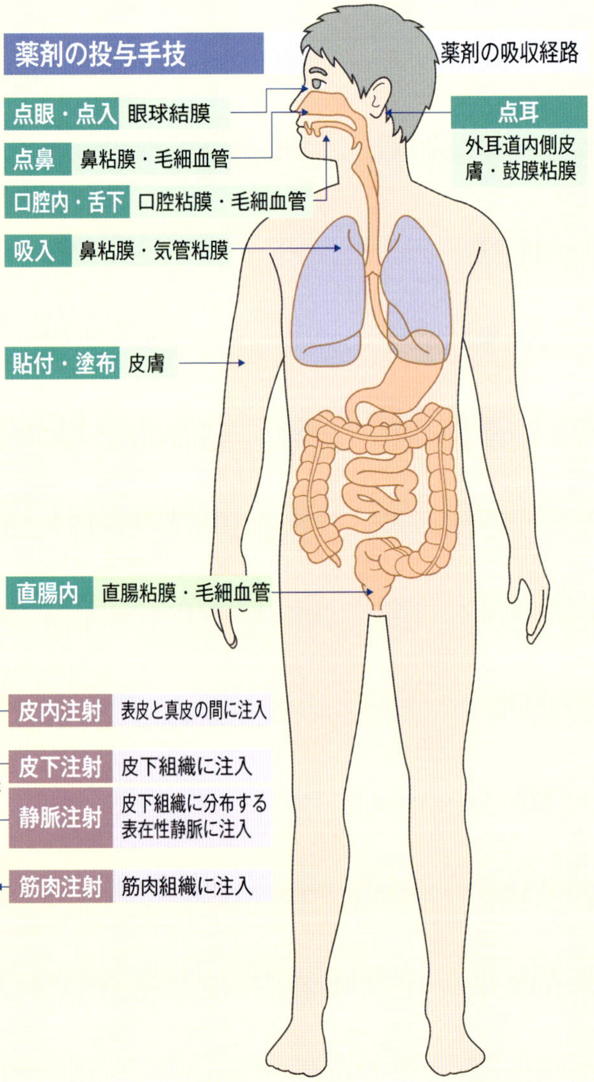

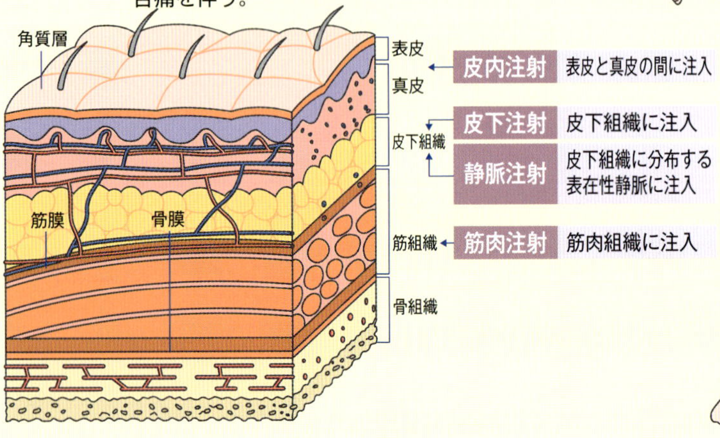

薬剤の主作用・副作用

- 薬剤は肝臓で代謝され、腎臓から排泄されるため、肝臓や腎臓の機能が低下している人、小児や高齢者など臓器の機能が十分ではない場合には、薬剤の作用が強く現れることがある。
このように、薬剤の主作用に加え、何らかの症状が現れる場合を副作用と呼ぶ。さらに、特に有害な作用が生じる場合、有害反応と呼ぶ。

- 複数の薬剤を併用する場合、薬剤の相互作用による影響が生じる。薬理作用が強く出現する場合を相乗作用、薬理作用を打ち消しあう場合を拮抗作用という。
食品やサプリメントと特定の薬剤が拮抗作用を持つことが知られている。
例えば、グレープフルーツはカルシウム拮抗薬と結びついて薬理作用を増強するため、注意が必要である。

薬剤を安全に投与するための確認事項

- 薬剤を安全に投与するために、次の事項に留意する。

確認ポイント	
	□なぜ、この患者にこの薬剤を投与するのか
	□患者氏名・薬剤名・投与量・投与経路・投与時間を確認する
	□処方箋が不明瞭な場合は自己判断せず、医師に確認してから準備する
	□指示量の単位に注意する。例：mg, mL, g
	□声出し、指差し確認をしながら準備する
	□ほかの看護師とダブルチェックを行う
	□薬剤の準備作業は中断したり交替せず、1人が最後まで集中して行う

薬剤の管理

- 看護師は薬剤師と連携し、下記の事項に注意して薬剤を管理する。

1	温度・湿度・遮光の管理、有効期限・使用期限	●基本的には高温多湿を避け、薬剤の安全性・有効性を確保する。 ●薬剤によっては、光により薬剤成分に変化が生じるものがある。添付文書を確認し、品質保持に努める。 ●薬剤の有効期限・使用期限を確認し、品質管理を行う。
2	麻薬・向精神薬	●麻薬・向精神薬は中枢神経系に作用するため、厳重に保管する。 ●いつ、だれに、どれだけ投与したのかを厳重に記録し、残量や未使用分は薬局に返却する。 ●鍵のかかる保管庫に入れ、盗難を防ぐ。

CHAPTER 8

2 経口薬

学習のねらい

指示された経口薬を確実に、安全に患者が服用し、期待される薬効を得るために必要な援助方法を学ぶ。

覚えておきたい基礎知識

経口薬の剤形にはいくつかの種類があり、体内への吸収速度やタイミングが異なる。同じ薬剤でも、剤形が異なるものもあり、注意が必要である。剤形は、服用のしやすさに影響する。

経口薬の剤形と特徴

経口薬の剤形	特 徴
散剤・顆粒剤	胃腸で分散しやすく、吸収が速い。服用時に苦味などの味がし、むせやすい。
錠剤	表面がコーティングされたものなどもある。飛散しにくく携帯に便利である。大きいものは嚥下しにくい。
カプセル剤	ゼラチン質のカプセルに薬が充填されている。大きいものは嚥下しにくく、食道にへばりつく危険があるため、十分な水分とともに服用する。
液剤・シロップ剤	薬剤が液体に溶けているため、吸収されやすく即効性が期待できる。シロップを入れ、飲みやすくしたものもある。
チュアブル剤	噛み砕くと粉状になり、水なしで服用できる。

援助する前に確認しよう!

患者の状況

- □ 嚥下・消化吸収機能は?
- □ 食事・飲水制限、禁飲食、検査の指示は?
- □ バイタルサイン、苦痛・不快症状は?
- □ 自分で薬を管理して飲める?
- □ 顆粒・粉・カプセルなど、飲みにくい形状の薬剤は?

周囲の状況

- □ 同姓患者、同一疾患の患者など、間違えやすい患者はいる?

あなた自身

- □ 処方箋の内容(薬剤名・薬効・用量・時間)を理解している?
- □ 受け持ち患者への経口薬の援助を見学(実施)するのは初めて?

必要物品を準備しよう!

❶ 処方箋 ❷ 薬杯 ❸ 薬剤 ❹ 微温湯または水

経口薬の与薬

PROCESS 1 処方箋と薬剤の確認

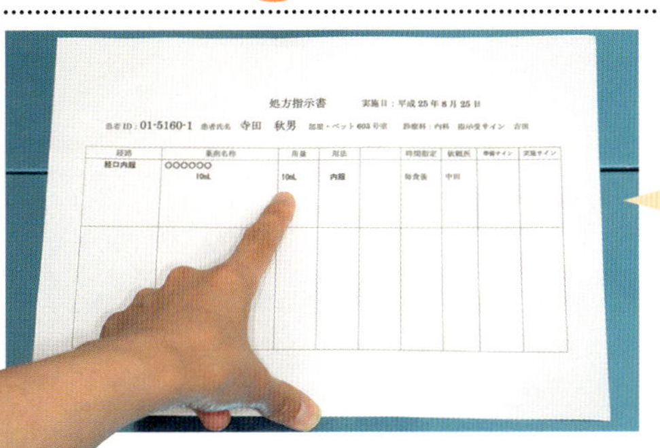

看護師は手洗いを行う。処方箋をみながら、次の項目について声を出し、指差し確認を行う。
①患者氏名　②薬剤名　③投与量　④与薬経路
⑤与薬時間

POINT

- 薬剤と処方箋は、必ず2回以上確認。看護師同士でダブルチェックする。
- 水薬は、薬瓶を上下に返して混和。目線を水平にして正確に計量する。
- 散剤・顆粒剤が飲みにくい場合は、オブラートに包む。

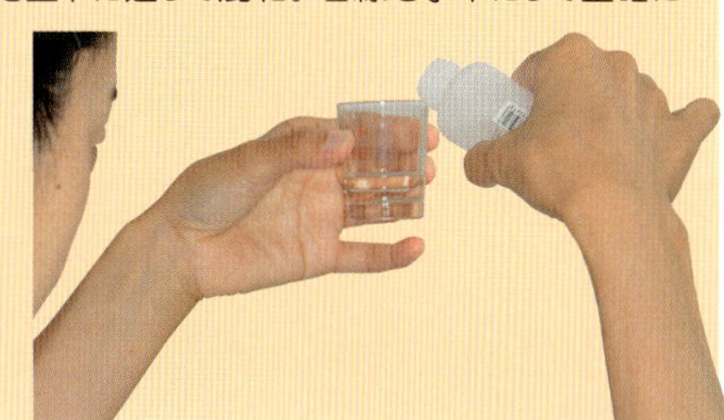

PROCESS 2 患者への説明と服用

❶ 患者に氏名を名乗ってもらい、ネームバンド、処方箋と照合する。

❷ 薬名・用量・時間を患者とともに確認し、看護師の目の前で確実に服用してもらう。患者が不在の場合は、再度、訪問する。

POINT

- 座位をとれない患者は、できるだけギャッチアップし、誤嚥しないよう前傾になって飲み込んでもらう。

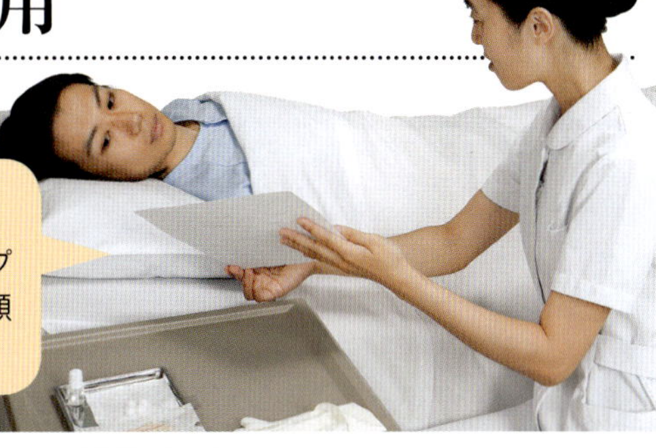

援助後に振り返ってみよう！

観察

- □ 薬剤や水分を誤嚥しなかった？
- □ 口腔内に薬剤が残っていない？
- □ リネンや寝衣の隙間に、薬剤をこぼしていない？
- □ 服用後、バイタルサインの変動や気分不快はない？

記録・報告

- □ 処方箋や記録に、与薬実施について記載する

後片付け

- □ 使用した薬杯は洗浄・消毒する

こんな時どうする？

ベッドの清掃時、シーツの中から薬剤を発見！

患者が数種類の薬剤を内服していたり、手先のしびれ、麻痺などがある場合、錠剤を取りこぼして気づかないことがある。このような場合は、あらかじめ開封した薬剤を薬杯に移し、1回にまとめて口に運ぶ工夫が必要である。
薬剤の飲みこぼしを発見したら、何の薬か、いつ飲み忘れたのかを調べる。重複内服を避けるため、その場ですぐに服用せず、医師に確認する。

CHAPTER 8

3 外用薬

学習のねらい

外用薬は皮膚や粘膜に薬剤を塗布したり、噴霧することにより、皮膚や粘膜に分布する毛細血管から薬剤を吸収させるものを指す。本項では、点眼・点入、点耳、点鼻、皮膚貼付の技術を安全に行い、確実に薬効を得るための援助方法を学ぶ。

覚えておきたい基礎知識

点眼·点入、点耳、点鼻などの外用薬の援助を安全·確実に行うためには、眼とその周囲、耳、鼻腔の解剖を知る必要がある。

眼とその周囲、耳、鼻腔の解剖

眼とその周囲の解剖

涙は涙腺で作られ、排出管から眼球表面に流れ込み、涙点→涙嚢→下鼻道と流れる。

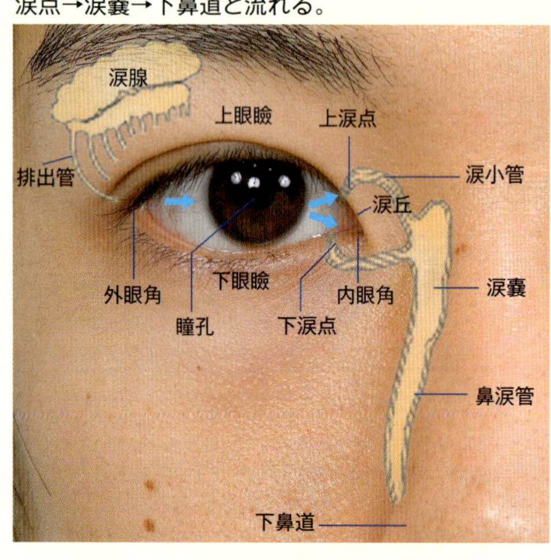

耳の解剖

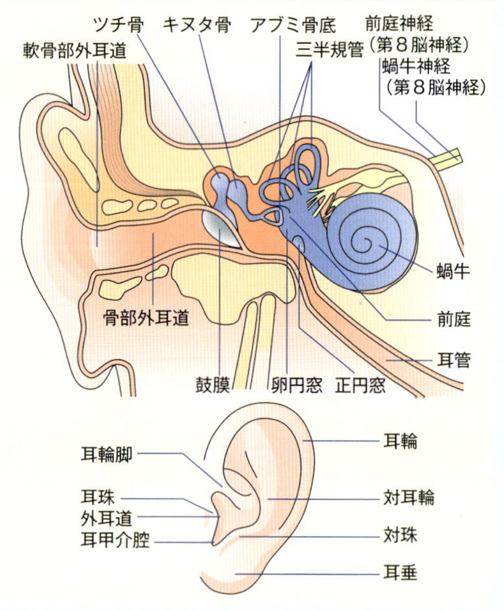

鼻腔の解剖

薬液吸収部位は、静脈に富み、血流量の多い部位で繊毛上皮に覆われている。

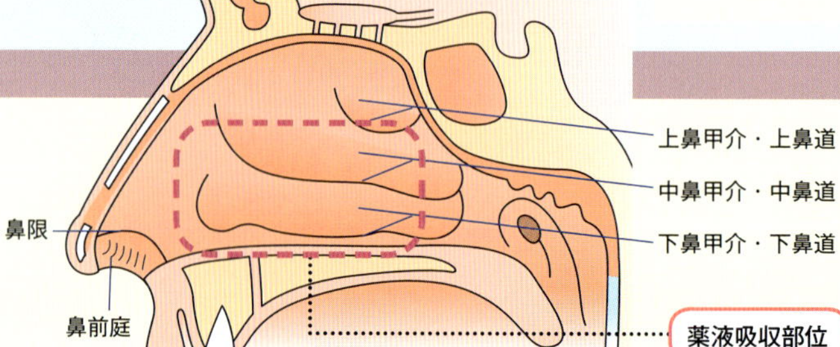

点眼・点入

薬液を結膜に滴下する方法を点眼といい、眼軟膏を結膜に塗布する方法を点入という。

援助する前に確認しよう!

患者の状況

- □ 臥床したまま？　座位になれる？
- □ 点眼後に眼が見えにくくなり、転倒する可能性がある？
- □ 感染性の眼疾患？

周囲の状況

- □ 患者の次の予定（検査、リハビリテーションなど）に影響はない？

あなた自身

- □ 手洗いは済ませた？
- □ 点眼・点入の援助を見学したことがある？

必要物品を準備しよう!

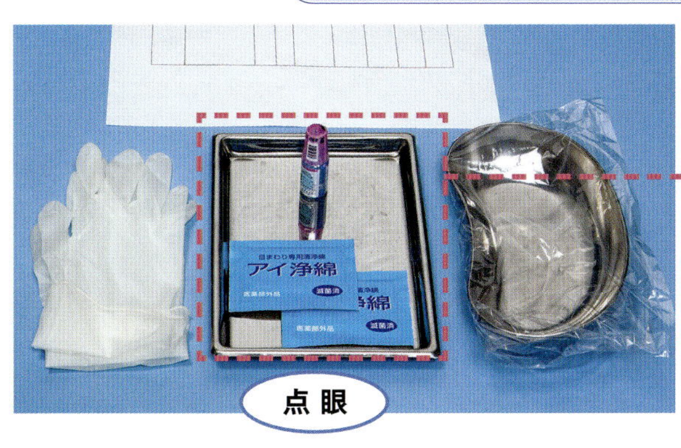

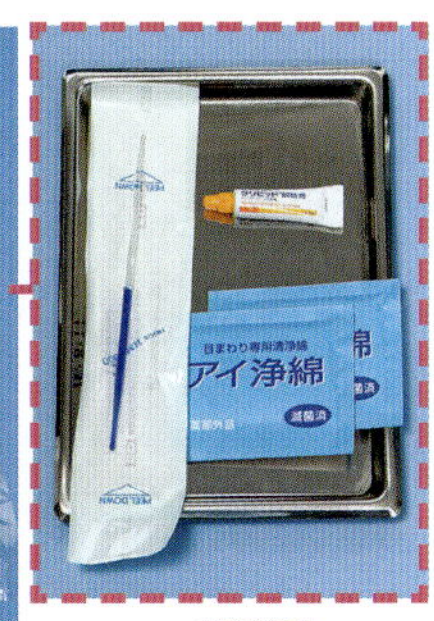

❶ 指示された点眼薬／指示された眼軟膏
❷ 処方箋
❸ トレー
❹ 膿盆（ビニール袋付き）
❺ 拭き綿（アイ浄綿®）
❻ 手袋
❼ ガーゼ（必要時）
❽ ガラス棒（必要時）（滅菌されたもの）

CHAPTER 8 外用薬

点眼の場合

❶ 患者に説明を行う。氏名を言ってもらい、処方箋・ネームバンド・ベッドネームをともに確認する。

体位を整え（座位または仰臥位）、看護師は手袋を装着する。

眼に分泌物が付着している場合は、拭き綿で拭き取る。この際、内眼角から外眼角へ向けて拭く。

❷ 患者に上を見るように促し、眼球を上転させて、点眼薬を指示量滴下する（通常1滴）。

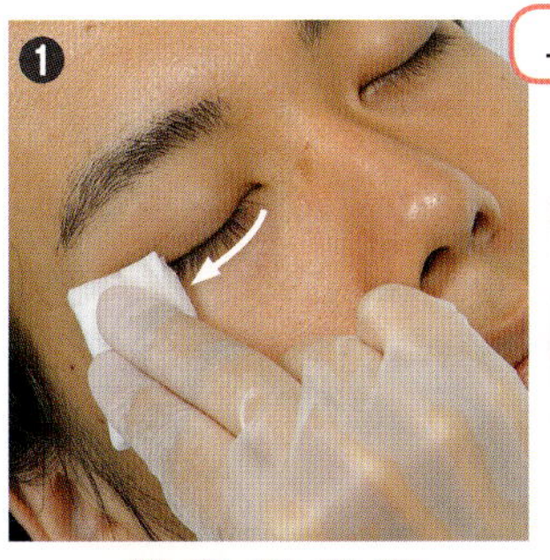

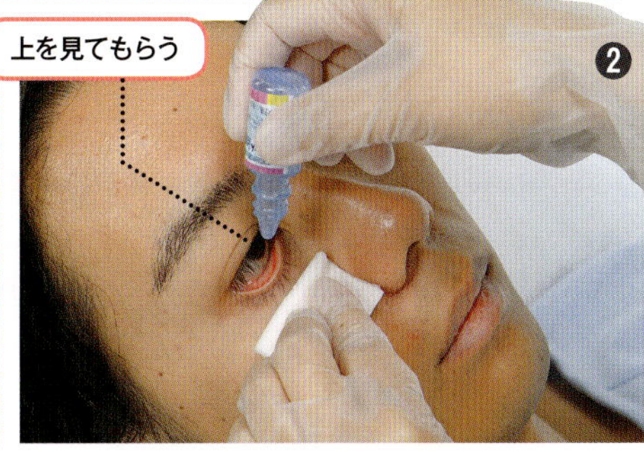

POINT

転倒に注意!

次の場合は眼が見えにくくなるため、転倒に注意。

- 散瞳薬投与後
- 眼軟膏点入後

POINT

- 点眼容器の先端が、睫毛や眼に触れないよう注意。

EVIDENCE

- 点眼薬に、細菌が入るのを防ぐ。
- 点眼容器の先端で眼を傷つけるのを防ぐ。

❸ 患者に1分間程度、閉眼してもらい、拭き綿で内眼角を軽く押さえる。

眼からあふれた薬液は、拭き綿で拭き取る。

患者に終了を告げ、後片付けを行う。看護師は終了後、必ず、手洗いを行い、記録をつける。

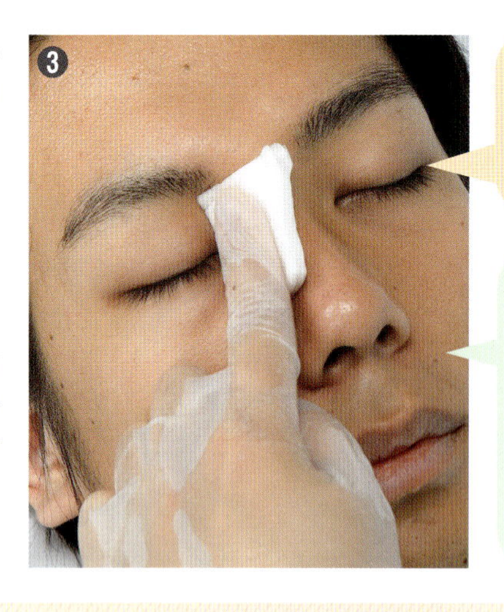

POINT

- 左右両眼に滴下する場合は、拭き綿を替えて行う。その際、より清潔な眼から先に点眼し、感染のリスクを減らす。

EVIDENCE

- 内眼角を軽く押さえることで、薬液が涙管や鼻腔に入り、全身に吸収されることを防ぐ。
- 感染性の眼疾患を持つ患者もいるため、看護師自らが感染の媒介者とならないよう、手洗いは必須である。

点入の場合

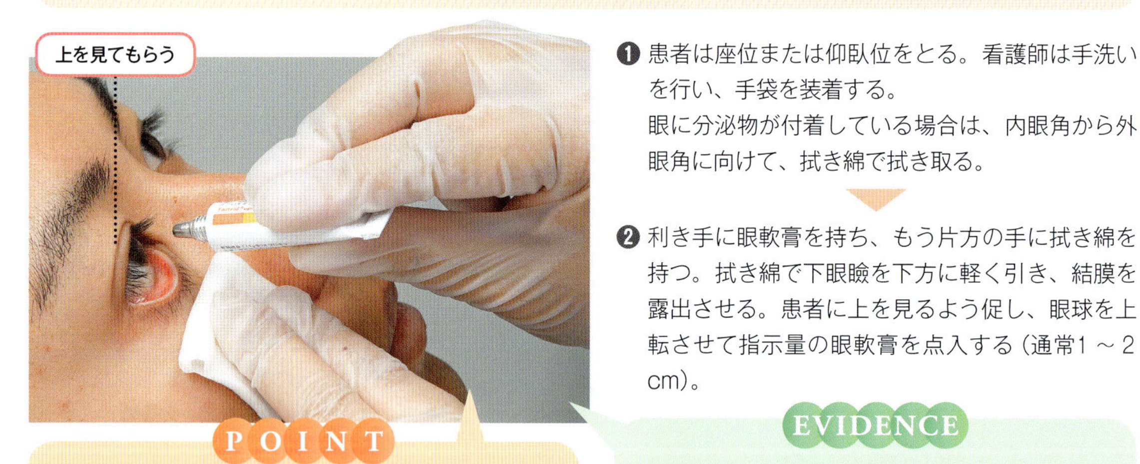

❶ 患者は座位または仰臥位をとる。看護師は手洗いを行い、手袋を装着する。
眼に分泌物が付着している場合は、内眼角から外眼角に向けて、拭き綿で拭き取る。

❷ 利き手に眼軟膏を持ち、もう片方の手に拭き綿を持つ。拭き綿で下眼瞼を下方に軽く引き、結膜を露出させる。患者に上を見るよう促し、眼球を上転させて指示量の眼軟膏を点入する（通常1～2 cm）。

POINT

- 眼軟膏の容器先端が、睫毛や眼に触れないようにする。
- 内眼角より外眼角に向かって、点入する。

EVIDENCE

- 眼軟膏に細菌が入り込むのを防ぐ。
- 容器先端で眼を傷つけるのを防ぐ。

ガラス棒を用いる場合

❶ ガラス棒の先端に、指示量の眼軟膏をつける。

❷ 拭き綿で、下眼瞼を下方に軽く引く。下眼瞼結膜の内眼角から外側に向かって、静かにガラス棒を引き、眼軟膏を塗布する。

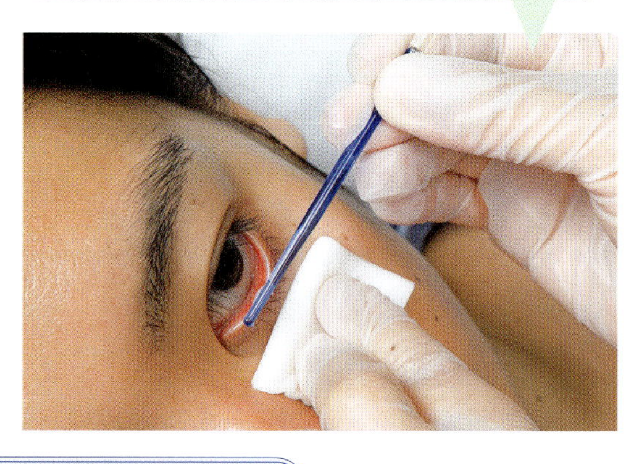

援助後に振り返ってみよう！

観察

- □ 点眼・点入後、瘙痒感や分泌物の増加は？
- □ 眼のかすみや見えづらさは？

後片付け

- □ 冷所保存の薬剤は、冷蔵庫に戻す

点 耳

点耳は、薬液を外耳道内に滴下することである。

援助する前に確認しよう！

患者の状況
- □ 耳垢はたまっていない？
- □ 感染性の耳疾患は？

周囲の状況
- □ 点耳薬は常温に戻した？

あなた自身
- □ 手洗いは済ませた？
- □ 点耳の援助を見学したことがある？

必要物品を準備しよう！

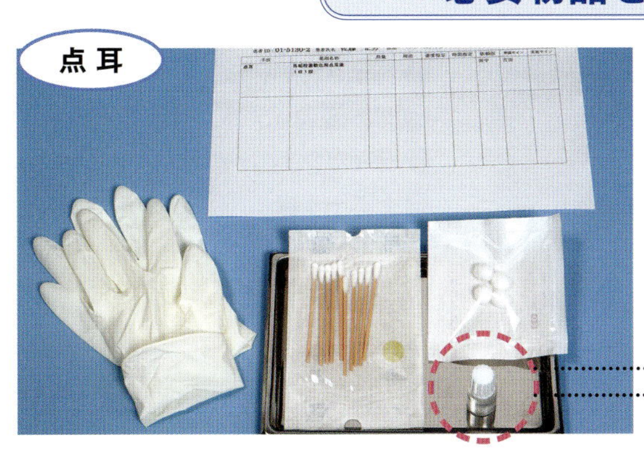

❶ 指示された点耳薬
❷ 処方箋
❸ 綿球
❹ 綿棒
❺ 手袋
❻ トレー

POINT
- 点耳薬は、体温に近い温度にするため、あらかじめ室温に戻す。

EVIDENCE
- 点耳薬が冷たいと、めまいを起こすことがある。

❶ 患者に説明を行う。患者に氏名を言ってもらい、処方箋・ネームバンド・ベッドネームをともに確認する。

❷ 側臥位をとり、薬剤を滴下する側の耳が真上になるよう姿勢を整える。看護師は手袋を装着する。

❸ 外耳道に沿うよう、静かに指示量を滴下する。看護師が耳介を動かしたり、患者に咀嚼運動をしてもらい、薬液を行き渡らせる。

❹ そのまま約10分間程度安静にし、外耳道に綿球で栓をする。栓は12～24時間おき、薬液を染みわたらせる。患者の状態を観察し、記録・報告を行う。

POINT
- 耳垢が多い場合は、綿棒で清拭を行う。
- スポイトが外耳道と接触しないよう注意。
- めまいなど、不快感の有無を確認。

援助後に振り返ってみよう！

観 察
- □ 点耳後、めまいの出現、瘙痒感や分泌物の増加は？

後片付け
- □ 冷所保存の薬剤は、冷蔵庫に戻す

点鼻

点鼻は、薬剤を鼻腔内に滴下、または噴霧することである。

援助する前に確認しよう！

患者の状況

- □ 鼻汁、鼻づまり、鼻腔粘膜の創傷はない？
- □ 患者自身で点鼻ができる？

あなた自身

- □ 手洗いは済ませた？
- □ 点鼻の援助を見学したことがある？

必要物品を準備しよう！

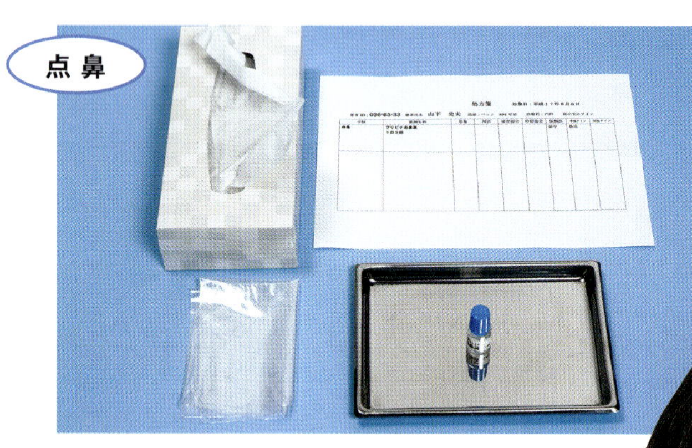

❶ 指示された薬剤
❷ 処方箋
❸ ティッシュペーパー
❹ ビニール袋
❺ トレー
❻ 手袋（看護師が実施する場合）

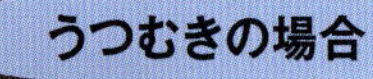

❶ 患者に容器をみせながら点鼻の方法を説明し、同意を得る。
患者に氏名を言ってもらい、処方箋･ネームバンド･ベッドネームをともに確認する。薬剤名・薬液量・回数を確認する。

❷ 患者に片方ずつ、鼻をかんでもらう。自分でかめない場合は、鼻腔内吸引を行う。

❸ 薬剤は、初回使用時、薬液が霧状になるまで数回、噴霧（予備噴霧）し、詰まりがないことを確認する。

- うつむき加減で薬剤を噴霧すると、薬液を鼻腔の奥まで投与できる。
- うつむかずに薬剤を噴霧すると、薬液が上鼻甲介に当たり、鼻腔の奥まで投与できない。

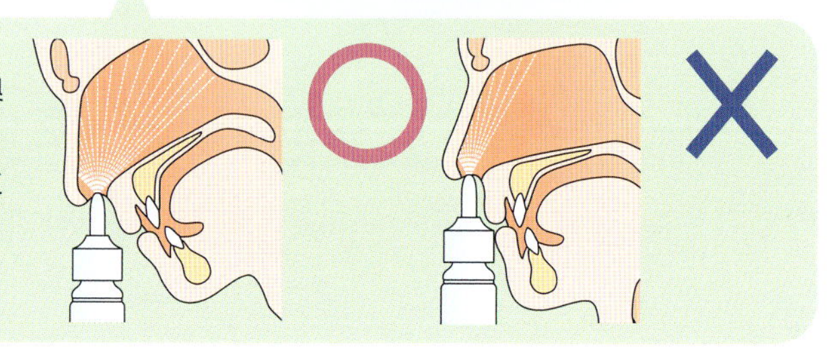

滴下薬の場合

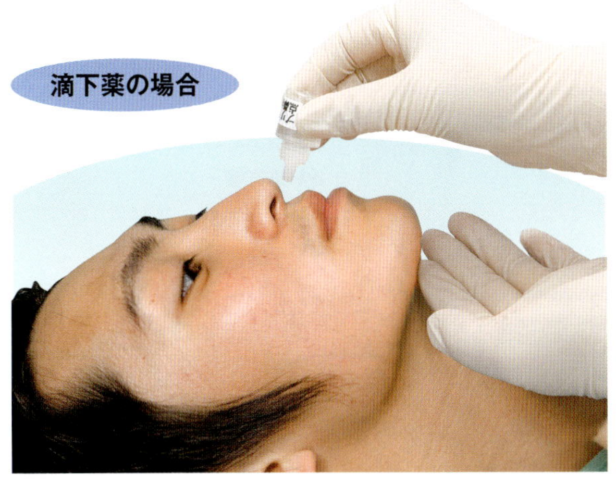

❹ 薬剤の容器からキャップを外し、ノズルの先端を鼻腔に入れる。
この際、製剤により、うつむき加減で顔を下に向ける場合(前頁下)、滴下薬のように仰向けになる場合(左)などがある。

❺ 噴霧後は、頭部を後ろに傾けた状態で、数秒間、静かに鼻で呼吸をするよう促す。

チューブを用いる場合

デスモプレシン点鼻薬® を使用する場合は、チューブに薬液を指示量満たし、チューブの先端を鼻腔に挿入して、呼気で薬液を鼻腔に送り込む。

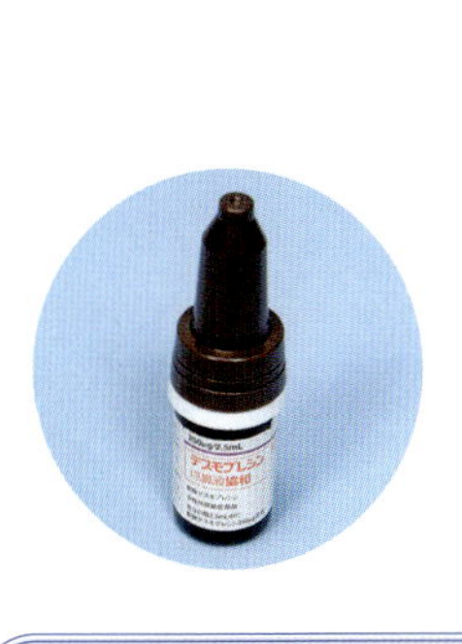

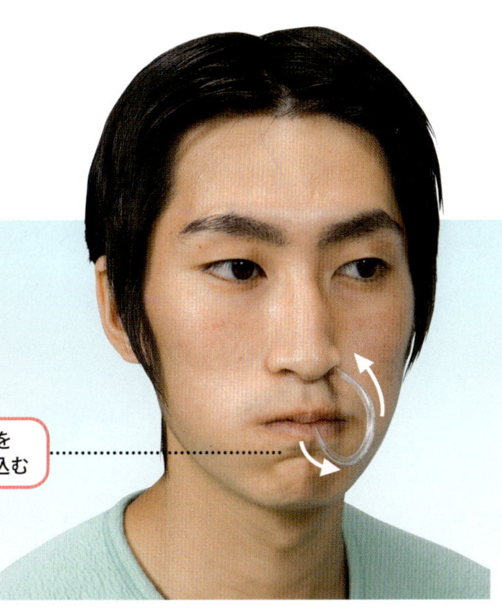

援助後に振り返ってみよう！

観察	後片付け
□ 点鼻後にくしゃみや鼻汁が出て、薬剤が十分に吸収されていない？ □ 患者が自分で点鼻した場合、その方法は適切？	□ 冷所保存の薬剤は、冷蔵庫に戻す

皮膚貼付

皮膚貼付は、貼付剤を貼って皮膚から薬剤を吸収させる。
全身への薬効を期待したり、炎症や疼痛のある部位への湿布に用いる。

援助する前に確認しよう！

患者の状況	あなた自身
□ 貼付部位に創傷や発赤、掻痒感など皮膚の異常は？ □ 前回貼付したのはいつ？	□ 手洗いは済ませた？ □ 皮膚貼付の援助を見学したことがある？

必要物品を準備しよう!

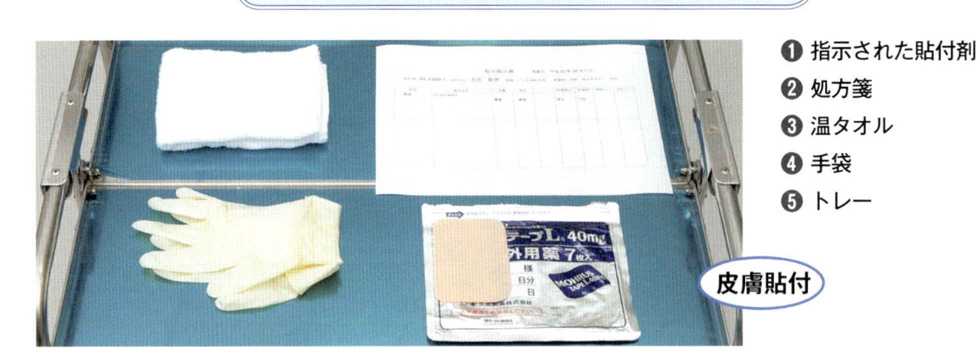

❶ 指示された貼付剤
❷ 処方箋
❸ 温タオル
❹ 手袋
❺ トレー

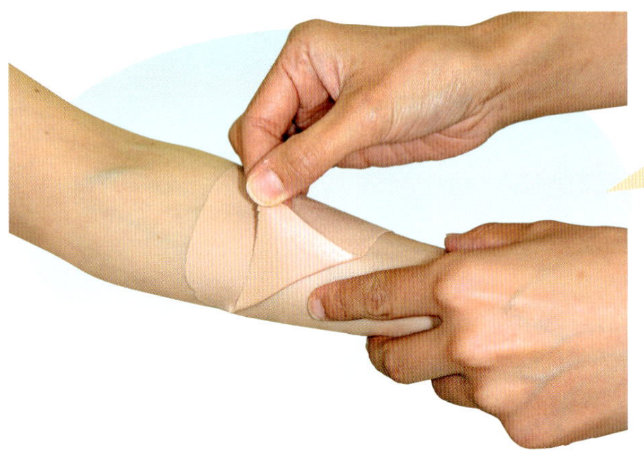

❶ 患者に説明し、貼付部位の皮膚を露出する。前回の貼付剤がある場合は、皮膚を強く引っ張らないよう徐々にはがす。温タオルで皮膚を清拭し、水分を拭き取る。

POINT

■貼付剤は、皮膚を強く引っ張らないよう徐々にはがす。

❷ 前回の貼付部位から離し、新しい貼付剤を貼る。同一部位に貼り続けると、皮膚の発赤や掻痒感が生じる。必要に応じて、薬剤シート上などに貼付日時を記載。

援助後に振り返ってみよう!

観 察

- □ 貼付部位の皮膚の掻痒感、発赤などは?
- □ 貼付剤が皮膚からはがれていない?

後片付け

- □ 冷所保存の貼付剤は、冷蔵庫に戻す

こんな時どうする?

CASE

「痒いので、貼付剤をはがしてほしい」と言われた!

貼付剤の中には、全身に作用する痛み止めや降圧薬、冠動脈拡張薬などがある。患者に「貼付剤をはがして」と言われたら、まず何のための貼付剤なのか、いつ貼付したのか、作用時間を確認する。

皮膚に瘙痒感や発赤などがある場合は、貼付部位を変更したり、内服薬に変更するなどの対処を行う。

「痒いから」「はがれかけているから」と、患者の訴えどおりにその場ではがさず、看護師・医師に相談する。

CHAPTER 8

4 直腸内与薬

学習のねらい

直腸内与薬は、直腸内に固形の坐剤あるいは軟膏を投与することにより全身への作用を期待する場合(解熱・鎮痛など)、局所への作用を期待する場合(排便、痔疾患の治療)がある。
意識障害がある場合、内服困難な場合などにも用いられる。
直腸粘膜から薬剤を安全に吸収させるための挿入法を学ぶ。

覚えておきたい基礎知識

直腸内与薬を安全に実施するためには、直腸・肛門部の解剖を理解する必要がある。

直腸・肛門管の解剖

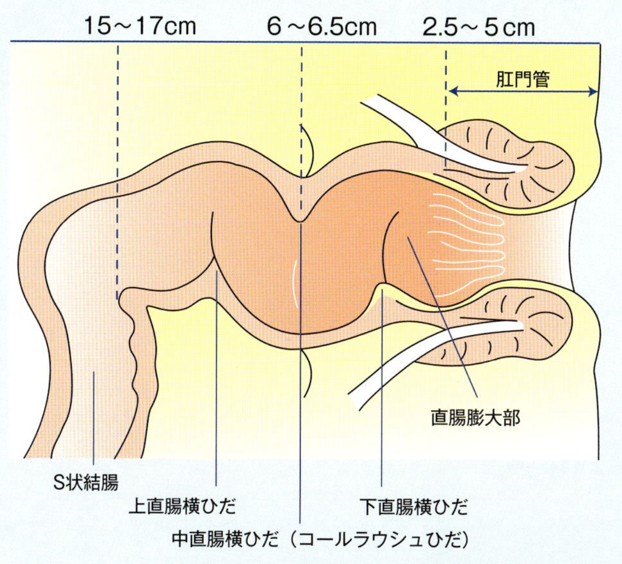

坐剤は直腸膨大部まで挿入する。

*川島みどり編著：改訂版 実践的看護マニュアル 共通技術編．看護の科学社，2002,p163より

援助する前に確認しよう！

患者の状況

- □ 排便状況、便意は？
- □ 下痢をしていない？
- □ 痔核・亀裂など肛門周囲に創傷がある？

周囲の状況

- □ 病室はプライバシーが保てる？
- □ 薬剤は冷蔵庫に保存されている？

あなた自身

- □ 坐剤の挿入を見学したことがある？
- □ 挿入する薬剤の作用・副作用を理解している？

必要物品を準備しよう！

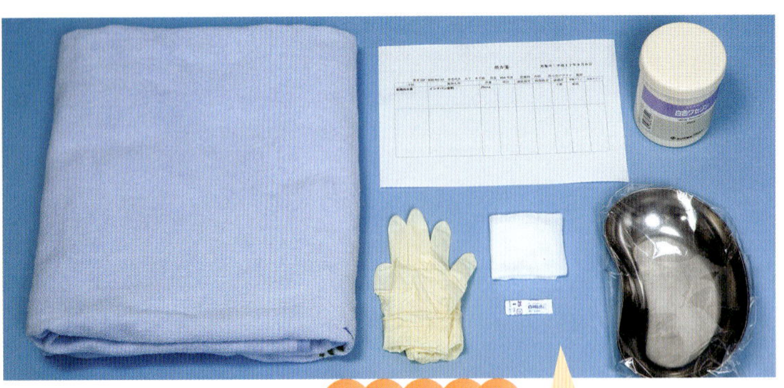

❶ 処方箋
❷ 坐剤
❸ 潤滑剤
❹ ガーゼ
❺ 手袋
❻ 膿盆（ビニール袋付き）
❼ 綿毛布
❽ トイレットペーパー

POINT

坐剤を使用する際の注意点

- 坐剤のほとんどは、冷所保存である。薬剤添付文書に従い、保管方法に注意。
- 固形の坐剤は室温で軟化するため、冷所から取り出した後、長時間放置しない。
- 床上安静の患者に坐剤を使用する場合、便器も併せて用意するとよい。

直腸内与薬の実施

PROCESS 1 患者への説明と同意

❶ 患者の氏名を読み上げ、処方箋とネームバンド、処方箋とベッドネームが一致していることを、患者とともに確認する。

❷ 患者に直腸内に与薬することを説明する。目的や方法、所要時間などを説明し、同意を得る。その際、便意の有無も必ず、確認する。

POINT

- 便意の有無を必ず、確認。
- 坐剤挿入後、排便時に坐剤が排出されてしまうと十分な効果が得られないことを説明。

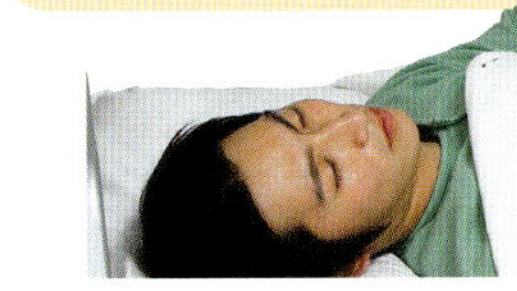

PROCESS 2 坐剤の挿入

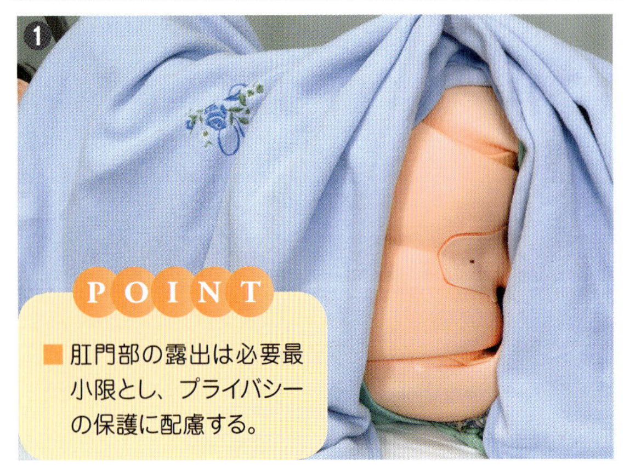

POINT

- 肛門部の露出は必要最小限とし、プライバシーの保護に配慮する。

❶ 綿毛布の下で患者の寝衣を下げ、左側臥位にする。膝を曲げ、体位を安定させる。

❷ 手袋を装着する。再度、処方箋と薬剤、患者氏名を確認し、坐剤を開封する。

ガーゼに潤滑剤を塗布し、坐剤の先端（とがったほう）に塗る。

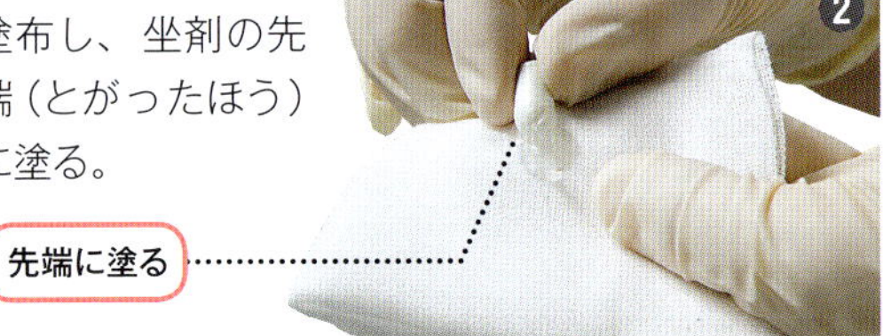

EVIDENCE

は〜

■ 大きく息を吐くと肛門括約筋の緊張が緩み、挿入がスムーズになる。

❸ 患者に口呼吸を促し、力まないように説明する。「は〜」と息を吐いてくださいと声をかけ、呼気に合わせて、坐剤を肛門に挿入する。

❹ 示指で、坐剤を肛門から3〜5cm、直腸膨大部まで入れる。

❺ 坐剤が出てこないよう、ガーゼあるいはトイレットペーパーで肛門を2〜3分間、押さえる。

2〜3分間、押さえる

❻ 手袋を外し、坐剤の挿入が終了したことを患者に伝える。この際、坐剤挿入の刺激によって排便し、坐剤が便とともに排出されることがあるので、その場合は看護師に伝えるよう説明する。
患者の寝衣・上掛けを整え、部屋の換気を行う。

援助後に振り返ってみよう！

観察

- □ 直腸粘膜、肛門周囲に損傷や出血はない？
- □ 排便・ガスとともに薬剤が排出されていない？
- □ 排便を促す薬剤を挿入した場合、便器の準備、トイレへの誘導を行った？
- □ 解熱・鎮痛などの薬剤を挿入した場合、薬剤効果により、症状は変化した？

後片付け

- □ カーテンを開ける
- □ 使用した物品を片付け、手を洗う

こんな時どうする？

挿入した坐剤が、肛門から出てきてしまった！

挿入した坐剤が肛門から出てきてしまうのは、肛門管を越えた適切な位置に坐剤が挿入されていない、あるいは、挿入時の刺激で便意を生じ、排出されてしまったなどの原因が考えられる。

まず、挿入した薬剤の薬効を確認する。
排便効果をねらった薬剤の場合は、結果的に排便がみられればよいため、そのまま経過を観察する。
解熱・鎮痛薬などの場合には、薬効の発現状況、患者の症状を観察し、追加の薬剤が必要かどうか、医師と相談する。
トイレや下着内に排泄された坐剤の形状・溶解具合も重要な観察ポイントである。患者には、排出された坐剤をトイレに流したり捨てたりせず、看護師に知らせるよう説明しておく。

CHAPTER 8

5 皮下注射・筋肉注射

学習のねらい

皮下注射は皮下組織内に、筋肉注射は筋肉組織内に直接注射針を刺入し、薬剤を投与する。投与する薬剤に関する知識、注射部位である皮下組織・筋肉組織、神経の走行を理解し、安全で確実に薬剤を投与する方法を学ぶ。

覚えておきたい基礎知識

皮下注射・筋肉注射を安全・確実に実施するには、シリンジ・注射針の無菌的取り扱い、アンプルやバイアルからの薬液の吸い上げといった基本手技を正しく理解する必要がある。

注射器材の取り扱い

シリンジ・注射針の無菌的取り扱い

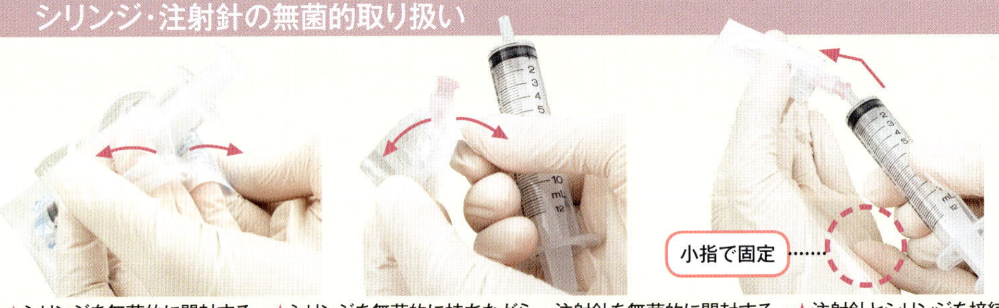

★シリンジを無菌的に開封する→★シリンジを無菌的に持ちながら、注射針を無菌的に開封する→★注射針とシリンジを接続

アンプルからの薬液の吸い上げ

バイアルからの薬液の吸い上げ

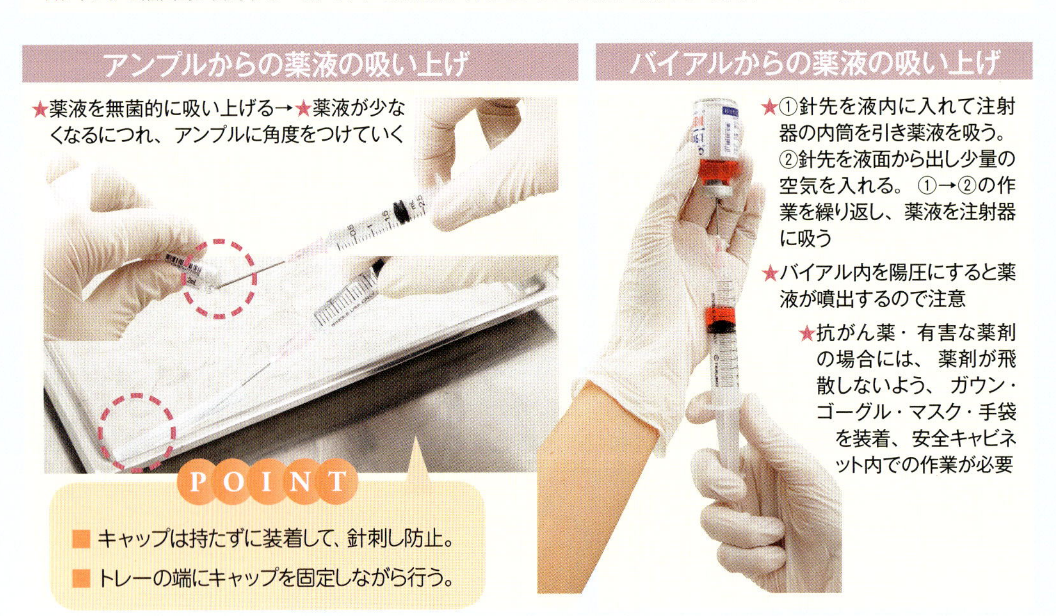

★薬液を無菌的に吸い上げる→★薬液が少なくなるにつれ、アンプルに角度をつけていく

★①針先を液内に入れて注射器の内筒を引き薬液を吸う。②針先を液面から出し少量の空気を入れる。①→②の作業を繰り返し、薬液を注射器に吸う

★バイアル内を陽圧にすると薬液が噴出するので注意

★抗がん薬・有害な薬剤の場合には、薬剤が飛散しないよう、ガウン・ゴーグル・マスク・手袋を装着、安全キャビネット内での作業が必要

POINT

- キャップは持たずに装着して、針刺し防止。
- トレーの端にキャップを固定しながら行う。

皮下注射

皮下注射は、皮下組織内(脂肪組織と結合組織)に注射針を用いて薬液を注入する。皮下注射用の薬剤で、緩徐な薬効を期待して実施する。

援助する前に確認しよう!

患者の状況

- □ 注射禁忌部位は?（麻痺側、シャント側、熱傷・瘢痕・炎症部位、リンパ節郭清後の患側上肢など）
- □ 前回注射した部位は? 前回の注射部位に硬結は?
- □ 皮下組織は十分に発達している?
- □ 出血傾向は?

周囲の状況

- □ 作業台を広く使えるよう、整理整頓した?
- □ ほかの患者の薬剤や物品が作業台に混じっていない?
- □ 注射の準備・実施を中断せず、集中してできるようスケジュールを調整した?

あなた自身

- □ 投与する薬剤の薬効や副作用について理解している?
- □ 皮下注射のモデルで練習をしたことは?
- □ 皮下注射の実際の場面を見学したことは?
- □ 薬剤と処方箋（薬剤名・用量・単位）の照合・確認は、最低3回行った?
  - ①薬剤を取り出す時
  - ②薬剤を注射器に吸い上げる時
  - ③薬剤を吸い上げた後

必要物品を準備しよう!

1. シリンジ（1～5mL）
2. 注射針（22～27G）
3. 薬剤
4. 注射処方箋
5. アルコール綿
6. トレー
7. 手袋
8. 針捨容器
9. 膿盆

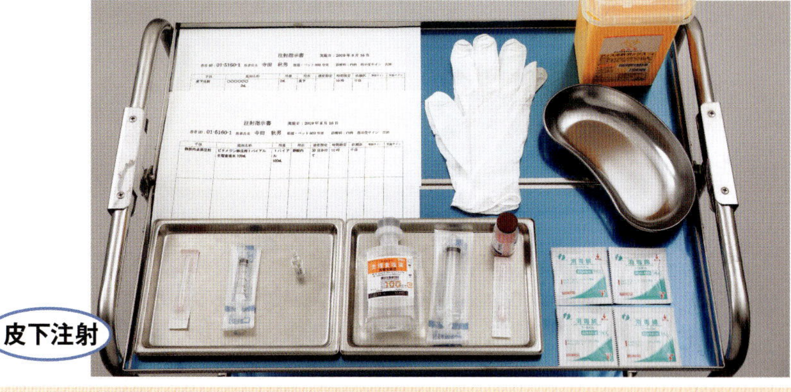

上腕三頭筋部位の場合

皮下注射の部位

皮下注射部位は、血管・神経の分布が少なく、皮下結合組織が厚い部位を選ぶ。吸収力を考慮すると、少なくとも5mm以上の皮脂厚が必要である。

上腕三頭筋部位は、上腕後面肘頭と肩峰を結ぶ線上の下方1/3点の部位である。上腕三頭筋の表層は、皮膚との間に比較的皮下脂肪の厚い層がある。しかし、上腕後面正中線より内側寄りでは、尺骨神経あるいは上腕動静脈に接近するおそれがあり、外側寄りでは橈骨神経本幹に近づくおそれがある。
男性では肥満傾向の者でも、約80%が上腕後側部の皮脂厚5mm未満である。一方、中殿筋部は高齢者できわめてやせた者でも、5mm以上の皮脂厚を有している。やせている場合は、中殿筋部を選択するのが望ましい。

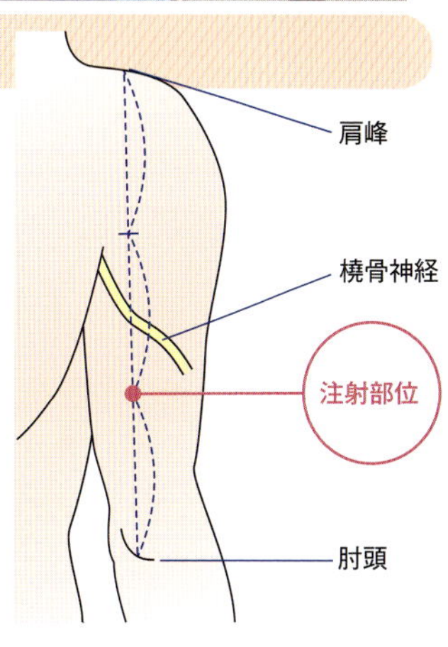

PROCESS 1 説明と同意、注射部位の確認

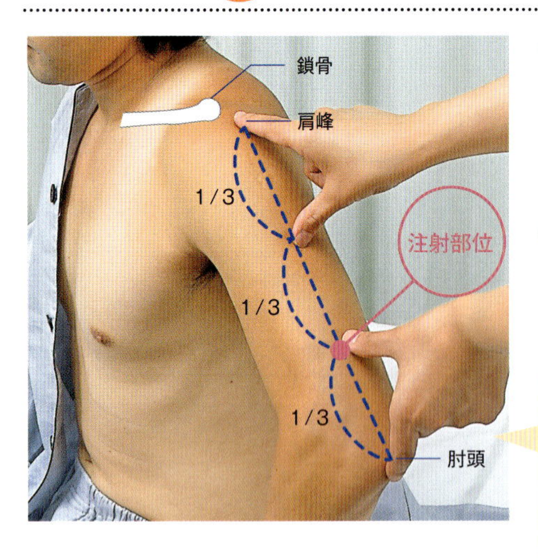

❶ 患者に皮下注射を行うことを説明。患者に氏名を名乗ってもらい、注射処方箋とネームバンド、ベッドネームを患者とともに確認。体格、注射禁忌部位の有無、アレルギー既往、薬剤の副作用を確認する。

❷ 患者に座位になってもらい、衣類をとり、左右どちらかの上腕三頭筋部を露出する。肩峰と上腕後面肘頭を結ぶ線上の下方1/3点を注射部位とする。

POINT

- 注射禁忌部位を確認する。リンパ節郭清後の患肢、麻痺側、シャント造設肢、異常な皮膚組織(熱傷・瘢痕・炎症・ほくろ)など。
- 連続して同一部位に注射をした場合、硬結が生じることがある。前回注射部位を確認し、少なくとも3cm(2横指)は離れた部位を選ぶ。

PROCESS 2 皮下注射の実施

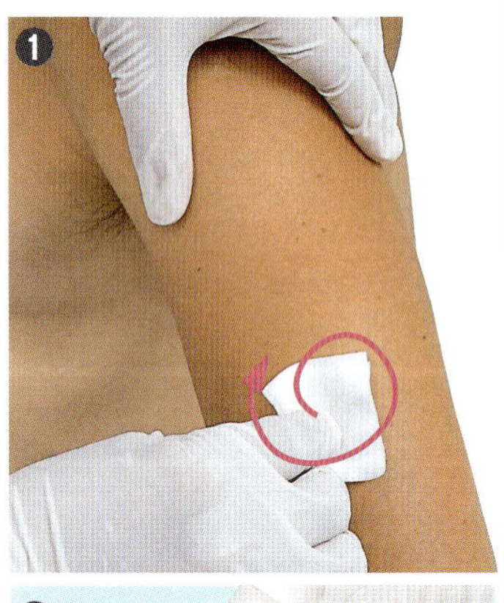

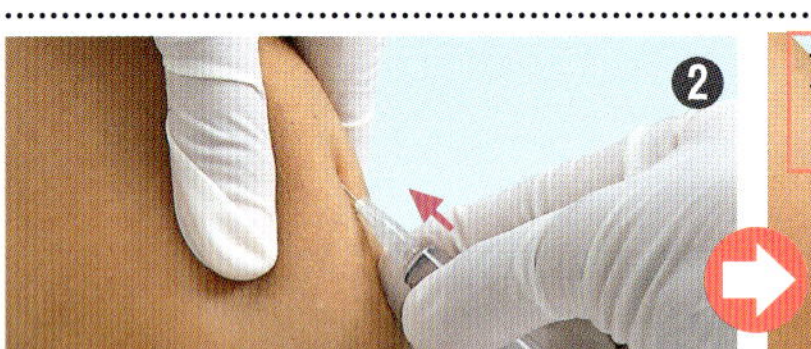

声かけ:痛みやしびれはありませんか?
目で確認:血液の逆流

❶ 看護師は手袋を装着。注射部位の皮膚をつまみ、皮下組織の厚さを確認。注射部位を伸展させ、アルコール綿で中心から外側へ円を描いて消毒する。

❷ 皮下組織をつまみ上げ、注射針を皮膚の表面に対して30度以下で平行に浅く刺入する。注射器を固定し、内筒をやや引きながら血液の逆流、疼痛やしびれがないことを十分に確認する。

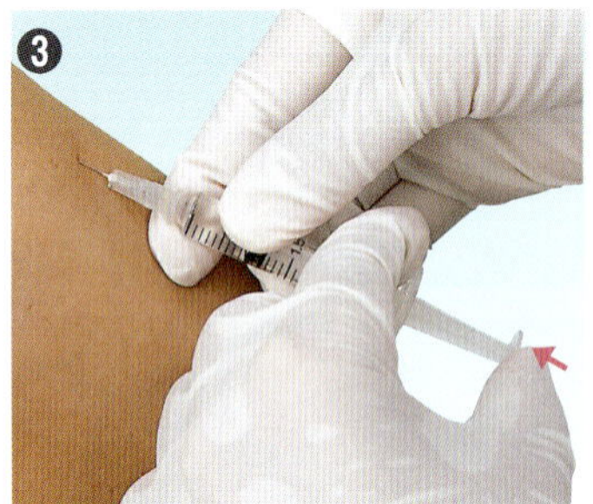

❸ 薬液をゆっくりと注入する。この際、注射部位の変化、全身状態の変化に注意する。注射針を抜き、アルコール綿で軽く押さえて止血する。止血を確認し、アルコール綿を外す。薬液注入後に軽くマッサージをすると、薬液は皮下組織に拡散し、吸収が促進される。ただし、徐々に吸収させることが適している薬液もあるため、確認が必要である。

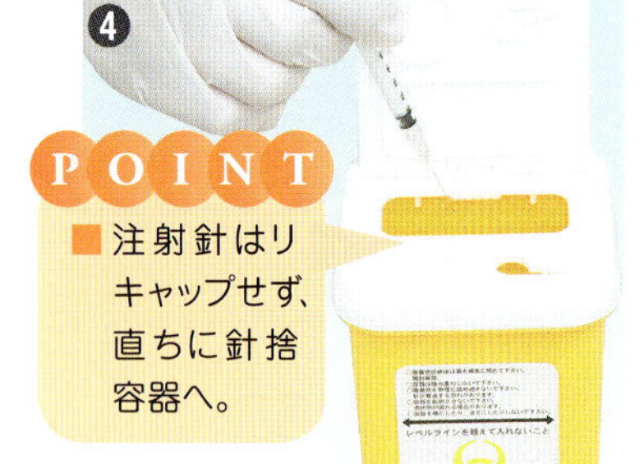

POINT

- 注射針はリキャップせず、直ちに針捨容器へ。

❹ 注射針を針捨容器に捨てる。注射処方箋を再度確認し、サインをする。使用物品を片付け、医療廃棄物を廃棄する。

援助後に振り返ってみよう!

観察

- □ 注射部位に皮下出血や損傷はない?
- □ 強い疼痛やしびれが持続していない?
- □ 薬剤の副作用は出現していない?
- □ 薬剤の効果は出ている?

後片付け

- □ 注射針・シリンジ・アルコール綿などは医療廃棄物として捨てる

筋肉注射

筋肉注射は、筋肉内に注射器を用いて薬液を注入。静脈内への投与不可の薬剤、ほかの経路（経口・静脈内など）からの薬剤投与ができない場合に実施する。

援助する前に確認しよう！

患者の状況

- □ 注射禁忌部位は？（麻痺側、シャント側、熱傷・瘢痕・炎症部位、リンパ節郭清後の患側上肢など）
- □ 前回注射した部位は？前回の注射部位に硬結は？
- □ 皮下・筋肉組織は十分に発達している？
- □ 出血傾向は？

周囲の状況

- □ 作業台を広く使えるよう、整理整頓した？
- □ ほかの患者の薬剤や物品が作業台に混じっていない？
- □ 注射の準備・実施を中断せず、集中してできるようスケジュールを調整した？

あなた自身

- □ 投与する薬剤の薬効や副作用について理解している？
- □ 筋肉注射のモデルで練習をしたことは？
- □ 筋肉注射の実際の場面を見学したことは？
- □ 薬剤と処方箋（薬剤名・用量・単位）の照合・確認は、最低3回行った？
  - ①薬剤を取り出す時
  - ②薬剤を注射器に吸い上げる時
  - ③薬剤を吸い上げた後

必要物品を準備しよう！

1. シリンジ（2～5mL）
2. 注射針（22～23G）
3. 薬剤
4. 注射処方箋
5. アルコール綿
6. トレー
7. 手袋
8. 針捨容器
9. 膿盆

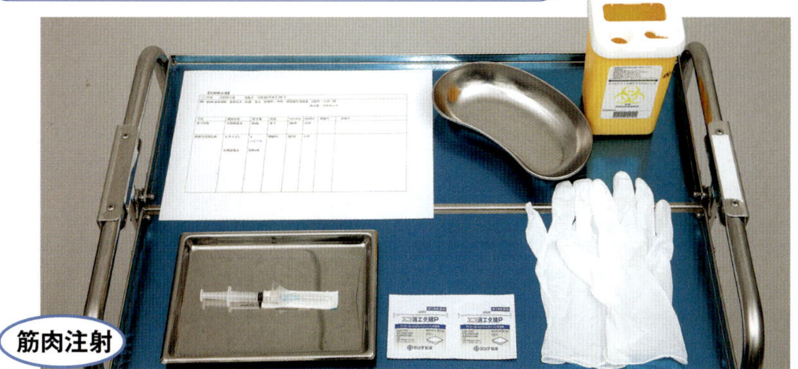

中殿筋部位の場合

筋肉注射の部位

筋肉注射には大きな筋肉で、血管・神経の分布の少ない部位を選ぶ。
中殿筋の筋肉注射部位はクラークの点を目安にする。

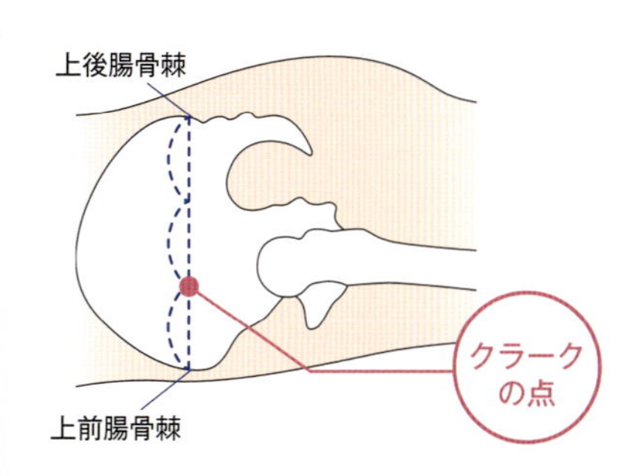

クラークの点は、上前腸骨棘と上後腸骨棘を結ぶ線の外前1/3の部位である。
わが国の臨床現場においては、4分3分法の部位が最も多く選択されているが、米国のテキストには記載がない。
坐骨神経が大殿筋下を走行するため、4分3分法による部位は、避ける必要がある。

PROCESS 1 説明と同意、注射部位の確認

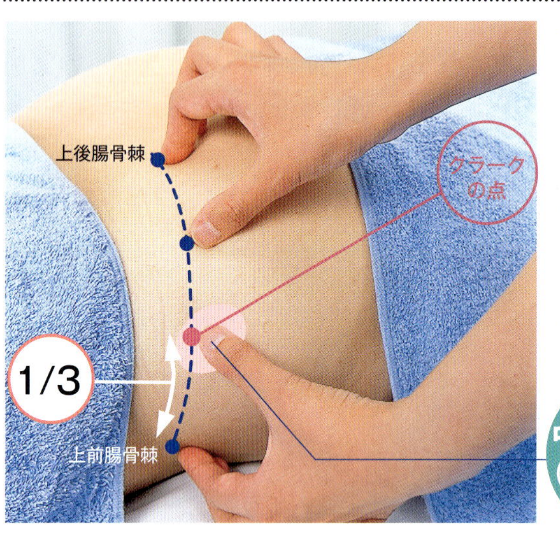

❶ 患者に筋肉注射を行うことを説明する。
患者に氏名を名乗ってもらい、注射処方箋とネームバンド、ベッドネームをともに確認。患者の体格、注射禁忌部位、アレルギー既往、薬剤の副作用を確認する。

❷ 患者に腹臥位になってもらい、衣類・下着を下ろし、中殿筋部を露出する。

❸ 上前腸骨棘と上後腸骨棘を探し、両棘を結ぶ線の外前1/3の点（クラークの点）を決定する。

PROCESS 2 筋肉注射の実施

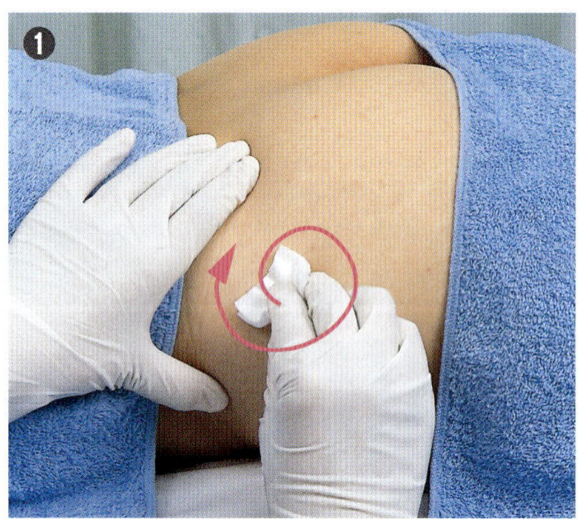

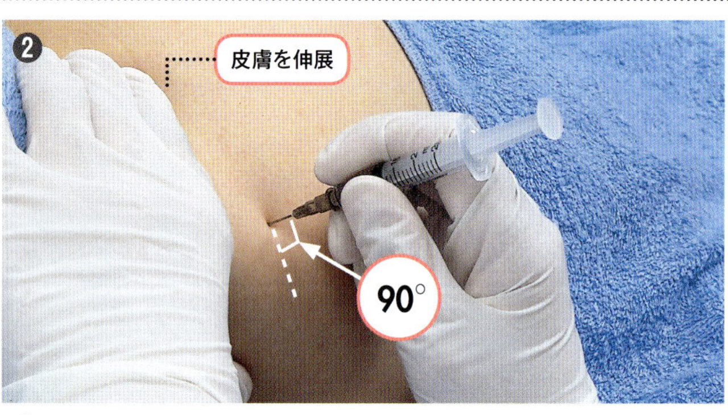

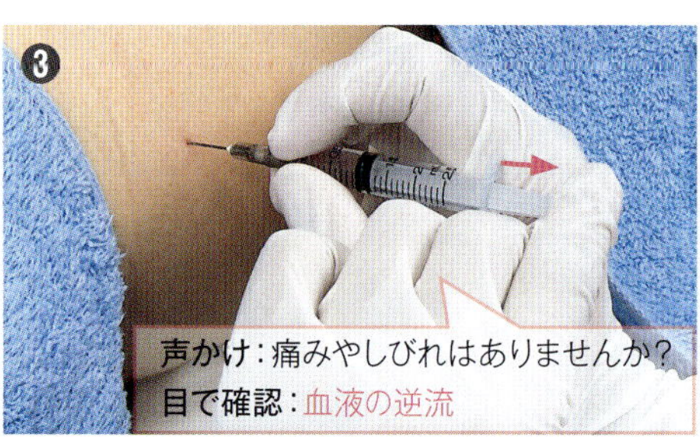

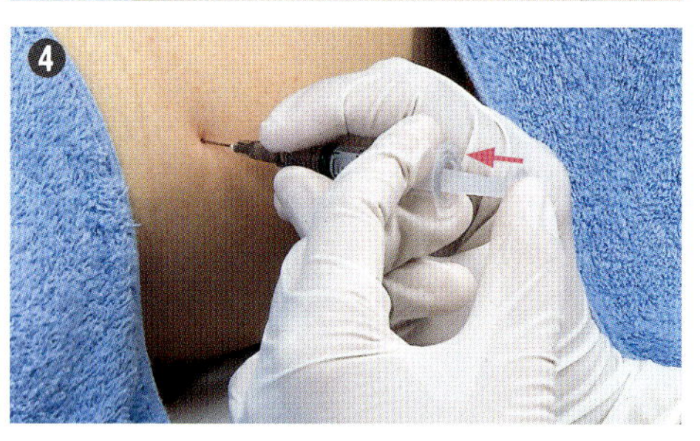

❶ 看護師は手袋を装着し、注射部位の皮膚をつまみ皮下組織の厚さを確認する。注射部位を伸展させ、アルコール綿で中心から外側に円を描くように消毒する。

❷ 注射器のキャップを外し、鉛筆のように持ち、手の側面を殿部に固定する。注射部位の皮膚を伸展させ、針を直角に刺入する。

❸ 注射器を固定し、内筒をやや引きながら血液の逆流や疼痛、しびれがないことを十分に確認する。

❹ 薬液をゆっくりと注入する。この際、注射部位の変化、全身状態の変化に注意する。

注射針を抜き、アルコール綿で軽く押さえて止血し、マッサージを行う。注射針はリキャップせず、針捨容器に捨てる。患者の衣類を整え、注射処方箋を再度確認し、サインをする。使用物品を片付け、医療廃棄物を廃棄する。

上腕三角筋部位の場合

筋肉注射の部位

中殿筋部位（クラークの点）に注射ができない場合、やむをえず上腕三角筋部位に行う。

上腕三角筋部位は、肩峰の約3横指下の三角筋部位を選ぶ。
肩峰から腋窩神経までの最短距離が5cmといわれる。このため、注射針の刺入角度を皮膚面に対して45～90度以下とし、神経を避ける。

鎖骨
三角筋
腋窩動脈
腋窩神経
正中神経
尺骨神経
上腕動脈
上腕二頭筋

❶ 肩峰を探し、約3横指下の三角筋部位を決定する。

❷ 注射器のキャップを外し、上からすくうように注射器を持つ。皮膚面に対して45～90度以下で注射針を刺入する。針はリキャップせずに、針捨容器に捨てる。

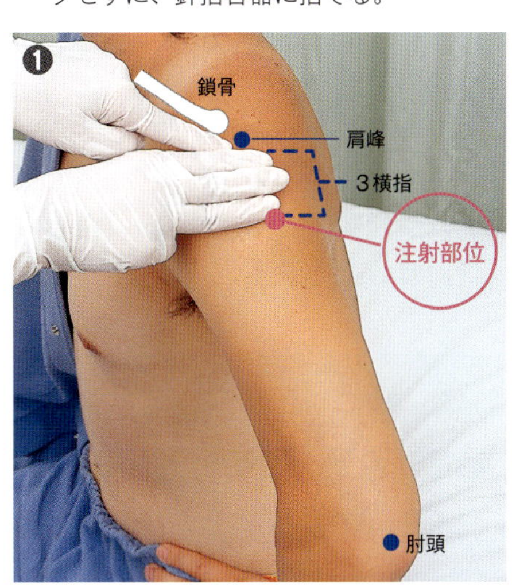

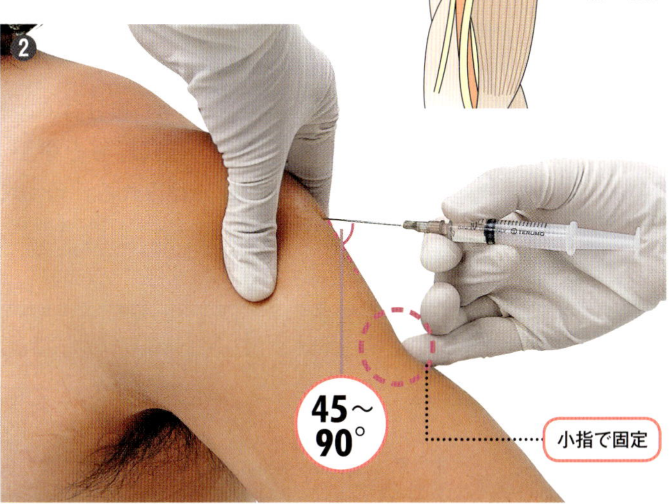

援助後に振り返ってみよう！

観察

- □ 注射部位に皮下出血や損傷はない？
- □ 強い疼痛やしびれが持続していない？
- □ 薬剤の副作用は出現していない？
- □ 薬剤の効果は出ている？

後片付け

- □ 注射針・シリンジ・アルコール綿などは医療廃棄物として捨てる

こんな時どうする？

CASE 「殿部ではなく、腕に」と言われた！

筋肉注射を行うため、患者に殿部を出してほしいと説明すると、「恥ずかしいから、腕にしてほしい」と言われることがある。
筋肉注射は上腕三角筋に実施することもできるが、やせた高齢者の場合、皮下組織が発達していないため、中殿筋部を選択するほうが安全である。
患者に安全な注射部位について説明し、タオルなどで露出を防ぎ、プライバシーを守って行う。

CHAPTER 8

6 静脈注射

学習のねらい

静脈注射は、静脈内に直接薬液を注入する方法である。即効性がある反面、副作用やショックの発現も急速であり、注意が必要である。
本項では静脈注射のうち、点滴静脈注射とワンショットについて、安全・確実に実施するための手技・観察ポイントを学ぶ。

覚えておきたい基礎知識

静脈注射は「ワンショット」と「点滴」に分けることができる。
ワンショットはさらに、1回ごとに静脈を穿刺する注射、側管からの注射、点滴をしていない留置針からの注射に分けられる。点滴には、点滴静脈注射（末梢静脈）、中心静脈注射がある。静脈注射は通常、上肢の皮静脈に行われることが多い。

静脈注射の種類

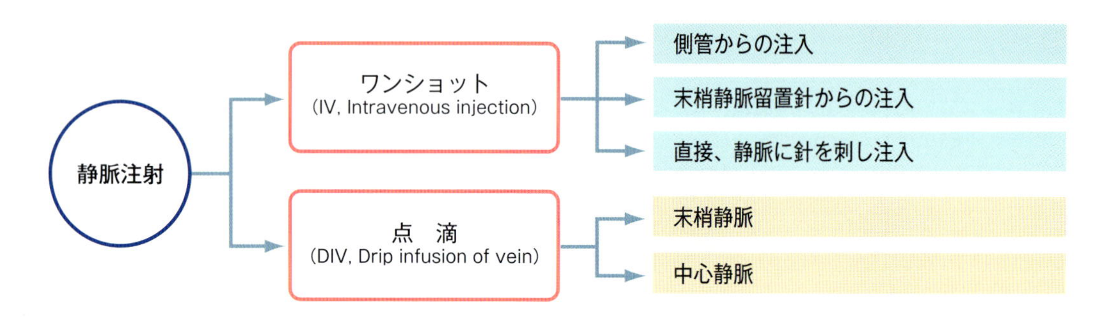

静脈注射に使われる血管

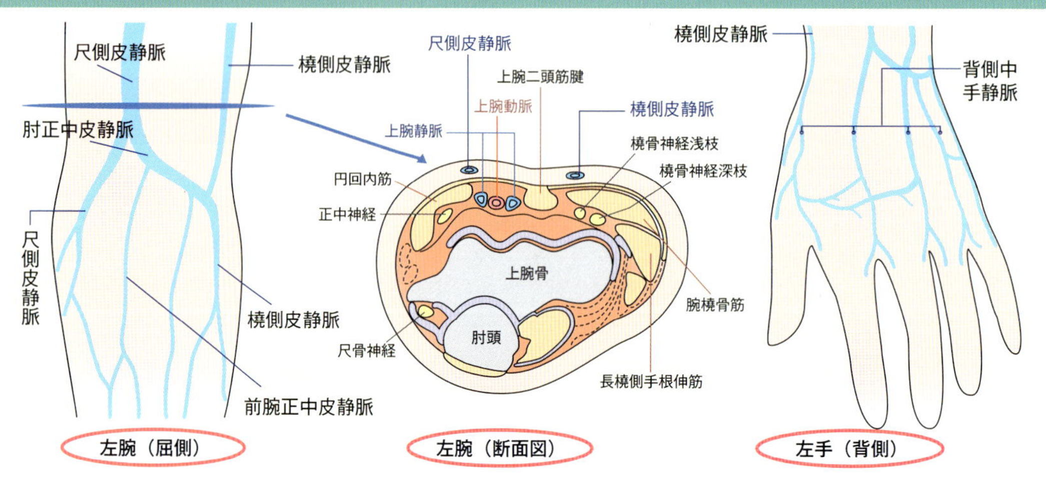

点滴静脈注射

点滴静脈注射は、栄養・水分・薬剤を持続的に、大量に静脈内に注入する方法である。

点滴静脈注射の穿刺部位

- 点滴静脈注射は持続的に輸液を注入するため、穿刺部位はできるだけ下肢より上肢を選ぶ。
- 固定しやすい部位を選び、薬剤の血管外漏出を防止する。

穿刺を避ける部位

1. 麻痺側：血液循環が悪い　2. シャント側
3. 関節部：屈曲し、固定しにくく安定しない
4. リンパ節郭清側

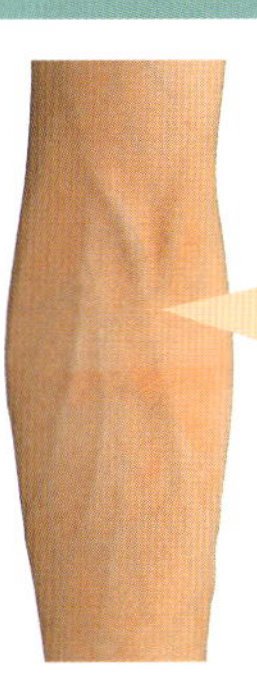

POINT

- 利き腕は避ける。
- 下肢への穿刺は活動による自然抜去を防ぐため、念入りな固定と観察が必要である。上肢より静脈炎や血栓症の可能性が高い。

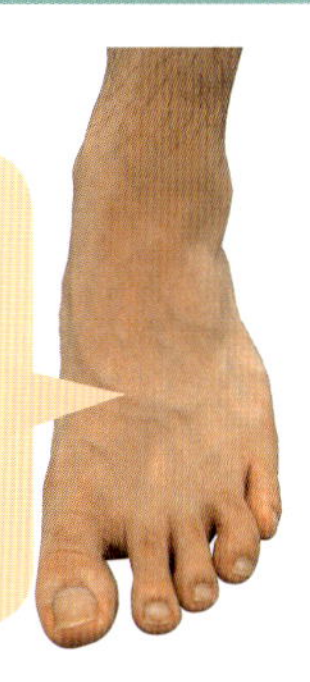

援助する前に確認しよう！

患者の状況

- □ 投与される薬液の種類・予定時間・滴下数・量は？
- □ 血液透析を行っている？
- □ 利き手は？　□ 麻痺がある？
- □ 出血傾向は？　□ 歩行できる？
- □ 排尿の頻度は？　排泄方法は？
- □ 注意力、判断力、認知機能は？

周囲の状況

- □ 静脈注射を行うスペースは？
- □ 点滴スタンドが置けるスペースは？

あなた自身

- □ ユニホームや手はきれい？
- □ 静脈注射の穿刺を見学した経験は？
- □ 学内演習での経験は？
- □ 静脈注射の合併症についての知識は？
- □ 輸液中の患者の観察ポイントについての基礎知識は？

必要物品を準備しよう！

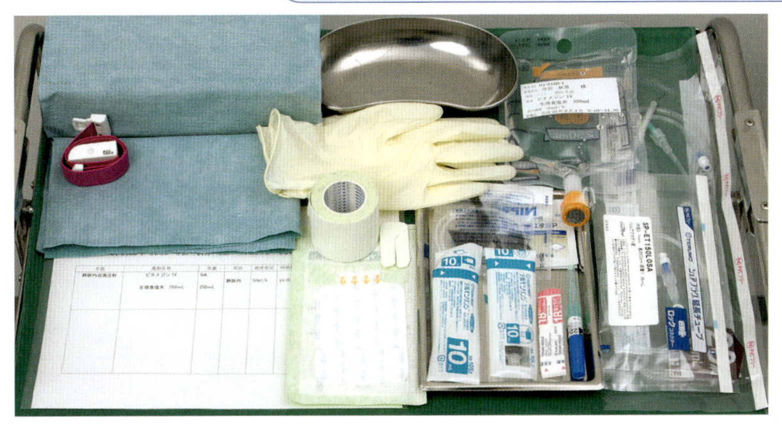

❻ 駆血帯／肘枕
❼ 防水シーツ
❽ 固定用ドレッシング材
固定用テープ
はさみ
❾ 点滴スタンド
❿ トレー
⓫ 手袋
⓬ 延長チューブ
⓭ 針捨容器
⓮ 膿盆

❶ 注射処方箋　❷ 指示された薬剤
❸ 注射針（18G）／シリンジ（ミキシング用）／ロック式シリンジ（閉鎖式輸液セットのエア抜き用）／翼状針あるいは静脈留置針（安全装置付きのもの）　❹ 輸液セット　❺ アルコール綿

針捨容器

PROCESS 1 注射処方箋の確認

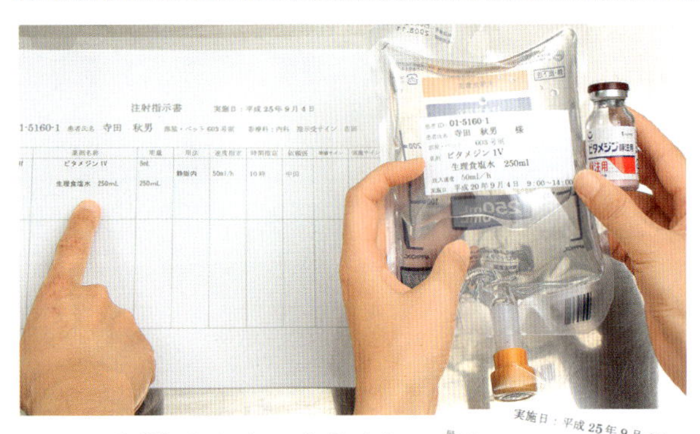

ほかの看護師とともに患者氏名・部屋番号・日時・薬品名・1回量・時間指定速度をダブルチェックする。

薬液準備後にサインする

POINT

ミスを防ぐため、以下の点に注意!

- なぜ、この点滴をこの患者に施行するのか?
- 転記や口頭指示(指示受け)は避ける。
- 声を出し、指差し確認を行う。
- 指示量の単位に注意。mg? g? mL? μg? A(アンプル)? V(バイアル)?
- 薬剤の投与方法に注意。静脈注射(iv)? 皮下注射(sc)? 筋肉注射(im)? 持続点滴?
- 点滴混注時は作業を中断しない。ほかの作業と並行して行うと、その間にほかのナースが薬剤を扱い、混注ミス、薬剤取り違えにつながる場合がある。
- 3原則で確認 → 1. 薬剤を準備する時
  2. 薬剤を詰める時
  3. 薬剤を詰めた後

PROCESS 2 輸液の準備

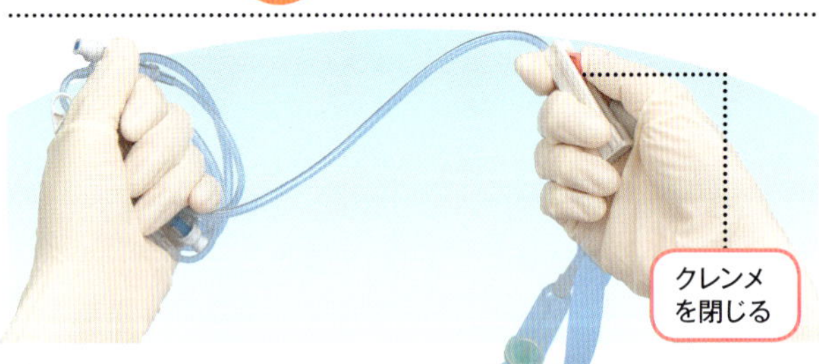

❶ 輸液バッグに輸液セットを刺す前に、クレンメを閉じる。ラインは不潔にならないように小さく折り返してまとめて持つ。

❷ 輸液バッグへ、輸液セットをまっすぐに挿入する。輸液バッグを点滴スタンドにかけ、点滴筒に薬液を1/3~1/2満たす。この際、点滴筒を逆さにし、クレンメをゆっくり緩める。

❸ 点滴筒を満たし終えたらクレンメを閉め、点滴筒の向きを元に戻す。再びクレンメを開け、ラインの先まで薬液を満たしたところでクレンメを閉じる。

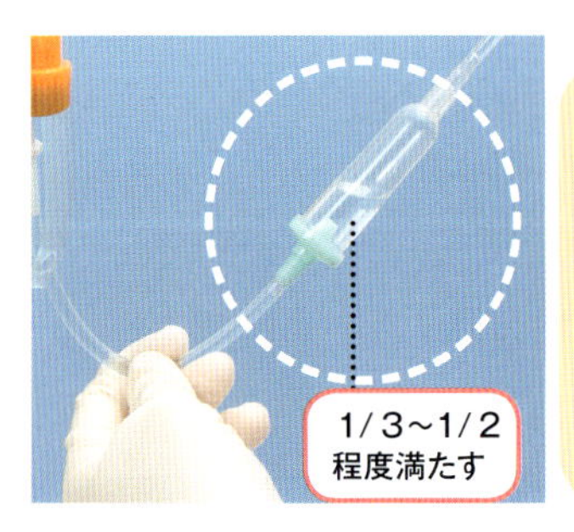

POINT

- 閉鎖式輸液セットを使用している場合は、ロック式シリンジを用い、側管部分の空気を抜く。

空気を抜く

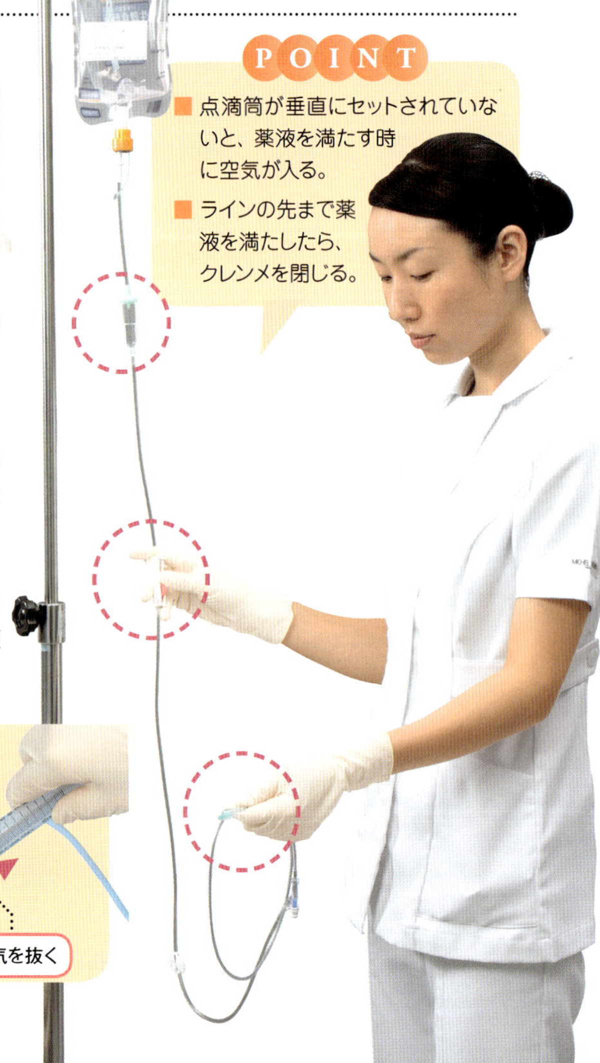

POINT

- 点滴筒が垂直にセットされていないと、薬液を満たす時に空気が入る。
- ラインの先まで薬液を満たしたら、クレンメを閉じる。

PROCESS 3 静脈留置針の刺入

8-1

❶ 患者に点滴静脈注射を行うことを説明し、排泄を済ませてもらう。
患者に氏名を言ってもらい、注射処方箋と輸液バッグ、ネームバンドとの照合を行う。

看護師は手袋を装着し、注射部位を露出して中枢側を駆血する。この時、強く締めすぎないよう注意。患者に母指を中にして手を握ってもらう。

❷ 穿刺部を中心に、外側に円を描くようにアルコール綿で消毒する。

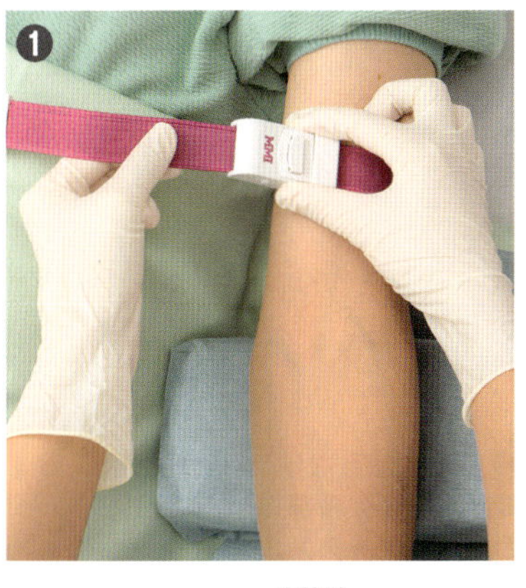

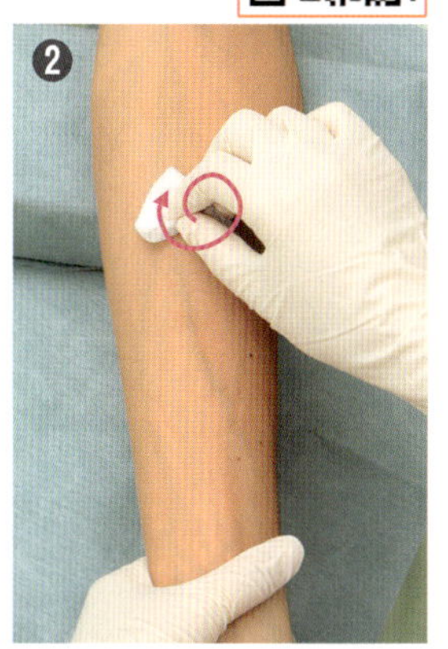

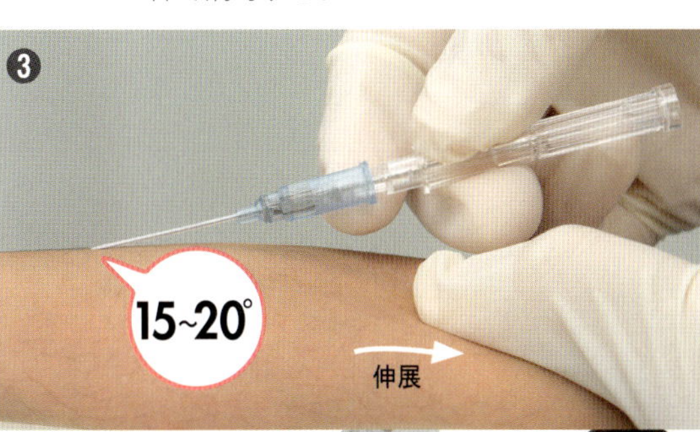

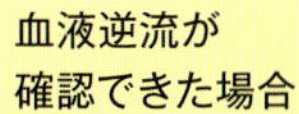

❸ 静脈を伸展させ、15～20度の角度で針を刺入。針先にまず血管壁の抵抗を感じ、その後抵抗の緩みが感じられる。

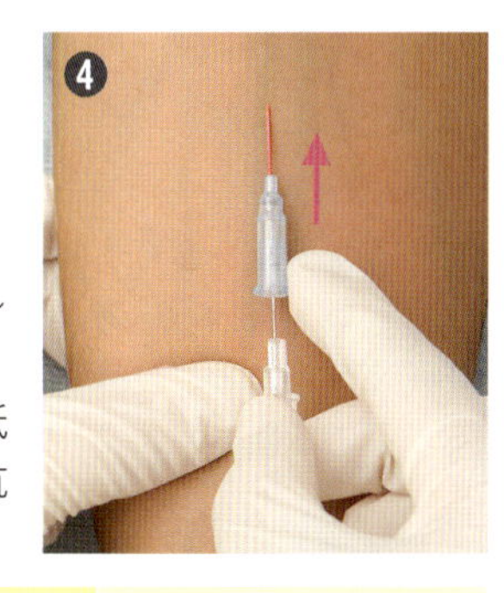

血液逆流が確認できた場合	内筒針を固定しながら外筒針のみを進める
血液逆流が確認できない場合	内筒針を1cm程度抜き、逆流を確認 →確認できなかった場合は、直ちに抜去する

❹ 穿刺針に血液逆流を確認したら、針の深さを変えないようにして、外筒を進める。

駆血帯を外し、患者に握った手を緩めてもらう。留置針を挿入した静脈の中枢側を圧迫して血液逆流を防ぎ、内筒針を抜去する。

❺ 抜去した針は、速やかに針捨容器に廃棄する。

❻ 静脈留置針に、すばやく清潔に輸液ラインを接続する。ラインの接続はしっかりと行い、薬液漏れを防ぐ。

クレンメを緩め、滴下を開始する。

POINT

■ 指示された滴下数になるよう、クレンメで調節する。
■ 時計を点滴筒の高さに合わせると調節しやすい。

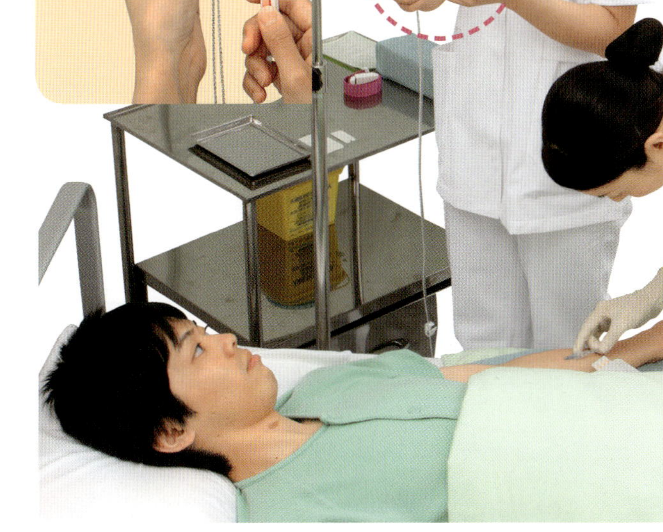

PROCESS 4 刺入部の固定

❶ 刺入部の清潔を保ちながら、フィルムドレッシング材の中心に刺入部がくるよう貼付する。

❷ カットしておいたテープで、輸液ラインの根元を固定する。

❸ 輸液ラインを蛇行させて、ループを作り、テープで固定する。留置針を刺入した日付を貼付。施行者は、注射処方箋にサインをする。

注意! 留置針とラインの接続部が刺激となり、皮膚が損傷することがある。皮膚保護材を接続部の下に貼るなどの工夫が必要な場合もある。

日付を貼付

EVIDENCE
- フィルムドレッシング材は透明なので、刺入部の観察に適している。
- 最も張力のかかる根元にクロスしてテープを貼り、固定を強化。

PROCESS 5 観 察

❶ 患者のそばを離れる時は、刺入部から輸液バッグまでをたどり異常がないか確認する。

❷ 可能であれば、ライン屈曲を防ぐなど、患者に協力をしてもらう。異常があればすぐにナースコールを押すよう伝える。

輸液バッグ
- 患者氏名・輸液内容は?
- 薬剤変質・異物の有無は?
- 薬液の残量は?
- 前回観察時から現在までの滴下量は適切?

輸液ライン
- 滴下速度は適正?
- ライン屈曲や緊張、圧迫はないか?
- 接続部が緩んでいないか?
- ライン内に空気は入っていないか?
- 三方活栓の向きは正しいか?

点滴スタンド
- スタンドの高さは適切か?
- スタンド調節のねじはしっかり締まっているか?

刺入部
- 薬液の漏れはないか?(発赤・疼痛・腫脹など)
- ドレッシング材やテープのはがれはないか?

全身状態
- 表情は? 気分不快などの訴えはないか?
- 発熱・血圧・呼吸状態などバイタルサインの変化
- 薬剤による副作用の有無

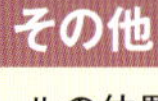

その他
- ナースコールの位置
- 体位
- 自己抜去・自己切断の可能性

❸ 意識障害や認知症などがある患者では、体動で接続部が緩み、薬液が漏れたり、外れて血液が逆流し大出血を起こす危険性がある。状況によっては接続部をテープで固定し、ラウンドごとにしっかり確認する。

ワンショット

静脈注射のワンショットには、直接静脈を穿刺する場合、側管からの場合、留置針からの場合がある。
薬剤の取り違えなどの確認ミスを防止し、確実な手技で安全に実施する。

援助する前に確認しよう!

患者の状況

- □投与される薬液の種類・投与時間・投与量は?
- □利き手は?
- □血液透析をしている?
- □麻痺がある?
- □出血傾向は?
- □注意力、判断力、認知機能は?

周囲の状況

- □ワンショットを行うスペースは?
- □作業スペースは清潔?

あなた自身

- □ユニホームや手はきれい?
- □ワンショットを見学した経験は?
- □学内演習での経験は?
- □静脈注射の合併症についての知識は?

末梢静脈留置針からの場合

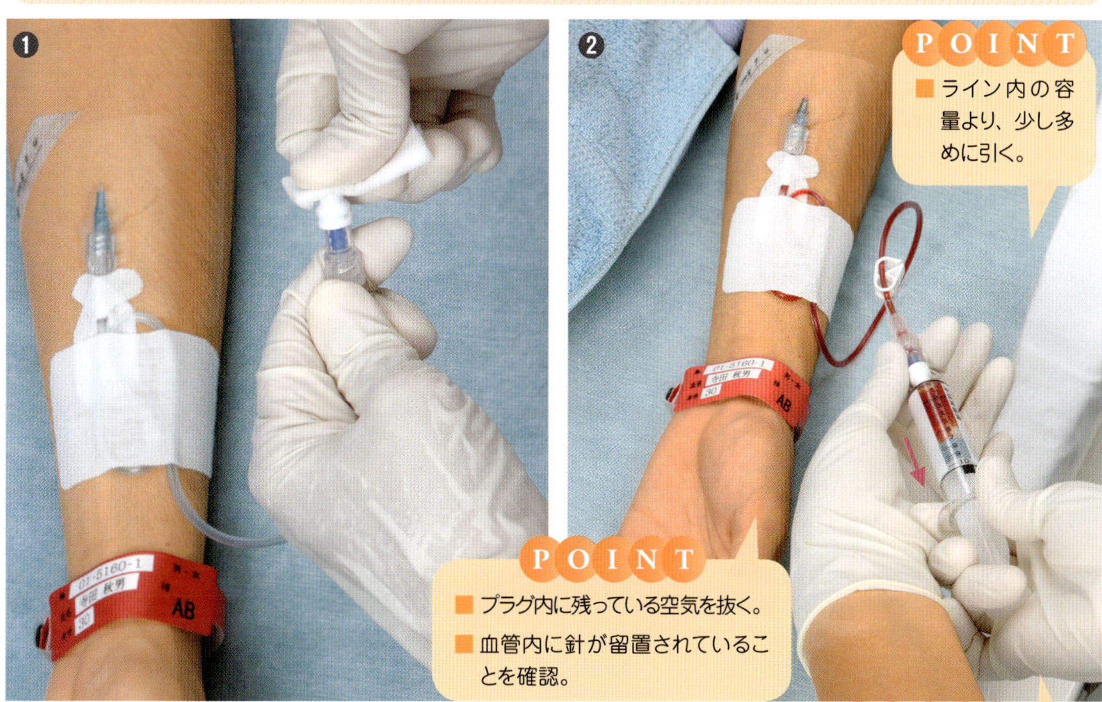

POINT
- プラグ内に残っている空気を抜く。
- 血管内に針が留置されていることを確認。

POINT
- ライン内の容量より、少し多めに引く。

❶ 患者に薬剤を注入することを説明する。患者の前で注射処方箋と薬剤、ネームバンドとの照合を行い、患者に氏名を言ってもらう。
注入口を念入りにアルコール綿で消毒する。

❷ 生理食塩水を入れたシリンジ、または空のシリンジを接続し、ゆっくりと内筒を引いて、ライン内に充填されているヘパリン生食を抜く。

POINT
- 生理食塩水入りのシリンジは、吸引のしやすさ、手に伝わる感触から閉塞がわかりやすいなど、経験知により用いられている。

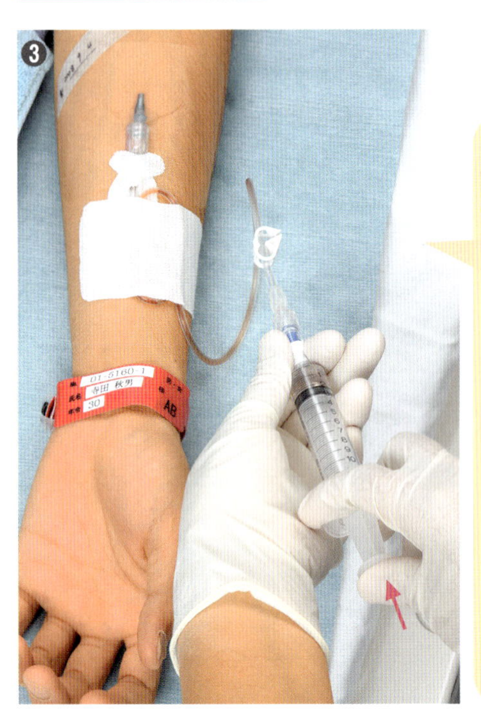

POINT

- 空気を抜いてから薬液を注入。
- 薬剤に合った注入速度を守る。
- 混濁や結晶成分が出現していないことを確認。
- 万一、混濁が認められたら、ゆっくりとシリンジを引き、混濁した部分を回収してから、注入を中止する。
- 2種類以上の薬剤を注入する際は、特に注意!

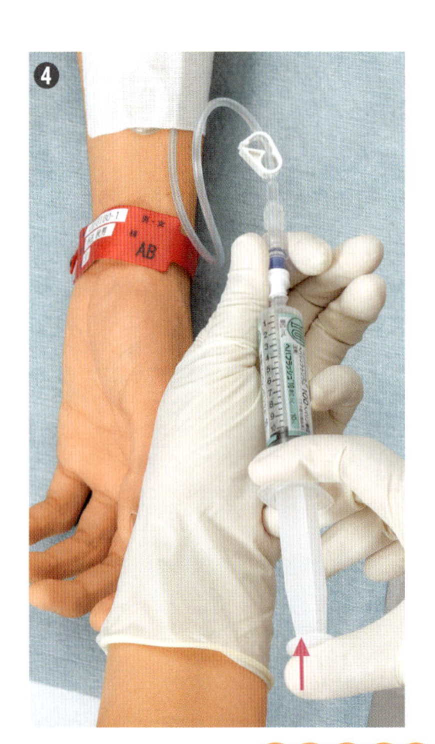

❸ 薬液の入ったシリンジを接続する。少し引いて残っている空気を抜き、ゆっくりと薬液を注入する。抜いた空気が入る直前で、注入をやめる。必要に応じて、最後に生理食塩水を注入し、ライン内の薬液を入れきる。

❹ ヘパリン生食入りのシリンジを接続する。ヘパリン生食を注入し、ライン内を充填する。

❺ ラインは、ループを作ってガーゼで包む。

❻ ガーゼで包んだラインをネット包帯などで固定する。

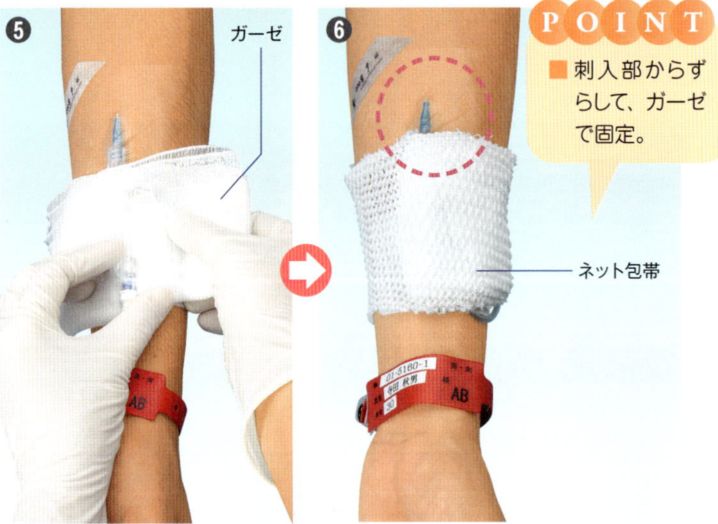

援助後に振り返ってみよう!

観察

- □ 刺入部の状況は?
- □ 輸液の滴下速度は?
  ライン屈曲・閉塞は?
- □ 薬剤投与後の副作用は?
- □ ナースコールの位置は?
- □ 点滴スタンドの位置は?
- □ ベッド柵、ストッパーは?

記録・報告

- □ 刺入部の状態
- □ 薬剤投与後の異常の有無

後片付け

- □ 作業のために動かした物品を元に戻す(患者の希望に沿って配置)
- □ 留置針の内筒は、直ちに針捨容器に捨てる
- □ 血液に汚染した物品は、速やかに医療廃棄物として廃棄する

覚えておくと、役立ちます！

輸液の滴下数の計算法

輸液セットには主に1mL＝20滴の場合と、1mL＝60滴の場合がある。写真に示すように、20滴／mLの場合は1滴が大きく、60滴／mLの場合には1滴が小さい。また、60滴の場合には、点滴筒の中の金属針より滴下する仕組みとなっている。滴下数は次のように計算する。

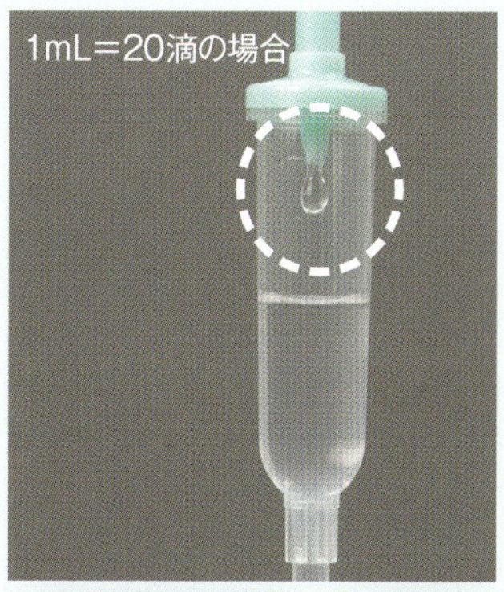

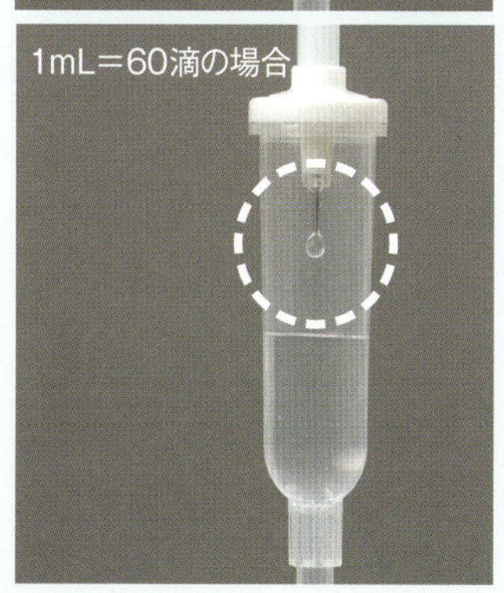

【1mL＝20滴の場合】

$$1分間の滴下数 \fallingdotseq \frac{1mLの滴下数(20滴)\times 指示量(mL)}{指定時間(時間)\times 60(分)}$$

（例）250mLの輸液を2時間で滴下する場合

$$\frac{20(滴)\times 250(mL)}{2\times 60(分)} = 42(滴/分)$$

【1mL＝60滴の場合】

$$1分間の滴下数 \fallingdotseq \frac{1mLの滴下数(60滴)\times 指示量(mL)}{指定時間(時間)\times 60(分)}$$

（例）250mLの輸液を2時間で滴下する場合

$$\frac{60(滴)\times 250(mL)}{2\times 60(分)} = 125(滴/分)$$

ワンショットで投与すると危険な薬剤

薬剤によっては、ワンショットで投与することにより心停止を起こすものもある。どの薬剤にも副作用があるため、投与の際には添付文書や文献で確認することが大切である。

■ワンショット静注できない薬剤

薬剤	副作用	薬剤	副作用	薬剤	副作用
カリウム製剤 リドカイン フェニトイン クリンダマイシン リンコマイシン	心停止	バンコマイシン	アレルギー 血圧低下 red man 症候群 腎障害	イミペネム・シラスタチンNa パニペネム・ベタミプロン メロペネム 塩化アンモニウム	痙攣
トブラマイシン アミカシン	聴覚障害 腎障害	キタサマイシン	悪心 腹痛 血圧低下 心停止	ビタミンK_1（フィトナジオン） ビタミンK_2（メナテトレノン）	ショック

こんな時どうする?

CASE 1 いつのまにか、滴下速度が遅くなっていた!

点滴静脈注射は、滴下速度を合わせても、患者の体位や動作によっては滴下速度が変化する。
関節の屈曲や体の向き、四肢の位置が静脈の流れに影響する。また、静脈留置針の針先が血管壁に触れていると滴下しにくくなる。

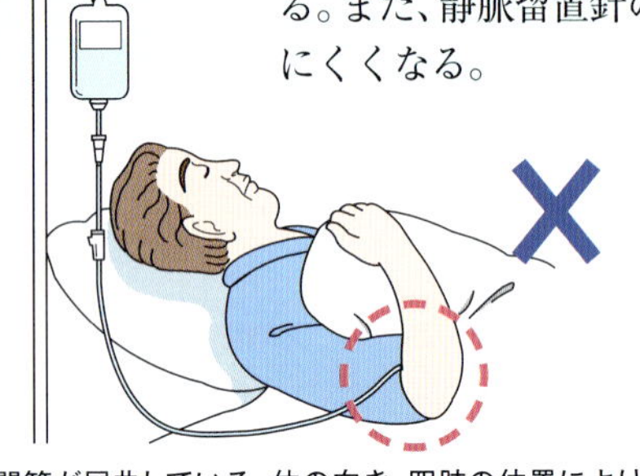

関節が屈曲している、体の向き、四肢の位置により、静脈の流れに影響し、滴下しにくくなる。

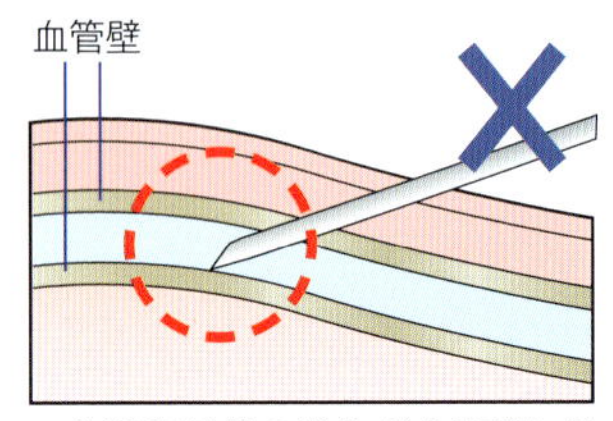

静脈留置針の針先が血管壁に触れていると、滴下しにくくなる。

CASE 2 散歩中に、輸液が逆流した!

輸液バッグと刺入部の落差が変わると、滴下速度は変化する。臥位の時に滴下速度を調節した場合、座位・立位をとると、輸液バッグとの落差が縮まり、滴下しにくくなる。
この際、逆流が起きることがある。逆流を放置すると、ラインが閉塞するため、発見したら速やかに報告する。
滴下速度を調節し、逆流を防ぐことができる。

CASE 3 刺入部に血液がにじんでいる!

点滴静脈注射の刺入部に血液がにじんでいると、そこに細菌が繁殖し、感染を起こす。刺入部の感染は、血流感染につながる。発見したら、刺入部に疼痛や腫脹、発赤などの感染徴候がないかを確認する。感染徴候が認められたら、抜針する。感染徴候がなく汚染が認められる場合は、ドレッシング材を速やかに交換し、経過観察を行う。

CASE 4 ワンショットをしたら、ライン内が白濁!

側管からワンショットを行う場合、ライン内に残っていた薬剤と、新たに注入した薬剤の間で物理・化学反応が起こる場合がある。そのまま投与すると人体に悪影響を及ぼすことがある。
着色や沈澱物、混濁がみられたら放置せず、すぐに投与を中止する。

CASE 5 ラインへの注入時に、抵抗を感じた!

ラインへの注入時に抵抗を感じた時は、ライン内の血管凝固が進み、血栓が形成されている可能性がある。無理にシリンジを押すと、血栓が血管内に押し込まれ、致命的な結果を招きかねない。
注入時に抵抗を感じたら、まず、ワンタッチクレンメの開閉、三方活栓の向き、ラインや留置針に屈曲がないかを確認する。
その後、シリンジを引いて逆流の有無を確認。逆流がなく、抵抗も強いままであれば、抜針する。

CHAPTER 8

7 輸液ポンプ・シリンジポンプ

学習のねらい

輸液ポンプとシリンジポンプは、どちらも一定の速度で微量の薬液を持続的に体内に注入する機能を持つ。シリンジポンプのほうが、より高濃度で微量の薬液を注入できる。いずれも水分出納の管理を確実に実施する場合や、昇圧薬など薬効の強い薬剤を正確に投与する場合に用いられる。
輸液ポンプ・シリンジポンプの操作、安全に実施するポイントを学ぶ。

輸液ポンプ

輸液ポンプは流量調整の仕組みの違いから、流量制御型、滴数制御型に分けられる。

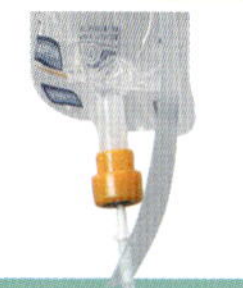
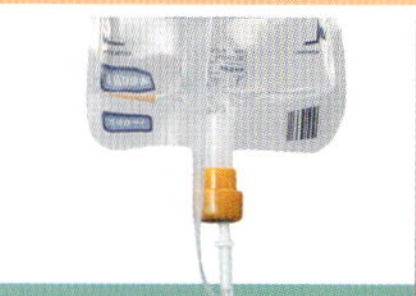

輸液ポンプの流量調整の仕組み

流量制御型

マイクロコンピュータによりモーターを回転させ、装着した輸液セットのチューブをフィンガーで押すことで設定流量を得る。
専用の輸液セット以外のものを使用すると、チューブの径が変わり、正確な流量を得られない。

滴数制御型

輸液セットの点滴筒に装着した点滴プローブが検出した情報により、マイクロコンピュータがモーターの回転を制御して滴数を調整する。

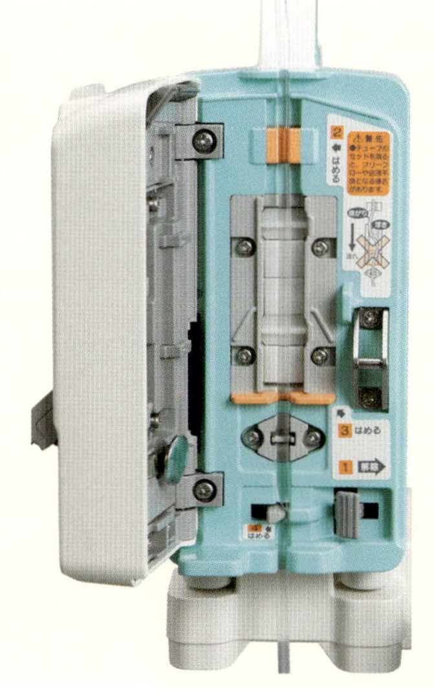

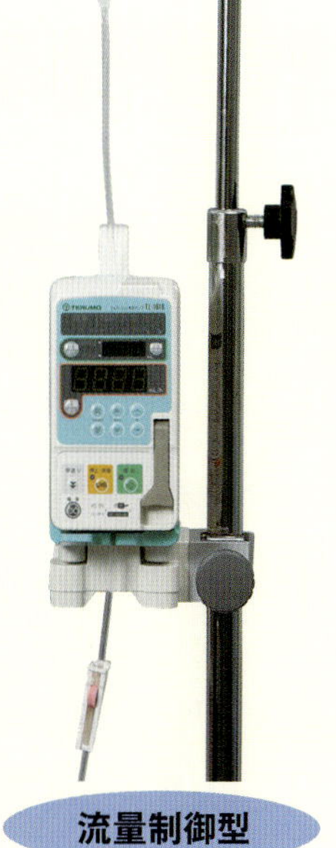

流量制御型
テルフュージョン輸液ポンプ TE-161S®/テルモ

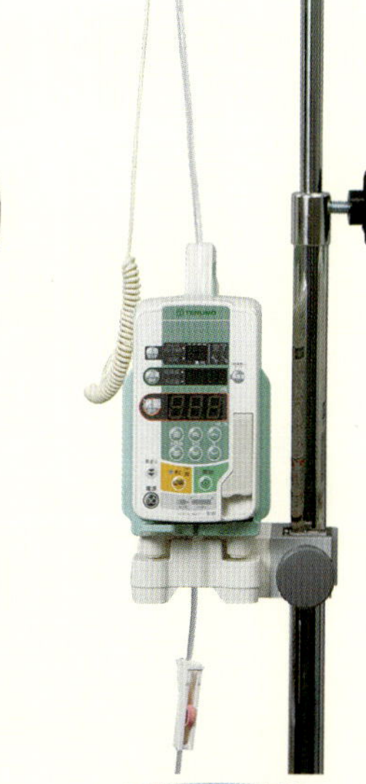

滴数制御型
テルフュージョン輸液ポンプ TE-131®/テルモ

援助する前に確認しよう！

患者の状況

- □ 使用している薬剤の種類・目的は？
- □ 予定投与量と時間あたりの投与量は？
- □ 意識レベル・認知力は？
- □ 針の刺入部は？
- □ ほかの医療機器の装着は？
- □ バイタルサインは落ち着いている？

周囲の状況

- □ ベッドの高さは？
- □ 使用可能な点滴スタンドは？
- □ 輸液ポンプは充電済み？

あなた自身

- □ 薬剤の薬効と副作用を知っている？
- □ 学内演習で輸液ポンプの操作を行ったことがある？
- □ 患者での輸液ポンプの操作を見学したことがある？

必要物品を準備しよう！

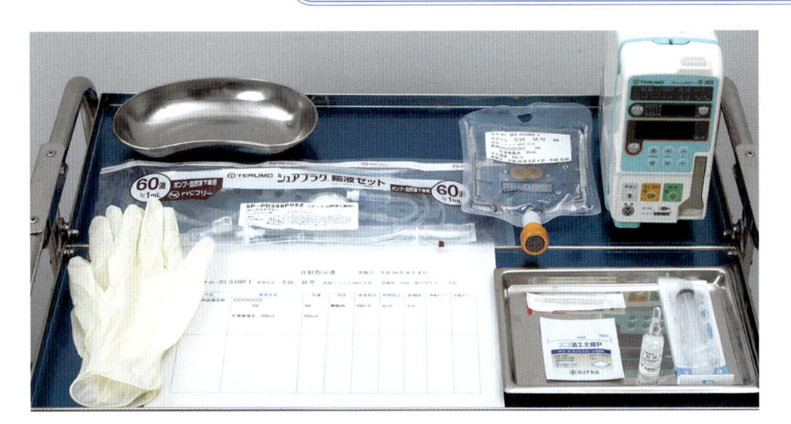

1. 輸液ポンプ
2. 点滴スタンド
3. 輸液ポンプ専用輸液セット
4. 注射処方箋
5. 指示された薬剤
6. アルコール綿
7. トレー・膿盆
8. 手袋
9. 針捨容器
10. シリンジ

PROCESS 1 輸液チューブの装着

8-3

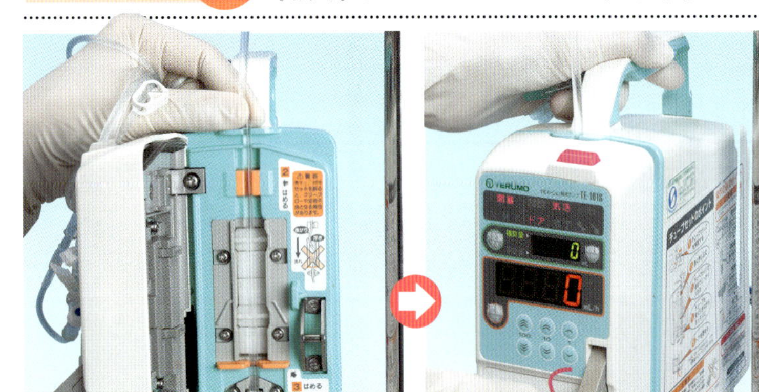

EVIDENCE

- チューブがたるんでいると、正常な送液が行われなかったり、気泡・閉塞の検出機能が正確に作動しない。

POINT

- チューブはまっすぐに装着したか？
- 半ドアはないか？

1. 輸液ポンプの電源を入れ、扉を開ける。セルフチェックが行われ、異常がないことを確認する。
2. チューブを引きながら、たるまないように輸液ポンプ内部に装着する。
3. ドアロックレバーを押して、確実に扉をロックする。

POINT

セルフチェック

- 輸液ラインを輸液ポンプにセットする前に、輸液ポンプの電源を入れると、自動的にセルフチェックが行われ、作動状況の点検が行われる。
- 異常時には、別のポンプを使用し、MEあるいは業者に連絡する。

PROCESS 2 流量・予定量を設定して、輸液開始 8-4

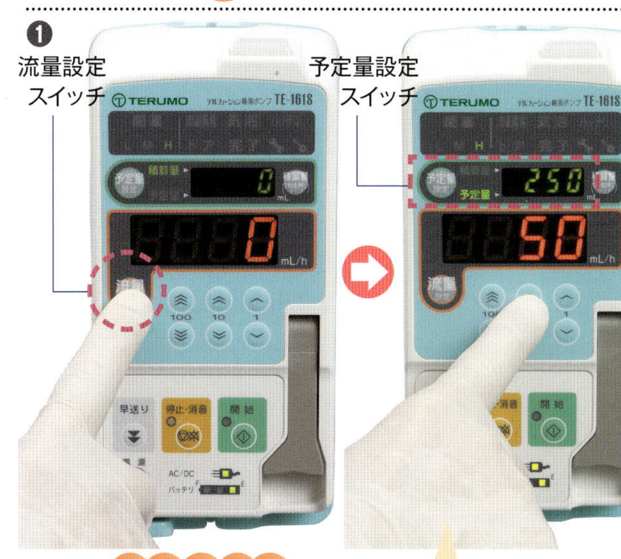

❶ 流量設定スイッチを押して、流量を設定する。

予定量設定スイッチを押して輸液予定量を入力する。

❷ クレンメを全開にし、輸液セットの点滴筒に滴下がみられないことを確認する。

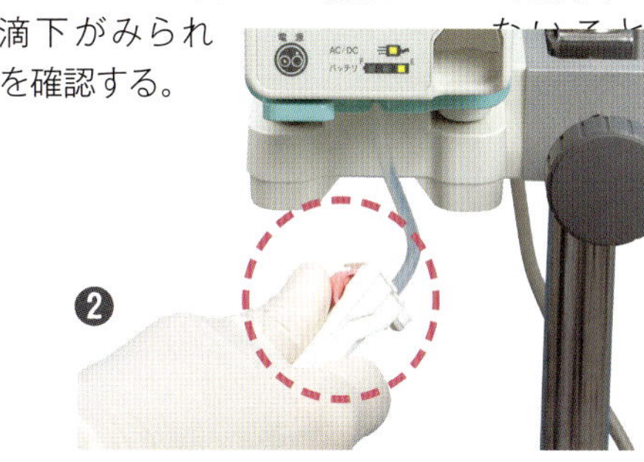

POINT

開始時のポイント

- 時間流量と予定量の取り違えに注意！ 取り違えると短時間に薬剤が注入され、患者に大きな影響を与える。
- 設定時には、複数の看護師で確認。
- 予定量は必ず入力！ 入力しないと、薬液がなくなり気泡混入アラームが鳴るまで、ポンプが停止しない。
- 安全のためには、投与予定量より若干少なめに設定しておくとよい。

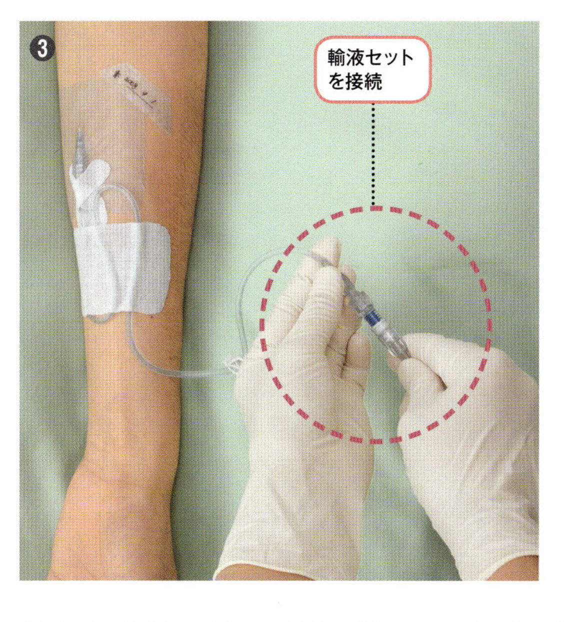

❹

開始表示ランプ

開始スイッチ

❸ 患者の留置針の注入口を消毒し輸液セットを接続、開始スイッチを押す。

❹ ブザーが鳴り、開始表示ランプが点滅しているか、点滴筒で滴下が始まっているかを確認する。

POINT

開始時の注意点

- 入力・設定ミスがないか、再確認。
- 開始スイッチの押し忘れに注意。

PROCESS 3 滴下状況を観察 8-5

輸液開始後は、しばらく患者のもとにとどまり、滴下状況や患者の様子を観察する。

POINT

- 点滴筒に滴下はみられるか?
- クレンメ、三方活栓は開放しているか?
- 輸液バッグの残量は予定通りか?
- チューブの屈曲はないか?
- 刺入部の発赤・疼痛・腫脹はないか?

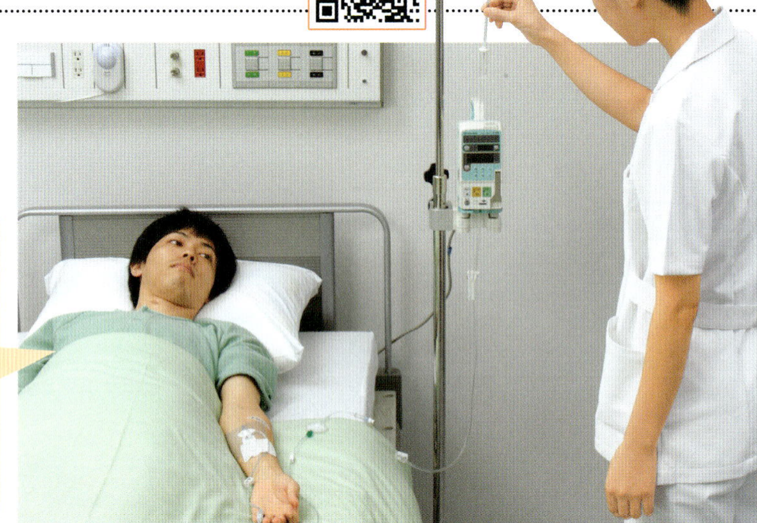

PROCESS 4 輸液の終了 8-6

❶ 停止・消音スイッチを押し、輸液セットのクレンメを閉める。

❷ 扉を開け、レバーを押してチューブクランプを解除し、チューブを取り外す。

❸ 電源スイッチを押し、電源を切る。

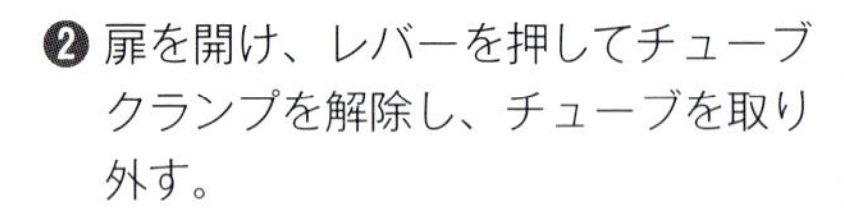

POINT

フリーフローに注意!

- 必ず、クレンメを閉じてからチューブを外す。停止スイッチを押しただけではダメ!
- クレンメを閉じずにチューブを取り外すと、チューブ内の薬液が一気に注入される(フリーフロー)。
- 一定の速度で注入しなければならない薬液が一気に体内に入ることで、患者が重篤な状態に陥る場合がある。

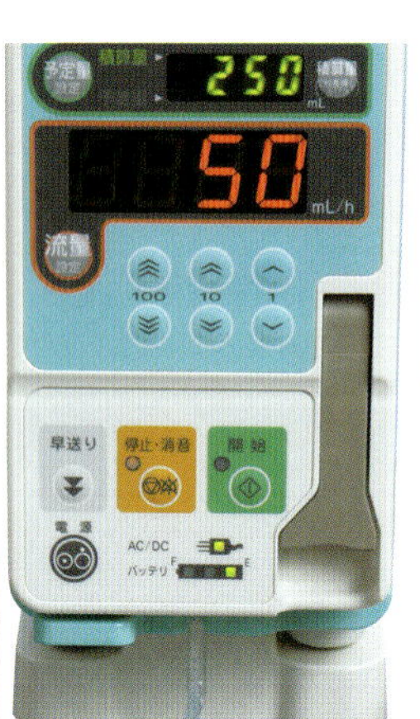

POINT

- 無理に引っ張らず、レバーを押し、チューブクランプを解除してから外す。

チューブクランプを解除

援助後に振り返ってみよう!

観 察

- □ 患者のバイタルサインや表情は?
- □ 刺入部の異常は?

記録・報告

- □ 輸液投与開始時間、輸液投与量
- □ バイタルサインの変化

後片付け

- □ 点滴スタンドや輸液ポンプの片付け
- □ 輸液バッグ・輸液セットを医療廃棄物として廃棄

こんな時どうする？

輸液ポンプ使用中にアラームが鳴った!

輸液ポンプ使用中にアラームが鳴ったら、あわてずに以下の手順でそれぞれの対処を行う。
まず、アラームの種類を確認して、対応する。

アラームの種類を確認
↓
停止・消音スイッチを押す
↓
クレンメを閉める
↓
アラームの種類に応じて対応

POINT

- フリーフローを防ぐため、クレンメは必ず閉じる。
- 停止スイッチを押しただけでは、チューブを外した瞬間、チューブ内の薬液が一気に注入される。

アラームの種類を確認

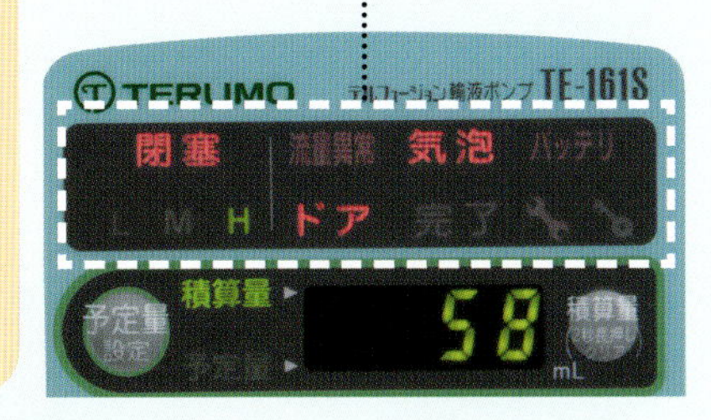

閉塞

CHECK!

- クレンメや三方活栓の閉塞はないか?
- チューブの屈曲はないか?
- 留置針先端の閉塞はないか?
- 開始スイッチの押し忘れはないか?

POINT

- 輸液チューブを指に巻きつけ、気泡を指ではじいて移動させ、排気する。

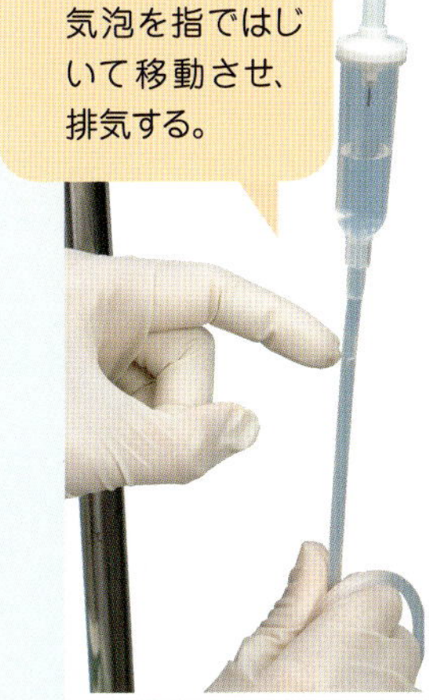

気泡

CHECK!

- 輸液が終了していないか?
- ライン接続部が緩んでいないか?
- ライン内に気泡はないか?

対策!

ライン内に気泡を発見!
↓
停止スイッチを押す
↓
クレンメを閉める
↓
輸液ポンプのドアを開ける
↓
ラインを輸液ポンプから外す
↓
気泡を点滴筒や三方活栓から排気する
↓
しっかりとラインを接続、再び輸液ポンプにセットする

ドアオープン

CHECK!

- ドアは完全に閉まっているか?
- ドアロックレバーの破損はないか?

注意!

ドアやドアロックレバーの破損は、点滴スタンドの転倒などで起きやすい。転倒後は必ずチェックし、修理する。

POINT

- 半ドアはないか?
- ドアロックレバーは壊れていないか?

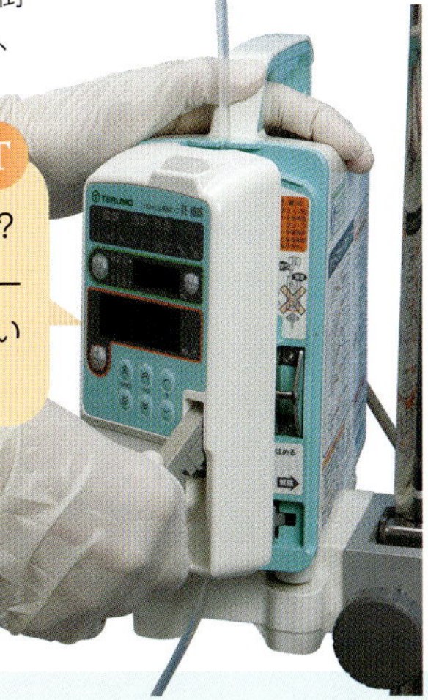

電圧低下

CHECK!

- 充電不足はないか?
- バッテリーの劣化はないか?

対策!

即座に回復できないため、近くの電源を探し、ACを駆動させる

シリンジポンプ

シリンジポンプは、高濃度の微量な薬液を0.1mL単位で調節し、注入することができる。

シリンジポンプの仕組み

シリンジポンプ

テルフュージョンシリンジポンプ TE-332S®
テルモ

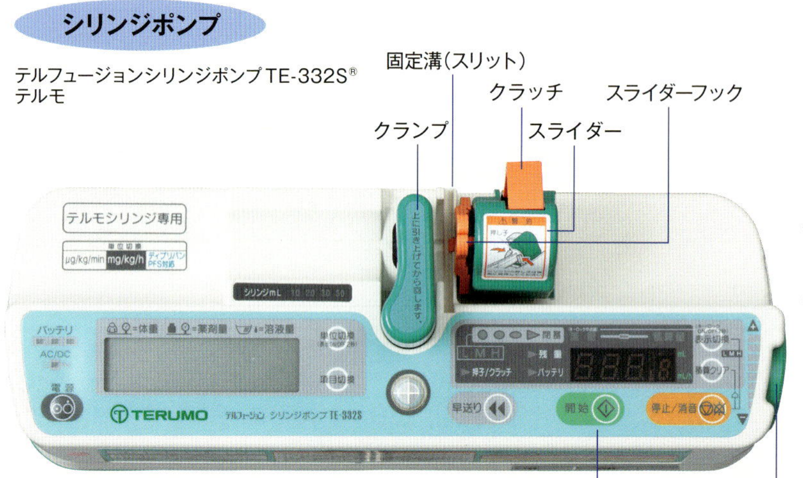

マイクロコンピュータによりモーターを回転させ、スライダーを介してシリンジのピストンを押し込み、設定流量を送液する。
そのため、シリンジはポンプに適合するメーカー、サイズを選択することが大切である。

パネル部分

バッテリーランプ
電源スイッチ
動作インジケータ
アラームの種類
流量・積算量表示
表示切替スイッチ
早送りスイッチ
開始スイッチ
停止・消音スイッチ

援助する前に確認しよう!

患者の状況

- □ 使用している薬剤の種類・目的は?
- □ 予定投与量と時間あたりの投与量は?
- □ 意識レベル・認知力は?
- □ 点滴の刺入部は?
- □ ほかの医療機器の装着は?
- □ バイタルサインは落ち着いている?

周囲の状況

- □ ベッドの高さは?
- □ 使用可能な点滴スタンドは?
- □ シリンジポンプは充電済み?

あなた自身

- □ 薬剤の薬効と副作用を知っている?
- □ 学内演習でシリンジポンプの操作を行ったことがある?
- □ 患者でのシリンジポンプの操作を見学したことがある?

必要物品を準備しよう！

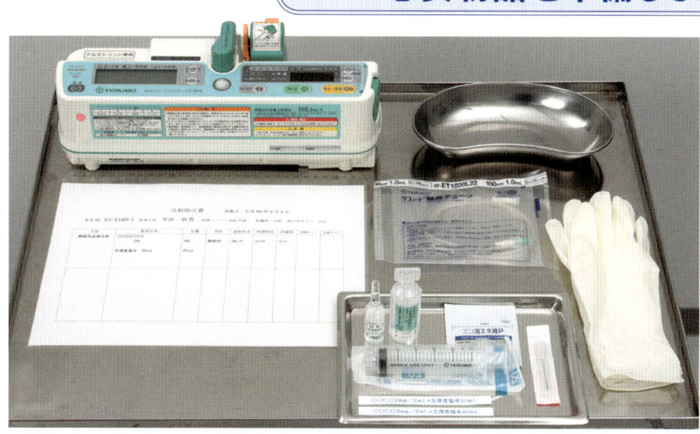

❶ シリンジポンプ
❷ 点滴スタンド
❸ シリンジ
❹ 延長チューブ（細いもの）
❺ 注射処方箋
❻ 指示された薬剤
❼ アルコール綿
❽ 手袋
❾ トレー・膿盆
❿ 針捨容器
⓫ 表示用ラベル

PROCESS 1 シリンジをセット

8-7

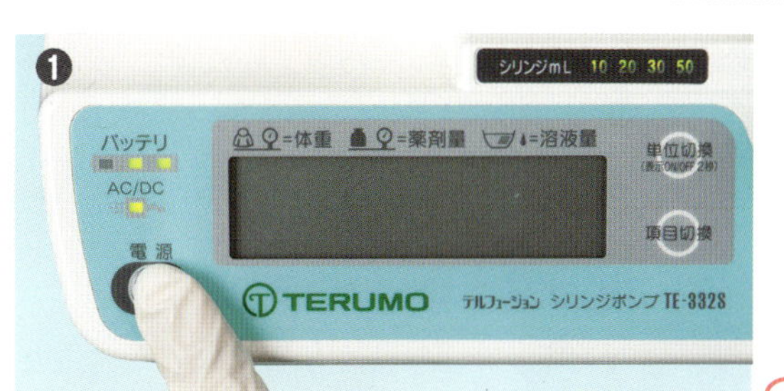

❶ シリンジをセットする前に電源を入れ、セルフチェックが行われ、異常がないことを確認する。

❷ 薬液を満たしたシリンジの注入口と延長チューブを接続する。クランプを引き上げ、左手でシリンジを持ち、フランジ（つば）を固定溝に入れる。

POINT

- シリンジをセットする前に電源ON→セルフチェック（全ランプの点滅、動作インジケータ点滅、ブザー音）
- 異常時は、別のポンプを使用。MEあるいは業者に連絡。

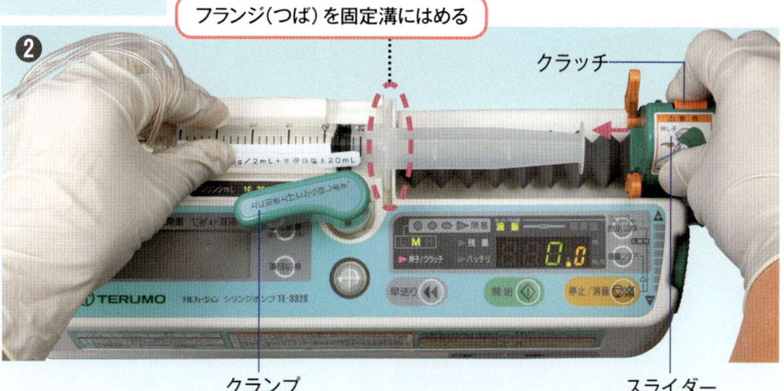

❸ 右手でクラッチを押し、スライダーをシリンジ内筒のつばまで移動させる。クラッチを放し、スライダーのフックで押し子を保持する。

クランプを回し、シリンジを固定する。

EVIDENCE

- シリンジの押し子がスライダーフックから外れていると、サイフォニング現象（自然落下による注入）や逆流が発生する。

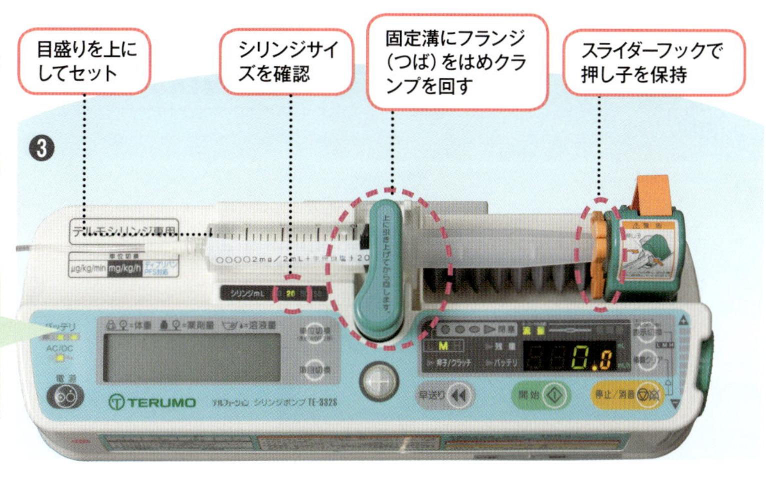

PROCESS 2 流量・予定量を設定し、輸液を開始 8-8

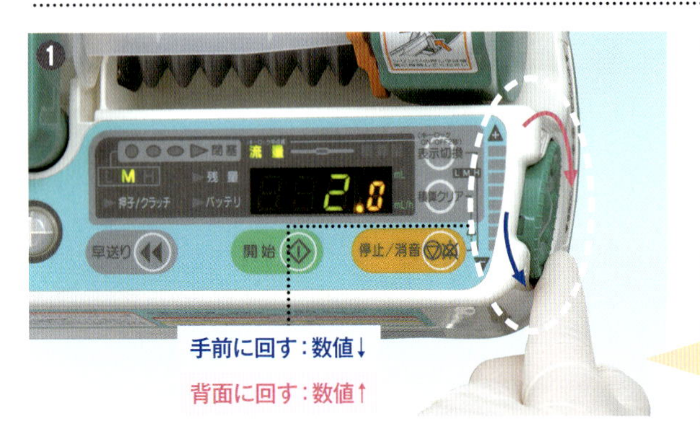

❶ ポンプが停止状態になっていること、流量ランプが点灯していることを確認する。設定ダイアルを回し、1時間あたりの流量（mL/h）を設定する。
＊表示切換スイッチで流量と積算量を切り換えることができる。

POINT

- 小数点や桁数の違い、時間流量と積算量の見間違いに注意。
- 複数の看護師で、処方箋と照合し、声を出して指差し確認。

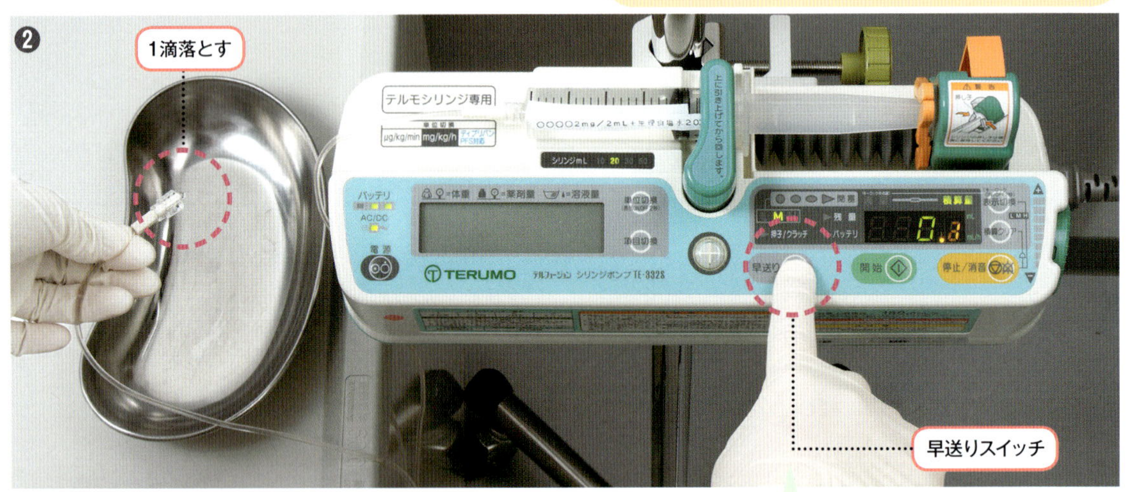

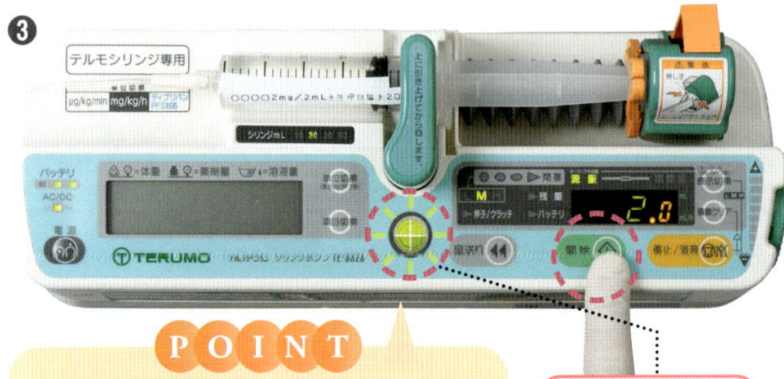

EVIDENCE

- 早送りをしないとチューブ内の空気が完全に排除されない。
- 早送りにより、フランジと固定溝の側面、押し子とスライダーが密着する。密着するまで送液されない。

POINT

- 輸液中はアラーム音に頼らず、定期的に観察。微量送液のため、アラームが鳴るまで時間がかかる。

❷ 早送りスイッチを押し続け、延長チューブ先端まで薬液を満たし、気泡を除去する。

❸ 患者に輸液セットを接続し、開始スイッチを押す。動作インジケータが緑色に回転点滅することを確認する。

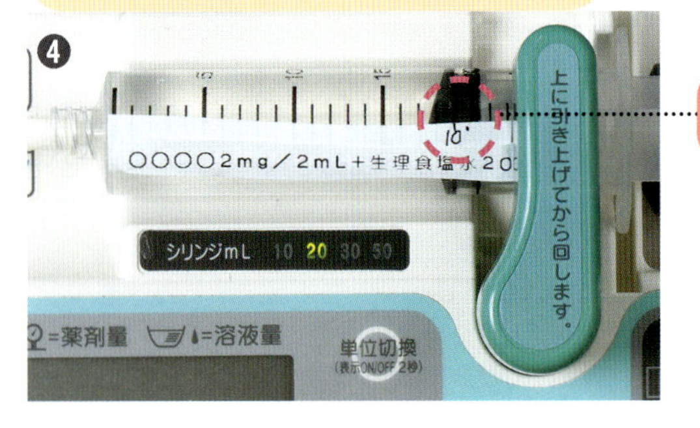

❹ 開始時の薬液量に印をつけ、定期的に印をつけていく。患者のもとを離れる前に、正しく送液されていることを確認する。

PROCESS 3 輸液の終了

8-9

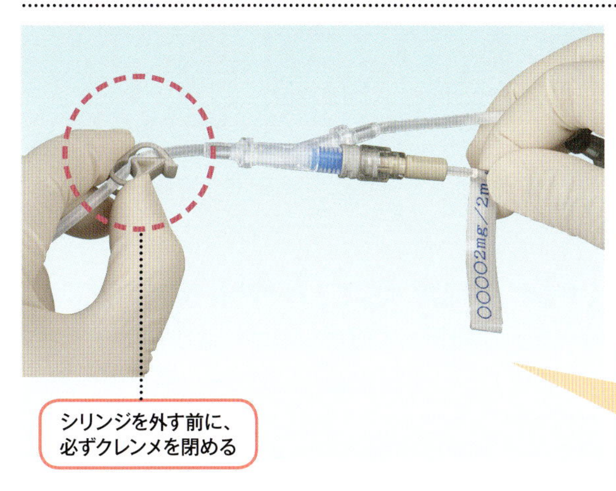

シリンジを外す前に、必ずクレンメを閉める

❶ 指示量の薬剤が注入されたことを確認し、停止・消音スイッチを押す。

❷ 輸液セットのクレンメを閉め、シリンジを取り外す。

❸ 電源スイッチを押し、電源を切る。シリンジポンプに薬剤による汚れがあれば、きちんと拭き取る。

POINT

フリーフローに注意！

■ 必ず、クレンメを閉めてから、シリンジを外す。停止スイッチを押しただけで外すと、薬液が一気に注入される(フリーフロー)。

援助後に振り返ってみよう！

観 察	記録・報告	後片付け
□ 患者のバイタルサインや表情は？ □ 刺入部の異常は？	□ 輸液投与開始時間、輸液投与量 □ バイタルサインの変化	□ 点滴スタンドや輸液ポンプの片付け □ シリンジなどを医療廃棄物として廃棄

？ こんな時どうする？

CASE シリンジポンプ使用中に閉塞アラームが鳴った！

シリンジポンプを使用中に閉塞アラームが鳴った場合は、あわてずに以下の手順で対応する。

POINT

■ 閉塞部位を発見し、あわてて三方活栓やクレンメを開けないよう注意！ ライン内の薬液が一気に送液されて危険！

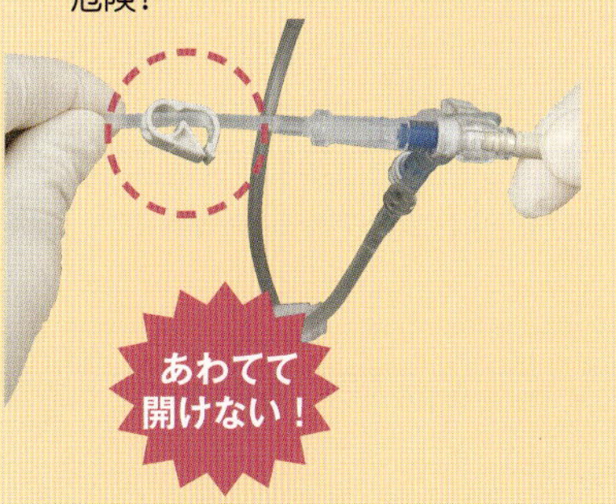

停止・消音スイッチを押す。輸液ラインを閉じる。

↓

CHECK！ 閉塞部位(三方活栓・クレンメなど)を確認。

↓

閉塞部位を発見したら、患者への送液がないことを確認後、早送りスイッチを押し、貯留した薬液を排出する。内圧を下げた後、ラインを再接続する。

↓

三方活栓、クレンメを開放し、開始スイッチを押す。患者に送液されていることを確認する。

CHAPTER 8

8 特に注意を要する薬剤の投与と留意点

学習のねらい

治療に伴い薬剤を使用することは多くあるが、薬剤によってそれぞれ特徴や副作用、取り扱いが異なるため、どの薬剤もそれらを十分理解して使用しなければならない。
本項では、日常的に使用されている薬剤の中でも、注意を要する薬剤の特徴や副作用、投与時の注意点について学習する。

インスリン製剤

インスリン製剤には、作用発現時間により超速効型、速効型、中間型、特効型などがある。血糖コントロールの状況、生活スタイルにより単独、もしくは組み合わせて使用する。
これらの製剤の特徴や取り扱いを理解し、投与することが大切である。

インスリン分泌とインスリン製剤

インスリンの分泌には、食事刺激とは関係なく1日を通して分泌される基礎分泌と、食事刺激で分泌される追加分泌とがある。
インスリン製剤は、インスリンの基礎分泌、追加分泌、またはその両方を代替するために用いられる。

■インスリン製剤の種類と特徴

超速効型	食後の高血糖を防ぐほか、高くなった血糖の修正にも使われる。
速効型	超速効型より作用の出現、ピークが遅い。
中間型	作用時間を持続させた製剤である。作用にピークがあり、夜間の低血糖の原因となる場合もある。
混合型	超速効型と中間型、速効型と中間型を混合させたものである。
特効型	理論的には24時間作用が安定して持続するといわれているが、人によっては24時間持続しない。

留意点

- 超速効型は作用発現が早いため、働きながらインスリン療法をしている患者にとっては、作用時間による制約が緩和され、生活がしやすくなる。
- 注射のパターンは、患者の症状や生活スタイルによって組み合わせ方を検討し、コントロールすることが望ましい。

製剤ごとのインスリン作用動態

インスリンアナログ

分類		作用動態（時間）0 4 8 12 16 20 24 28	作用発現時間	最大作用発現時間	作用持続時間	性状	役割
超速効型	ヒューマログ®注		15分以内	0.5～1.5時間	3～5時間	無色透明	インスリン追加分泌を代替する
	ノボラピッド®注		10～20分	1～3時間	3～5時間		
混合型（二相性*）	ノボラピッド®30ミックス注		10～20分	1～4時間	18～24時間	白色混濁	インスリン追加・基礎両方の分泌を代替する ＊ノボラピッド30ミックスは二相性とも呼ばれる
	ヒューマログ®ミックス25注		15分以内	0.5～4時間	18～24時間		
	ヒューマログ®ミックス50注		15分以内	0.5～6時間	18～24時間		

ヒトインスリン

分類		作用動態（時間）0 4 8 12 16 20 24 28	作用発現時間	最大作用発現時間	作用持続時間	性状	役割
速効型	R注		約30分	1～3時間	約8時間	無色透明	インスリン追加分泌を代替する
混合型	30R注		約30分	2～8時間	18～24時間	白色混濁	インスリン追加・基礎両方の分泌を代替する
	40R注						
	50R注						
中間型 NPH	N注		約1.5時間	4～12時間	18～24時間		インスリン基礎分泌を代替する

＊医療情報科学研究所編：病気がみえるvol. 3 糖尿病・代謝・内分泌 第2版. メディックメディア, 2008, p36より

インスリン製剤の取り扱いと留意点

保存方法

- 未使用のインスリン製剤は冷蔵庫で保存する。
- ペン型の注射器は、冷蔵庫で保存すると故障の原因になるため、冷蔵庫には入れない。
- インスリン製剤の使用期限に注意する。

投与前の注意

- 白濁製剤は使用前によく振り、混濁してから投与する。
- 混濁が不十分な場合、注射後に残った製剤の濃度が変わり、効果が変化する可能性がある。

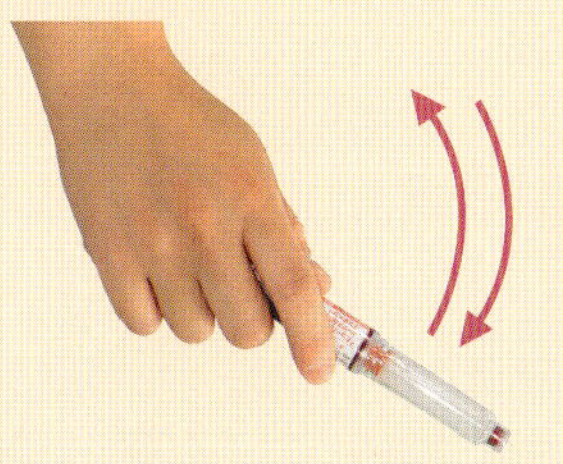

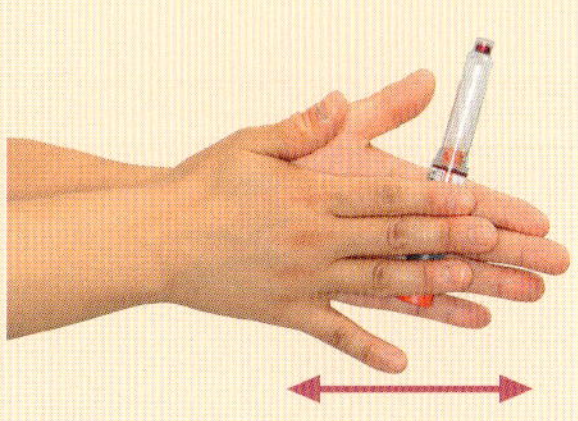

低血糖症状

- 低血糖症状は、血糖値が70mg/dL以下の場合、また急速に血糖値が低下した場合に現れる。
- 冷汗、震え、なまあくびなどの症状がみられる。自覚症状をあまり感じずに経過する人もいるため、注意が必要である。（p305参照）

注射部位と留意点	●一般に、注射に適する部位は腹部、大腿、上腕、殿部である。 ●注射部位は、吸収が安定している、運動による影響を受けにくい、温度変化がない、注射しやすいといった理由から、腹部が最も適している。 ●同じ部位に注射を繰り返すと、皮膚が硬結してインスリンの吸収が阻害される。注射部位は毎回、2～3cmずらす。 ●注射後に注射部位をもむと、インスリンが毛細血管を通じて血管内に吸収され、吸収が早まって低血糖を招く。 インスリン注射後は、もまないように注意する。

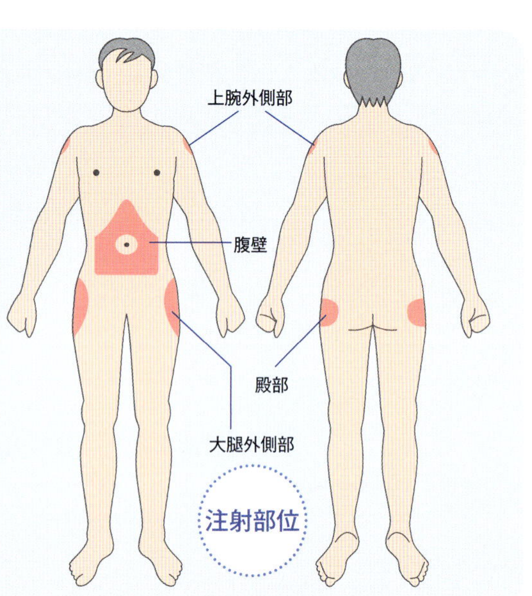

抗生物質

人間は、病原菌に対して防御機構を備えている。病原菌が抵抗力を上回ると病的な症状が生じ、感染症となる。その際、治療薬として用いられるのが抗生物質である。
炎症を起こしている部位から検体を採取し、検査を行う。病原菌が特定され、その病原菌に対して感受性があり、感染した臓器に移行しやすい抗生物質が選択される。

抗生物質投与時の観察ポイント

抗生物質を投与する場合は、副作用の有無を確認し、炎症の改善を観察する。

■抗生物質投与時にみられる副作用

下痢	●抗生物質により腸常在菌が死滅し、バランスを崩してしまうため、下痢が起こる。 ●抗生物質の投与時には、消化器症状を観察する必要がある。
カンジダなどカビの繁殖	●抗生物質により体内の常在菌が死滅することにより、常在菌に抑えられていたカビが繁殖し、カンジダが発症する場合がある。 ●女性では、腟真菌感染症が起きる場合もある。 ●おむつを装着している場合は、陰部がむれやすいため、皮膚を観察し、痒みの有無を確認する。
アレルギー反応	●痒みのある発疹、軽い喘鳴など軽いアレルギー反応がみられる場合がある。 ●重症のアレルギー反応としては、アナフィラキシーショックを起こす場合がある。 ●抗生物質を投与する前に、薬物アレルギーの確認を行う。
他臓器への障害	●抗生物質による腎障害が問題になる場合がある。 ●肝臓・骨髄などの機能を障害するような副作用の出現もみられる。 ●血液検査の結果から、副作用の有無を確認する。

麻 薬

術後痛やがん性疼痛などの強い疼痛には、オピオイド鎮痛薬と総称される麻薬性鎮痛薬が有用である。
疼痛の程度に応じて投与量を増やすと鎮痛作用が期待できるが、同時に副作用や用量依存性も増す。症状を観察しながら副作用に対応する。

疼痛コントロールに用いる主な麻薬性鎮痛薬

商品名（一般名）	投与経路	効果発現時間	最大効果（時間）	効果持続（時間）	投与間隔（時間）	特 徴（レスキュー・ドーズ※としての使用）
塩酸モルヒネ末 塩酸モルヒネ錠 オプソ内服液 （モルヒネ塩酸塩水和物速放製剤）	経口	10分	30分～1	3～5	4 （レスキューでは1）	●速効性のあるモルヒネ製剤でレスキューとして使用されることが多い。 ●モルヒネ末は苦味が強い。オプソは内服に水が必要なく、苦味が少ない。
塩酸モルヒネ注 アンペック注 （モルヒネ塩酸塩水和物注）	持続皮下注 静注	直ちに ～数分	8～12	持続投与	持続投与	●静脈注射、皮下注射により持続的に注入される。 ●疼痛が強い時は、医師の指示範囲内で追加注入することができる。
MSコンチン錠 （硫酸モルヒネ12時間作用徐放製剤）	経口	1時間	2～4	8～14	8～12	●1日2回の内服で鎮痛効果を維持できる。 ●レスキューには向いていない。
アンペック坐剤 （モルヒネ塩酸塩水和物坐剤）	経直腸	20分	1～2	6～10	8	●内服ができない人も使用できる。 ●レスキューにも用いられる。
オキノーム散 （オキシコドン速放製剤）	経口	15分 以内	1～2	3～6	6	●腎機能が低下している場合でも用いることができる。 ●主にレスキューに用いられる。
オキシコンチン錠 （オキシコドン徐放製剤）	経口	1時間 以内	2～4	8～14	12	●1日2回の内服で鎮痛効果を維持できる。 ●腎機能が低下している場合でも用いることができる。 ●レスキューには向いていない。
デュロテップ （フェンタニル貼付剤）	経皮	2時間 （初回12時間）	17～48	72	72	●皮膚に貼付する製剤である。 ●72時間ごとに交換し、鎮痛効果を維持する。 ●便秘になりにくい。 ●レスキューには適さない。

※レスキュー・ドーズ：疼痛が急増（突出痛）した時に、指示量・頻度の範囲内で補助的に鎮痛薬を追加投与すること

＊「林田眞和：麻薬および類似薬，今日の治療薬 2010年版（浦部晶夫，島田和幸，川合眞一編），p.940，南江堂」より許諾を得て転載.

麻薬の適応

痛みの段階による鎮痛薬の適応

第1段階
軽度の強さの痛み
- 非麻薬性鎮痛薬
  ロキソプロフェン、ジクロフェナクなど

第2段階
軽度～中等度の強さの痛み
- 麻薬性鎮痛薬
  リン酸コデイン
  少量のオキシコドンなど
  ＋
- 非麻薬性鎮痛薬

第3段階
中等度～高度の強さの痛み
- 麻薬性鎮痛薬
  モルヒネ、オキシコドン
  フェンタニルパッチなど
  ＋
- 非麻薬性鎮痛薬

麻薬の副作用

■麻薬の副作用の観察ポイント

副作用	観察ポイント
眠気・呼吸抑制	●麻薬性鎮痛薬により眠気を生じることがある。 ●投与開始早期に、みられる。 ●薬剤の効果により鎮静状態になり、呼吸回数の抑制がみられることもあるため、意識レベルや呼吸状態の観察を行う。 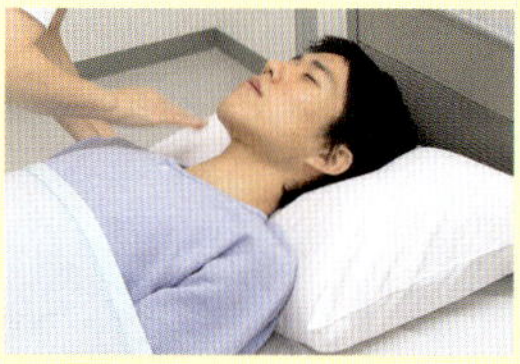
便秘	●麻薬性鎮痛薬が消化管平滑筋に作用して、腸管運動が抑制され便秘が起こる。 ●排便状況、腸蠕動運動の確認を行う。 ●便秘の予防策として緩下剤を併用し、便通コントロールを行う。 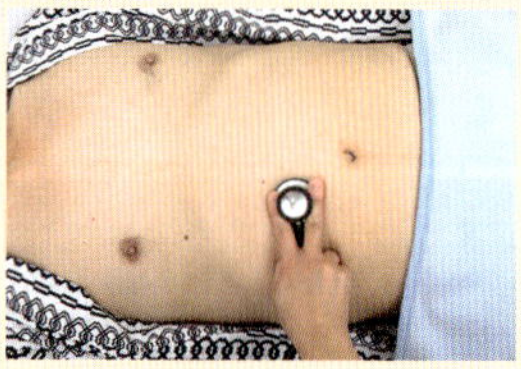
悪心・嘔吐	●麻薬性鎮痛薬が中枢性に刺激することで、悪心・嘔吐が出現する。 ●患者の表情・言動に注意し、適宜制吐薬の併用を行う。 
耐性・依存性	●耐性は、投与開始10～20日で生じるといわれるが、個人差が大きい。 ●疼痛に応じた適正な投与を行う限り、耐性は生じにくい。 ●長期間の投与による身体的依存は容易に形成されるが、治療に影響はない。 ●投与量を減量していく場合は、退薬症状*が現れないよう徐々に行う。 ＊退薬症状：不安・いらいら感・興奮・不眠・悪寒・発汗など。重度になると幻覚や錯乱をきたす

麻薬管理上の注意
- 麻薬の保管は、鍵のついた保管庫で行う（麻薬及び向精神薬取締法）。
- 類似した名前の薬品の取り違えに注意する（例：MSコンチンとオキシコンチン）。
- 内服介助時には、患者が確実に内服したことを確認する。

輸　血

輸血療法は、自己血輸血を除き、
他者の血液成分を体内に入れる。
輸血療法の性質を理解し、安全に配慮した確実な観察を行うことが必要である。

血液製剤の種類・特徴

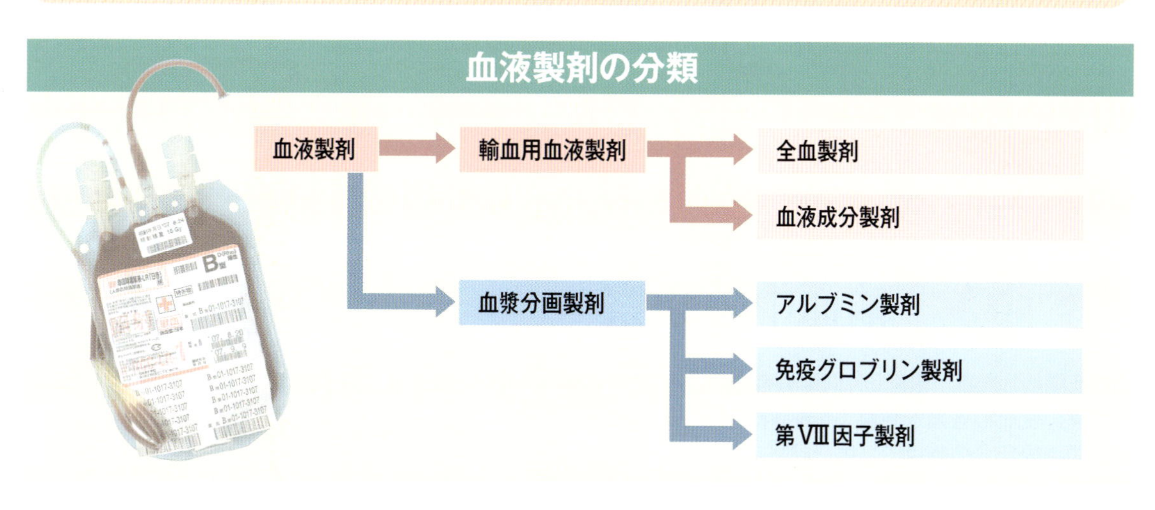

輸血に伴う副作用・合併症

■輸血の副作用・合併症の特徴

溶血反応	●溶血反応は、ABO型不適合（メジャーミスマッチ）や不規則抗体による不適合輸血などが原因で起こる。 ※溶血とは、赤血球の細胞膜が損傷を受け、原形質が細胞外に漏出し、崩壊する現象
非溶血反応	●溶血反応以外の副作用には、発熱・蕁麻疹・アナフィラキシーショックなどがあり、比較的高率（軽度のものは輸血10単位あたり1～5%）に発生する。多くは原因不明である。
急速大量輸血による障害	●急速に大量の輸血をすると、クエン酸中毒反応や高カリウム血症、過大循環負荷などの障害が生じる。
遅延性溶血	●輸血後、数日を経て溶血が発症する場合がある。
輸血感染	●輸血により、肝炎ウイルスやマラリヤ原虫などに感染する場合がある。 ●供血者が感染してから検査までの期間によっては、スクリーニングにより発見されない場合があり、血液製剤を介して感染の可能性がある。

PROCESS 1 輸血前の観察

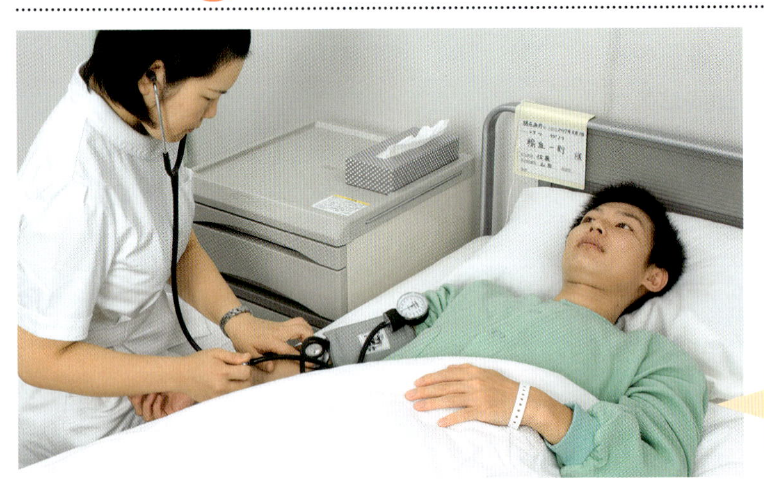

輸血前に患者の全身状態を観察し、体温・脈拍・血圧・酸素飽和度などを測定する。
事前に排泄を済ませてもらう。

POINT
- 輸血前に全身状態を観察する。
- 排泄は事前に済ませる。

PROCESS 2 輸血中の観察

輸血を開始したら、最低5分間は患者のもとを離れず、変化の有無を観察（下表参照）。次に輸血開始後15分の時点で、再び観察する。
その後は、輸血が終了するまで15～30分ごとに訪室し、バイタルサイン、副作用症状、穿刺部位、滴下状況を確認する。

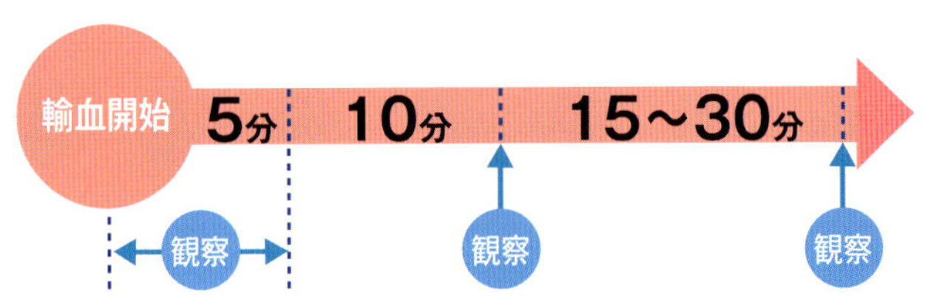

■輸血開始後の観察項目

＊以下の症状が出現した場合、状況に応じて輸血を中止し、速やかに医師に報告する。

自覚症状	他覚症状
●血管痛 ●胸痛、胸部圧迫感 ●呼吸困難 ●全身倦怠感 ●悪寒 ●掻痒感 ●腹痛、便意、嘔気 ●口唇のしびれ	●喘鳴 ●頻脈 ●不整脈 ●血圧低下 ●発熱 ●皮膚紅潮 ●蕁麻疹 ●嘔吐 ●筋痙攣 ●意識レベル

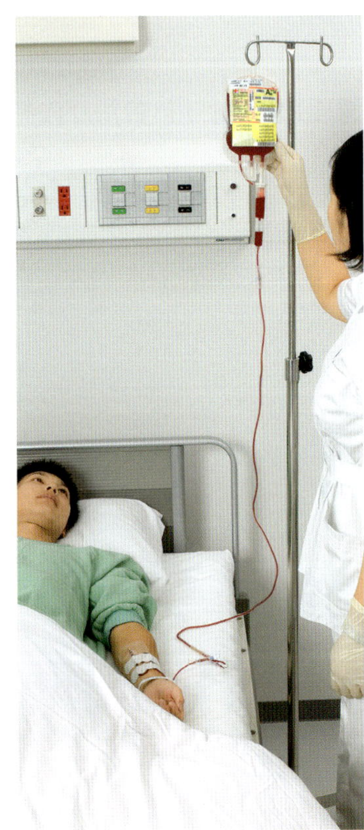

PROCESS 3 輸血後の観察

輸血終了後の観察項目

- 輸血終了後は、患者のバイタルサイン、全身状態を観察する。
- 掛け物を整え、ナースコールを手の届く範囲に設置し、輸血施行について記録する。

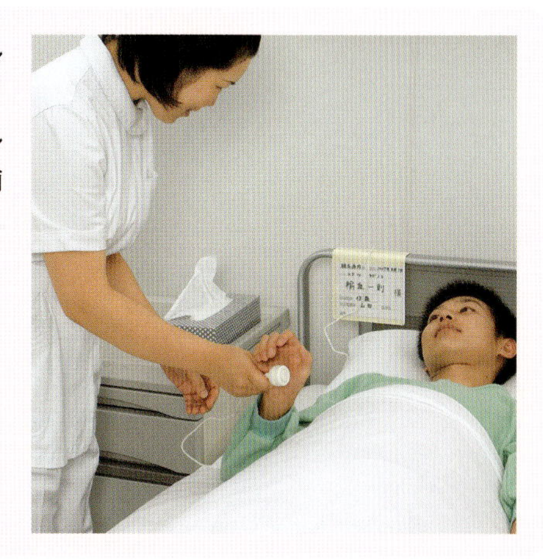

【参考文献】1)西東京臨床糖尿病研究会(2009). 楽しく学べる糖尿病療養指導. 南江堂, p48.

MEMO

CHAPTER 9
救命救急技術

到達目標
人が倒れているなどの緊急事態に遭遇した時、
私たちには救命救急に関する技術が必要とされる。
患者の状態をアセスメントし、患者の状態に合わせた救命救急処置
ができることを目指し、本章では「意識レベルの観察」
「救急時のケア」「止血法」「緊急時の応援要請」について学習する。

C O N T E N T S

急変が起こるおそれのある患者を受け持つ時には、
あらかじめ意識レベルなどの観察ポイントを確認し、日々のアセスメントに生かすことが重要となる。
いつ緊急事態に遭遇しても速やかに対応できるように準備しておくことが望ましい。

CHECKING & ASSESSMENT

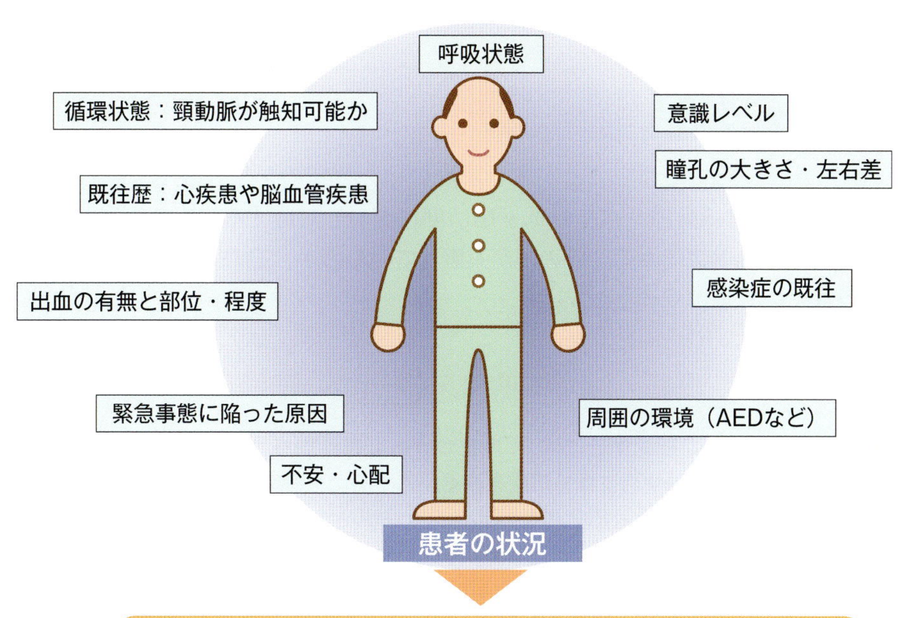

援助の必要性・方法をアセスメント

学生の状況

基礎知識

- □ 意識レベルの観察
- □ 呼吸・循環の観察ポイント
- □ 止血のポイント
- □ AEDの操作手順
- □ 協力者を求める方法

これまでの実施経験・練習

- □ 意識レベルの観察の学内演習
- □ 呼吸・循環の観察の学内演習
- □ 胸骨圧迫・AEDの技術演習
  人工呼吸
- □ 止血法の学内演習
- □ 緊急時の協力要請方法についての学習

患者へのケア場面

- □ 緊張・遠慮・リラックス
- □ 不安・焦り・時間的余裕

遭遇場所・看護師・教員の状況、指導体制

- □ そばに協力者がいるか
- □ 協力支援を求める最善の方法は何か
- □ AEDなど救命に使える物品があるか

実習方法を決定

- □ 学生が単独で実施
- □ 看護師・教員の指導の下で実施
- □ 見学を通して学習

CHAPTER 9

1 意識レベルの観察

学習のねらい

患者のそばでケアをすることが多い看護師は、異常の早期発見・早期対応を行う必要がある。特に、意識レベルの低下を早期に発見し対応することは、その人の予後にかかわる重要なケアである。その人が入眠しているのか、意識レベルが低下しているのかを見極めることが重要となる。

意識レベルの観察とアセスメント

意識レベルを確認するには、「声をかける」「軽く肩をたたく」といった方法がある。反応がみられない場合には、爪床を強く圧迫するなどの疼痛刺激に対する反応を確認する。臨床でよく用いられる意識レベルのスケールとして、「ジャパン・コーマ・スケール」がある。3-3-9度方式と呼ばれ、「Ⅰ刺激しないでも覚醒している状態」「Ⅱ刺激すると覚醒する状態」「Ⅲ刺激しても覚醒しない状態」という3群をさらに3段階に分け、意識レベルを9段階で評価する。

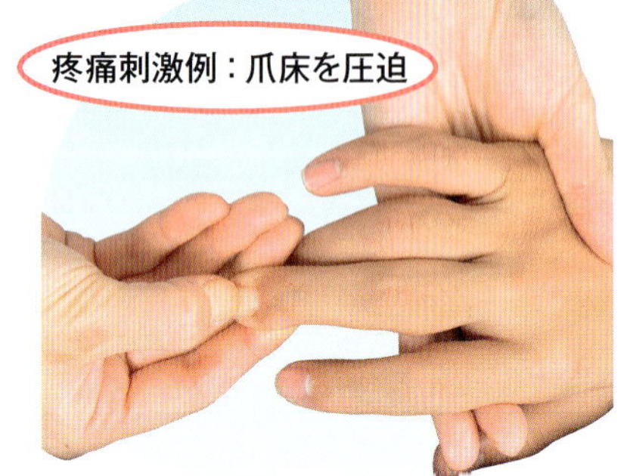

■ジャパン・コーマ・スケール(Japan coma scale:JCS)

Ⅰ	刺激しないでも覚醒している状態(1けたで表現)
1	だいたい意識清明だが、いまひとつはっきりしない
2	見当識障害がある(日付や場所を間違える)
3	自分の名前、生年月日が言えない
Ⅱ	刺激すると覚醒する状態——刺激をやめると眠り込む(2けたで表現)
10	普通の呼びかけで容易に開眼する。合目的な運動(例えば右手を握れ、離せ)をするし、言葉も出るが間違いが多い
20	大きな声、または体をゆさぶることにより開眼する。簡単な命令に応じる(例えば、離握手)
30	痛み刺激を加えつつ、呼びかけを繰り返すとかろうじて開眼する
Ⅲ	刺激しても覚醒しない状態(3けたで表現)
100	痛み刺激に対し、払いのけるような動作をする
200	痛み刺激で、少し手足を動かしたり、顔をしかめる
300	痛み刺激に反応しない

意識清明＝0
R:restlessness(不穏状態) I:incontinence(失禁) A:akinetic mutism(無動性無言), apallic state(失外套症候群)
評価例：I-3, II-20RI(数字が大きいほど重症)

眼の状態の観察

意識レベルを観察するには、瞳孔の大きさ、左右差、眼の動きの異常を併せて観察する。瞳孔散大（5mm以上）、縮小（針先の大きさ）、左右差がある場合は、生命の危機が迫っている可能性があり、早急な対応が必要である。

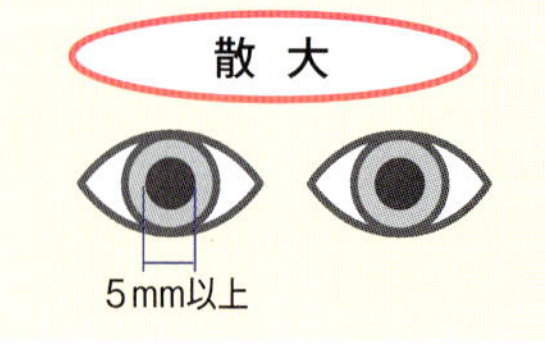

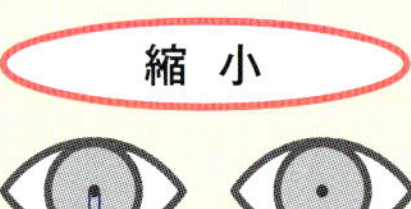
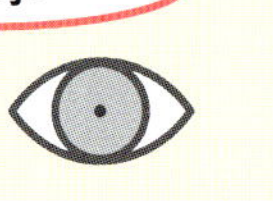

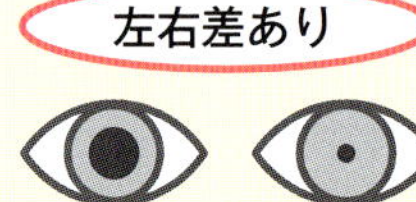

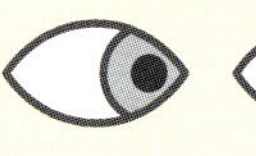

CHAPTER 9

2 救急時のケア

学習のねらい

生命の危機を救うには、呼吸・循環を確保するための技術が欠かせない。本項では、胸骨圧迫、除細動の原理とAED、気道確保・人工呼吸について学ぶ。

覚えておきたい基礎知識

患者の異変や傷病者を発見したら、迅速に周囲の安全確認、救命者自身の感染防御の準備を行う。

救急時の安全確保・感染防御

安全確保

●二次災害の防止

急変患者、傷病者を発見し、救命処置を実施していると、周囲の状況を意識できない場合がある。救命処置を始める前に、急変患者・傷病者と実施者にとって、安全に処置を行える環境であることを確認する。物が煩雑に置かれていたり、不安定な場所で二次災害を起こすことがないよう、救命処置を始める前に安全な場所に移動する。

感染防御

●スタンダードプリコーション

急変患者、傷病者を発見したら、吐物・血液からの曝露を防ぐため、スタンダードプリコーション（標準予防策）に基づき、感染防御用具を装着する。用具の調達がむずかしい場合は、可能な限りの感染防御を行い、救命処置を実施する。

援助する前に確認しよう！

患者の状況

- □ 意識レベルは？
- □ 呼吸の有無は？
- □ 脈拍は？　頸動脈は触知できる？
- □ 心疾患の既往は？
- □ 心筋梗塞、脳卒中のリスクは？
- □ 循環動態に影響のある薬剤の投与は？
- □ 感染症の既往は？

周囲の状況

- □ 救急カートの場所は？
- □ 応援を頼める人がいる？

あなた自身

- □ 胸骨圧迫の知識は？
- □ AEDの知識は？
- □ 気道確保・人工呼吸の知識は？
- □ 学内演習での経験は？

胸骨圧迫

胸骨下部を圧迫することにより、心臓のポンプ機能を代行し、重要臓器に酸素を供給する。これにより、脳などに不可逆的な後遺症が残ることを予防する。

PROCESS 1 循環の確認

心静止、心室細動（VF）、無脈性心室頻拍（pulseless VT）、無脈性電気活動（PEA）がある時、胸骨圧迫の適応となる。頸動脈の拍動が触知できない時、胸骨圧迫を開始する。

PROCESS 2 圧迫部位の確認

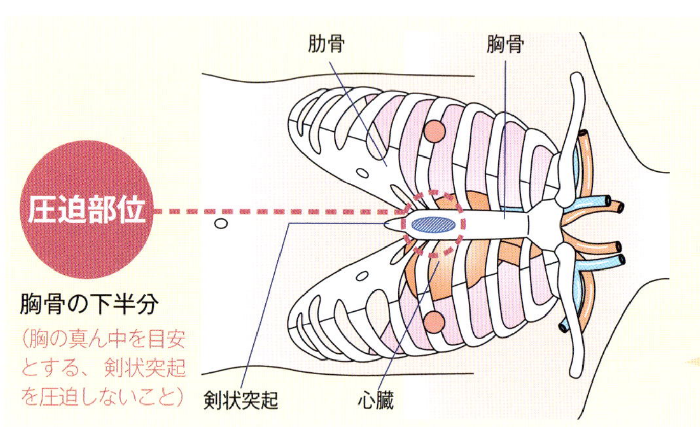

胸骨圧迫の圧迫点は、胸骨の下半分であり、胸の真ん中を目安とする（剣状突起を圧迫してはならない）。
すばやく圧迫点をみつけ、両手の手掌下部を重ねて置く。

POINT

- 剣状突起を圧迫すると臓器損傷の可能性があり、危険！
- 手掌下部を圧迫点に当てる。

PROCESS 3 胸骨圧迫の実施

両肘を伸ばし、胸骨に垂直に圧をかける。
成人では、胸骨が約5cm（6cmを超えない）沈む強さで、1分間に100～120回のテンポで圧迫する。
30回の胸骨圧迫が終わったら、気道を確保し、人工呼吸（p282-283参照）を行う。胸骨圧迫と人工呼吸の回数比は30：2とする。
人工呼吸ができない、または、ためらわれる場合は、胸骨圧迫のみを行う。
深さやテンポを保ち、質の高い胸骨圧迫を続けるために、途中で実施者の交代をする。その際は、胸骨圧迫の中断を最小限にする。

AEDによる除細動

除細動は、致死的な不整脈に対して電気的刺激を加え、洞調律に戻すことをいう。心室細動（VF）、無脈性心室頻拍（pulseless VT）が適応となる。
本項では、自動体外式除細動器（AED：automated external defibrillator）について説明する。

AEDとは

AEDはだれもが電気的除細動を行えるよう配備された、操作が容易な機器である。電源を入れると音声や文字により、ガイドが始まる。

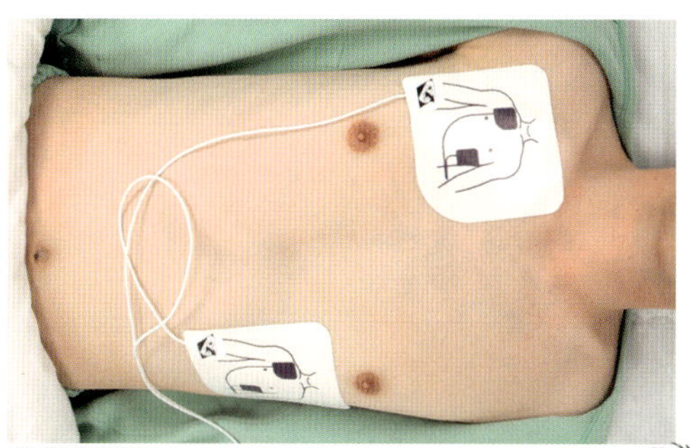

❶ 電源を入れる。電源ボタンを押すタイプ、蓋を開けると自動的に電源が入るタイプがある。

❷ 心臓をはさむような位置に、パッドを貼付する。

❸ パッドのコネクターをAED本体に接続すると、心電図の解析が始まる。この間、援助者は患者やベッドから身体を離す。

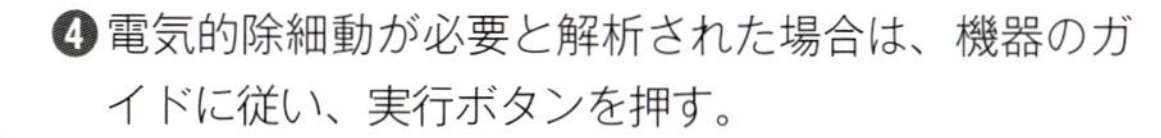

❹ 電気的除細動が必要と解析された場合は、機器のガイドに従い、実行ボタンを押す。
除細動が不要と解析された場合は、呼吸・循環の確認を行い、必要な心肺蘇生法を実施する。

❺ 呼吸・循環が回復したら、回復体位をとらせる。

回復体位

呼吸・循環が回復したら、回復体位をとり、嘔吐による誤嚥や気道閉塞を予防する。

COLUMN

胸骨圧迫に関連するJRC蘇生ガイドライン

心肺蘇生（CPR）は、これまで「気道確保」「人工呼吸」「胸骨圧迫」という順で示されていたが、JRC（Japan Resuscitation Council；日本蘇生協議会）蘇生ガイドライン2010より「胸骨圧迫からCPRを開始すること」とされた。「胸骨圧迫を早く始めて中断しないこと」の重要性が示され、気道確保や人工呼吸の実施ができない場合には胸骨圧迫のみでよいとされている。また、ガイドラインでは、胸骨圧迫の質を高めるために、胸骨圧迫部位は胸骨の下半分、胸骨圧迫の深さは約5cm（6cmを超えない）、胸骨圧迫のテンポは100～120回／1分間、ということが示されている。ガイドラインは5年毎に改訂されており、最新の情報を得るようにしたい。

■胸骨圧迫に関連するガイドラインの変更点

	これまでの手順	JRC蘇生ガイドラインの変更
CPRの順番	気道確保→人工呼吸→胸骨圧迫	胸骨圧迫から開始（胸骨圧迫を優先）
胸骨圧迫の部位	乳頭を結ぶ線の中央、胸骨上	胸骨の下半分　胸の真ん中を目安とする
胸骨圧迫の深さ	5cm程度	約5cm（6cmを超えない）
胸骨圧迫のテンポ	1分間に100回程度	1分間に100～120回

1）日本蘇生協議会・日本救急医療財団（2016）：JRC蘇生ガイドライン2015. へるす出版.
2）日本救急医療財団心肺蘇生法委員会監修（2012）：改訂4版 救急蘇生法の指針 医療従事者用2010. へるす出版.
3）日本救急医療財団心肺蘇生法委員会監修（2011）：改訂4版 救急蘇生法の指針 市民用・解説編2010. へるす出版.

気道確保・人工呼吸

意識がなくなると舌根沈下により気道が閉塞する。これを解除するため、気道確保を行い、自発呼吸の有無を確認する。呼吸が弱い、もしくは呼吸がない場合、人工呼吸を行う。

■気道閉塞の主な原因

意識がない	意識が消失すると、顎・首・舌などの緊張がなくなり、舌根沈下が起こり、気道を閉塞する
異物がある	異物が喉頭の奥に詰まり、これが刺激となり喉頭痙攣を起こし、気道を閉塞することがある
気道周囲の外傷	頸部外傷で、気道の変形・腫脹が起こり、気道が閉塞することがある

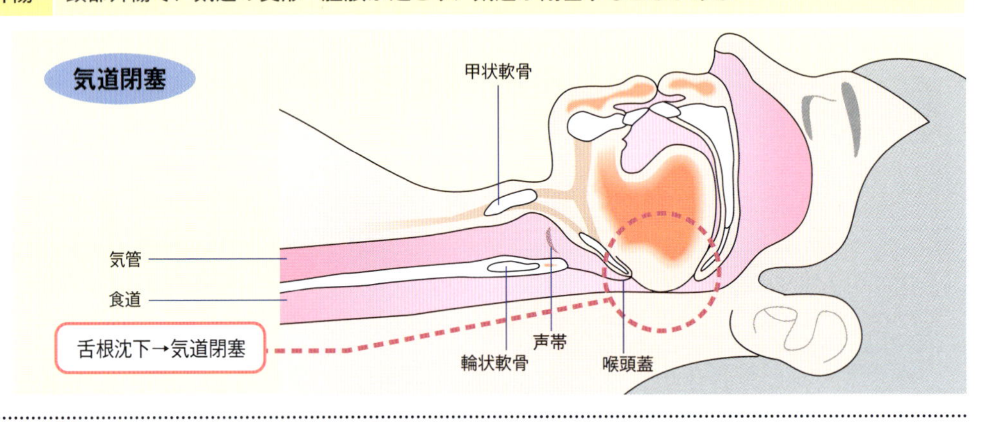

PROCESS 1 用手的気道確保

用手的気道確保は、一般には、頭部後屈-あご先挙上法を行う。
転倒・転落や頸椎疾患による頸椎損傷の可能性がある場合は、下顎挙上法を行う。

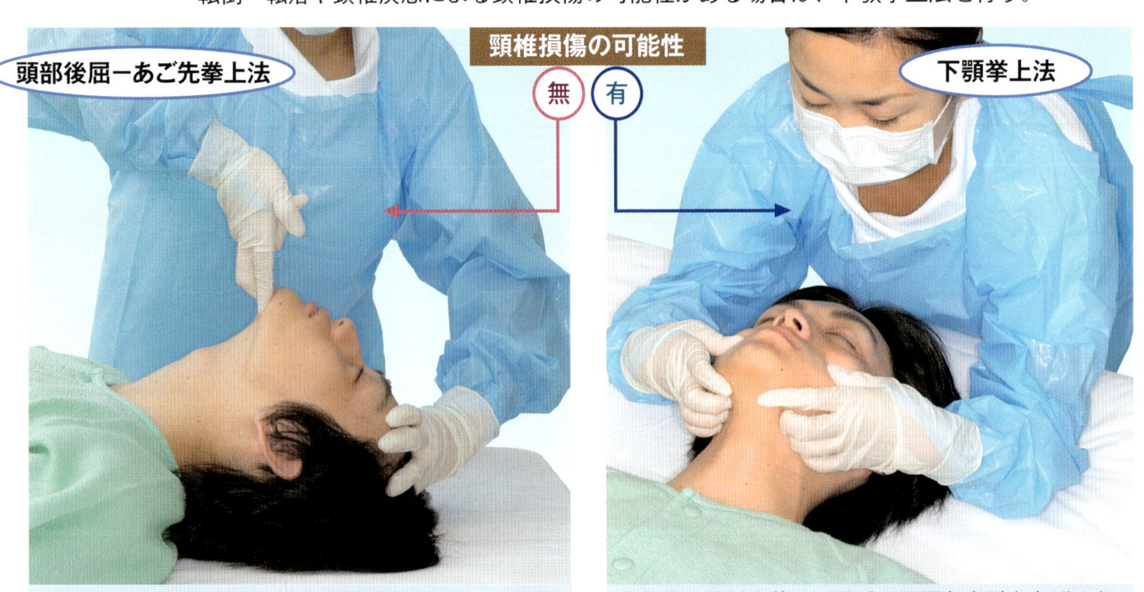

片手を患者の額に当て、もう片方の手の示指・中指をあご先の骨に当てる。下顎を引き上げるように持ち上げ、頭部を後屈させる。

実施者は両肘を着け、両手で下顎角を引き上げるように持ち、下顎を突き出す。口唇が閉じていれば、母指で下唇を押し下げる。

PROCESS 2 人工呼吸

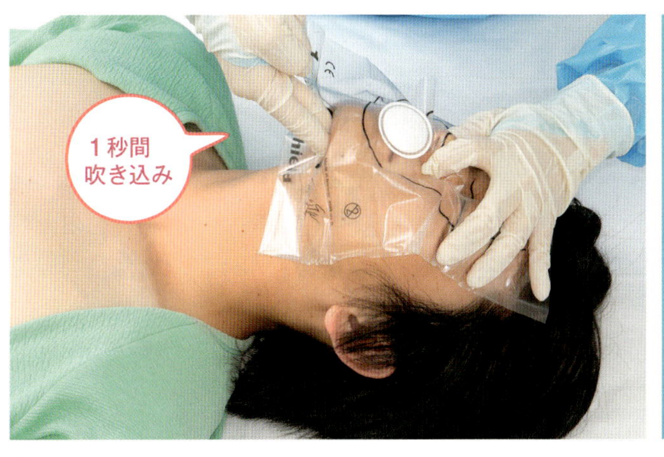

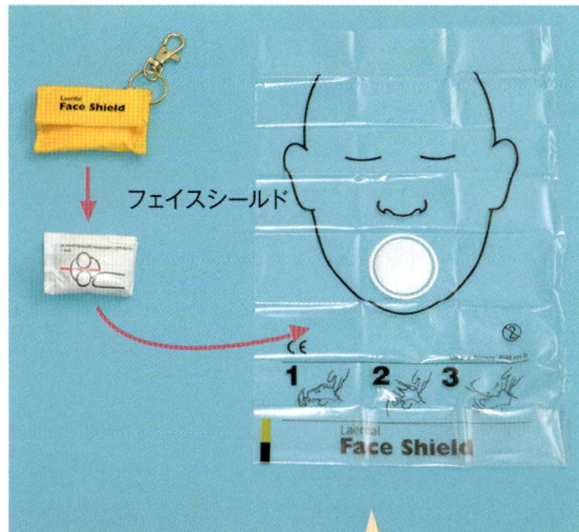

❶ 気道確保をした状態でフェイスシールドをかぶせ、実施者の母指・示指で患者の鼻をつまみ、シールド開口部に口をかぶせる。

❷ ゆっくりと1秒間、呼気を吹き込む。1度口を離し、患者の胸が沈み、息が吐き出されるのを確認する。これを2回行う。

POINT

- フェイスシールドは透明なプラスチック、またはシリコン製のシート。呼気弁がないため、実施者が吐物に曝露する可能性がある。
- ポケットマスク、バッグバルブマスクを使用したほうが、感染リスクは低い。

援助後に振り返ってみよう!

観 察

- □ 意識レベルは?
- □ 自発呼吸・呼吸数・チアノーゼは?
- □ 頸動脈の触知は?脈拍数は?

記録・報告

- □ 意識消失からの経過
- □ バイタルサイン

後片付け

- □ 救急カートから使用した物品を補充する
- □ 血液に汚染した物品は、医療廃棄物として速やかに廃棄する
- □ 使用した物品で、ディスポーザブルでないものは規定に従って消毒する

こんな時どうする?

CASE 急変患者を発見! 近くにスタッフがいない!

患者のそばを離れずに、病室の場合はナースコールで応援を要請する。応答がない場合は、病室から出て大声で人を呼ぶ。歩行可能なほかの患者や家族がいる場合は、協力を依頼する。病室外の場合も、大声で周囲の人に協力を呼びかける。「○○さん、救急カートを持ってきてください」とはっきりと状況を伝える。略語ではなく正式名称を用い、聞き間違いを防ぐ。

【参考文献】1)日本赤十字社編(2007).赤十字救急法基礎講習教本.

CHAPTER 9

3 止血法

学習のねらい

外傷などで外出血した場合は、失血を防ぐために迅速に止血を行う。活動性の出血への対応が遅れると、出血性ショックを引き起こす。止血法の基本は、出血部位を直接圧迫することである。

本項では、直接圧迫止血法、間接圧迫止血法、高位保持など止血法の実際を学ぶ。

覚えておきたい基礎知識

人体の主な動脈と主要な止血点を下図に示す。直接圧迫による止血が困難な場合は、出血部に近い中枢側の動脈の止血点を圧迫する（間接圧迫止血法）。

主要な止血点

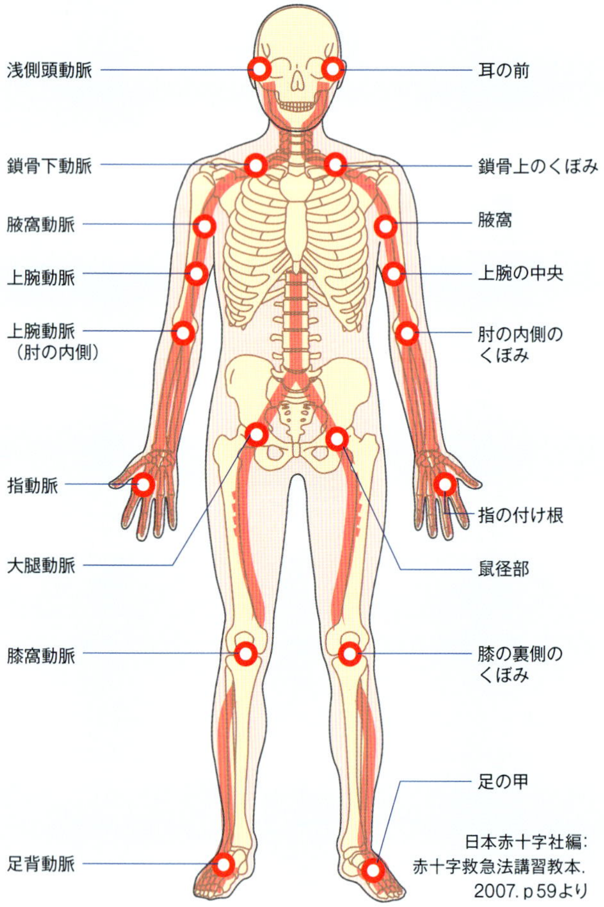

浅側頭動脈 ― 耳の前
鎖骨下動脈 ― 鎖骨上のくぼみ
腋窩動脈 ― 腋窩
上腕動脈 ― 上腕の中央
上腕動脈（肘の内側） ― 肘の内側のくぼみ
指動脈 ― 指の付け根
大腿動脈 ― 鼠径部
膝窩動脈 ― 膝の裏側のくぼみ
足背動脈 ― 足の甲

日本赤十字社編：赤十字救急法講習教本．2007．p 59より

止血時の注意点

感染予防

- 手袋がない場合は、ビニール袋を代用し、直接血液に触れないようにする。
- 手袋もビニール袋もない場合は、調達できるまで、間接圧迫止血法で対応する。

不安の軽減、保温

- 止血が確認されるまで、患者に声をかけ、不安を和らげる。
- 全身状態を観察し、保温・体位に留意する。

止血後の観察

- 止血後の末梢循環障害、しびれなど神経障害の有無を継続的に観察する。

止血法の実際

止血の基本は出血部の直接圧迫であり、直接圧迫止血法が困難な場合は間接圧迫止血法を行う。また、適宜、高位保持などを併用する。

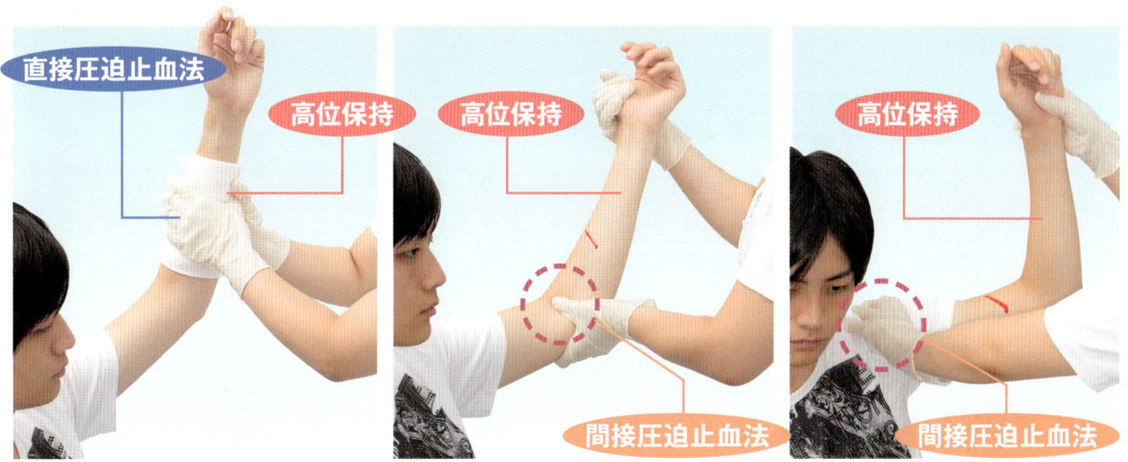

出血部に直接、もしくはガーゼやハンカチを介して手掌を当て、強く圧迫する。同時に、傷口を心臓より高い位置にする。

直接圧迫により止血困難な場合、出血部に近い中枢側動脈の止血点を圧迫する。同時に、傷口を心臓より高い位置にする。

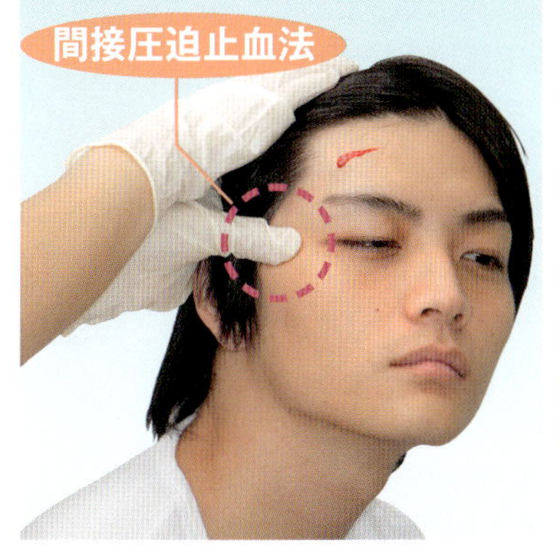

眼の上を切った場合は、浅側頭動脈を圧迫する。

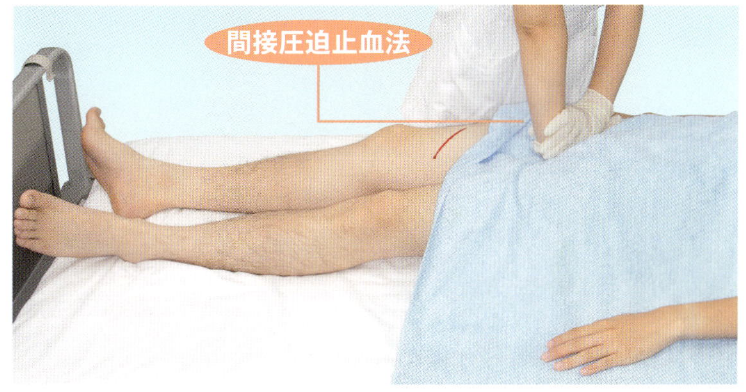

大腿部を切った場合は、鼠径部の大腿動脈を圧迫する。

■主な止血法

直接圧迫止血法	●手袋、もしくはビニール袋を装着し、直接またはガーゼやハンカチを介して、出血点を手掌で強く圧迫する。 ●創部に直接、綿やちり紙などを当てると、細かい繊維が治癒の妨げになるので注意する。
間接圧迫止血法	●直接圧迫により止血困難な場合は、出血部に近い中枢側の動脈の止血点を圧迫する。 ●出血部位への血流を阻害し、出血量を減少させる。
高位保持	●指先や腕などの軽症の傷の場合、創部を心臓より高い位置にして、出血量を減少させる。
止血帯法	●直接圧迫で止血が困難な場合、出血部位に近い中枢側に止血帯を巻き、出血量を減少させる。 ●止血帯より先は虚血状態となるため、組織にダメージを与える。 ●30分に1回は、止血帯を徐々に緩めて血流の再開を図る。 ●締め付ける部位の組織も損傷を受けるため、観察が必要である。

【参考文献】 1)日本赤十字社編(2008). 赤十字救急法講習教本. p59-63.

緊急時の応援要請

学習のねらい

急変患者や倒れている人を発見したら、1人ですべての対応をすることはむずかしい。
周囲の人に応援を要請し、協力を得ることが重要である。
場所に応じた応援要請の方法を学ぶ。

応援要請の方法

場　所	応援の頼み方	応援の内容
病室	患者のもとを離れず、ナースコールを押して応援を要請する。	●すぐに病室に応援が来て、役割分担をする ●救急カートやモニター心電図を持ってきてもらう ●主治医に連絡する(夜勤の場合は、当直医に連絡) ●状況に応じ、院内の規定に従い、緊急時のコードを館内放送で流してもらう
院内 (病棟内)	患者のもとを離れず、そばにいる人に大声で協力を要請する。	一般市民への協力依頼 ●いちばん近くにいる医療従事者をみつけ、緊急事態が起きていることを伝える ●AEDを持ってきてもらう ●できる範囲での手当の協力(圧迫止血など) ●集まってくる人たちの整理 医療従事者への協力依頼 ●入院患者であれば、病棟への連絡 ●外来患者であれば、外来への連絡 ●患者の主治医への連絡 ●救急カートを持ってきてもらう ●状況に応じ、院内の規定に従い、緊急時のコードを館内放送で流してもらう
院外 (道路など)	患者のもとを離れず、そばにいる人に大声で協力を要請する。	●救急車を呼ぶ ●近くにあるAEDを持ってきてもらう ●できる範囲での手当の協力(圧迫止血など) ●危険な場所からの移動の手伝い ●衣類をかけたり、プライバシーの保護 ●集まってくる人たちの整理

MEMO

CHAPTER 10
症状・生体機能管理技術

到達目標
症状・生体機能に関する主要な観察項目と検査方法について学び、アセスメントのポイント、異常の早期発見につながる技術を身につける。また、身体侵襲を伴う検査では、それに伴う心理的ケア、副作用の観察について学ぶ。

CONTENTS

CHECKING & ASSESSMENT

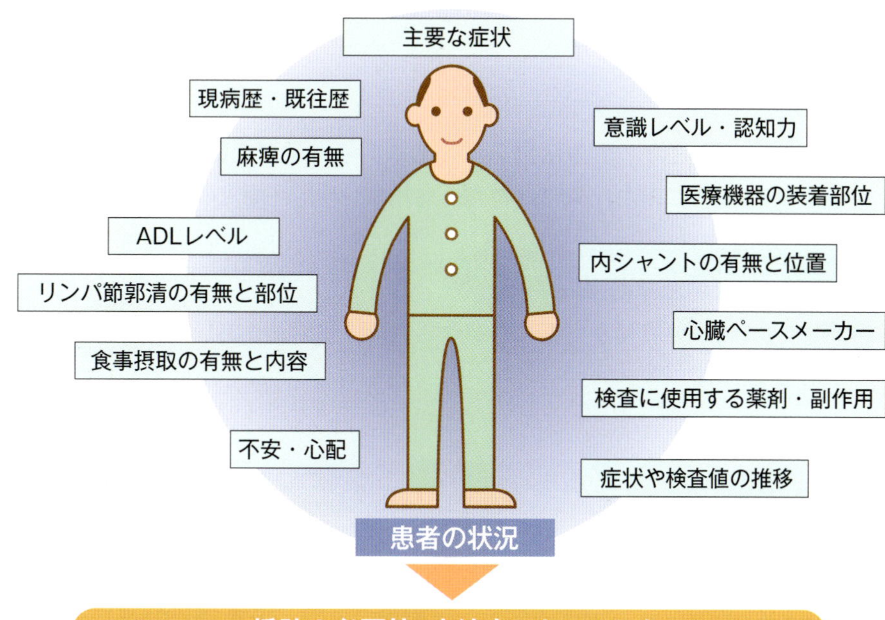

患者の状況

援助の必要性・方法をアセスメント

学生の状況

基礎知識

- □ 検査手順と技術
- □ 主要な症状の観察ポイント

患者へのケア場面

- □ 緊張・遠慮・リラックス
- □ 学生の不安や焦り、実施時の時間的余裕

看護師・教員・病棟人員の状況、指導体制

- □ 技術を確認してくれる指導者
- □ 学生が実施すること／指導者がサポートすることの確認
- □ 患者ケアに必要な人数のスタッフが確保できるか

これまでの実施経験・練習

- □ バイタルサイン・身体計測・一般状態の観察の学内演習
- □ 受け持ち患者のバイタルサイン・身体計測・一般状態の観察の見学
- □ 受け持ち患者のバイタルサイン・身体計測・一般状態の観察の実施
- □ 採血・採尿や身体侵襲を伴う検査の見学
- □ 受け持ち患者の採血・採尿や身体侵襲を伴う検査の見学

実習方法を決定

- □ 学生が単独で実施
- □ 看護師・教員の指導の下で実施
- □ 見学を通して学習

CHAPTER 10

1 バイタルサインの測定

参照★新訂版 写真でわかる 看護のための フィジカルアセスメント アドバンス p30～57

学習のねらい

バイタルサインとは、生命活動を示す基本的かつ重要な指標である。本項では、代表的な4つの項目、脈拍・呼吸・体温・血圧について、測定の仕方を学ぶ。

覚えておきたい基礎知識

バイタルサインの異常を早期に発見するには、正常値あるいは基準値を知っておくことが必要である。

バイタルサインのアセスメント

脈拍

脈拍数

- **年齢**：新生児 120～140回/分
  乳幼児 80～120回/分
  成人 60～80回/分
  高齢者 60～70回/分
- **性別**：男性＜女性
- **増加**：運動後、食事後、夏季、入浴時、精神的興奮、発熱、貧血、甲状腺機能亢進など
- **減少**：甲状腺機能低下、運動量の多い人、β遮断薬など

＊頻脈=100回/分以上
徐脈=60回/分以下(高齢者は50回/分未満)

脈の大きさと緊張

- **大脈**：大きく触れる=心拍出量が多い、大動脈閉鎖不全、甲状腺機能亢進
- **小脈**：小さく触れる=心拍出量が少ない、大動脈弁狭窄症、急性心筋梗塞
- **硬脈**：硬く触れる=高血圧や動脈硬化で血管の弾性が低下
- **柔脈**：柔らかく触れる=低血圧

＊ベッドサイドでは、脈の触れ方の表現として「緊張が良好」「微弱」などと表現する。

脈のリズム

- **整脈**：規則正しいリズム
- **不整脈**：リズムが乱れる

＊吸気時に脈拍数が増え、呼気時に減る呼吸性の不整脈の場合は生理的なものであるが、リズムが不規則(心房細動)、脈拍が脱落する(期外収縮)などの異常がある場合は、心臓の聴診や心電図で精査する。

呼吸

呼吸数

- **正常**：規則的=成人12～18回/分程度
  小児 20～30回/分
  新生児 30～50回/分

- **異常**：頻呼吸=20回以上/分(発熱、肺炎、呼吸不全、代謝性・呼吸性アルカローシス)
- **異常**：徐呼吸=12回以下/分(脳圧亢進、麻酔・睡眠薬投与時)
- **異常**：無呼吸=安静呼気で一時的に停止(睡眠時無呼吸症候群)

呼吸の型

- **腹式呼吸が主であるが、妊娠、腹水貯留、肺疾患の呼吸困難時は胸式呼吸や補助呼吸筋による呼吸となる。**

- **正常の呼息時間：吸息時間=2：1**

- **異常：チェーンストークス呼吸=**
  数十秒の無呼吸のあと徐々に呼吸が深くなり、過呼吸から浅い呼吸を経て無呼吸になるというサイクルを繰り返す(脳出血、脳腫瘍、尿毒症、重症心不全)

- **異常：ビオー呼吸=**
  呼吸が突然中断して無呼吸となったり、元に戻ったり不規則にみられる(脳腫瘍、脳膜炎、脳外傷)

- **異常：クスマウル呼吸=**
  深くゆっくりした呼吸が規則的にみられる(糖尿病性昏睡)

体温

体表面の温度(皮膚温)は外部環境によって左右される。大動脈を流れる血液の温度=深部温度(核心温)は、直腸、鼓膜、食道で測定されるが、これを実際に測定するのは難しいため、通常、口腔温、腋窩温、鼓膜温で代用される。

*成人:36.0 ~ 37.0°C未満(腋窩)

正常体温

- 年齢差:乳幼児は37℃を超えることが多く、高齢者は35℃台が多くなる。基礎代謝、血液循環、皮膚の硬化による熱伝導不良、皮下脂肪の不足による密着度の違いに影響される。
- 個人差:自律神経系や内分泌機能の違いによる。
- 日　差:午前2－6時=低い、午後2－6時=高い、差は1℃未満
  1日を周期とした生体リズムによる。
- 行動差:運動・食事・精神的興奮=上昇
  入浴後・睡眠・飢餓=下降
- その他:月経~排卵=低温
  排卵~月経開始=高温(差=0.33℃)

異常体温

- 高体温:感染症、白血病、膠原病、細菌の毒素、白血球に由来する発熱因子、抗体、吸収蛋白、組織の分解産物などの発熱物質によって体温調節中枢が異常になった場合に起こる。
  発熱=37℃以上(平常体温より1℃以上)
  高熱=39℃以上
- 低体温:35℃前後。老衰、全身衰弱、栄養失調、甲状腺機能低下、環境温度の低下などの場合に起こる。
- 不明熱:原因が特定されず、37℃台の微熱が持続。感染・結核・自己免疫疾患などの可能性が高い。

血圧

血圧の基準値

世界保健機関(WHO)、国際高血圧学会(ISH)では1999年より、血圧分類の基準を制定している。至適血圧とは、脳梗塞や心臓病、腎臓病といった合併症を起こさないための理想的な血圧を指す。収縮期血圧・拡張期血圧ともに、加齢に従って増加する傾向があり、下図の基準を目安に血圧管理を行うことが推奨されている。

■成人における血圧値の分類 (mmHg)

分類	収縮期血圧		拡張期血圧
至適血圧	<120	かつ	<80
正常血圧	120~129	かつ/または	80~84
正常高値血圧	130~139	かつ/または	85~89
Ⅰ度高血圧	140~159	かつ/または	90~99
Ⅱ度高血圧	160~179	かつ/または	100~109
Ⅲ度高血圧	≧180	かつ/または	≧110
(孤立性)収縮期高血圧	≧140	かつ	<90

* 日本高血圧学会:血圧測定と臨床評価. 高血圧治療ガイドライン2014. ライフサイエンス出版, 2014, p19より

※脈拍・呼吸・体温・血圧には、個人差がある。基準値(正常値)だけでなく、その人にとって適切な値(主治医の指示)を把握して、バイタルサインを測定することが重要である。

実施する前に確認しよう!

患者の状況

- □ 検査や入浴の直後、食後など、活動直後ではない?
- □ 冷罨法など、罨法の影響を受けている部位は?
- □ 発汗などで、身体が湿潤している?
- □ 麻痺している部位は?
- □ 安楽な体位が保てる?
- □ 緩やかな衣服を着用している?
- □ 血液透析用のシャントがあったり、リンパ節郭清術後など、血圧測定に適さない部位は?
- □ 身体状態によって、その人が維持しなくてはならない値の範囲は?(指示の確認)

周囲の状況

- □ 環境は静か?
- □ 冷暖房器具が近くにない?

あなた自身

- □ 実習室などで、バイタルサインの測定を十分に練習した?
- □ 受け持ち患者のバイタルサインの測定は経験した?

脈拍の測定

通常は、橈骨動脈で1分間の脈拍数を測定する。橈骨動脈で触知できない場合、上腕動脈、総頸動脈、浅側頭動脈、大腿動脈、足背動脈などで測定する。

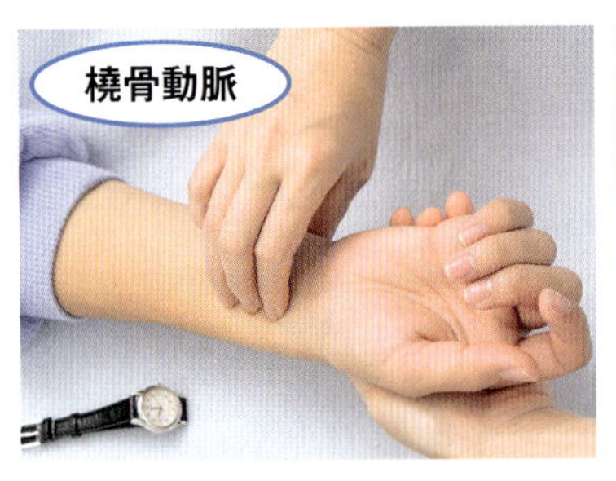

左手で患者の手を下から支え、右手の示指・中指・環指を橈骨動脈に沿って直角に当てて測定する。

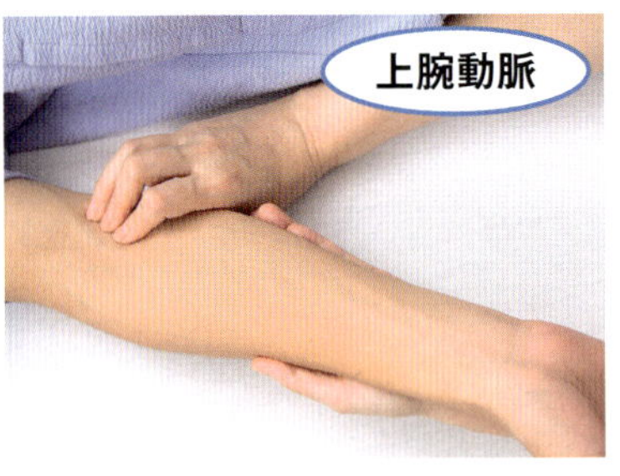

患者の肘を伸展させて前腕部を支え、右手の指3本を肘関節の手掌側のくぼみよりやや尺側に当てて測定する。

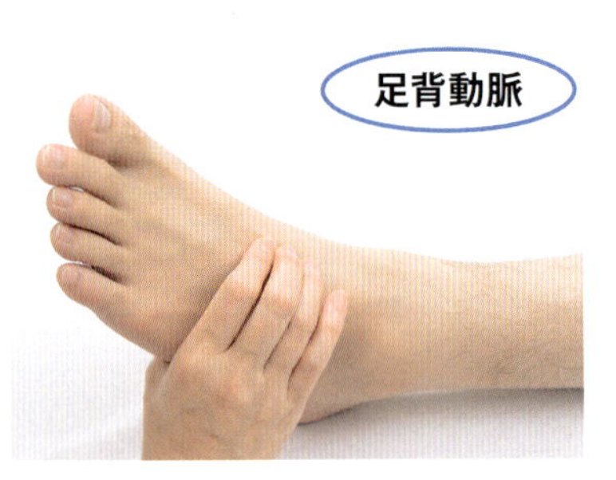

第3指の根元と内果を結んだ中点に指3本を当て、測定する。足背動脈の触知は、血管造影検査後の血栓症を早期に発見する目的で、左右差のチェックが行われる。

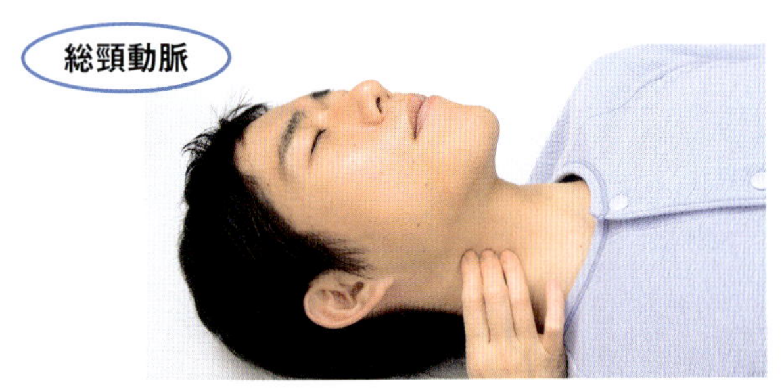

下顎角より甲状軟骨へ向かって2cm下の部位に、指3本を当てて測定する。

呼吸の測定

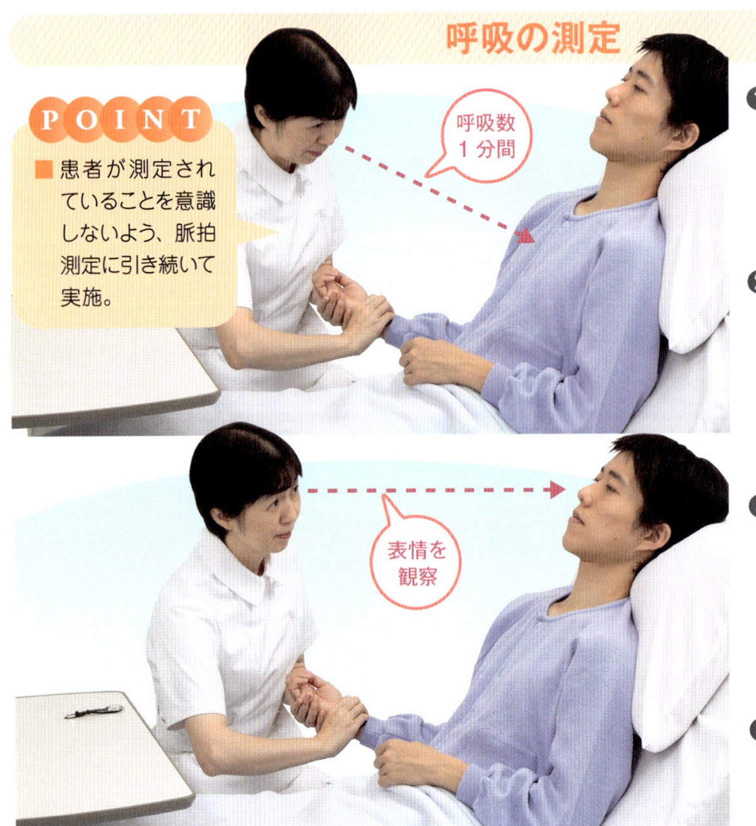

POINT

■ 患者が測定されていることを意識しないよう、脈拍測定に引き続いて実施。

❶ 必要物品(秒針付き時計、聴診器)を準備し、努力呼吸をしていないか、姿勢や動作を観察する。さらに、呼吸の深さ、リズムを観察する。

❷ 胸郭や腹部の動きから、呼吸数を1分間測定する。
患者が測定されていることを意識しないように配慮し、通常は脈拍測定に引き続いて実施する。

❸ 呼吸音を聴診する。直接、皮膚に聴診器を当て、鎖骨上方から肺の上葉・中葉・下葉の順に、左右の呼吸音を比較しながら前胸部と背部を聴診する。

❹ 測定後、患者の衣服を整え、測定値を記録する。(例:R=18回/分)

体温の測定(腋窩)

体温は通常、腋窩の最深部に体温計を当て、核心温に近い値を測定する。
腋窩以外に、口腔・直腸・外耳道などで体温を測定する場合がある。

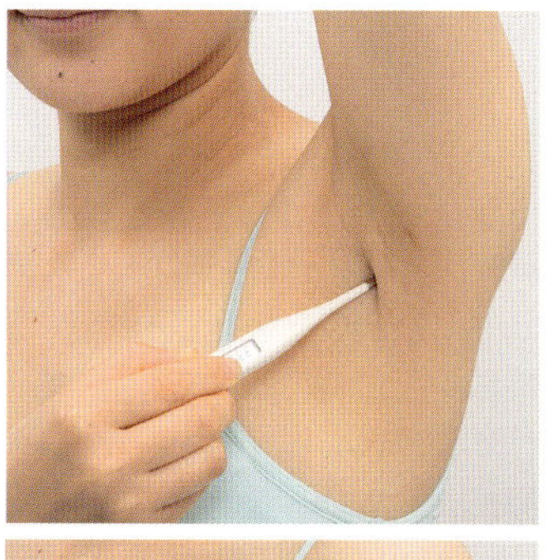

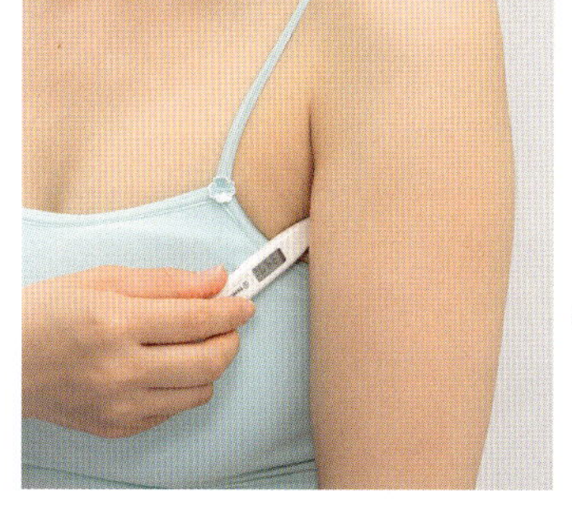

❶ 必要物品(体温計・アルコール綿)を準備し、体温計の破損や故障がないことを確認する。

❷ 患者に説明し、測定前は腋窩を閉じてしばらく安静にしてもらう。腋窩に汗をかいている場合はよく拭き取る。水分が付着していると、気化熱により正確に測定できなくなる。

❸ 体温計を腋窩の最深部に向け、前下方から後上方へと挿入する。腋窩中央付近には、腋窩動脈が走行しているため、動脈温に近い値を測定できる。
麻痺がある場合、麻痺側は健側より血液循環が悪く、体温が低く測定されるため、健側で測定する。

なお、側臥位では上側の腋窩で測定する。これは下側が圧迫されることにより圧反射が起こり、下側の血管が収縮し、体温が低く測定されるからである。

❹ 測定中は腋窩を密着させる。やせ気味の場合は、体温計と皮膚が密着しているかを確認し、腋窩を押さえても密着しない場合には、頸部や鼠径部で測定したり、耳式体温計を用いる。

❺ 実測式の場合は10分、予測式の場合は機種の測定時間で測定する。

❻ 測定後、測定値を記録し(例:BT=36.5℃)、アルコール綿で体温計を清拭して収納する。

CHECK! 腋窩皮膚温の分布

腋窩は腋窩動脈が体表近くに位置している。
腋窩の皮膚温は、筋肉で囲まれた中央部(最深部)が最も高く、ここに体温計の先端がくるように挿入する。
腋窩の正常体温は36～37℃未満であるが、腋窩皮膚温は30～33℃である。
これは腋窩を閉じ、密閉状態で体温測定を行うため、体内の温度が伝わり、皮膚表面からの熱の放散が防がれ、核心温に近い温度が測定されるためである。

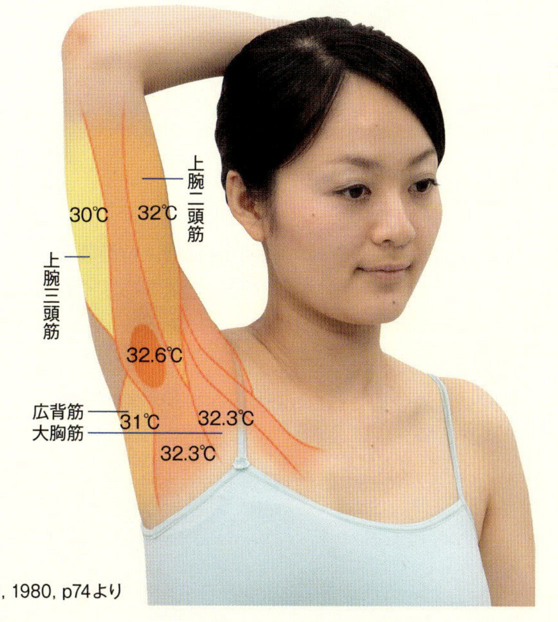

＊ 阿部正和他編著. バイタルサイン. 医学書院, 1980, p74より

血圧の測定

PROCESS 1 必要物品の準備

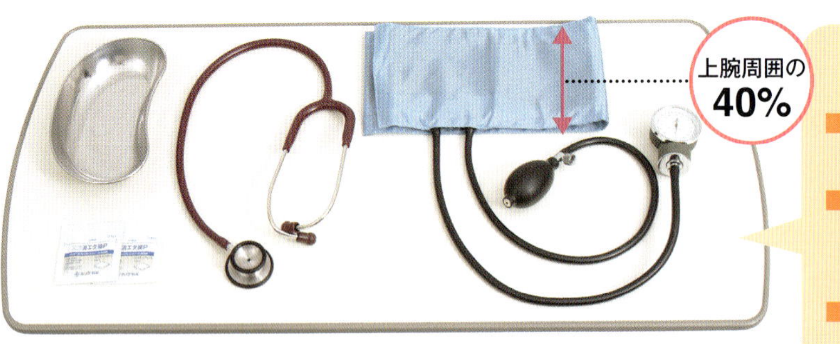

必要物品(血圧計・聴診器・アルコール綿)を準備する。

POINT

マンシェットの幅

- マンシェットの幅は上腕周囲の40%(12～14cm幅)を用いる。
- 幅が狭すぎると、血流を止めるため高い圧が必要となり、血圧が高く測定される。
- 幅が広すぎると、低い圧で血流を止めるため、血圧が低く測定される。

PROCESS 2 測定前の確認

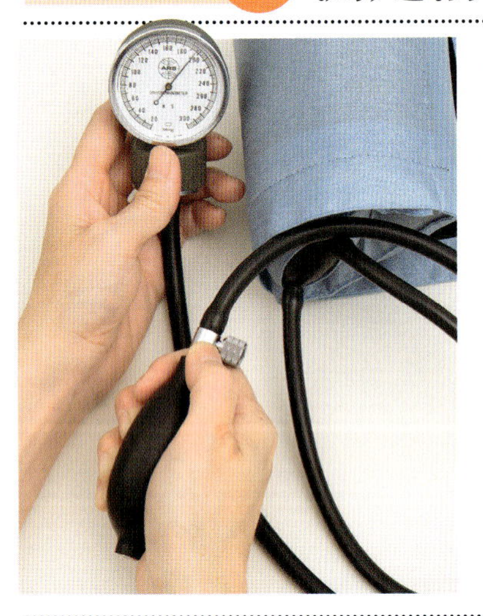

❶ ゴム嚢・ゴム球・血圧計がしっかりと接続されていることを確認する。

❷ 血圧計の針が真下にきていることを確認する。

❸ マンシェットをたたみ、200mmHgまで加圧。3分間そのままにして、針が2mmHg以上下降しないことを確認する。

❹ ゴム球のネジを回して全開にし、速やかに針が下がることを確認する。

＊なお、血圧計への負荷を考慮し、本方法で点検し、異常がないことを確認した後の日常点検では、簡易点検（150mmHgまで加圧し、10～15秒間そのままにして針が2mmHg下降しない）を用いてもよい。

PROCESS 3 血圧測定の実施

❶ 腕を心臓と同じ高さに置き、伸展させる。

❷ マンシェットは、ゴム嚢の中央が上腕動脈に位置するように巻く。マンシェット下縁は肘部より3cm上になるようにし、指が2本入る程度のゆとりをもたせる。

❸ 予測される血圧より20～30mmHg高めになるまで空気を入れる。

❹ ゴム球のネジを緩め、1拍動1目盛り(2mmHg)の速さで空気を抜く。

❺ 血管音が聴こえ始めた数値（収縮期血圧）、聴こえなくなった数値（拡張期血圧）を読む。

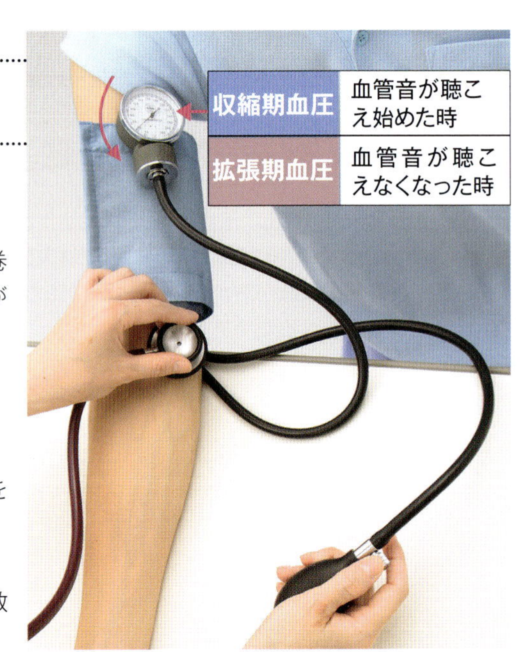

PROCESS 4 測定後

❶ マンシェットを外し、患者の衣服を整える。

❷ 聴診器のイヤーピースと採音部はアルコール綿で拭く。

実施後に振り返ってみよう!

観 察

- □ 一般的な基準値と比べると?
- □ その患者の普段の値と比べると?
- □ 体温・呼吸・脈拍・血圧を総合的にみると?

後片付け

- □ 測定器具をベッドサイドに置き忘れていない?
- □ ベッド周囲は測定前のようになっている?
- □ 患者の衣類を整えた?

覚えておくと、役立ちます!

測定値は、単独で判断しない

バイタルサインは重要な生命徴候を示しているが、それぞれ単独の値で判断することはできない。総合的に判断することが重要である。どれか1つに異常値が認められた場合、そのほかの測定値との関連性、全身状態、患者の自覚症状を合わせて観察、アセスメントする必要がある。

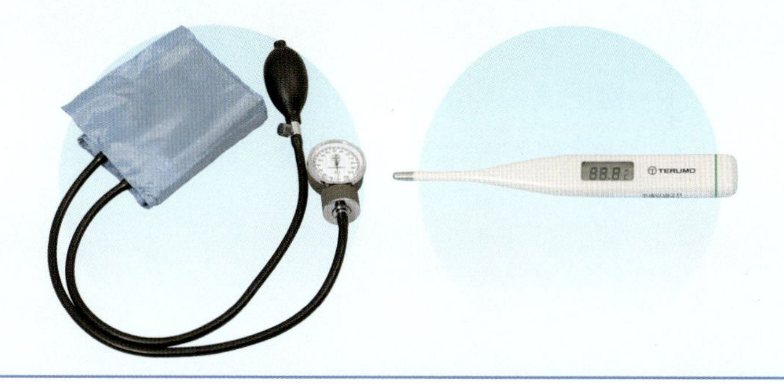

こんな時どうする?

バイタルサイン測定の時間が、排便直後!

バイタルサインを測定するために訪室したところ、患者から「トイレで排便してきたところ。今がいいかしら?」と尋ねられた。日々の経過をみるためにバイタルサインを測定する場合は、できるだけ、同じ条件で測定することが望ましい。
排便後は10分ほど安静にしてもらい、循環・呼吸状態が落ち着いた頃に、測定する。

【参考文献】 1)アコマアネロイド式血圧計.医療機器添付文書.
http://www.info.pmda.go.jp/ygo/pack/13B1X00032AM0003_A_01_01/(参照2010.7.2)

CHAPTER 10

2 身体計測

学習のねらい

代表的な身体計測に、身長と体重があげられる。身長・体重は、身体状況を判断する際の基本情報として、大変重要である。本項では、身長・体重を用いて行うアセスメント、腹囲の測定法を学ぶ。

身長・体重を用いたアセスメント

身長・体重から、栄養状態を評価

身長・体重を用いた栄養状態の評価に、標準体重や体格指数(BMI：body mass index)などがある。
BMIは体脂肪と相関することが知られており、肥満の指標としてよく用いられる。下図のような判定が示されている。

標準体重(kg)＝身長(m)^2×22

BMI＝体重(kg)/身長(m)^2

■肥満の判定基準

日本肥満学会基準	低体重	普通体重	肥満(1度)	肥満(2度)	肥満(3度)	肥満(4度)
BMI	18.5未満	18.5以上 25.0未満	25.0以上 30.0未満	30.0以上 35.0未満	35.0以上 40.0未満	40.0以上

＊日本肥満学会：肥満症治療ガイドライン 2006．p10より改変

水分出納バランスの指標としての体重

心不全や腎不全など、体内の水分バランスの保持に大きく影響する疾患では、毎日の体重変化が非常に重要である。特に、腎不全を患い、人工透析による治療を受ける場合は、透析前の体重が治療の指標となるため、正確な計測が求められる。

身長・体重から、薬剤量を決定

適切な薬剤量を決定するためには、身長・体重のデータが用いられることがある。特に、抗がん薬の量は、体表面積を用いて決定する場合が多いため、最新の正確なデータが必要となる。
体表面積(BSA)は、以下の式で求めることができる。

BSA(m^2)＝身長(cm)$^{0.725}$×体重(kg)$^{0.425}$×0.007184(Du Bois式)

＊BSA：Body Surface Area

体重による妊娠中の経過観察

妊娠中の母体、胎児の経過を判断する1つの指標として、体重の変化が用いられる。

腹囲の測定

参照★新訂版 写真でわかる 看護のための フィジカルアセスメント アドバンス p199

腹囲とは、臍の上を通る腹部周囲径を指す。
腹囲は、低蛋白を伴う疾患や肝臓疾患、卵巣疾患などで発生する腹水の状況をアセスメントしたり、妊娠時の胎児の大きさを推測する際に用いる。

腹囲測定時の留意点

- 毎日、同じ時間に測定する。
- 皮膚を傷つけないよう、柔らかいメジャーを用いる。
- 測定者は手を温めておく。
- 不必要な露出は避け、バスタオルなどで覆う。

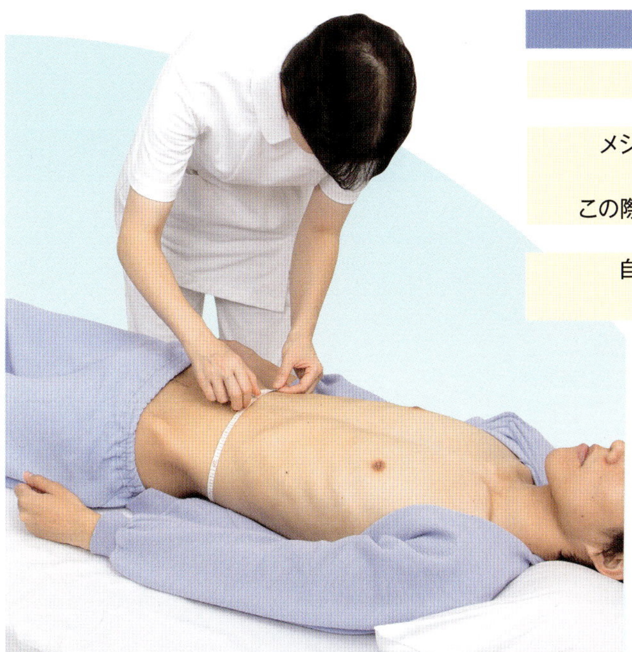

腹囲測定法

仰臥位をとり、膝を伸ばす。
↓
メジャーを腹部背面に回し、臍の位置で身体を軸に水平となるようにする。この際、締め付けずに、メジャーを皮膚に沿わせる。
↓
自然呼吸の位置(腹式呼吸の著しい場合は呼気と吸気の中間)で目盛りを読む。

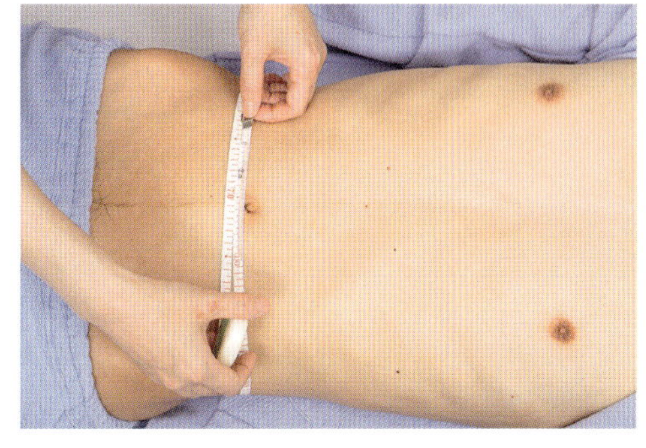

こんな時どうする?

身長・体重を測定したいが、立位がとれない!

身長は、立位がとれない場合、仰臥位でメジャーを利用して計測する。メジャーで計測できない場合は、座高や膝下高(脛骨点から足底までの長さ)から推定する方法もある。
体重は、仰臥位のまま測定できるリフト式の体重計や、ベッドで臥床したまま測定できるベッドスケールを利用する。適切な測定器具がない場合は、上腕周囲など必要な部分を計測し、Grantの式などにより予測体重を求めることもある。

CHAPTER 10

3 採血・採尿

学習のねらい

採血・採尿は、臨床で頻回に行われる検査である。
本項では、安全に静脈血採血を行う方法、1回尿の採取方法、無菌尿の採取方法を学ぶ。

静脈血採血

静脈血採血にあたっては、適切な採取部位の選択、安全な手技による採血、検体の適切な取り扱いが重要となる。

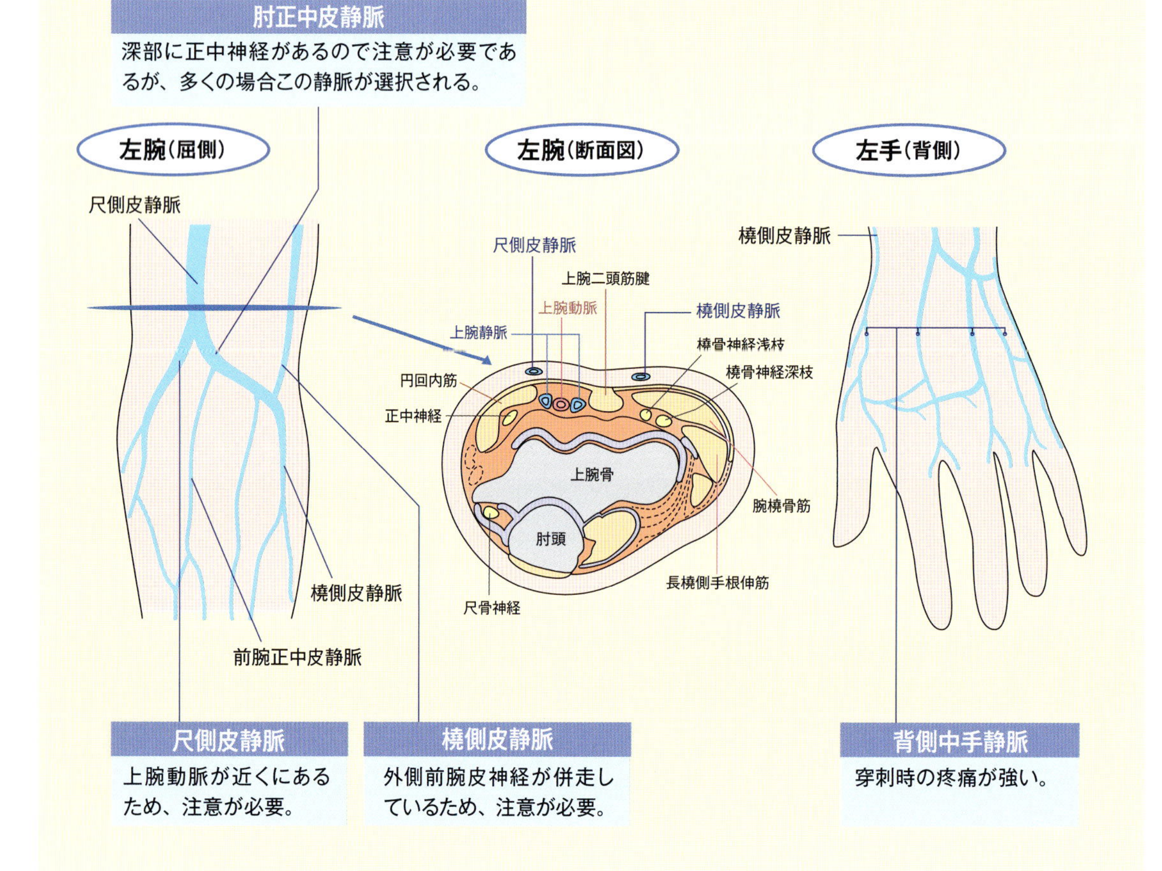

援助する前に確認しよう！

患者の状況
- □ 採血することを理解している？
- □ 止血が困難、出血しやすいなど血液凝固系に問題はない？
- □ 輸液刺入部やシャントなど、採血できない部位は？

周囲の状況
- □ 採血を行うスペースが確保できる？

あなた自身
- □ その患者に、なぜ採血が必要なのかが説明できる？
- □ 看護師が受け持ち患者に採血しているところを見学したことがある？
- □ 模擬血管などで十分、練習をした？

翼状針とホルダーによる真空採血の場合

採血用翼状針と真空採血管を用いた採血の方法を紹介する。

必要物品を準備しよう！

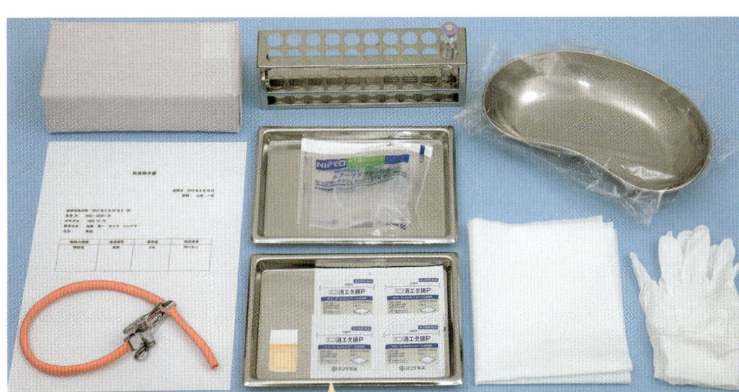

❶ 静脈血採血指示書
❷ 指示された採血に必要な真空採血管
❸ 採血用翼状針（ホルダー付：19～23Gが一般的）
❹ 70%エタノール綿
❺ 肘枕
❻ 駆血帯
❼ 固定用テープ
❽ トレー
❾ 手袋
❿ 針捨容器
⓫ 膿盆（ビニール袋をかけておく）
⓬ 処置用シーツ

針捨容器

POINT
- 指示書と真空採血管を照合し、検査項目に合致した採血管であるか、ラベルの患者氏名は正しいかを確認。
- 抗凝固剤入りの採血管は、内容物を採血管下部に落とすため、軽く叩いておく。
- 冷蔵庫保管の採血管は、室温に戻しておく。

EVIDENCE
- 冷蔵庫保管の採血管は、温度差によって生じる圧力差により、採血管内容物が血管内に逆流することがあるため、必ず、使用前に室温に戻す。

PROCESS 1 翼状針とホルダーの準備

トレーは、アルコール綿を用いて、中心から外側に向けて消毒を行う。

▼

袋を開封し、採血用翼状針（ホルダー付）をトレーに出す。

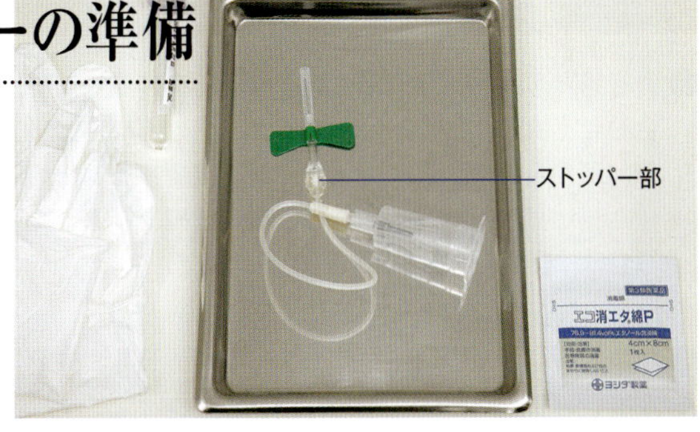

PROCESS 2 採血の実施

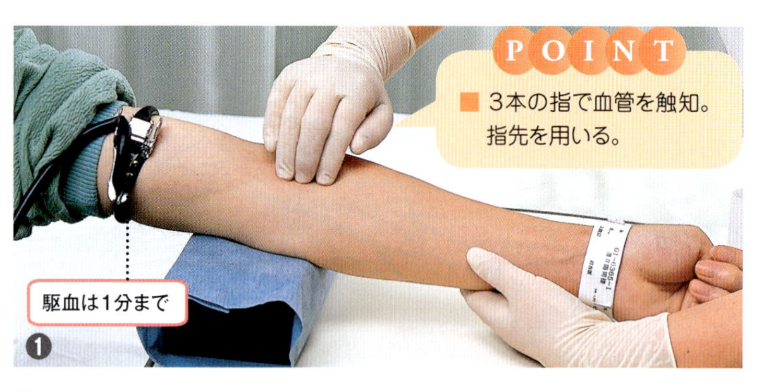

❶ 手袋を装着し、穿刺予定部位の血管の弾力・走行・可動性などを確認する。拍動が感じられる場合は動脈であるため、穿刺を避ける。採血部位の7～10cm上部に駆血帯を巻き、患者に母指を中にして手を握ってもらう。

❷ アルコール綿で中心から外側に円を描き、穿刺部を消毒する。

POINT

- 針先の切断面を上に向けて穿刺。
- 伸展させる指が穿刺部に近すぎると、針に角度がつきすぎてしまう。
- 刺入角度が大きいと神経の損傷リスクが高まる。

約20°

皮膚を伸展させる

この距離を短くしすぎない

POINT

- 必ず、血液の逆流を確認。

血液の逆流がみえるように、母指側の翼を離している

❸ 針を持たない手で穿刺部位近くの皮膚を伸展させる。翼状針の翼を合わせて持ち、血管の走行に沿って、皮膚に対して約20度の角度で末梢側から針を刺入。血液の逆流を確認する。針の刺入直後、患者にピリピリする痛みやしびれの有無を確認する。それらがみられた場合は、駆血帯を外し、抜針する。

❹ ホルダーに真空採血管をまっすぐに差し込む。血液の流入が止まったら、再びまっすぐに抜く。

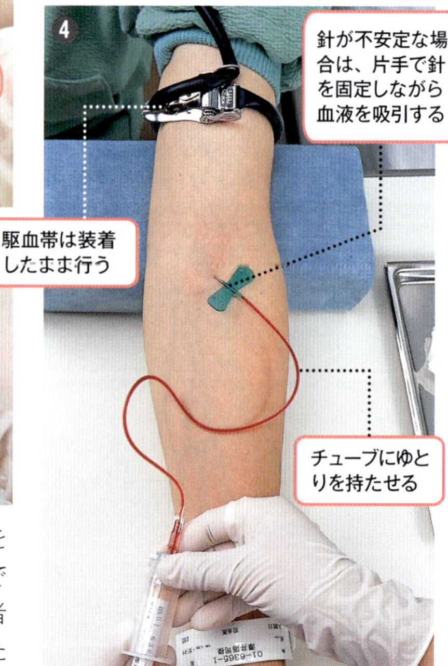

PROCESS 3 検体の混和、抜針、穿刺部の止血

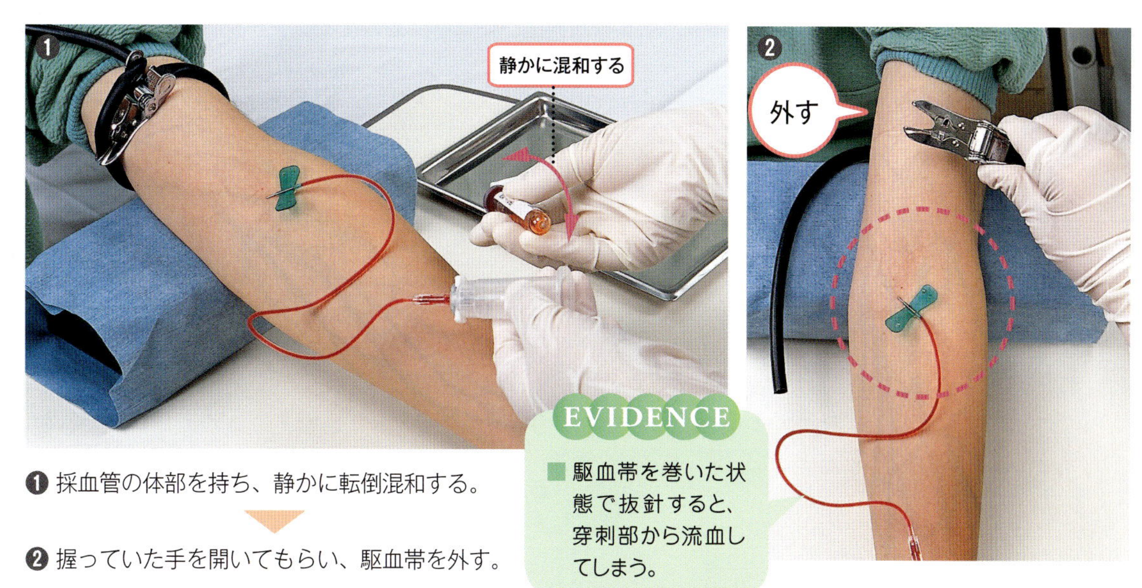

❶ 採血管の体部を持ち、静かに転倒混和する。

❷ 握っていた手を開いてもらい、駆血帯を外す。

EVIDENCE

■ 駆血帯を巻いた状態で抜針すると、穿刺部から流血してしまう。

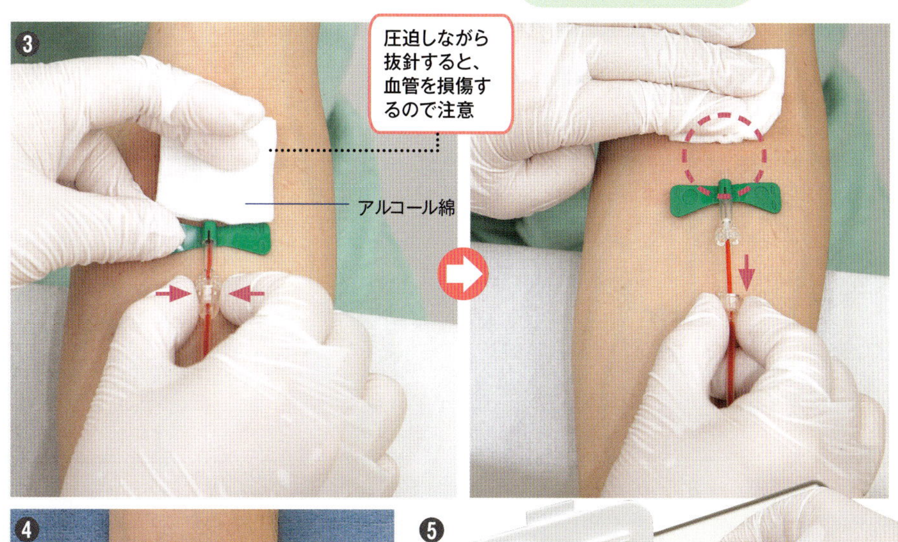

❸ ストッパーの両側を押さえ、ロックを外す。そのまま「カチッ」と音または手の感触があるまでストッパーを引いて、針を収納する。

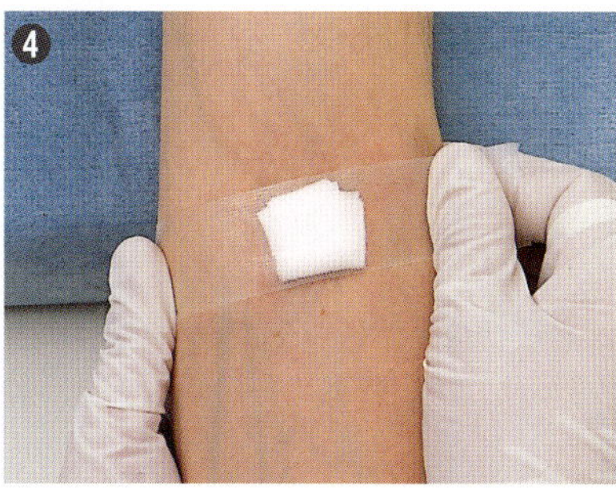

❹ 患者に採血部をもまないように説明し、顔色・発汗など、患者の状態を観察する。アルコール綿をテープで固定または、患者に3分程度圧迫するように説明。出血傾向がある場合は、止血状態に注意する。

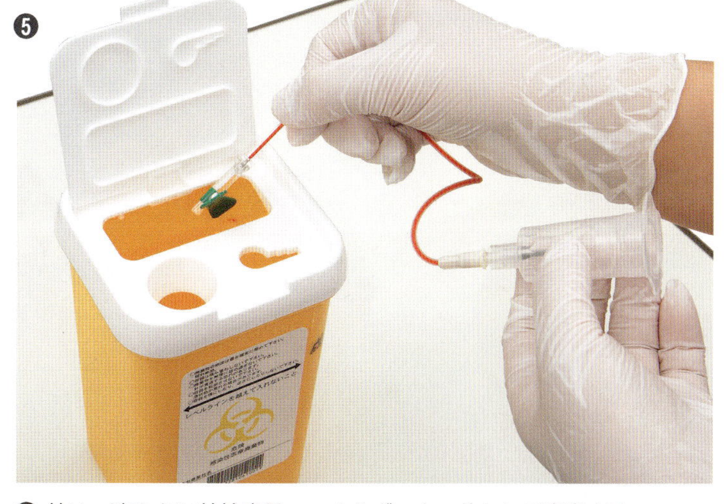

❺ 針は、速やかに針捨容器へ。ホルダーも一体として廃棄する。

直針とホルダーによる真空採血の場合 10-1

採血器具にはいくつかの種類があり、採血部位や手順は同じであるが、扱い方が異なる。直針とホルダーを用いた真空採血のポイントを説明する。

必要物品を準備しよう!

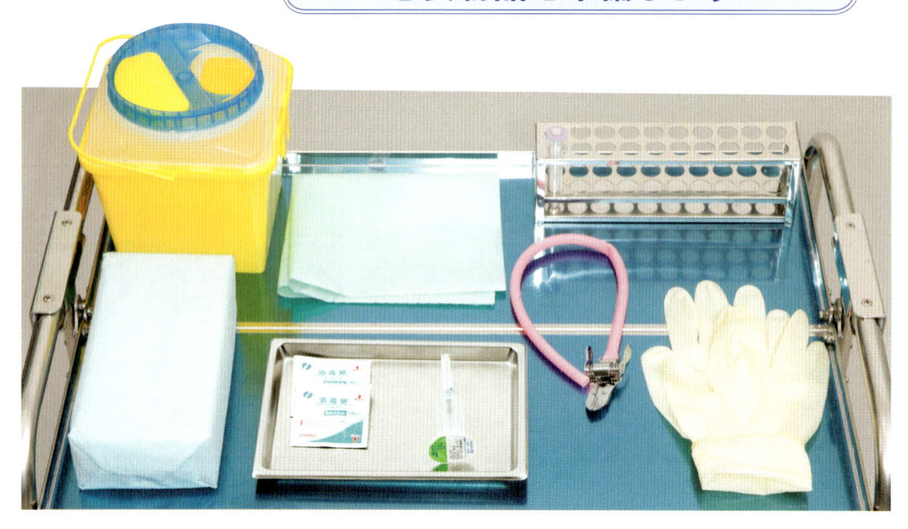

❶ 採血針
❷ ホルダー（使い捨て）
❸ 70%エタノール綿
❹ 真空採血管
❺ 手袋
❻ 針捨容器
❼ トレー
❽ 駆血帯
❾ 肘枕
❿ 静脈血採血指示書

❶ 採血部位の中枢側に駆血帯を巻き、注射部位を消毒する。針の刃断面が上を向くように、皮膚に対して約20度以下の角度で針を刺入する。この際、ホルダーの厚みの分、刺入角度が大きくなりやすいので注意する。

❷ 針が動かないようしっかりと保持しながら、ホルダーに真空採血管を差し込む。

❸ 血液の流入後、真空採血管を外してから、駆血帯を外して抜針する。

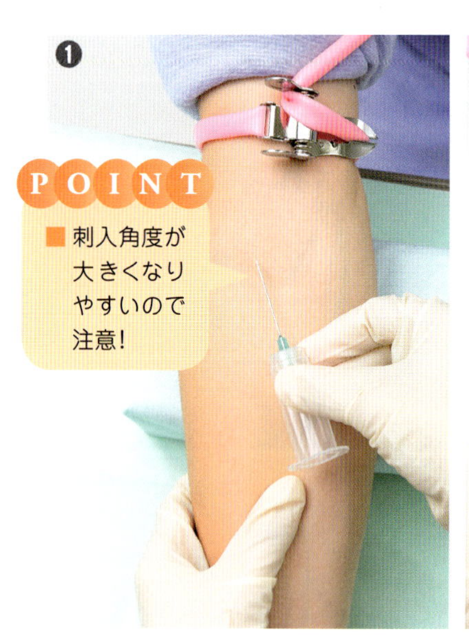

❶

POINT
■ 刺入角度が大きくなりやすいので注意!

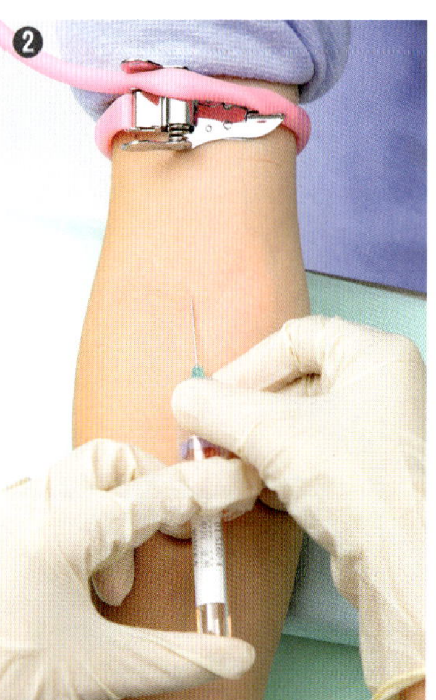

❷

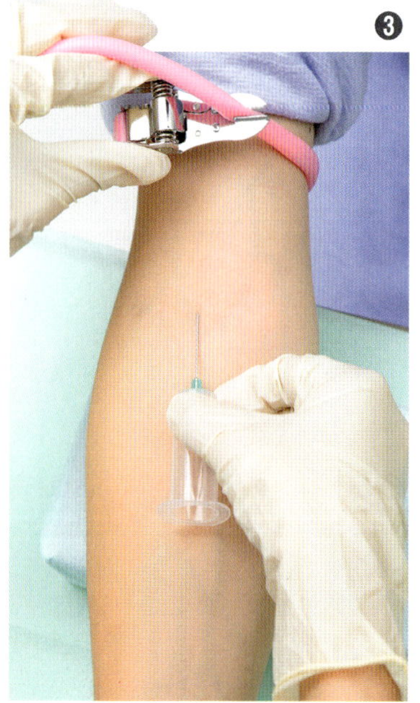

❸

援助後に振り返ってみよう！

観察

- □ 患者の表情につらそうな様子は？
- □ 穿刺部から出血していない？
- □ 患者の衣類は整っている？

後片付け

- □ 使用した物品がベッドサイドに残っていない？
- □ ベッド周囲は元通りになっている？

覚えておくと、役立ちます！

血管迷走神経反応に注意

採血時に、気分が不快になったり、意識消失を起こす場合がある。これは、採血に伴う疼痛、恐怖、不安などの精神的負担により、迷走神経が刺激され、有効循環血液量が低下して起こるといわれ、血管迷走神経反応と呼ばれる。
眼前暗黒感、発汗、嘔気、倦怠感、顔面蒼白などの前駆症状に注意する。採血時に気分不快となった経験のある患者や、採血に苦手意識を持つ患者の場合、仰臥位で採血を行うほうが、安全である。

こんな時どうする？

CASE 血液流出が途中で止まった!

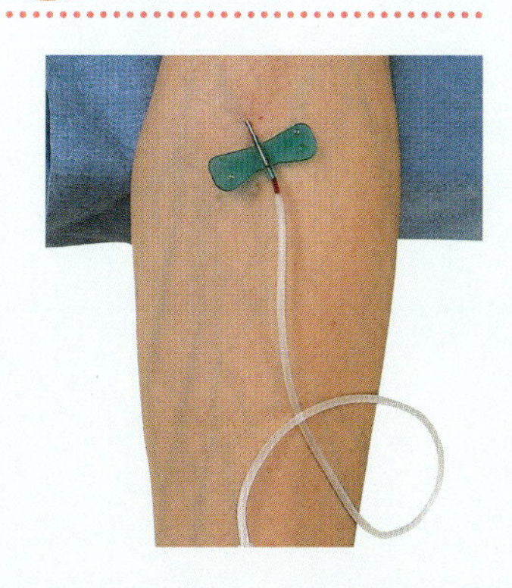

穿刺して血液流出があり、必要量を採血する前に、流出が止まってしまう場合がある。
まずは、針の刺入部付近に皮下出血がないか、観察する。

皮下出血が認められたら、速やかに針を抜いて止血を行う。その後、再度、別の部位から穿刺を行う。穿刺部付近に異常がなければ、針先が血管壁に接している場合もあるため、血管を傷つけないように、針の角度を少し変えてみる。
血液の流出が速く、一時的に流出が止まる場合もある。この場合は、手を2～3回、開いたり握ったりしてもらうとよい。
また、細い血管から採血した場合、針が徐々に血管内から抜け出てしまうことがあるため、しっかり固定する。

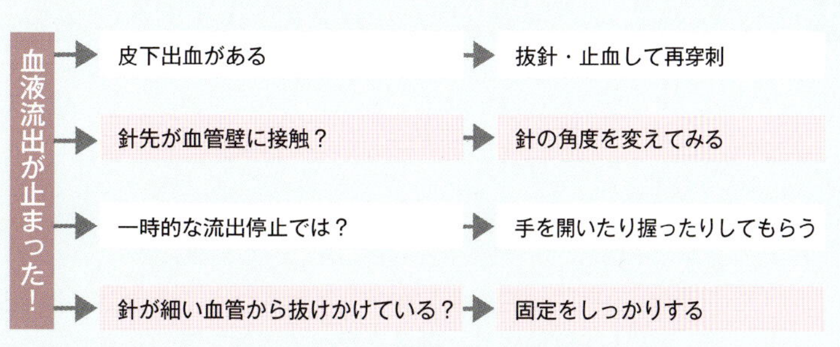

尿検査

尿検査は、腎臓機能や尿路系の異常を探索するために行われる。
尿検査の内容により、尿の採取法が異なる。

1回尿の採取

●1回尿の採取は、一般的な尿の成分検査などの際に行う。
●飲食物の影響が少ない、早朝1回目の尿が望ましい。

1 氏名を確認 採尿コップの氏名を確認する。

2 患者に説明、採取 患者に中間尿を採取すること、最低20～100mL採取することを説明する。

POINT

中間尿の採取法
- 尿道口および周囲の細菌や付着物が検体に混入しないようにするため、中間尿の採取を行う。
- 少し排尿してから、一度排尿を止め、採尿コップを当て、再び排尿して採取する。
- 最後の尿も濃縮した残渣が混じる可能性があるため、採取しない。

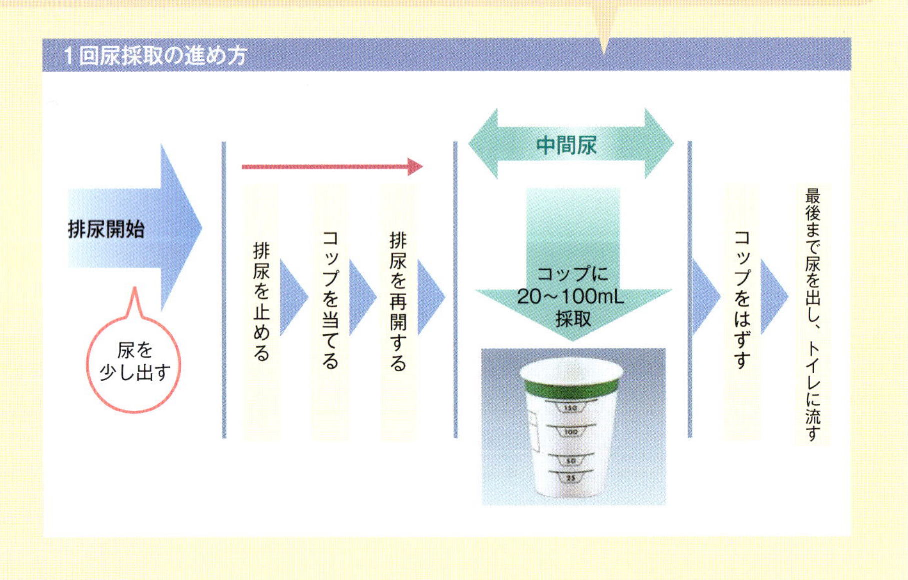

3 臨床検査に提出 採取した尿を速やかに臨床検査部門に提出する。

無菌尿の採取

●尿中の細菌の有無・種類を調べる場合は、無菌尿を採取する。
●無菌尿は、導尿を行って採取する。
●男性の場合は、尿を途中でしっかり止めることができれば、中間尿でよい場合もある。

血糖測定

学習のねらい

血糖測定は、血糖値を把握し、血糖コントロールを維持するためによく行われる検査である。
本項では、簡易測定器を用いて血糖測定する方法について学習する。

覚えておきたい基礎知識

血糖測定の援助を行うには、血糖値の正常範囲と異常値への対応を理解しておく必要がある。
血糖値の異常には高血糖と低血糖があり、いずれも適切な対応が求められる。

血糖値(静脈血漿)の正常範囲と異常値への対応

	空腹時	経口ブドウ糖負荷試験*の2時間値
正常範囲	100mg/dL未満 100～109mg/dL(正常高値) HbA1c(NGSP):4.6%～5.5%	140mg/dL未満

＊ Oral Glucose Tolerance Test:OGTT

	症状 自覚症状をあまり感じずに経過する人もいるので注意が必要	対策
高血糖	●疲労感・多尿・口渇・体重減少 ●脱力感・脱水傾向・激しい疲労感 ●嘔気・嘔吐 ●意識障害・昏睡	●水分の補給 ●医師の指示に従い、輸液療法やインスリンの投与などが行われる。
低血糖	●交感神経系の症状: 脱力感、冷汗、手指振戦、顔面蒼白、頻脈、動悸など(一般に70mg/dL以下)。 ●中枢神経系の症状: 頭痛、眼のかすみ、眠気、動作緩慢、集中力低下など(一般に50mg/dL以下)。 ●意識障害、痙攣、昏睡(一般に30mg/dL以下)。	●経口摂取が可能な場合は、ブドウ糖10～20g、または、これに相当する糖質を含むジュースなどを摂取する。 ●意識障害があり、経口摂取できない場合は、無理に糖質を摂取させない。 直ちに医師の指示に従い、ブドウ糖を静脈内投与する(医療機関外の場合は、医療機関到着までの緊急処置としてグルカゴンの筋肉注射を行う)。

援助する前に確認しよう！

患者の状況

□基礎疾患は？　□普段の血糖値は？
□食後どのくらい時間がたっている？
□間食はしていない？
□低血糖・高血糖症状がある？
□発熱・下痢・嘔吐などは？
□食事摂取状況は？
□出血傾向は？
□注意力、判断力、認知機能は？

周囲の状況

□ 血糖測定を行うスペースは清潔？

あなた自身

□ユニホームや手はきれい？
□患者の血糖測定を見学した経験は？
□学内演習で血糖測定を行った経験は？
□簡易血糖測定についての基礎知識は？

必要物品を準備しよう！

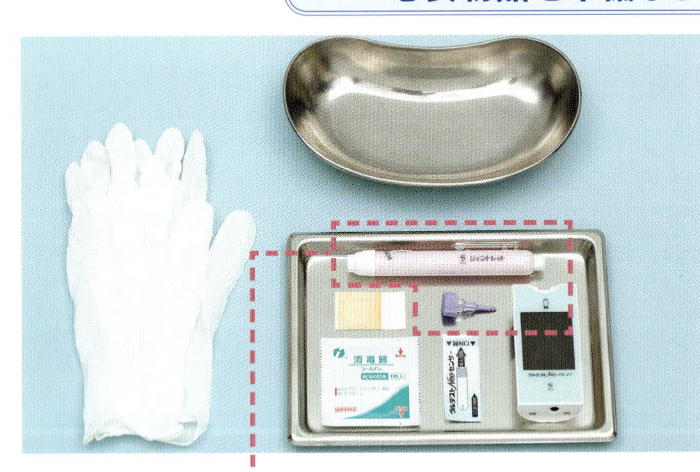

採血針（ジェントレット針®）　採血用穿刺器具（ジェントレット®）

❶ 自己検査用グルコース測定器（グルテストNeoアルファ®）
❷ 自己検査用グルコースキット（グルテストNeoセンサー®）
❸ 採血用穿刺器具（ジェントレット®）
❹ 採血針（ジェントレット針®）
❺ アルコール綿
❻ テープ
❼ 手袋
❽ 針捨容器

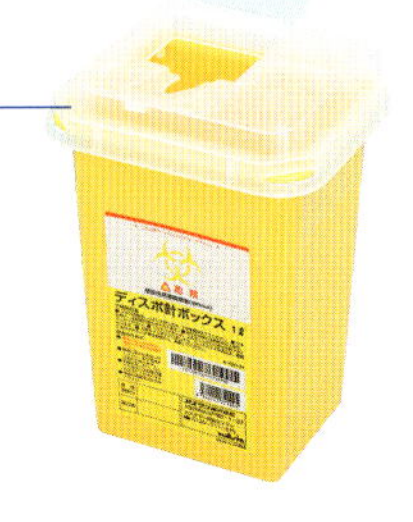

針捨容器

簡易血糖測定器による血糖測定　10-2

PROCESS 1 簡易血糖測定の準備

★ 採血用穿刺器具、血糖測定器はさまざまなタイプがあるため、取扱説明書に沿って、準備を進める。

❶ 手洗いを行い、採血用穿刺器具に採血針をセットする。

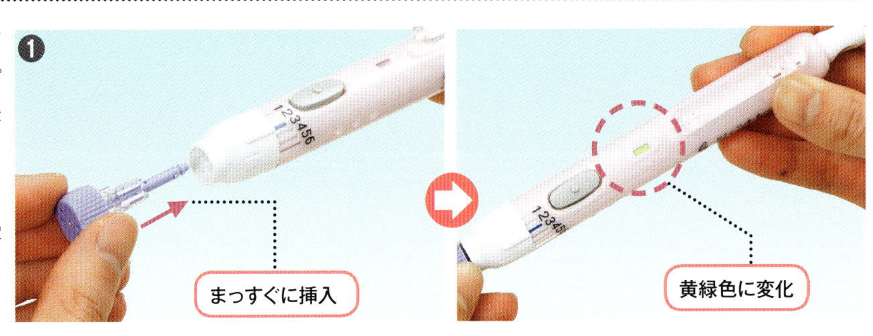

❷ グルコースキットをアルミパックの上からつかみ、電極の図があるほうを表にして、測定器にまっすぐに差し込む。

POINT

■ キット突起部を測定器の図と同じ向きに合わせる。

EVIDENCE

■ 濡れた手でキットに触ると、測定誤差を招く。

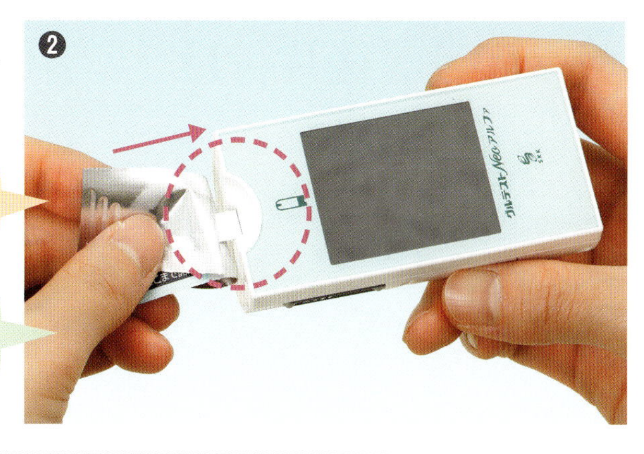

PROCESS 2 血糖値測定

POINT

■ カチッと音がして、一瞬のうちに採血は終了する。

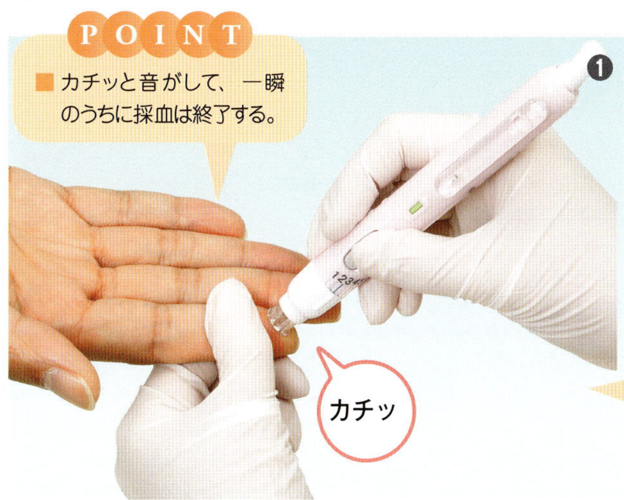

❶ 看護師は手袋を装着し、患者に説明を行う。

▼

穿刺部位をアルコール綿で消毒し、よく乾燥させる。

▼

穿刺部位をしっかり固定し、穿刺ボタンを押す。

POINT

■ 穿刺部をしっかりと固定する。固定が十分でないと針が必要な深さに届かず、再度、採血が必要になる。

■ 穿刺部位は、同じところを穿刺すると固くなるので、毎回変える。

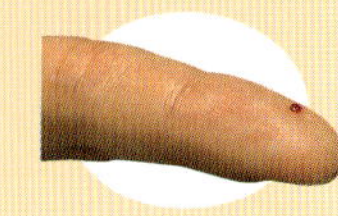

❷ グルコースキットの先端を血液に触れさせると、自動的に吸引される。
血液が吸引されると「ピッ！」と音が鳴り、測定が開始される。

▼

5.5秒後に測定結果が表示される。

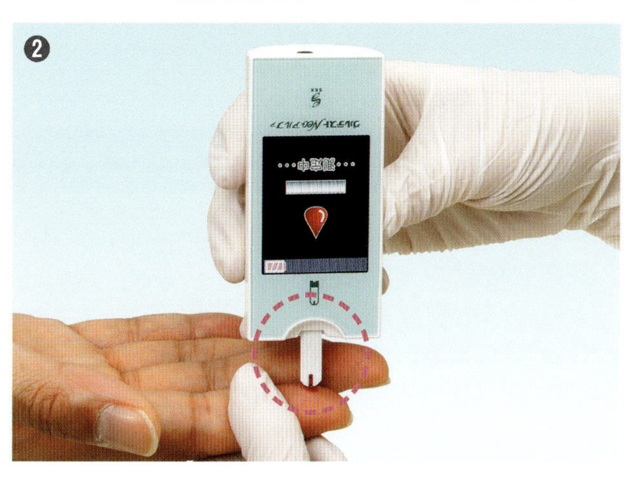

❸ 穿刺部位をアルコール綿で消毒し、テープを貼る。

PROCESS 3 後片付け

❶

❷

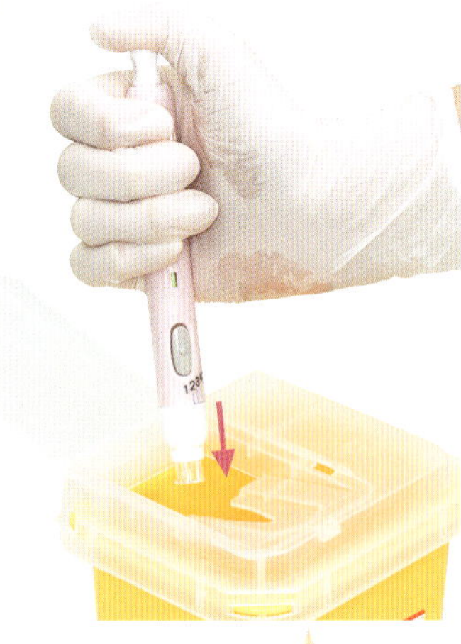

❶ 測定器の廃棄レバーをスライドさせると、グルコースキットが飛び出して、手を触れずに針捨て容器に廃棄できる。測定器の電源が、自動的に切れる。

❷ 採血用穿刺器具のつまみを押すと、採血針が飛び出して、手を触れずに針捨て容器に廃棄できる。

POINT

- 血液が付着したグルコースキットは、触れないよう注意。感染を防止する。

POINT

- 採血針のリキャップは禁忌!
- リキャップすると未使用の針と区別がつかなくなり、再使用から感染する危険性もある。

援助後に振り返ってみよう!

観 察

- □ 穿刺部位は止血された?
- □ 低血糖・高血糖症状は?

記録・報告

- □ 患者の自覚症状の有無
- □ 低血糖・高血糖症状の有無
- □ 穿刺部位の異常の有無
- □ 測定した血糖値

後片付け

- □ 測定のために動かした物品を元に戻す(患者の希望に沿って配置)
- □ 血液に汚染した物品は、速やかに医療廃棄物として捨てる

覚えておくと、役立ちます!

針周辺部がディスポーザブルではない穿刺器具

針周辺部がディスポーザブルではない穿刺器具は、針を交換しても、皮膚に接触する「針周辺部」に血液が付着している。複数人で使用すると感染の危険があるため、個人使用に限定する(厚生労働省通知2006)。

耳朶穿刺時の針刺しに注意!

医療従事者が、患者の耳朶を穿刺したところ、穿刺針が耳朶を貫通し、耳朶を支えていた医療従事者の指を刺すという事例が、複数報告されている。
耳朶を穿刺する際には、穿刺部位の裏側を直接指で支えないなどの注意が必要である(厚生労働省通知2010)。

覚えておくと、役立ちます！

血糖測定器にエラーが出た!

血糖測定器にエラーが出て、うまく値が表示されない時は、次のことを確認する。

濡れた手で触れなかった?

グルコースキットは、濡れると測定値が不正確になる。

CHECK 2

キット挿入後、速やかに吸引?

グルテストNeoセンサー®の場合、キットを挿入して5分を過ぎると表示が消える。その際は、キットを抜き取り、再度差し込むと測定が可能になる。

CHECK 3

適切に血液が吸引された?

血液は、グルコースキットに毛細管現象で吸引される。血液吸引量が不十分な場合は、血糖値を測定することができない。
また、キットの上に直接血液を滴下すると、測定器の電極挿入口に流入するなどして、故障するおそれがある。

こんな時どうする？

穿刺後、血液の量が少ない!

穿刺後、血液の量が少ない場合、無理に絞り出すと組織液が混入し、測定値が低く出ることがある。
血液量が少ない場合は、穿刺の深さを調節し、再度、穿刺する。穿刺する際に、採血する指をしっかりと固定し、十分に深く穿刺することも大切である。
また、採血部位を事前にマッサージしておくと、血行がよくなり採血しやすい。

測定値が低い!　低血糖?

測定値が低い場合は、本当に低血糖を起こしているのかどうか、確認する必要がある。患者の自覚症状を確認し、冷汗や震えがなければ、再度測定しなおす。
低血糖以外に値が低く出る原因に、消毒後のアルコールが残っている、採血後に血液を絞り出し組織液が混入した、などがあげられる。

CHAPTER 10

5 身体侵襲を伴う検査

学習のねらい

診断や病期治療効果の判定のために行う諸々の検査は、検査の内容によっては、侵襲が強く患者の負担も大きい。
本項では、身体侵襲の伴う検査前・中・後の観察や援助について学習する。

腰椎穿刺

腰椎間から腰椎を穿刺し、髄液を採取する。看護師は患者の不安の軽減に努めるとともに、体位の保持、観察を行い、安全にスムーズに検査が行われるよう介助する。

目的

- 脳・脊髄に障害が生じた場合、髄液に反映されることが多い。各種神経疾患の診断のために、髄液を採取する。

適応

- 髄膜炎・脳炎・くも膜下出血の患者
- 頭痛・嘔気・嘔吐が続く患者
- 発熱の原因が不明の患者　　など

禁忌

- 頭蓋内圧亢進が疑われる患者
- 穿刺部に感染がある患者
- 血小板が3万／mm^3以下の患者

検査前の確認

- 検査中・後に嘔気・嘔吐が出現する可能性があるため、検査前は医師の指示に沿って絶食し、排泄を済ませておく。
- バイタルサインを測定し、異常がないことを確認する。

検査前の援助

1	検査の説明	患者に検査の目的・方法・所要時間・体位、検査後の安静時間について十分に説明し、不安の軽減に努める。
2	体位の準備	患者は頸部を前屈させ、両手で膝を抱えるようにし、できるだけ腰部を突出させ、体を丸くする。介助者は患者の後頭部、膝窩あるいは踵底を支える。
3	穿刺部位の消毒	穿刺部位は腰椎3～4、4～5間である。左右の腸骨稜上縁を結ぶ線(ヤコビー線：Jacoby line)と脊柱が交差する点(第4腰椎棘突起)が目安となる。

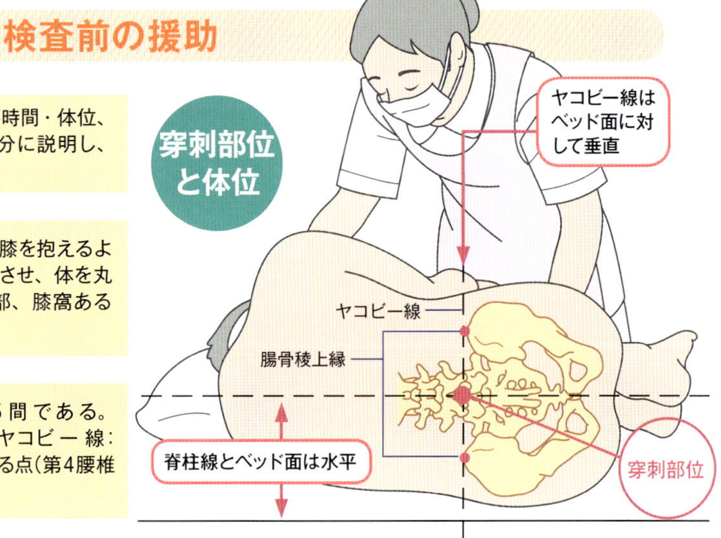

腰椎穿刺の概要と援助のポイント

腰椎穿刺は、医師が行う。看護師は体位を介助し、患者にとって安全・安楽に行われるよう、観察を行い、不安を和らげるよう声をかける。

医師が行う手技

①穿刺部を消毒する。
▼
②局所麻酔を行う。
▼
③穿刺を行う。
▼
④穿刺針の内套針を抜き、髄液の流出を確認する。
▼
⑤採取が済んだら、抜針する。
▼
⑥圧迫止血を行い、テープで固定する。

看護師による援助

- 穿刺時、下肢にしびれ･疼痛がないかを確認する。
- 咳により脳脊髄圧が上昇することを患者に伝え、穿刺中に咳をしないよう協力を依頼する。
- 髄液が流出したことを患者に伝え、安心してもらう。
- 処置中は患者の訴え以外に、呼吸状態･脈拍･顔色･嘔気･嘔吐･意識レベル･冷汗、疼痛の程度を観察し、声をかけて確認する。
- 腰椎穿刺は疼痛を伴うため、患者の負担も大きい。検査中は患者に声をかけ、手を握るなどして不安･恐怖の緩和に努める。
- 終了後に穿刺部位を圧迫し、髄液漏出がないことを確認する。
- 終了後は脳脊髄液漏出を防ぐため、枕を外し、2時間程度安静臥床をするよう伝える。

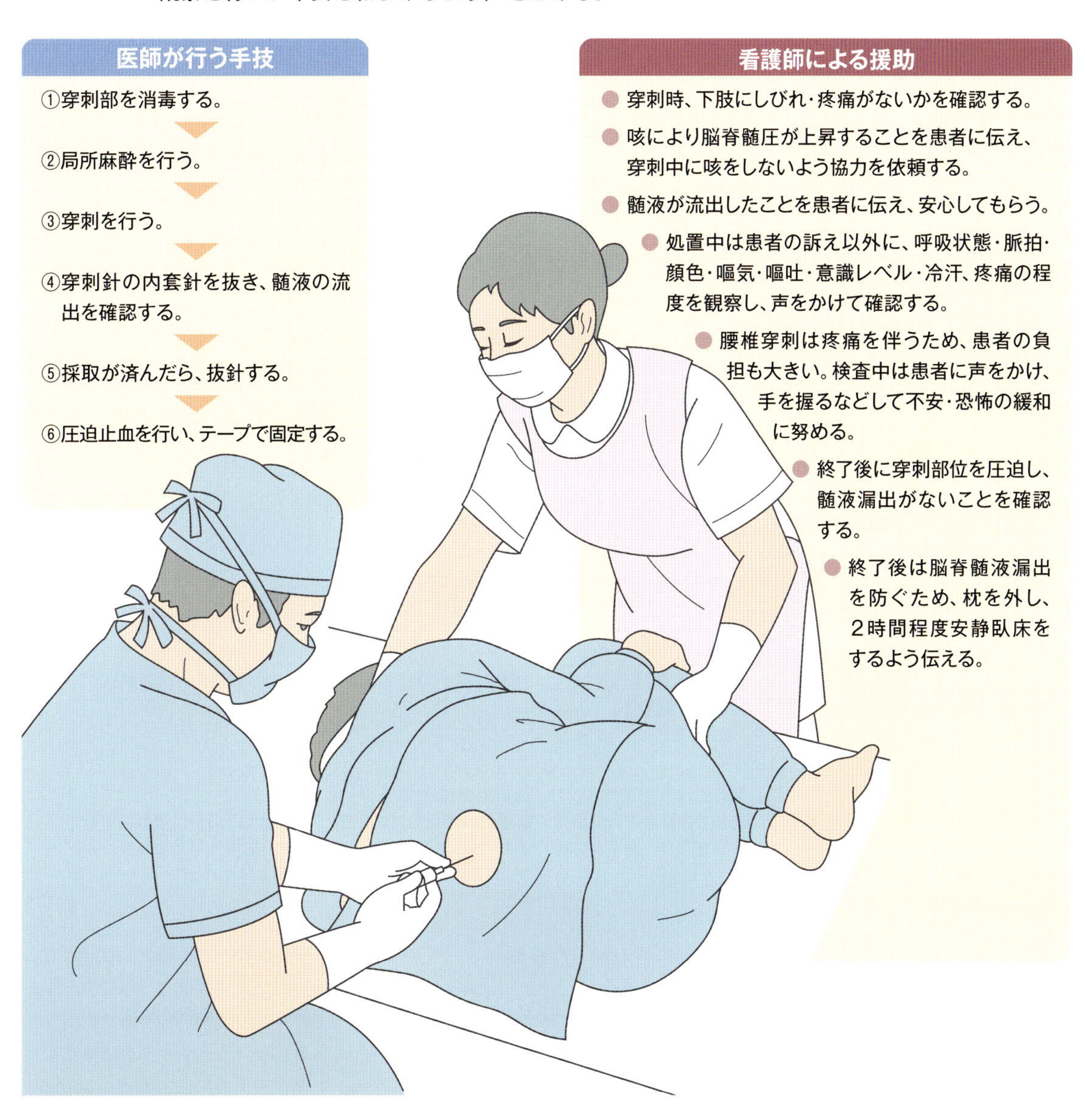

検査後の留意点

- 検査後は、バイタルサイン・頭痛・嘔気・嘔吐・神経症状・意識レベル・顔色・冷汗・疼痛の有無を確認する。
- 検査後は、枕を外して頭を低くした仰臥位とし、2時間程度安静にする。
- 検査2時間後、バイタルサインを確認して問題がなく、出血や髄液の漏出がなければ安静解除とし、患者に伝える。
- 安静解除後、嘔気がなければ通常通りの食事が可能となる。
- 安静解除後は、普通に活動できるが、激しい運動や入浴は避ける。

EVIDENCE

頭を低くしての安静臥床

■ 脳脊髄液の漏出が増加すると頭蓋内圧が低下、頭痛･嘔気の原因となる。

骨髄穿刺

胸骨、あるいは腸骨稜から骨髄を吸引し、造血機能などを検査する。
看護師は体位を介助し、患者にとって安全・安楽に行われるよう、観察を行い、不安を和らげるよう声をかける。

目的
- 骨髄を吸引し、造血機能・造血過程を知り、血液疾患の診断、治療効果の評価を行う。
- 悪性腫瘍の骨髄転移の有無を鑑別する。

適応
- 白血病、再生不良性貧血、多発性骨髄腫、悪性腫瘍の骨髄転移などの血液疾患

禁忌
- 血友病、フィブリノーゲン減少など、血液凝固因子が極度に減少する疾患

＊ 血小板減少による出血傾向がある場合でも、病勢の評価のため検査をすることもある。

検査前の確認
- 患者の血小板の検査値を確認し、出血傾向がある場合は止血時間、テープの工夫を検討しておく。
- 検査前に排泄を済ませる。バイタルサインを測定し、異常がないことを確認する。

検査前の援助

1 検査の説明 患者に検査の目的・方法・所要時間、検査後の安静時間について十分に説明し、不安の軽減に努める。

2 体位の準備 医師に穿刺部位を確認し、体位の準備を行う。
胸骨で行う場合は仰臥位、前腸骨稜の場合は側臥位、後腸骨稜の場合は腹臥位で行う。
骨痛があり、適切な体位が困難な場合はあらかじめ相談し、対策を考えておく。

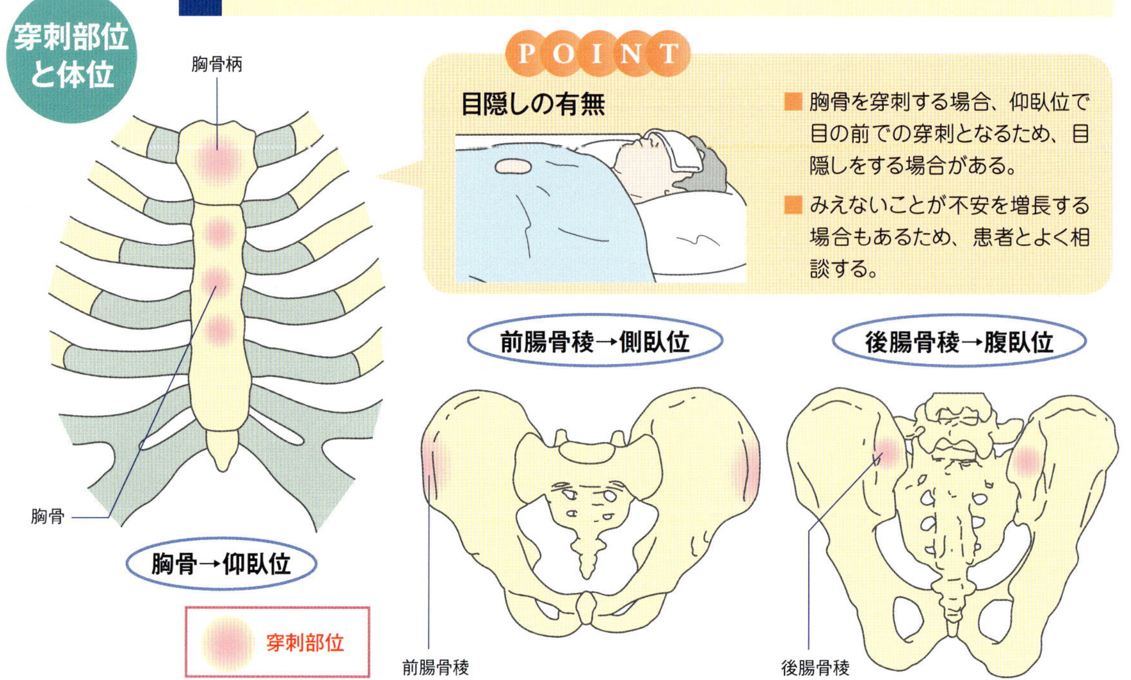

骨髄穿刺の概要と援助のポイント

骨髄穿刺は、医師が行う。看護師は体位を介助し、患者にとって安全・安楽に行われるよう、観察を行い、不安を和らげるよう声をかける。

医師が行う手技

①穿刺部を消毒する。

▼

②局所麻酔を行う。

▼

③穿刺を行う。

▼

④骨髄液を吸引する。

▼

⑤穿刺針を抜き、滅菌ガーゼで圧迫して止血する。

▼

⑥骨髄液は迅速に標本にし、速やかに乾燥・固定する。

看護師による援助

- 穿刺時、押されるような感じがすること、痛みがあったり、気分が悪い時には、動かずにすぐに声をかけるよう伝える。
- 処置中は、患者の訴え以外に呼吸数・脈拍・顔色・冷汗などを観察する。異常時は血圧を測定する。
- 骨髄液を吸引中は、瞬間的に強い疼痛があるが、動かないよう患者に伝える。患者が反射的に動いてしまうこともあるため、患者のそばで上肢を支えるなどの対応ができるようにする。
- 骨髄穿刺は疼痛が伴う検査であり、患者の負担も大きい。検査中は患者に声をかけ、手を握るなどして不安・恐怖の緩和に努める。
- 穿刺針を抜去後、通常の出血時間*の2倍の時間、圧迫する。

*出血時間：出血時間測定法により測定された、血液が付着しなくなるまでの時間。

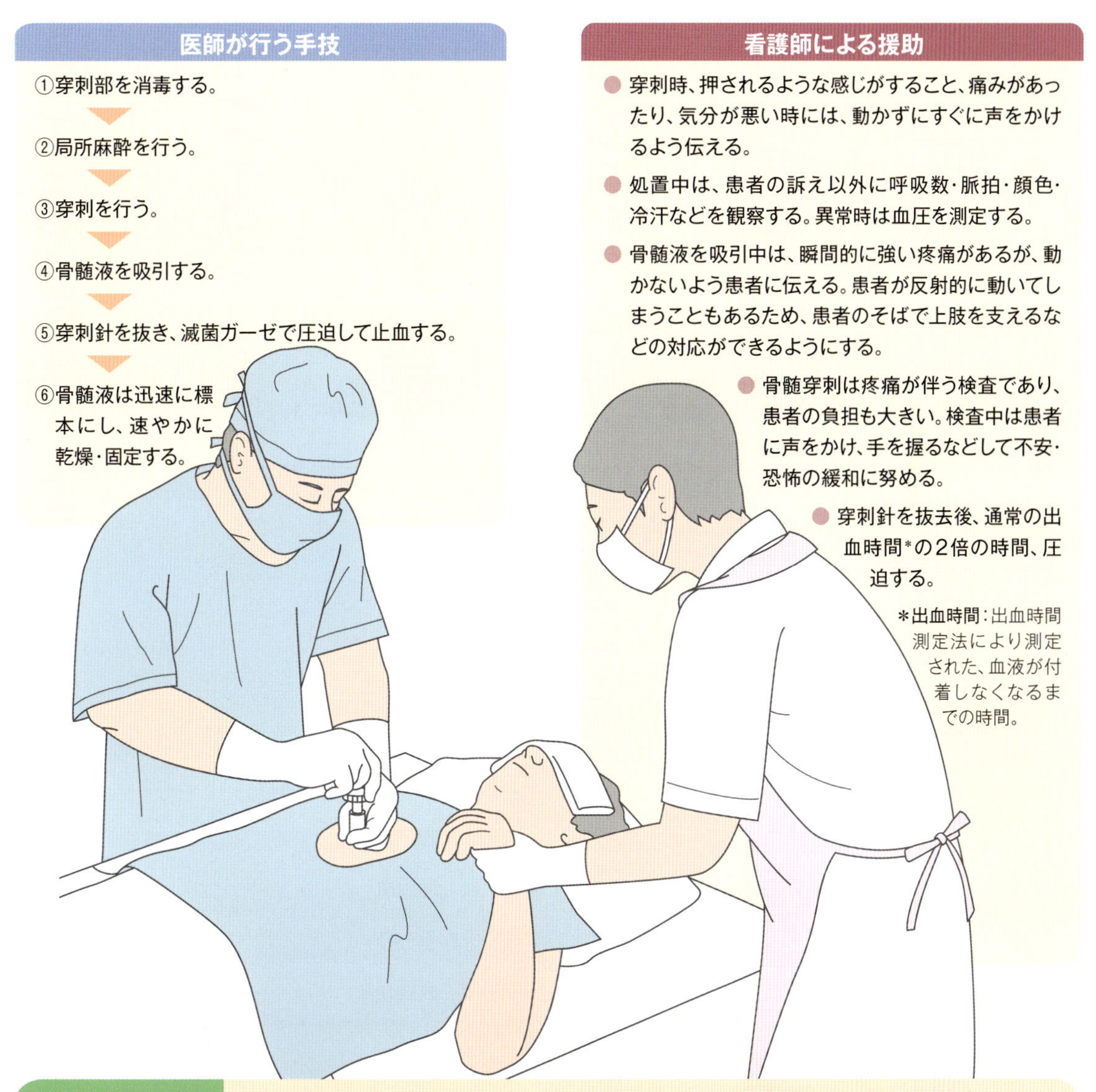

検査後の留意点

- 検査後はバイタルサイン・疼痛の程度・顔色・冷汗などを観察する。
- 検査後は穿刺部を圧迫しながら、30分～１時間の安静とする。
  - 胸骨穿刺の場合：仰臥位とし、穿刺部を砂嚢で圧迫
  - 腸骨穿刺の場合：穿刺部位が下になるよう仰臥位、もしくは側臥位
- 30分後、穿刺部位の出血がないか確認する。同時に疼痛の程度、呼吸状態を観察する。
- １時間後、バイタルサインを確認する。状態に問題がなく、穿刺部位の出血がなければ、通常のテープに替え、安静解除を患者に伝える。
- 安静解除後は、出血がなければ普通に活動してよいが、激しい運動や入浴は控える。

【参考文献】1）松岡緑編（1998）．ナースのための臨床検査の実際　第2版．廣川書店．
2）永井敏枝監修（2003）．ビジュアル看護技術2　観察・検査・処置．中央法規出版．

CHAPTER 10

6 一般状態の観察

学習のねらい

患者との日常的なかかわりの中で、その人に特有の症状を観察することが重要である。本項では、「便の性状」「疼痛」「浮腫」「悪心・嘔吐」の観察について学ぶ。

便の観察

排便は、毎日の観察が必要な項目である。
次のような内容について観察し、アセスメントすることが必要である。

観察内容	ポイント	
排便回数と量	●1日あたりの排便回数・量（普段は？　現在は？　いつ頃から？）	
便の硬さ	●硬便・普通便・軟便・泥状便など（p91参照）	
便の色	色　調	要因として考えられるもの
	●灰白色	⇒胆道閉塞、バリウム摂取後
	●黄～黄緑色	⇒牛乳製品の摂取、高度の下痢、センナ服用
	●黒色	⇒鉄剤服用、上部消化管（胃など）出血
	●暗褐色	⇒小腸より上部の消化管出血
	●鮮紅色	⇒大腸下部の出血、痔出血
便の臭い	臭　い	要因として考えられるもの
	●腐敗臭	⇒肉類の食事摂取、直腸がん
	●酸臭	⇒糖質食
排便にかかわる要因	●水分摂取量/食事摂取量 ●排泄場所（プライバシーの保護、腹圧がかけられるか） ●運動・活動量（腸蠕動運動） ●治療の影響（使用薬剤の副作用） ●緩下剤の使用状況 ●手術後の麻酔の影響 ●腹部手術を受けた後の癒着の影響	
腹部のフィジカルアセスメント	●腹部膨満感 ●腸蠕動音	
随伴症状	●腹痛 ●腹部膨満感 ●嘔気・嘔吐	

疼痛の観察

頭痛・腹痛・腰痛・がん性疼痛など、慢性的な疼痛から生命に直結する重要なサインである疼痛まで、疼痛の種類はさまざまである。
疼痛の概要とともに、頭痛・腹痛を取り上げ、緊急の対応を要する疼痛について学ぶ。

観察内容	ポイント
患者の訴えを重視する	●痛みは、患者本人がいちばんよくわかるものである。患者の訴えをよく聴くことが重要である。 ●バイタルサインに変化がなくとも、疼痛がある場合には注意深く観察し、異常を早期にとらえること、疼痛を緩和するケアを行うことが大切である。
疼痛を測るスケール	●主観的な疼痛をより客観的にとらえるため、さまざまなスケールが開発されている。 ●フェイススケールは、「笑い顔」から「泣き顔」まで顔の表情によって、その時の自分の疼痛がどのような状態であるのかを示すスケールである。 ●ビジュアル・アナログスケールは、直線の左端を0（全く痛みのない状態）、右端を10（最悪の痛み）として、その時の疼痛がどの位置にあるかをレ点でチェックしてもらう。10cmの直線を用いることが多い。 ビジュアル・アナログスケール 0 ―――――――――――――――――――――――――――――― 10 全く痛みがない　最悪の痛み
疼痛の部位・程度・持続時間	●どの部位が、どの程度、どのくらい、どのように痛むのかを観察する。単に患者の話を聞くだけでなく、実際に疼痛部位を観察することを忘れてはならない。 ●発赤・腫脹・熱感・出血など、異常の有無を観察する。
バイタルサインの観察	●疼痛状況と合わせて、脈拍・血圧・体温・動脈血酸素飽和度・意識レベルを観察する。 ●疼痛が強い場合は、血圧・脈拍は上昇することが多い。 ●ショック症状がある場合は、血圧低下・意識レベル低下が起こる。

緊急の対応を要する疼痛

種　類	疼痛の特徴	考えられる疾患	検査および対応
腹　痛	急激な腹部の激痛	●消化管穿孔 ●イレウス ●急性腹膜炎 ●腹部大動脈瘤の破裂	●バイタルサイン・意識レベル・ショック症状の確認 →状況に応じて気道確保など ●腹部単純X線検査・血液一般検査の介助 ●緊急手術に備えた準備
頭　痛	突然、頭をバットで殴られたような疼痛	●くも膜下出血	●バイタルサイン・意識レベル・ショック症状の確認 →状況に応じて気道確保など ●面会謝絶とし、安静を保てる環境の確保 ●必要に応じて、脳CT検査、血液検査、手術の準備

浮腫の観察

低栄養状態やリンパ液の流れの障害、腎臓障害など、
浮腫はさまざまな原因で起こる。

観察・ケア	ポイント
浮腫の原因	●低栄養状態：血清アルブミン2.5g/dL以下になると浮腫が起こりやすい ●リンパ液の流れの障害：がんのリンパ節転移やリンパ節郭清術後などに伴う浮腫 ●腎性浮腫：ネフローゼ症候群や腎不全などで、水とNaClの排泄障害による浮腫など
浮腫の自覚症状	●顔がはれぼったい ●眼瞼が重い ●指輪が外せない ●手指が曲がりにくい ●足が重い ●靴が入りにくい
浮腫の観察	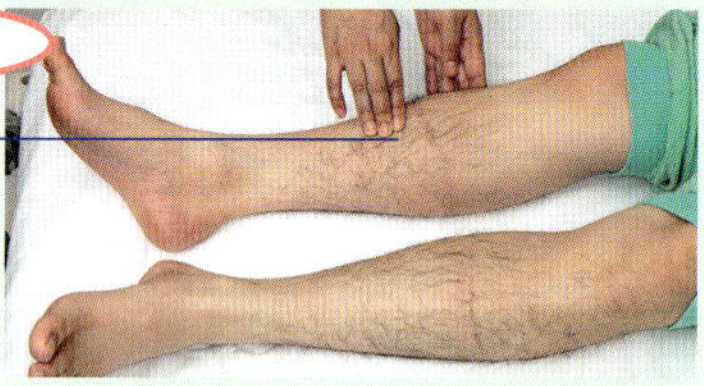 ●圧痕：圧迫した後の皮膚の戻り具合（脛骨前面部、足背部を用いる） ●靴下のゴム、下着のゴム痕がついていないかを観察 ●尿量・体重の推移 ●浮腫のある部位の周囲径（例：腹囲など） ●浮腫のある皮膚の観察 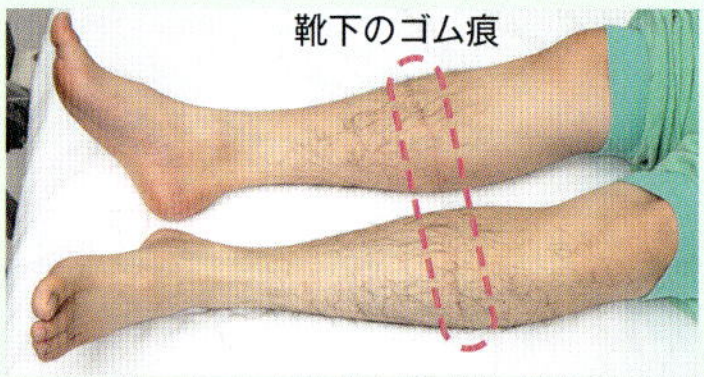 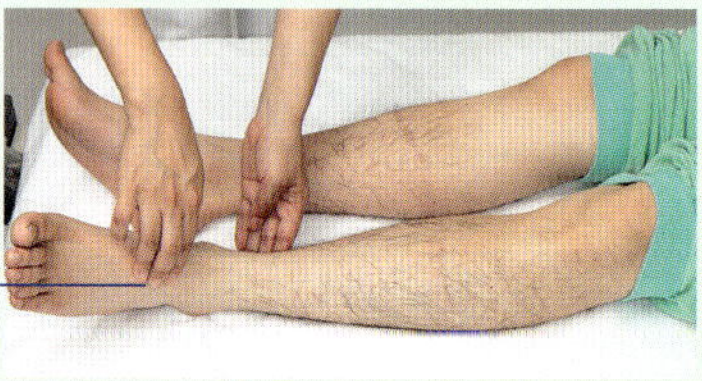
浮腫がある人へのケア	●皮膚のケア 浮腫のある皮膚は伸展し、乾燥して、弱くなっている。皮膚の乾燥を防ぎ、ケア時にはやさしく触れることが大切である。 ●体位の工夫 浮腫の部位を挙上することで、静脈還流を促進する。 ●末梢から中枢にマッサージ 末梢から中枢にマッサージすることにより、静脈還流を促進する。ただし、リンパ浮腫や悪性腫瘍がある場合には、マッサージをしてはならない場合もあるため、注意が必要である。 ●温浴・温罨法 皮膚の血管を拡張させ、組織間液の還流を促す。

悪心・嘔吐の観察

悪心・嘔吐は消化器疾患だけでなく、さまざまな疾患や薬剤などにより起こる。
悪心・嘔吐症状がある場合は、吐物を観察するとともに、随伴症状の観察も重要である。

<table>
<tr><th>観察内容</th><th colspan="2">ポイント</th></tr>
<tr><td>発症時期・内容</td><td colspan="2">●いつ頃から始まっているか
●食事時間との関係：食事の内容、腹痛の発症状況と集団性
●随伴症状の確認：発熱・腹痛・下痢・嘔吐・めまい</td></tr>
<tr><td>吐物の性状</td><td colspan="2">●血液混入の有無（消化管出血の有無）
●異物・刺激臭（農薬・毒物など）
●便の混入（イレウスなど）</td></tr>
<tr><td>吐物の臭い</td><td colspan="2">●酸臭：胃がんによる幽門狭窄
●便臭：イレウス
●尿臭：尿毒症
●アセトン臭（甘酸っぱいような臭い）：糖尿病性ケトアシドーシス</td></tr>
<tr><td rowspan="6">随伴症状から
アセスメント
できること</td><td>随伴症状</td><td>関連する疾患</td></tr>
<tr><td>●めまい・耳鳴</td><td>●前庭器官の障害（耳鼻科疾患）など</td></tr>
<tr><td>●腹痛</td><td>●急性胃腸炎・胃十二指腸潰瘍・イレウスなど</td></tr>
<tr><td>●腹痛・発熱</td><td>●食中毒・消化管穿孔・虫垂炎など</td></tr>
<tr><td>●頭痛</td><td>●脳腫瘍・くも膜下出血など</td></tr>
<tr><td>●ショック症状・意識障害</td><td>●脳腫瘍・脳血管疾患・尿毒症・糖尿病性昏睡など</td></tr>
</table>

【参考文献】1）大西和子（1998）．ナーシングレクチャー 消化器系疾患をもつ人への看護．中央法規．
2）西村かおる（2009）．疾患・症状・治療処置別 排便アセスメント＆ケアガイド．学習研究社．
3）橋本信也（1995）．JJNブックス 症状の起こるメカニズム．医学書院．
4）蝦名美智子（1998）．ナーシングレクチャー 皮膚を介した看護の技術．中央法規．

MEMO

CHAPTER 11
感染予防の技術

到達目標
標準予防策(スタンダードプリコーション)の考え方、感染の伝播様式を理解し、患者・医療者ともに感染のリスクから身を守るための技術について学習する。

C O N T E N T S

①手洗い

学習のポイント
- 標準予防策(スタンダードプリコーション)の理解
- 衛生的手洗い

②防護具の取り扱い

学習のポイント
- 手袋の外し方
- ガウンの脱ぎ方

③無菌操作

学習のポイント
- 滅菌パックの開け方
- 鑷子の取り扱い
- 消毒薬の取り出し方
- 滅菌手袋の装着法

④感染性廃棄物の取り扱い

学習のポイント
- 感染性廃棄物の理解
- 針刺し防止の具体策

CHECKING & ASSESSMENT

清潔行動

咳・痰などの飛沫

感染予防行動

点滴・留置針

病室の清潔・換気

基礎疾患・治療による免疫力の低下

創部、ドレーン挿入部、皮膚疾患

おむつの装着

膀胱留置カテーテル

感染性疾患への罹患（病原菌の伝播経路）

患者の状況

感染予防策の必要性・方法をアセスメント

学生の状況

基礎知識

- □ 標準予防策（スタンダードプリコーション）
- □ 感染経路と病原菌伝播予防対策
- □ 患者の疾患と治療の特性

これまでの実施経験・練習

- □ 手洗い法、無菌操作、滅菌物の取り扱い、感染性廃棄物の取り扱いを実施、見学
- □ 使用可能な物品、廃棄処理の場所・分別方法
- □ 学生自身の抗体価、予防接種状況

患者へのケア場面

- □ 患者とのかかわり場面ごとの感染リスクと防止策
例：食事・排泄・与薬

看護師・教員・病棟人員の状況、指導体制

- □ 感染予防の方法を確認してくれる指導者

実習方法を決定

- □ 学生が単独で実施
- □ 看護師・教員の指導の下で実施
- □ 見学を通して学習

CHAPTER 11

1 手洗い

学習のねらい

医療の場面においては、医療行為や看護行為の前後に石けんと流水で手を洗い、手指に付着した微生物、皮膚常在菌を除去する衛生的手洗いと、皮膚深部に常在する菌も極力除去する手術時手洗いがある。手洗い法は、あらゆる感染予防策の基本である。本項では、衛生的手洗いの方法を学ぶ。

覚えておきたい基礎知識

感染には飛沫感染、空気感染、接触感染があり、患者・医療者ともに感染から守られることが重要である。
そのために、すべての患者の血液・体液・分泌物(汗は除く)、排泄物、傷のある皮膚、粘膜を感染の可能性のあるものとして扱う標準予防策(スタンダードプリコーション)を実施することが、感染予防の基本的な考え方となっている。

標準予防策(スタンダードプリコーション)の代表的な方法

手洗い

- 排泄物(血液・便・尿など)、創部、粘膜に触れる前後
- 患者への接触、手袋を装着した処置の前後

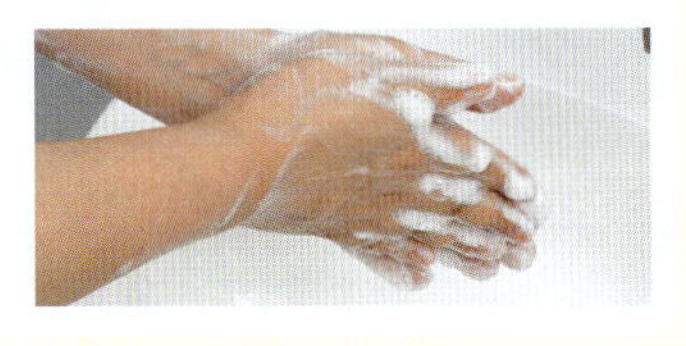

手袋の装着

- 排泄物(血液・便・尿など)、創部、粘膜に触れる場合
- 汚染されたリネン・衣類に触れる場合

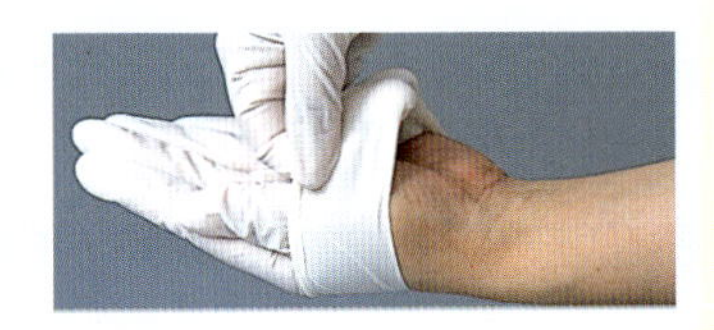

エプロン・ガウンの装着

- 排泄物(血液・便・尿など)により衣類が汚染される可能性がある場合

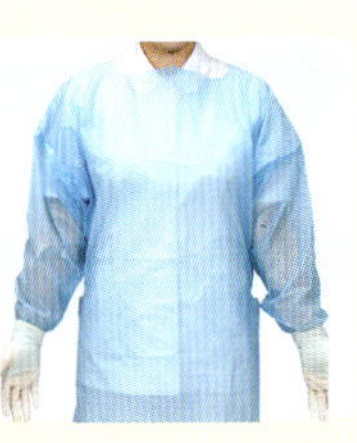

マスク・ゴーグルの装着

- 排泄物(血液・便・尿など)が飛散して目・口鼻腔に付着・吸入する可能性がある場合

専用の廃棄容器に廃棄

- 針やアルコール綿など排泄物の付着した廃棄物は、専用の廃棄容器に捨てる。針は耐貫通性の容器に捨て、針刺しを防止する

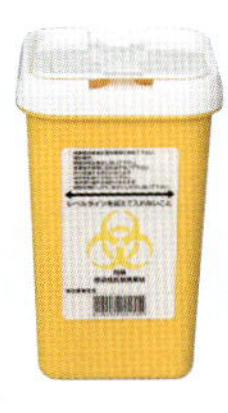

ワクチン接種による予防

- ワクチン接種によって予防可能な感染症(麻疹・風疹・B型肝炎・流行性耳下腺炎・水痘など)については、抗体価を調べワクチン接種を検討する

実施する前に確認しよう!

患者の状況	周囲の状況	あなた自身
□ 感染性の疾患にかかっていない? □ 感染しやすい状況は? 免疫力の低下は? □ 感染経路として可能性のある部位は? (消化器症状、呼吸器症状、皮膚・粘膜・創部の状態、ドレーン・チューブ類の挿入、点滴・留置針の有無、おむつの装着など)	□ 手洗い場はある? □ 周囲に汚染された物品が放置されていない? □ シーツ、リネンなどに汚染物が付着していない?	□ 目に見える汚れは洗い落とした? □ 手荒れや手指の傷はない?

衛生的手洗い

❶ 両手のひらをもみ合わせ、石けんをよく泡立てる。

❷ 手の甲を片手ずつ、こすって洗う。

❸ 片方の手のひらに、もう片方の手の爪をこすりつけて洗う。反対側の手の爪も同様に洗う。

❹ 指を開いて、両手の指の間をこすり合わせて洗う。

❺ 片方の親指を、もう片方の手で握り、回転させて洗う。反対側の指も同様に洗う。

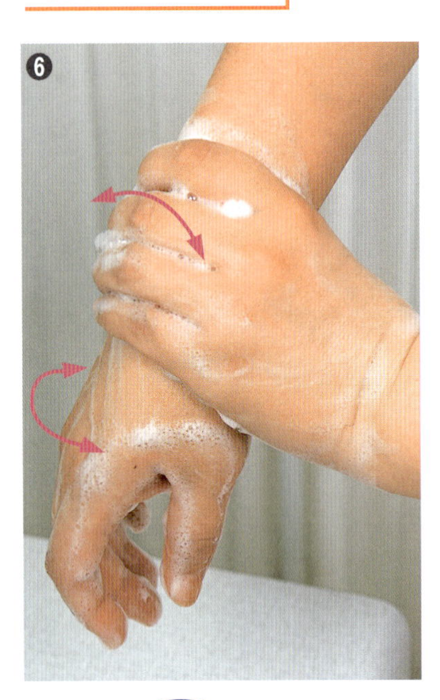

❻ 片方の手で、もう片方の手首を握り、回転させて洗う。反対側の手首も同様に洗う。

手洗いと同様の動作で、十分にすすぐ。

❼ 紙タオルで、水分を指先から順に拭き取る。 水滴が逆流しないよう、指先を上向きに

実施後に振り返ってみよう!

確認

□ 手を十分にすすぎ、乾燥させた?
□ 手洗いシンク周辺や床が濡れていない?

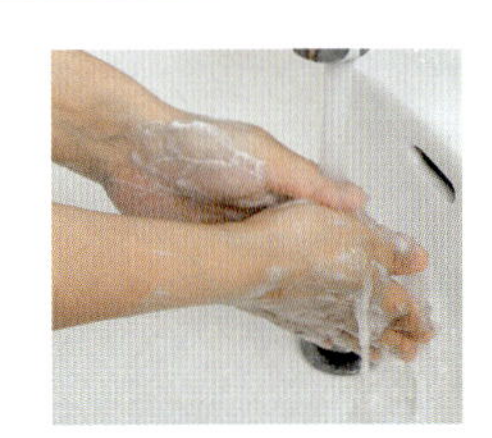

こんな時どうする?

CASE 手洗い設備がない!

手洗い設備がない場合は、速乾性擦式消毒薬を用いることができる。患者の皮膚に直接触れた後、ベッド柵に触れた後、リネン交換の時など、手指に目にみえる汚染がない場合は、手洗いと同様の動作で手指全体に消毒薬を擦り込む。

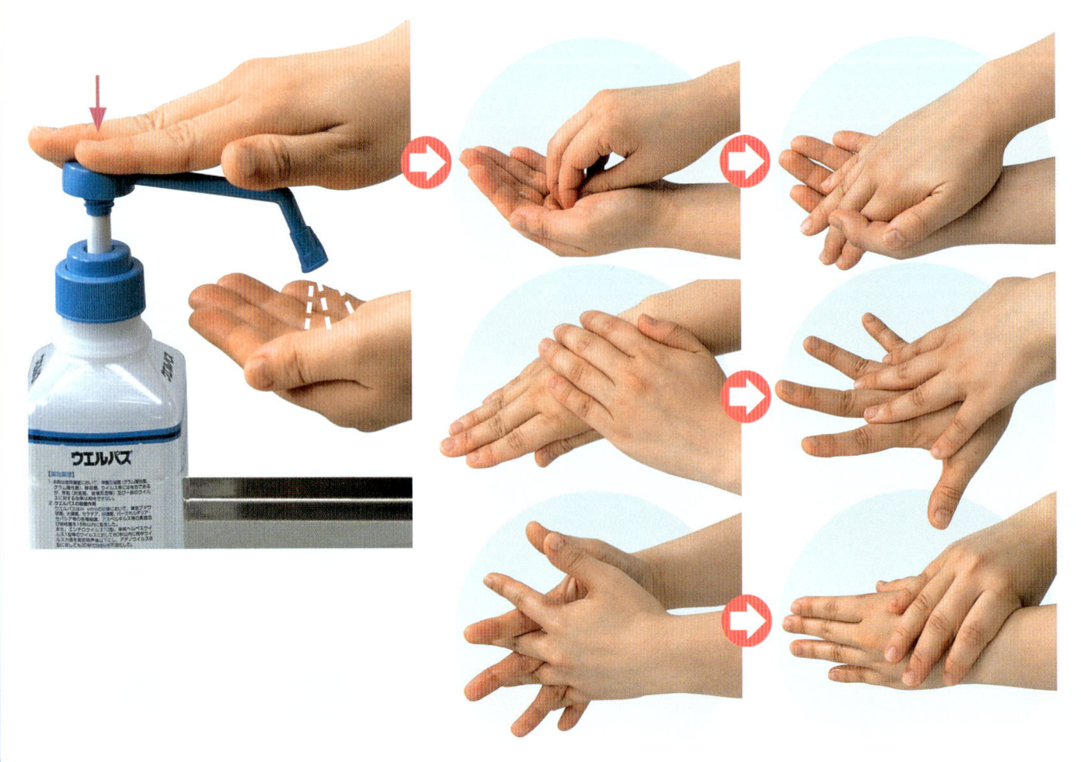

CHAPTER 11

2 防護具の取り扱い

学習のねらい

手袋、マスク、ゴーグル、フェイスシールド、ガウンなどを防護具と呼ぶ。
防護具は、①患者から医療者への感染、②医療者から患者への感染、③医療者が媒介となった患者から患者への感染を防ぐために使用する。
本項では、汚染された可能性のある手袋とガウンの取り扱い方法について学ぶ。

覚えておきたい基礎知識

手袋は患者ごと、1つの処置ごとに取り替える必要がある。
手袋には、非滅菌手袋と滅菌手袋があり、無菌的処置が必要な場合には滅菌手袋を使用する。

非滅菌手袋

- 体液や滲出液を扱う時
  ①採血、口腔ケア、排泄ケア
  ②痰や血液を拭き取る時
  ③ドレーン(内容物)廃棄時
  など
- 医療者の手指に創傷がある時
- 汚染された物品やリネン類を扱う時

滅菌手袋

- 無菌的処置時
  ①手術
  ②中心静脈カテーテル挿入
  ③尿道カテーテル挿入
  ④骨髄・腰椎穿刺
  ⑤気管内吸引
  など

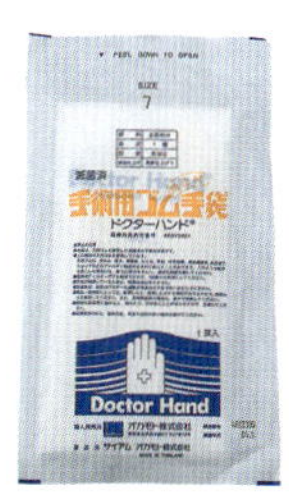

滅菌手袋

実施する前に確認しよう!

患者の状況

- □ 感染性の疾患にかかっていない?
- □ 感染しやすい状況は?
  免疫力の低下は?
- □ 感染経路として可能性のある部位は?
  (消化器症状、呼吸器症状、皮膚・粘膜・創部の状態、ドレーン・チューブ類の挿入、点滴・留置針の有無、おむつの装着など)

周囲の状況

- □ 手洗い場はある?
- □ 周囲に汚染された物品が放置されていない?
- □ シーツ、リネンなどに汚染物が付着していない?

あなた自身

- □ 目に見える汚れが手袋・ガウンに付着していない?
- □ 手荒れや手指の傷はない?

手袋の外し方

処置後、手袋を外す際は、手袋を裏返すように引き抜き、
汚染された表側が内側になるようにする。

❶ 手袋の手首のあたりを把持する。

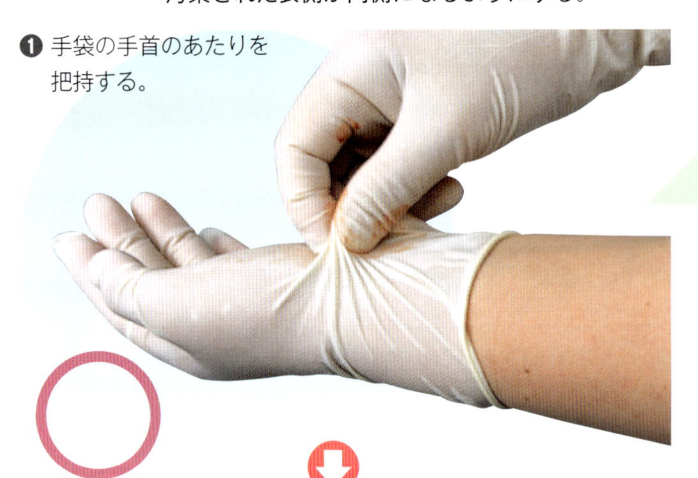

EVIDENCE

■ 手袋の端をつかんだり、手袋と手の間に指を入れると、汚染の原因になる。

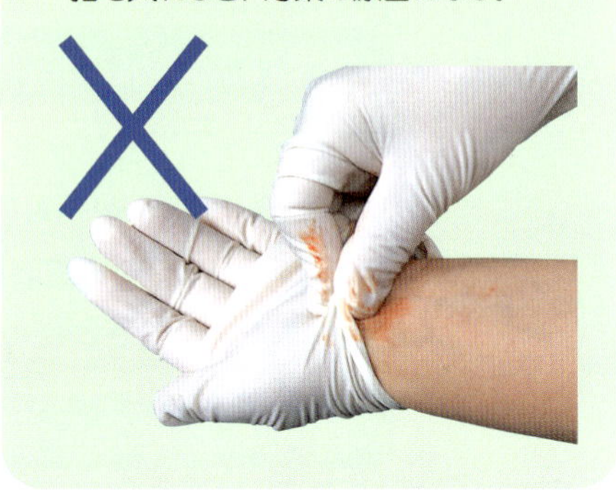

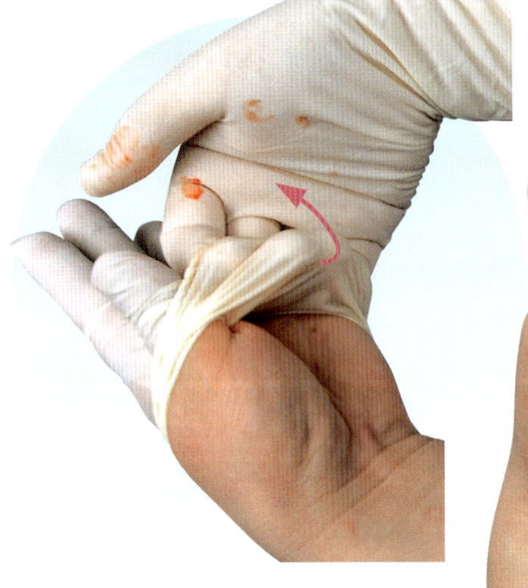

❷ 手首の部分でつかんだ手袋を指にかけ、手袋の内側が表になるように外す。

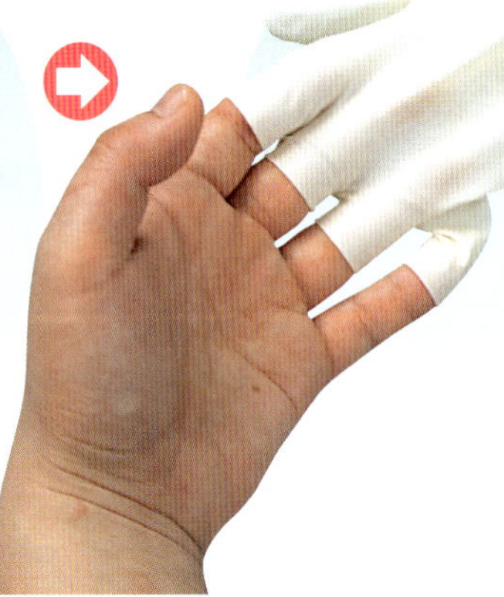

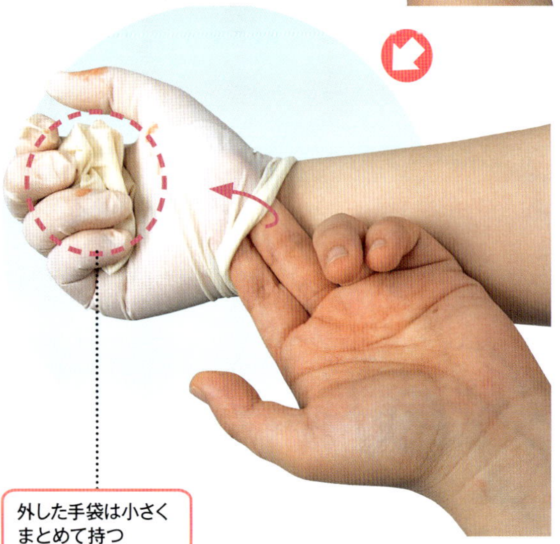

外した手袋は小さくまとめて持つ

❸ 手袋を裏返すように引き抜く。

❹ 外した手袋を丸め、手袋装着側の手に持つ。手袋と手首の間に指2 ～ 3本を入れる。

手袋の端を丸めるように引っ張り、汚染された部位が内側になるように外す。

❺ 外した手袋は、感染性廃棄物として廃棄する。

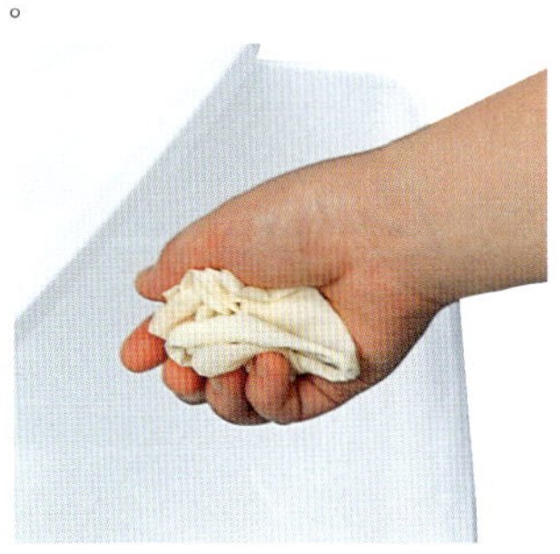

ガウンの脱ぎ方

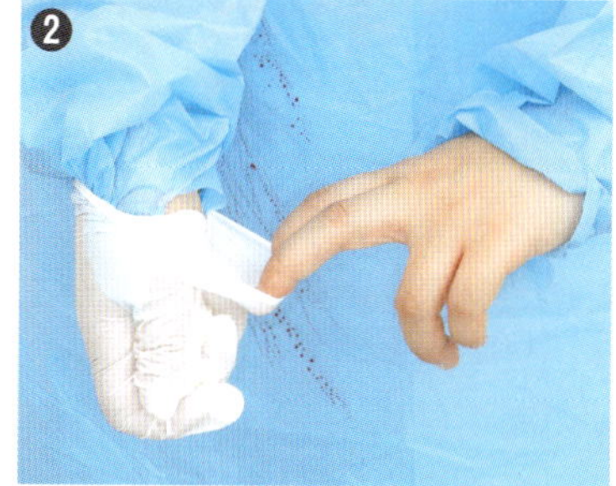

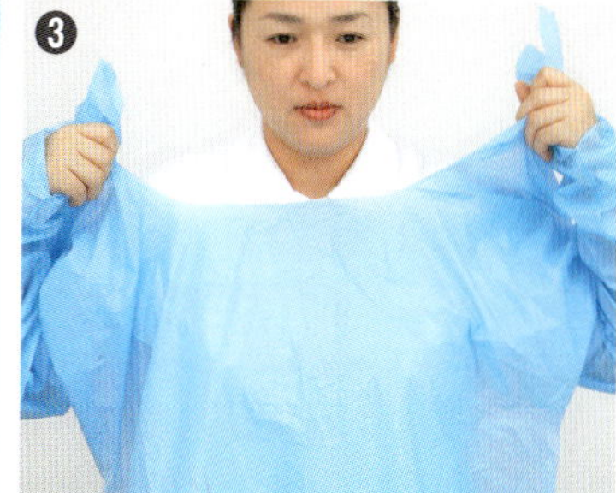

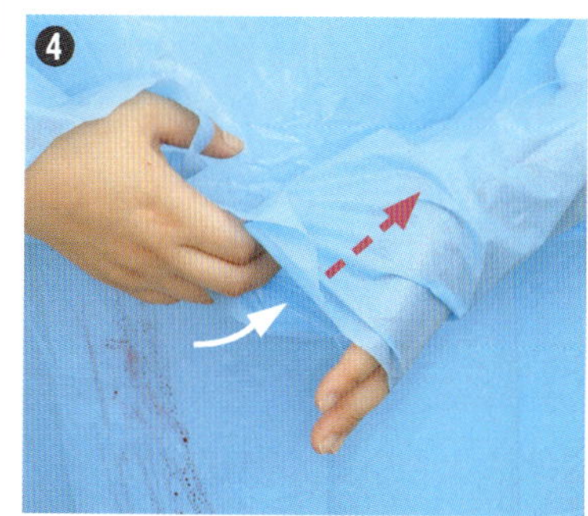

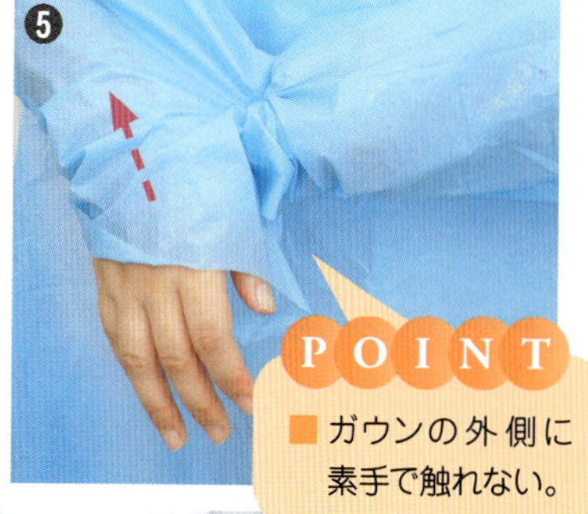

POINT
■ガウンの外側に素手で触れない。

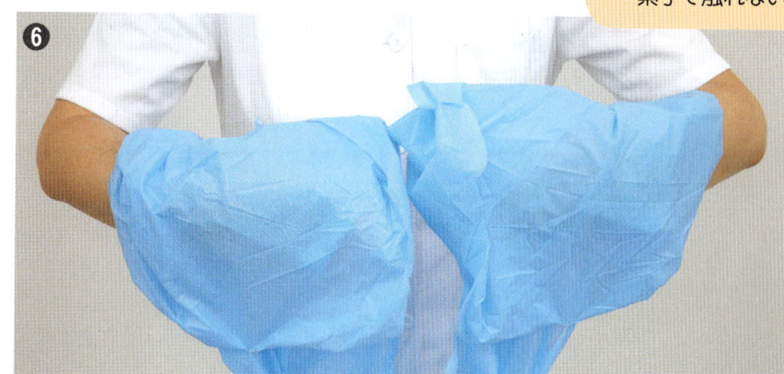

❶❷ 汚染部位を確認し、まず手袋を外す。汚染部位に触れないよう注意する。手指消毒を行う。腰ひもをほどく。

❸ 襟ぐりを両手で左右に引いてちぎり、内側が表になるよう肩の部分を外す。

❹ 片方の袖口に、もう片方の手の第2・3指を入れ、腕を抜く。

❺ 袖を介して反対側の袖をつまみ、腕を抜く。

❻ 両袖の中から、内側が表になるようガウンを小さくたたんでいく。ガウンの汚染部分を中に巻き込む。

❼ 脱いだガウンは感染性廃棄物として廃棄し、汚染物質の拡散を防ぐ。

実施後に振り返ってみよう!

確 認

□最後に手洗いを行った?
□廃棄したものが、廃棄ボックスからはみ出していない?
(汚染物の飛散や接触を防ぐ)

こんな時どうする?

CASE **ガウンと手袋の両方を装着! 着脱の順番は?**

基本的にガウンと手袋の両方を装着する場合、装着時は①ガウン、②手袋の順、外す場合は①手袋、②ガウンの順になる。手指は汚染されやすいため、最初に外すことによりガウンや周囲への汚染を防ぐことができる。

CHAPTER 11

3 無菌操作

学習のねらい

無菌操作は、使用する衛生材料や医療器具に微生物が付着していない状態を保つ手技である。無菌的な取り扱いの必要な導尿の技術、シリンジ・注射針の取り扱い、創部の消毒やドレッシング、穿刺を行う検査・処置など、無菌操作はあらゆる看護援助の基本である。
本項では、滅菌パックの開け方、鑷子の取り扱い方、消毒薬の取り出し方、滅菌手袋の装着法について学ぶ。

覚えておきたい基礎知識

滅菌物の取り扱い時は、次の事柄に留意する。

1. 滅菌物を取り扱う場合は、窓を閉め、ほこりなどが立たないように人の出入りも少ない環境で行う。周囲に不潔なものがある場所、不安定な作業台は避ける。
2. 無菌操作中は、落下菌、飛沫の発生を防ぐためにも、滅菌物の上での会話や物品の移動は避ける。
3. いったん開封した滅菌物は、未使用のままであっても廃棄するか、再度滅菌する。袋や容器からいったん取り出した滅菌物は、未使用でも元に戻さない。

実施する前に確認しよう！

患者の状況

- □ 感染性の疾患にかかっていない？
- □ 感染しやすい状況は？
  免疫力の低下は？
- □ 感染経路として可能性のある部位は？
  （消化器症状、呼吸器症状、皮膚・粘膜・創部の状態、ドレーン・チューブ類の挿入、点滴・留置針の有無、おむつの装着など）

周囲の状況

- □ 窓は閉まっている？
- □ 周囲に汚染された物品が放置されていない？
- □ 作業台は安定している？

あなた自身

- □ ユニホームやエプロンなどに汚れが付着していない？
- □ 手洗いを済ませた？

滅菌パックの開け方

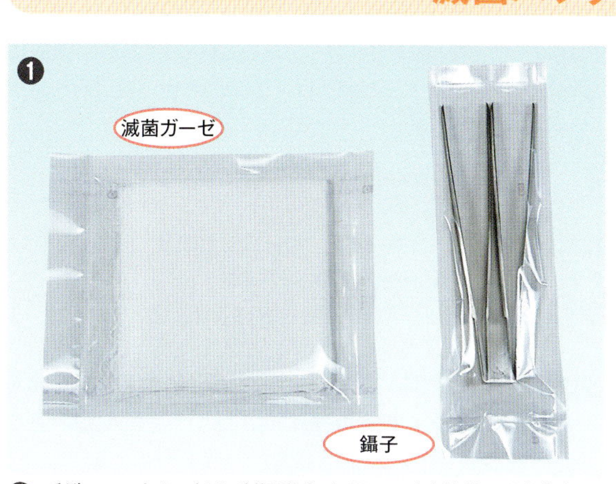

❶ 手洗い、もしくは手指消毒を行い、滅菌物の滅菌保証期限を確認。パックに破損や汚れがないことも確認する。少しでも汚れ、破損がある場合は使用しない。

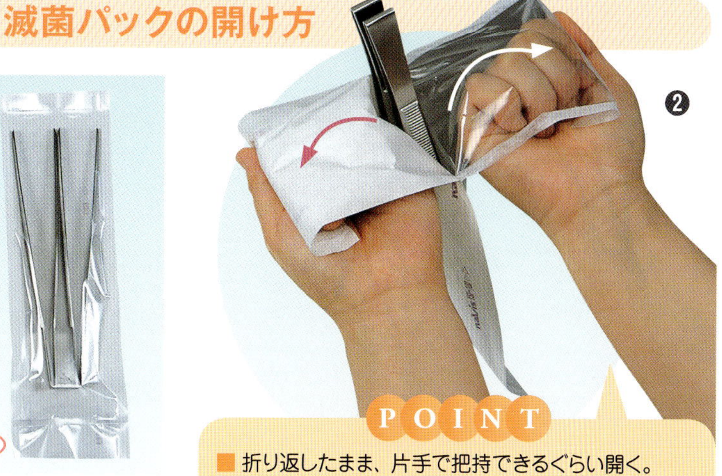

POINT
- 折り返したまま、片手で把持できるぐらい開く。
- 折り返しが元に戻り、不潔にならないよう注意！

❷ 鑷子の把持側から、両手で滅菌パックを開く。

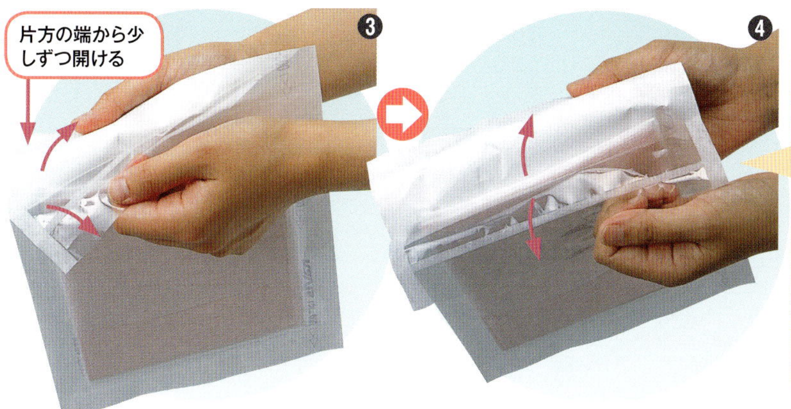

POINT
- ガーゼの端がつかめる程度に開く。
- パックを開きすぎると周囲に触れる面が増え、汚染の可能性が高まる。
- パックの開け口が狭い場合は、処置者が取り出しにくい。
- 大きな滅菌パックは、両端を少し開けてから、中央を開くときれいに折り返せる。

❸ ❹ 滅菌ガーゼのパックの端を両手で少しずつ、開いていく。

鑷子の取り扱い

持ち方

鑷子は上1/3を持つ習慣をつける。

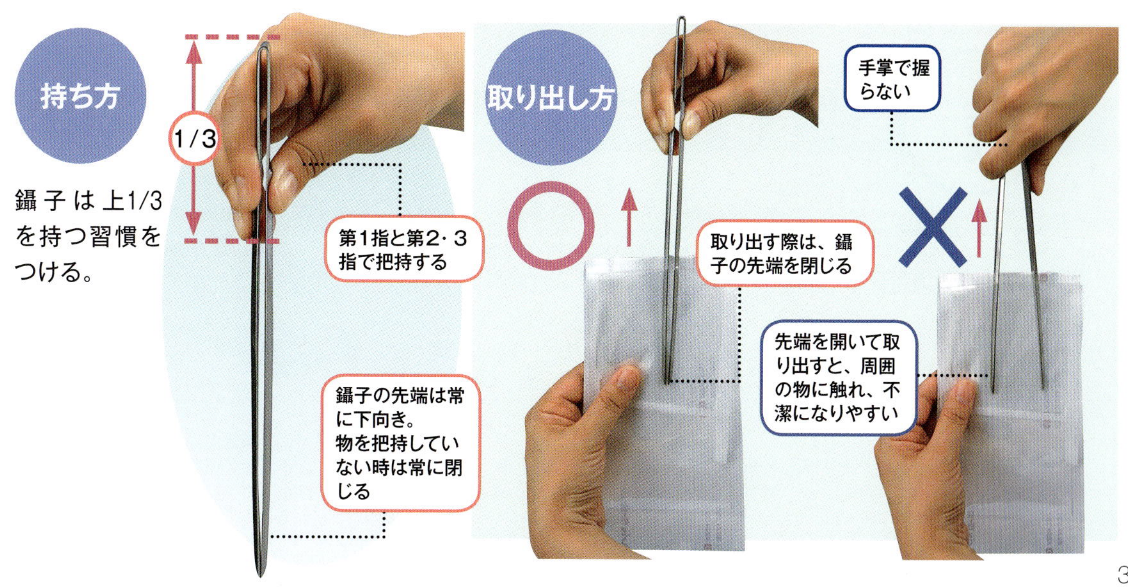

消毒薬の取り出し方

撮影用に、透明な容器を使用している

❶ 綿球の端をつかみ、取り出したらすぐに蓋を閉める。綿球に消毒薬がしみ込みすぎている場合は、容器の内側の壁でしぼる。

POINT

- 消毒薬がしみ込みすぎていると、受け渡しの際や、創部に塗布した際、リネンなどに垂れて周囲を汚染する。
- 綿球を取り出す際、容器の縁に触れないよう注意。

❷ 渡す側（介助者）が綿球の上、受け取る側（処置者）が綿球の下を把持し、両鑷子の先端が触れないように注意する。渡す側は、受け取る側が綿球の下を確実につかんだら、離す。

EVIDENCE

- 鑷子を上に向けると消毒薬が把持部まで垂れ、再び下に向けると垂れた消毒薬が元に戻って不潔。

POINT

- 両鑷子の先端が触れないように注意！

覚えておくと、役立ちます！

ディスポーザブル製剤で感染リスクを軽減

消毒綿球のパックや綿棒タイプのディスポーザブル製品がある。いずれも容器の滅菌・消毒の必要がなく、感染のリスクが減少する。

滅菌パック

消毒薬を含ませて使用する

滅菌手袋の装着法

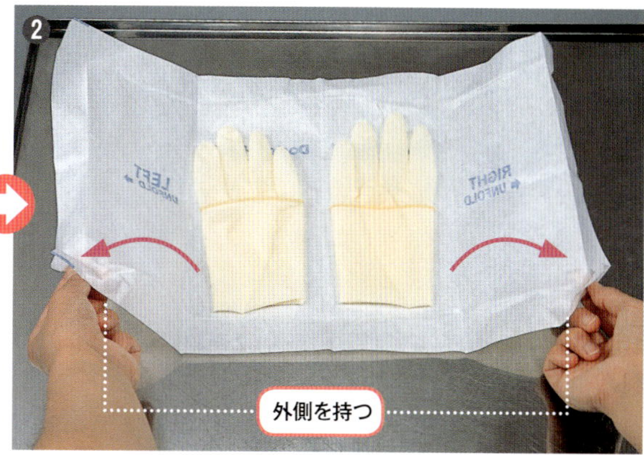

❶ サイズの合った手袋を選択。爪は短く切っておく。手洗いを行い、水分をよく拭き取る。滅菌パックの上部を開き、手袋の包みを取り出す。

❷ 包み紙の内側に触れないよう、外側を持って広げる。

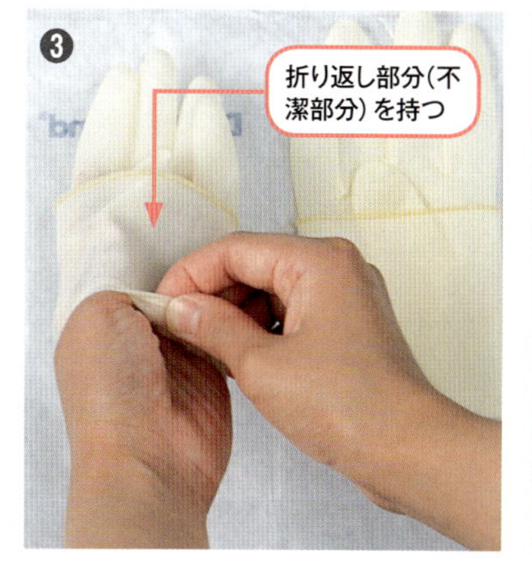

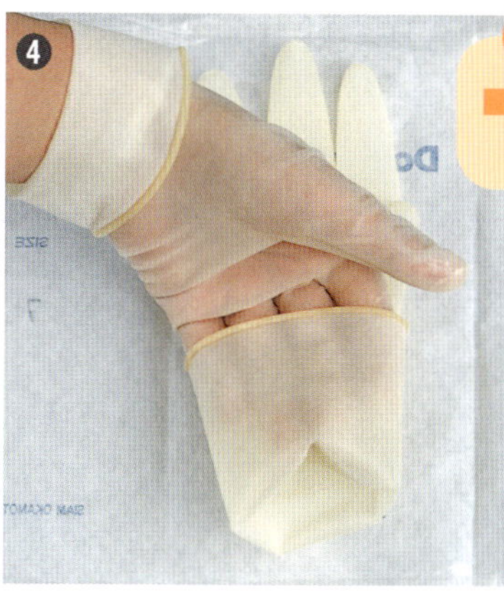

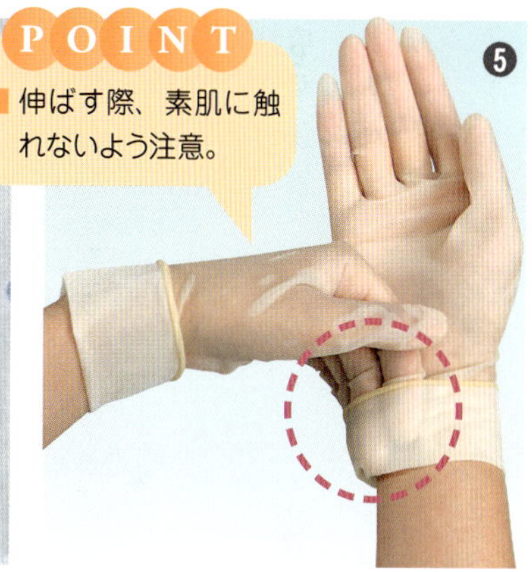

❸ 手袋の折り返し部分を持って、手を通す。利き手ではない側の手から装着する。

❹ 手袋を装着した手を、もう片方の手袋の折り返し部分に入れて取り出す。そのまま、もう片方の手に装着する。

❺ 両手の折り返し部分を伸ばし、手首に密着させる。

実施後に振り返ってみよう!

確認

□不潔になった物品、開封済みの物品は廃棄、あるいは再滅菌に出す

こんな時どうする?

滅菌ガーゼを開封して、使わなかった!

滅菌ガーゼは、1度開封すると滅菌状態が保たれない。
無菌状態のガーゼが必要な処置の場合、いったん開封した滅菌ガーゼを後日使用することはできない。
パックの口を折りたたんで保管したり、次の処置に使うようなことをせず、新しいものを使用する。

CHAPTER 11

4 感染性廃棄物の取り扱い

学習のねらい

医療現場では、さまざまな廃棄物が発生する。それらは標準予防策(スタンダードプリコーション)の考え方に沿って取り扱い、感染防止を行うことができる。本項では、感染性廃棄物の分類・処理方法と、針刺し防止のポイントについて学ぶ。

感染性廃棄物とは

廃棄物処理法に基づく感染性廃棄物処理マニュアル(平成21年5月環境省大臣官房 廃棄物・リサイクル対策部)によれば、下記のものは感染性廃棄物として分別し、処理する。これらのうち、鋭利なものは専用の耐貫通性廃棄容器に捨て、そのほかはバイオハザードマークのついた専用容器に入れる。

分類	品目	備考
医療器材	●注射針 ●メス ●ガラス製器材 (試験管・シャーレ・アンプル・バイアルなど)	血液が付着していなくても、鋭利なものは感染性廃棄物と同等の取り扱いとする
ディスポーザブル製品	●ピンセット ●注射器 ●カテーテル類 ●透析回路 ●輸液点滴セット ●手袋 ●血液バッグ ●リネン類 など	
衛生材料	●ガーゼ ●脱脂綿 など	
その他	●紙おむつ ●検体標本 など	紙おむつは、特定の感染症の場合は感染性廃棄物として扱う

バイオハザードマークは次の3色に分けられている。

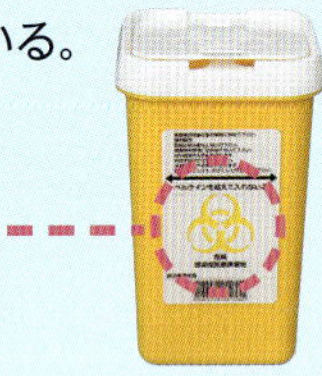

赤色
泥状・液状のもの
(血液など)

橙色
固形状のもの
(血液が付着したガーゼなど)

黄色
鋭利なもの
(注射針など)

針刺し防止の具体策

針刺しは、使用済みの針を廃棄する時の操作であるリキャップによって発生することが多い。針刺しを防止するために、誤刺防止機能のついた器具を積極的に取り入れるとともに、リキャップをしない、針捨て容器から飛び出さないよう廃棄するなどの注意が必要である。

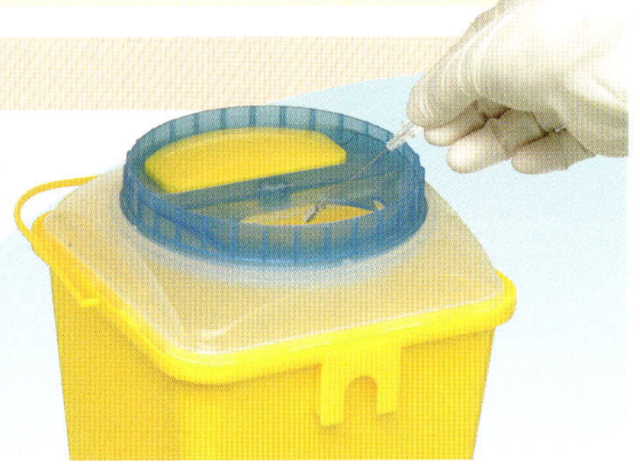

MEMO

CHAPTER 12
安全管理の技術

到達目標

本書ではCHAPTER 1～11まで、さまざまな看護技術を取り上げてきた。これらの技術を安全に実施することは言うまでもない。
本章では、特に安全管理の視点から、「安全な療養環境の整備」「誤認・誤薬防止のための行動」「抗がん薬の取り扱い」「チーム医療と安全管理」について学ぶ。

CONTENTS

CHECKING & ASSESSMENT

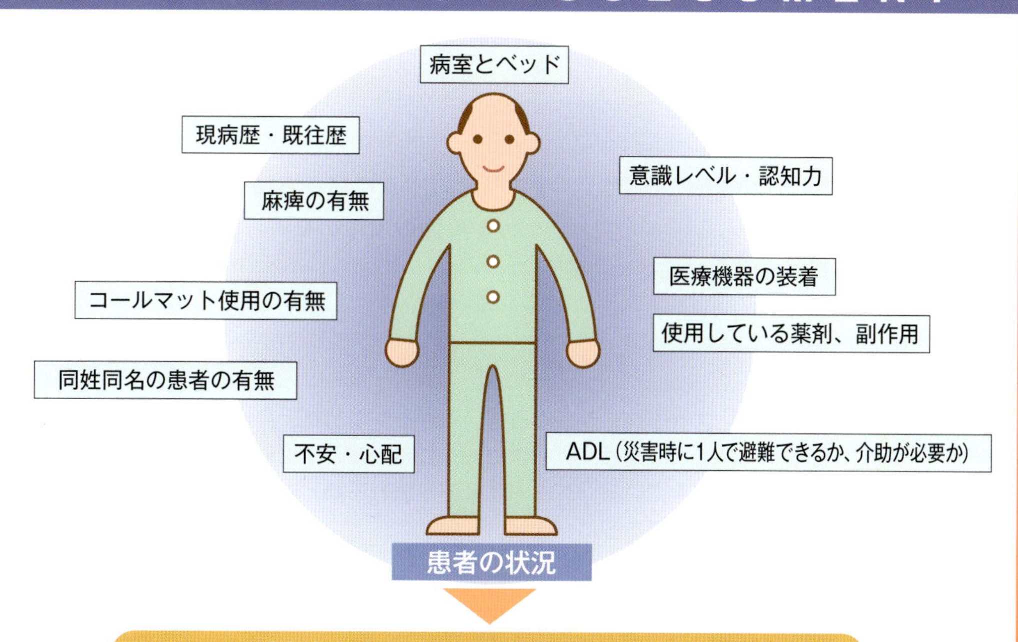

援助の必要性・方法をアセスメント

学生の状況

基礎知識

- □ 安全な療養環境のポイント
- □ 誤認・誤薬防止策
- □ 抗がん薬の取り扱い
- □ 災害時マニュアルの閲覧と理解
- □ 報告・連絡・相談の知識

これまでの実施経験・練習

- □ 安全な療養環境に関する学内演習
- □ 受け持ち患者の安全な環境整備に関する見学
- □ 受け持ち患者の誤認・誤薬防止の見学
- □ 受け持ち患者の抗がん薬の取り扱いの見学
- □ 病棟の災害時マニュアルの閲覧
- □ 報告・連絡・相談の学内演習

患者へのケア場面

- □ 緊張・遠慮・リラックス
- □ 不安・焦り・時間的余裕

看護師・教員・病棟人員の状況、指導体制

- □ 技術指導してくれる人やロールモデルがいるか
- □ 報告・連絡・相談を受ける教員や指導者がいるか

実習方法を決定

- □ 学生が単独で実施
- □ 看護師・教員の指導の下で実施
- □ 見学を通して学習

CHAPTER 12

1 安全な療養環境の整備

学習のねらい

入院している患者にとって、ベッド周囲の療養環境を整備することは、安全という観点からも重要である。本項では、ベッド周囲の環境の見直し、意識状態が清明ではない患者の療養環境整備について学ぶ。

ベッド周囲の整備

ベッド周囲では、ストッパーがかかっていなかったために、患者がベッドに腰かけようとした際に、転倒しそうになったり、ナースコールに手が届かずに看護師を呼べなかったりという、ヒヤリ・ハットが起きている。ベッドサイドを離れる際、安全という観点からベッド周囲の環境を見直すことが大切である。

■ベッド周囲の環境整備

チェック項目	内 容	起こり得るリスク
ナースコールの位置	手の届くところにある?	●看護師を呼べず、状態が悪化 ●看護師を呼べず、患者1人で動いて転倒
床頭台や必要物品の位置	患者の必要物品(吸い飲みなど)が、手の届くところに、安定して置かれている?	●物をとることができず、体を乗り出して転倒・転落
ベッド柵の位置・本数	ケアの前後で、必要数が配置されている?	●柵がなかったために転落
ベッドのストッパー	ストッパーがかかっている?	●離床前後でのふらつき、転倒
ギャッチアップ・ハンドルの収納	ベッド幅よりも外側にハンドルが出ていない?	●ハンドルにつまずいて転倒
ベッド周囲の障害物	患者の衣類・かばんなどが床に放置されていない?	●障害物につまずいて転倒
床の状態	濡れていない?	●濡れた床で滑って転倒
靴の位置	履きやすい位置にある?	●ベッドの下に押し込まれていた靴を、とろうとして転落

■意識状態が清明ではない場合の療養環境整備(自分で動ける人の場合)

整備項目	根 拠
ベッド柵を布やマットなどで保護する	ベッド柵に体をぶつける人の場合、ぶつかっても傷害が軽減される。
ベッド柵4点全部は使わない	ベッド周囲をベッド柵4点ですべて閉じてしまうと、患者がベッド柵を乗り越えて転落する場合がある。より高いところからの転落となるため危険である。ベッド柵は3点とし、出口を確保する。
離床センサー付きマットを設置	意識状態が清明ではないと、ナースコールを押せずに1人で動いて転倒することがある。離床センサー付きマットを置くと、患者がベッドを下りてマットを踏むとナースコールが鳴り、早期に対応できる。
または	
起き上がりセンサーを設置	意識状態が清明ではないと、ナースコールを押せずに1人で動いて転倒することがある。起き上がりセンサーをつけると、患者の起き上がりとともにナースコールが鳴り、早期に対応できる。

環境整備〈基本〉 ベッド周囲の整備ポイント

安全な療養環境を整備するため、もう1度、ポイントを見直してみよう。

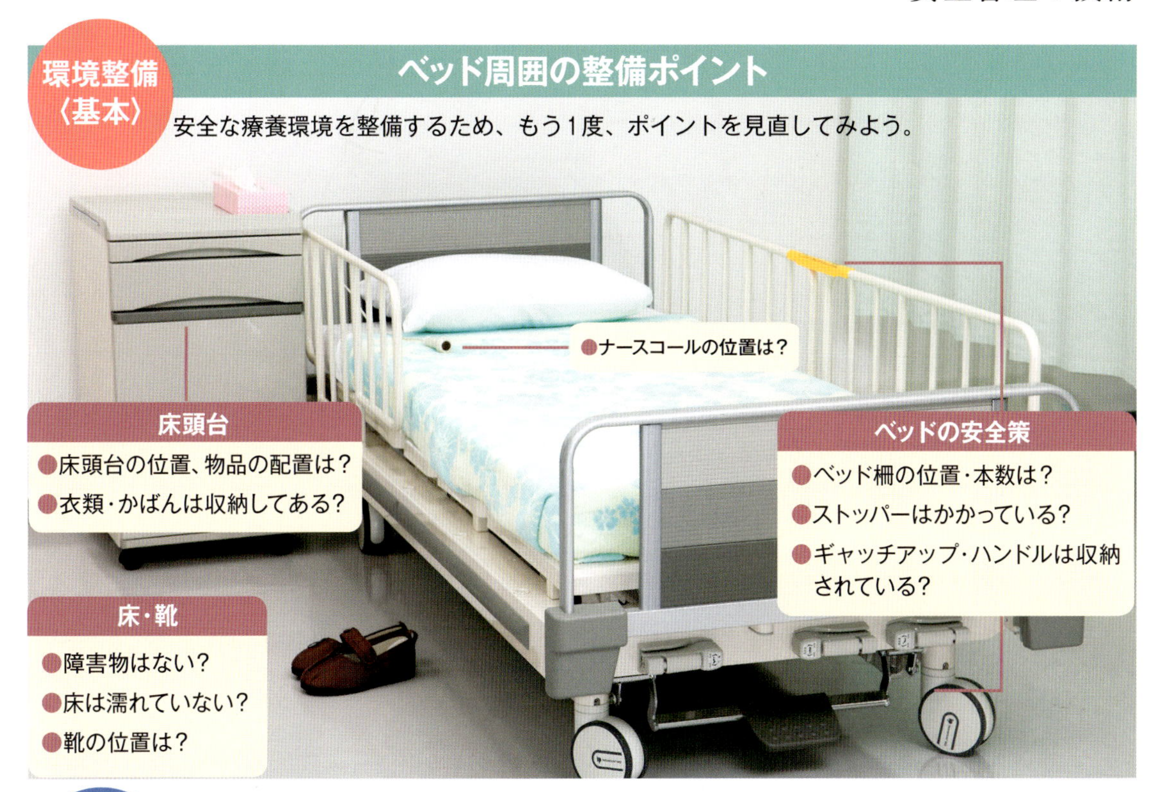

環境整備〈応用〉 意識状態が清明ではない人のための療養環境（自分で動ける人の場合）

転倒・転落を防ぐため、ベッド柵や離床センサーの使用に工夫が必要である。

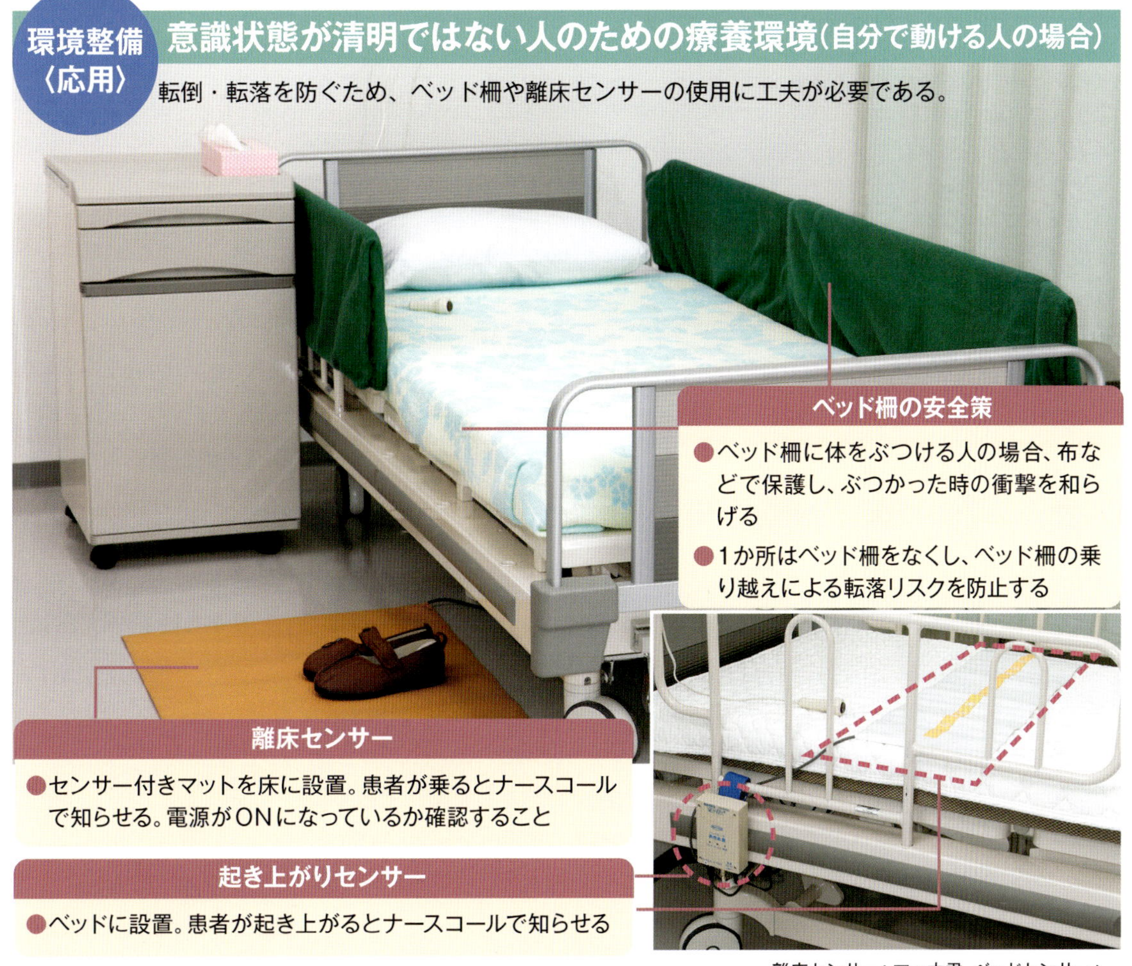

【参考文献】1)川島みどり監修(2007). 学生のためのヒヤリ・ハットに学ぶ看護技術. 医学書院.

離床センサー：マッ太君、ベッドセンサー：おき太君／提供：株式会社ホトロン

CHAPTER 12

2 誤認・誤薬防止のための行動

学習のねらい

患者の誤認や薬剤の誤った投与は、生命の危険や、回復過程にある患者の病状の悪化を招き、患者に苦痛を与えることにつながる。
本項では、患者誤認の防止策と安全な薬剤投与への対策について学習する。

患者の確認

患者確認を誤ることを「患者誤認」という。医療現場における患者の確認には、多くのツールがあり複雑である。患者誤認は、ネームバンド、検査伝票、ラベルなどで患者確認をしなかったことが直接の原因となる事例が多い。
患者誤認の原因を理解し、事故を防止することが大切である。

患者誤認の原因	患者誤認の防止策
●確認不足	●フルネームで確認する
●慣れや流れ作業的な業務の実施	●フルネームで名乗ってもらう
●患者の名前の聞き間違い	●ネームバンド、ラベル、IDカードを活用し、確認を徹底する
●医療者の思い込み(自分が呼んだ患者であると思い込む)	●声を出し、ダブルチェックを行う
●患者の思い込み(自分が呼ばれていると思い込む)	●同姓同名者、類似氏名者を同室や近い病室にしない
●同姓同名、類似氏名	●ナースステーションで、同姓者への注意を喚起する
●患者確認の手続きが徹底できない	

患者誤認によるヒヤリ・ハット

はい
○山○夫さん
○山×男

CASE 1　検査室で患者を取り違え!

MRIの検査室で、検査室の担当者が患者をフルネームで呼んだ。同姓の患者が「はい」と返事をし、検査室に入ってきた。担当者は、もう1度、フルネームで名前を確認し、患者は「はい」と答えた。その後、ネームバンドで確認を行った際、担当者は患者が違うことに気づいた。
患者の中には、認知症や難聴があり、氏名を呼ぶだけでは誤認が起こる可能性がある。

CASE 2　食事の配膳ミス!

急性膵炎で絶飲食であった患者に、食事が開始された。ところが、配膳されたのは、別の患者の通常食だった。医師から流動食であることを説明されていた患者が、「おかしいな」と配膳ミスに気づいた。
配膳の際には、ベッドサイドで食札と患者氏名を確認し、病状・病態の変化をきちんと把握しておくことが大切である。

誤薬防止

安全に薬剤を投与するには、正しい（指示通りの）薬剤を、正しい（指示通りの）方法で投与することである。確認の手順を怠らず、安全・確実に薬剤を投与することが大切である。

与薬に必要な5つの正確さ（5R）

- 正しい薬剤 Right drug
- 正しい患者 Right patient
- 正しい投与時間 Right time
- 正しい投与経路 Right route
- 正しい用量 Right dose

誤薬防止の手順

1 医師の指示確認

- 指示票（処方箋）で、正確な指示内容を把握する。

POINT

- 口頭指示は聞き間違い、意味の取り違えを招き、ミスが起こりやすい。
- 必ず、指示票により指示を受ける。

2 薬剤の準備

- 指示票（処方箋）をみて確認しながら、薬剤を準備する。
- ほかの看護師と患者名・薬剤名・投与量・投与方法・投与速度・投与日時をダブルチェックする。
- 3原則で確認：①薬剤を準備する時
  ②薬剤を詰める時
  ③薬剤を詰めた後
- 声を出し、指差し確認を行う。

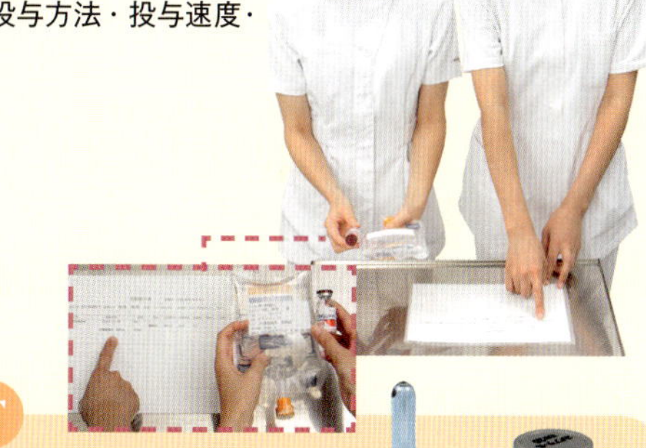

POINT

- 患者にその薬剤が投与される根拠、薬剤の副作用を確認。
- 薬剤準備中にナースコールで呼ばれても、すぐに作業を中断しない。区切りのよいところで中断し、コールに対応する。同時並行して行うとミスにつながる。
- 指示量の単位に注意！　mg・g・mL・A（アンプル）・V（バイアル）？
- 投与方法に注意！　静脈注射（iv）・皮下注射（sc）・筋肉注射（im）・持続点滴？

3 薬剤の投与

- 患者のベッドサイドに行く時は、「1患者1トレー」の原則を守る。
- ベッドサイドで、患者に氏名を名乗ってもらい、処方箋・薬剤と照合する。
- 患者が名乗れない場合、睡眠中などの場合は、ネームバンドと照合したり、患者以外の人とダブルチェックを行う。

POINT

- 同じトレー内に、複数の患者の薬剤を入れると、薬剤取り違えの原因になる。

1患者1トレーが原則！

【参考文献】1）佐藤エキ子編（2009）．新体系　看護学全書 第37巻　看護の統合と実践①：看護実践マネジメント・医療安全．メヂカルフレンド社．

CHAPTER 12

3 抗がん薬の取り扱い

学習のねらい

抗がん薬は人体に強い影響を及ぼす可能性が高い薬剤である。薬剤を調整する時に、目に見えない小さな飛沫が発生する可能性があり、それが皮膚から吸収されたり、吸入されることを防ぐ必要がある。また、投与された患者の排泄物から曝露する可能性もある。抗がん薬の適切な取り扱いを学ぶ。

抗がん薬の曝露を避けるための対策

調剤時

安全キャビネットでの調剤

安全キャビネットは、作業台内を常に陰圧に保ち、フィルターで排気を濾過し、抗がん薬の小さな飛沫が外部へ拡散しないよう設計されている。
安全キャビネットがない病棟などで調剤する場合は、防護用具を正しく使用し、曝露を最小限に抑える。

防護用具を正しく使用

保護ガウン：長袖で袖口が縮まり、撥水加工されたディスポーザブル製品
手袋：パウダーフリーのもの
マスク：フィルターマスク
ゴーグル：防塵用保護メガネ、ゴーグルまたはディスポーザブルのゴーグル
保護キャップ：頭髪を完全に覆うもの

投与時

シリンジからの漏出防止

抗がん薬をシリンジやボトルに詰めて持ち運ぶ際には、漏出防止のキャップやシールをつける。

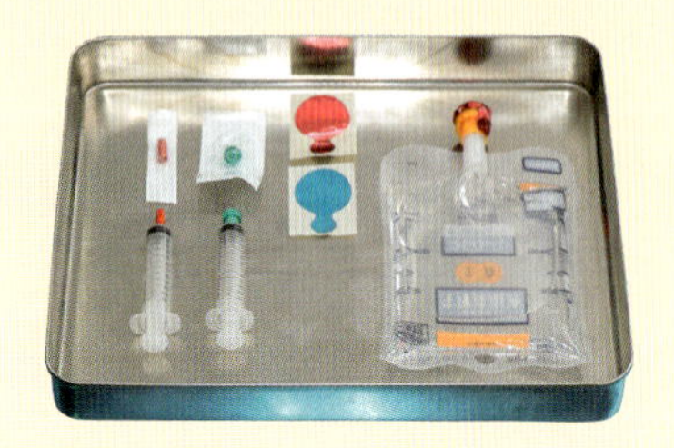

輸液ラインへの接続時

輸液ラインに抗がん薬を接続する際は、必ず手袋をする。目に飛沫が入ることを避けるため、目の高さより下で作業を行う。

万一、曝露した場合は

抗がん薬が皮膚などに触れた場合は、即座にペーパータオルなどで拭き取り、石けんで十分に洗う。
目に入った場合は、直ちに流水や生理食塩水で洗い流し、眼科を受診する。

抗がん薬取り扱い後は

抗がん薬を取り扱った後は、必ず、石けんでの手洗い・うがいを行う。白衣も1日単位で交換する。

投与後

密閉できる廃棄ボックスへ

使用後のボトルは、施設の規定に沿って、密閉できる廃棄ボックスに廃棄する。

嘔吐物・排泄物にも注意！

抗がん薬投与後の患者の嘔吐物・排泄物を取り扱う場合は、必ずスタンダードプリコーション（p320参照）を守り、対応する。

CHAPTER 12

4 チーム医療と安全管理

学習のねらい

看護は、看護師をはじめ、保健医療職の人たちとチームでケアに取り組むことが多い。その病院・病棟で決められている事項をマニュアルで確認すること、「報告・連絡・相談」をしながらケアを行うことが重要である。

マニュアル

マニュアルを確認し、患者の安全を守る

- 地震などの災害は、いつ起こるかわからない。病棟にあるマニュアルを確認し、災害時の指示系統、連絡ルート、避難ルート、患者の搬出方法について具体的に知っておくことが重要である。
- インシデント、アクシデントが発生した時の連絡ルートについても、事前に確認しておく。

報告・連絡・相談

「ホウ・レン・ソウ」が事故を未然に防ぐ

- チームで働くことが多い医療現場では、報告・連絡・相談は欠かせない。
- 報告内容にはバイタルサイン、実施したケア、患者の言動などが含まれる。連絡には、昼休憩で病棟を離れる報告などが含まれる。相談は、ケアで困っている時などに、教員・指導者に相談することが含まれる。
- 「こんな小さなこと」「報告しなくてもよいかも」と思うようなことでも、教員・指導者に報告・連絡・相談しておくと、適切なサポートが得られ、未然に事故を防ぐことにつながる。
- インシデント、アクシデントが起きた時には、当該者の身の安全を確保し謝罪したうえで、直ちに教員・指導者に報告・連絡・相談をする。患者が転倒した時などは、患者のそばを離れずにナースコールで助けを呼ぶことが重要になる。
- 学生自身が暴言・暴力・セクハラを受けた場合は、「不快であること」を相手に伝える。伝えられなかった場合も、我慢せずに、直ちに教員・指導者に報告・相談をする。
- インシデント、アクシデントの後、状況が落ち着いたら報告書を書き、状況・要因を教員とともに振り返る。報告書の目的は、インシデント、アクシデントがだれにでも起こりうるため、情報を共有し、安全なケアにつなげることにある。背景にどのような要因があるのかを考え、安全対策につなげることが重要である。

【参考文献】1）川島みどり監修（2007）．学生のためのヒヤリ・ハットに学ぶ看護技術．医学書院．

新訂版 写真でわかる
実習で使える看護技術アドバンス
学生・指導者が、一体となってケアを展開するために！

2020年2月28日　初版 第1刷発行
2021年4月10日　初版 第2刷発行

[編　著] 吉田みつ子・本庄恵子
[発行人] 赤土正幸
[発行所] 株式会社インターメディカ
〒102-0072　東京都千代田区飯田橋 2-14-2
TEL.03-3234-9559　FAX.03-3239-3066
URL　http://www.intermedica.co.jp
[印　刷] 図書印刷株式会社

[デザイン・DTP] 真野デザイン事務所

ISBN978-4-89996-415-5
定価はカバーに表示してあります。